齊白石全集

第十卷：詩文

齊白石

凡例

一　《齊白石全集》分雕刻、繪畫、篆刻、書法、詩文五部分，共十卷。

二　本卷為詩文部分，收入齊白石詩文作品約五十餘萬字。編為詩詞聯語、文鈔、題跋三類。

三　本卷對作品的體例及文字作了盡可能的規範處理。但為尊重原稿的基本面貌以及齊白石的語言用字習慣，原稿中的極為個別的生僻字、异體字、俗字和自造字仍按原稿書寫。原稿中同一人名在多處出現不同的諧音字名，未再統一。

四　本卷内容分為：(一)概述，(二)詩文作品，(三)年表。

目録

目録

第二輯　白石詩草二集(一九三三年自訂本)

篇一

篇二

篇三

篇五

篇六

第三輯　白石詩草續集(一九三三年以後之詩)

第四輯　白石詩草補編

第一編　一九〇二年以前之詩

(附)詞録

第三編 續補詩詞聯語

第二部分　齊白石文鈔

一、傳記 三種

二、墓志 五篇

三、紀念文章 七篇

四、序 十二篇

五、記 十三則

六、留言、講話 五種

七、書信 七十函

第三部分　齊白石題跋

年表

CONTENTS

CONTENTS

Section Two

Section Three

Section Four

Section Six

Section Seven

Section Eight

Book IV Poetic Grass of Baishi: An Addendum

Section One Poetry Before 1902 Edition with Annotations by Li Jinxi

Addendum: Ci – Verses

Section Three A Second Addendum of Shi – and Ci – Verses and Couplets Edition with Annotations by Wang Zhende

Part II A Collection of the Essays by Qi Baishi

V. Accounts 13 Entries

VI. Remarks and Speeches 5 Entries

VII. Letters 73

VIII. Journals 35 Entries

IX. Commentary Writings 500 - odd Remarks

X. Renumeration Regulations 10 Lists

XI. Announcements 16 Statements

Part III Prefatory and Postfatory Inscriptions of Qi Baishi

齊白石的詩文與題跋

齊白石的詩文與題跋

王振德

詩家齊白石

窮後能詩

齊白石是在近現代藝術史上集詩、文、書、畫、印為一體的大家。詩詞聯語、文章、題跋在他的藝術生涯和藝術總體中占有重要位置。但一般人祇了解作為書畫家和篆刻家的齊白石,不了解或不甚了解作為詩人和文人的齊白石。因此,盡可能全備地將收集、整理到的齊白石詩文題跋集為一卷出版行世,就顯得十分必要。

薈萃齊白石的詩文題跋,可以幫助讀者從文字與視覺圖像結合上參透齊白石書畫篆刻作品的底蘊,從而更為真切地步入齊白石精神境界,并理解齊白石在文化史上多方面的建樹和崇高地位。正像晋代王羲之,唐代貫休,宋代龔開,元代倪瓚、王冕,明代唐寅、徐渭,清代金冬心、鄭板橋等人一樣,齊白石不僅是光大書畫篆刻優秀傳統的偉大藝術家,而且也是近現代文化史上不可多得的文人和詩家。

一

本卷收入齊白石詩詞聯語二千一百七十餘首,計十八萬字。收入自傳、紀念文章、序跋、書信、日記、潤例、告白等文字六百八十餘條,計二十萬字。收入書畫篆刻題跋九百餘條,計十四萬字。加上適量的簡要注釋,大致在五十萬字左右。

齊白石一九五六年在選定作品集自序中寫道:"予少貧,為牧童及木工,一飽無時而酷好文藝,為之八十餘年。今將百歲矣,作畫凡數千幅,詩數千首,治印亦千餘。國内外競言齊白石畫,予不知其究何所取也。印與詩,則知之者稍稀,予不知知之者之為真知否,將以問天下後世……"齊白石表白自己為之奮鬥八十餘年的是"文藝",而不止於"畫藝"。在齊白石自己看來,他在"印與詩"方面的心力和造詣,是不遜於"畫"的,祇是世人"知之者稍稀"罷了。如果留意檢索齊白石的文字資料,便不難發現他不止一次地申述過這一思想:他對胡絜青説過"我的詩第一、印第二、字第三、畫第四。"對于非闇説過"自己刻印第一、詩詞第二、書法第三、繪畫第四。”對胡佩衡、胡橐父子說過“詩第一、治印第二、繪畫第三、寫字是第四。”齊白石多次對自己藝術的次序排列,不是信口無心,也不是用“書與畫”抬高其“詩與印”,而是發自肺腑,深思熟慮過的。否則,他何以會在垂暮之年自選作品時,那麽誠摯熱切地呼喚天下後世的“真知”? 事實也是如此,齊白石於一九〇四年便自拓“印譜”,恭請其師王湘綺賜序。又於一九一七年自訂“詩草”,邀請樊樊山賜教。兩者均早於其自選的“畫集”。其“借山吟館”也大大早於“白石畫屋”。由此可以窺測齊白石對自己兼擅藝術肯定的時間順序。樊樊山為齊白石《借山吟館詩草》作序時說:“凡此等待,看似尋常,皆從劌心鉥肝而生。意中有意,味外有味。斷非冠進賢冠,騎金絡馬,食中書省新煮餘頭者所能知。惟當與苦行頭陀在長明燈下讀,與空谷佳人在梅花下讀,與南宋前明諸遺老在西湖靈隱、昭慶諸寺中,相與尋摘而品定之,斯為雅稱耳。”其摯友王仲言題詞也說:“學到此翁真不易,微吟撚斷幾莖髭。”可謂說透了齊白石以詩言志傳情的初衷與甘苦。

借山吟館主者

白石草堂

二

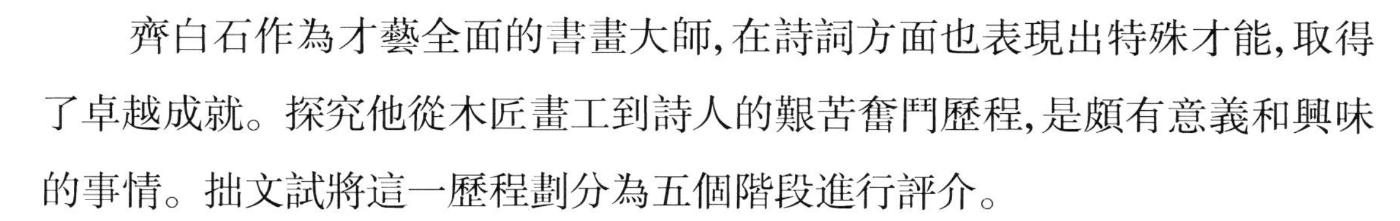

齊白石作為才藝全面的書畫大師,在詩詞方面也表現出特殊才能,取得了卓越成就。探究他從木匠畫工到詩人的艱苦奮鬥歷程,是頗有意義和興味的事情。拙文試將這一歷程劃分為五個階段進行評介。

第一階段可稱為初學階段。即從二十七歲拜胡沁園、陳少蕃等人為師,至三十七歲拜王湘綺為師以前,大抵從光緒十五年(一八八九年)至光緒二十五年(一八九九年)的十年間。白石幼年衹讀過半年村學,僅能讀《四言雜字》、《千家詩》之類的啟蒙讀物,由於生活逼迫,當了十幾年木工。胡沁園、陳少蕃等當地文人發現了他在雕工和繪畫方面的才能,才為他提供了學習詩畫的機會。如其《白石自狀略》所云:

> 年二十有七。慕胡沁園陳少蕃二先生爲一方風雅正人君子。事爲師。學詩畫。蕭薌陔文少可不辭百里。往教於星斗塘。從此畫山水人物都能。更能寫真於鄉里。能得酬金以供仰事俯蓄。

由此,齊白石漸次轉為畫畫營生,同時學習詩文,境況十分艱難。當時胡沁園鼓勵他:“蘇老泉,二十七,始發憤,讀書籍。你正當此年齡,就跟着陳老師開始讀書吧。”又說:“光會畫,不會做詩,總是美中不足。”[1]在老師激勵下,他刻苦讀書,其六十九歲時有《往事示兒輩》憶及當時學詩情景:

村書無角宿緣遲。廿七年華始有師。

燈盞無油何害事。自燒松火讀唐詩。

白天幹活養家糊口，夜晚燃松讀詩，一時難能記誦陳少蕃先生講過的詩作，便用同音熟字注明生字的音，強背硬記，很快將《唐詩三百首》熟讀成誦了，并開始作起詩來。這年三月，胡沁園在藕花吟館約集詩會同人，賞花賦詩。白石與會作咏牡丹七絕一首，得到了胡沁園及在場詩友的稱贊。王仲言《白石詩草跋》記道："山人天才穎悟，不學而能。一詩即成，同輩皆驚，以為不可及。"因為詩中末兩句"莫羡牡丹稱富貴，却輸梨桔有餘甘"，不僅筆路、立意清新，而且押十三覃的甘字韵，工穩而妥帖。齊白石與當時熱衷於功名的世家子弟不同，他讀書賦詩，一不為科舉求官，二不為附庸風雅，最初目的僅為題畫書款方便，這自然避開了通行的"試帖詩"之類程式的束縛，而直接步入抒寫情性、咏歌自然的境地。"讀完《唐詩三百首》之後，陳少蕃又給齊白石講詩詞組合，講《漁洋詩話》、《隨園詩話》，步步深入，以提高其作詩理論。他認為，像齊白石這樣的大齡學生，因其理解力强，開宗明義，可收事半功倍之效"。[②]光緒二十年(一八九四年)，三十二歲的齊白石加入了龍山詩社，并被推舉為社長，同地方文人王仲言、羅真吾、羅醒吾、陳茯根、譚子荃、胡立三合稱"龍山七子"。一八九五年又加入了黎松庵發起成立的羅山詩社，與地方文人交遊的範圍日益擴大，逐步從藝匠層次升入文人層次。白石質樸真誠，對比自己年齡略小的王仲言、黎松庵始終"以友兼師"事之，時常與他們聚會，熱情為他們畫詩箋、印信箋。每聚必砥礪人品，擘箋唱和，分韵鬥詩，刻燭聯吟。在充滿友愛儒雅的人文氛圍中，齊白石很快掌握了講究押韵、對仗、用典等要領的格律詩作法，并創製了大量詩作。

一九二九年齊白石與黎松庵

龍山社長

第二階段是詩文書畫篆刻齊頭并進階段。即從三十七歲(一八九九年)拜王湘綺為師至光緒甲辰(一九〇四年)"五出五歸"以前。王湘綺作為一代名儒晚年安居湘潭故里，以學富識廣，精擅辭章，提携人才聞名遐邇。他初見齊白石及其詩文書畫便預言"又是一個寄禪黄先生。"寄禪和尚，即釋敬安，俗姓黄，湘潭人。少年寒苦，為人牧牛。後出家修煉，成為近代高僧，首任中華佛教總會會長，有《八指頭陀詩集》正續十八集等多種著述傳世。王湘綺將齊白石與八指頭陀相提并論，足見其識見過人。但又指出"齊璜拜門，以文詩為贄。文尚成章，詩則薛蟠體"(《湘綺樓日記》光緒二十五年十月十八日)。這一激勵，使齊白石認識到"自己學問太淺"，增强了發憤讀書的緊迫感。在接受王湘綺"作詩必先學五言"思路之後，將閱讀詩文的範圍擴及漢魏六朝，寫了許多五言古詩和絶句。壬寅(一九〇二年)之後,在詩朋文友夏午詒、郭葆生、汪頌年等人盛情邀請下,齊白石多次漫遊南北各地,頗得江山之助。且受到擅作律詩絶句的詩人樊樊山、夏午詒等人的影響和鼓勵,廣泛誦讀唐宋名家詩詞,寫了大量七言律詩和絶句,與其書畫篆刻結合起來,成為飲譽一方的地方名家。如龍龔《齊白石傳略》所説:"作詩就不同些,'如渴不能離飲,饑不能離食',他首先用功研讀唐宋名家作品,特别是杜甫、蘇軾、陸游和辛弃疾的作品,《杜詩鏡銓》和《劍南詩稿》是行坐必隨的書。同時,因為遠遊和年齡的增長,擴大了詩境,增多了見地,自己又苦苦思索,用意删改,所以表現在全部《借山吟館詩草》和《白石詩草》卷一中的很多詩篇,在繼承傳統和表達思想、發抒情感等多方面,都有自己特殊的見解,深邃的功力和獨創的風格。"③

第三階段是造館勤學苦吟階段。即從甲辰(一九〇四年)"南昌聯句"之事至丁巳(一九一七年)湘中兵亂以前。甲辰七夕,王湘綺招集齊白石等門人飲酒聯詩,首唱"地靈勝江匯,星聚及秋期。"門人面面相覷,都没能聯上。此事對齊白石刺激極深,使他意識到"做詩這一門,倘不多讀點書,打好根基,實在不是容易的事"。④於是,他毅然焚毁昔日率意詩作,更加認真對待詩文之事。《白石詩草》自序中寫道:"五出五歸,行半天下,遊興盡矣。乃造借山吟館於南山下,藉補少小時曠廢之功。青燈玉案,味似兒時,晝夜讀書,刻不離手。"《借山吟館詩草》自記説自己"四十至五十多感傷,故喜放翁詩,所作之詩,感傷而已,雖嬉笑怒駡,幸未傷風雅。"白石此刻,既行萬里路,又讀萬卷書,見聞廣博,感傷為詩,苦吟甚勤,往往一字未妥,删改再三。所作律詩、絶句,從意象與格律上均已相當成熟。故這一時期的詩詞頗受樊樊山、易實甫等詩家盛贊。他手書自訂成册寄給王湘綺、樊樊山的詩詞即是這一時期的作品。

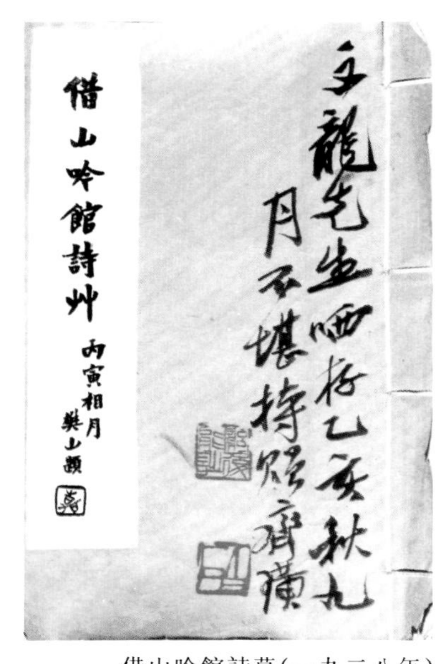

借山吟館詩草(一九二八年)

第四階段是自抒胸臆階段,也是删定舊稿、結集出版階段。大致從丁巳(一九一七年)避亂至癸酉(一九三三年)古稀以前。齊白石在借山吟館讀書吟詩的八九年間(從己酉至丁巳),衡湘安定,鄉居清適,是他遂心如願攻讀時期,"十年得一千二百餘首"。不料其詩作於"丙辰(一九一六年)秋為人竊去"。經朋友幫助,僅收集到四百二十餘首,遂親手鈔為四本。一九一六年寄王湘綺兩本,以求删改,不幸湘綺師病故,詩稿隨之失落。另兩本於一九一七年呈請樊樊山删改,樊樊山回贈一序一詩,贊揚齊白石"遠在花之寺僧之上,真壽門嫡派也。"事隔十年,直到戊辰(一九二八年),這部載詩百餘首的《借山吟館詩草》才以影印本行世。五年之後,即癸酉古稀之年,齊白石面對國難當頭,親人難能相見的苦痛現實,慨嘆"豈知草間偷活。不獨家山。萬方一概。吾道何之。詩興從此挫矣"。⑤故將丁巳(一九一七年)離鄉赴京定居前後之詩,總計八百餘首。先請樊樊山删改,將"其句有牢騷者、或未平正者痛删之。"又

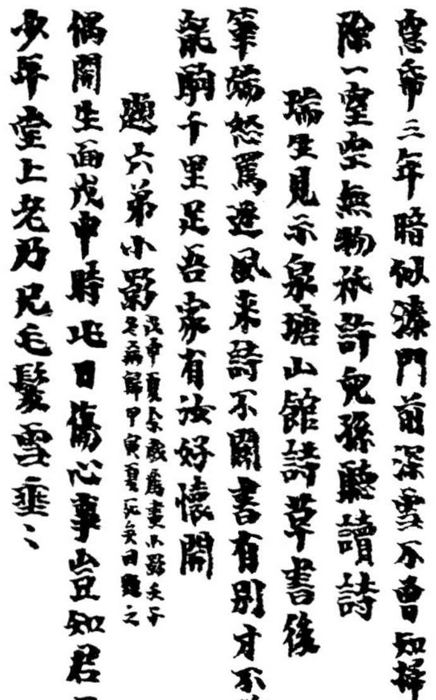

借山吟館詩草內頁

請王仲言删修，將“其句雖淡雅而詩境未高者，或字樣奇險者，又删之。”再請黎錦熙校正鈔詩者之錯誤，復從樊、王删弃之詩中選回百餘首。復經張次溪遍請著名詩家王仲言、趙元禮、吴北江、宗子威、楊雲史、黎松庵、王蟫齋、汪衮甫、齊秋萱、李釋堪、張篁溪等人題詞，印為八卷。因在戊辰《借山吟館詩草》之後，遂稱《白石詩草二集》。内容如其自序中所説：“枕上愁餘，或作絶句數首，覺憂憤之氣一時都從舌端涌出矣。平時題畫亦多類斯，故集中所存，大半直抒胸臆，何暇下筆千言，苦心錘煉，翻書搜典，學作獺祭魚也。”此時齊白石已不再受古體詩的限制和束縛，也很少套用典故。全以情意為主，常以白話或方言入詩，確實到達隨心所欲的境地了。如其自題詩所云：“樵歌何用苦尋思，昔者猶兼白話詞。滿地草間偷活日，多愁兩字即為詩。”

第五階段是無意為詩、信筆由之的階段。即癸酉(一九三三年)之後，直至丁酉(一九五七年)病逝以前。齊白石古稀之年有感於國難家愁，“詩興從此挫矣”，也因年邁體衰，且忙於書畫，很難有精力作詩為文了。但并未停止創作，往往為了題畫而無意為詩為詞，其中許多信筆揮灑的詩詞仍不乏上乘傳世之作。

對於齊白石詩詞的風格氣象，樊樊山在丁巳(一九一七年)序《借山吟館詩草》時寫道：“冬心自叙其詩云：所好常在玉溪、天隨之間。不玉溪、不天隨，即玉溪、即天隨。又曰：儻僧隱流鉢單瓢笠之往還，復饒苦硬清峭之思。今欲序瀕生之詩，亦卒無以易此言也。”由此可知，在樊樊山眼裏，齊白石與金冬心的詩詞皆是“苦硬清峭之思”，在風格氣象上别無二致。對此，齊白石并不認可，他在讀《冬心先生集》後，這樣表白自己：“與公真是馬牛風，人道萍翁正學公。始識隨園非偽語，小倉長慶偶相同。”在這裏，齊白石不否認自己有些詩作與金冬心偶然相近，但總體看來是風馬牛不相及的。應該説，齊白石無論在書法或詩文方面一度學過金冬心，也受過唐人李商隱(玉溪生)、陸龜蒙(天隨子)的影響，題材均涉及感時、抒懷、言情、贈答、行旅、田園、咏物諸方面。但由於人生經歷不同，齊白石的詩文并不婉曲隱晦，也不全是“苦硬清峭”，而是直抒情性，好惡明快，達觀詼諧，充滿了空前濃鬱的農家泥土氣息和蔬笋芳馨。他曾説過在五十歲前後“喜觀宋人詩，愛其清朗閑淡，性所近也。”這在一定程度上透露了構成其詩風的一個因素。如果深究細察，齊白石從二十七歲以後，一直讀書不輟、吟詩不輟、揮毫不輟。即使到了耄耋高齡，依然是半日書畫，半日讀書，其汲取的範圍是極其寬泛的。就其身邊師友而言，從陳少蕃、王仲言等人清新工整的律詩絶句，到王湘綺饒具漢魏六朝風韵的古詩聯語；從樊樊山晚唐詩派的長篇歌行與七言律絶，到易實甫詩作的恣肆清艷；從陳師曾新穎舒朗的題畫詩到林琴南古雅詼諧的詩文，齊白石均有自覺或不自

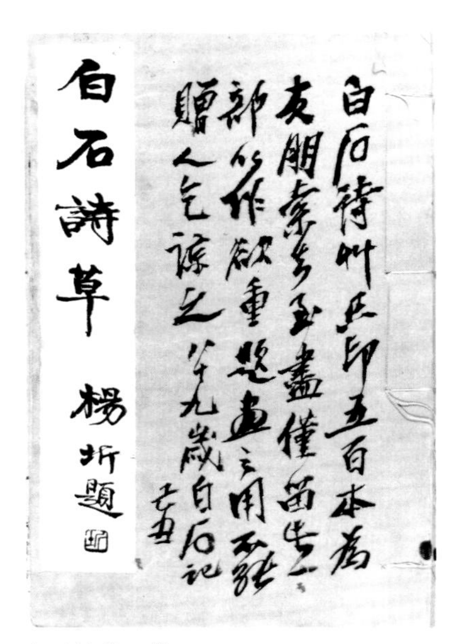

白石詩草二集

自序

前清光緒壬寅予年四十友人相招始遠游至宣統己酉五出五歸行半天下游興盡矣乃造借山吟館於南嶽山下藉補少小時曠廢之功青鐙玉案味似兒時晝夜讀書刻不離手如渴不離飲饑不離食民國丁巳湘中軍亂草木疑兵復游京華以避其亂是冬兵退乃復歸來明年戊午民亂較兵尤甚四圍煙氛無路逃竄幸有戚人居邑之紫荆山下其地稍僻招予分居然風聲鶴唳魂夢時驚遂吞聲草莽之中夜宿於露草之上朝餐於蒼松之陰時值炎夏浹背汗流綠蟻蒼蠅共食野狐穴鼠爲鄰殆及一年骨如柴瘦所稍勝於枯柴者尚多兩目而能四顧目睛瑩瑩然而能動也越己未亂風稍息仍竄京華臨行時家人外爲予垂淚者尚有春雨棃花過黃河時乃幻想曰安得手有嬴氏趕山鞭將一家草木過此橋耶及至都門重居法源寺僧舍以賣畫刻印爲活計朝則握筆把刀日不暇

白石詩草二集　自序　一

給惟夜不安眠百感交集誰使垂暮之年 父母妻子別離戚友不得相見枕上愁餘或作絕句數首覺憂憤之氣一時都從舌端涌出矣平時題畫亦多類斯故集中所存大半直抒胸臆何暇下筆千言苦心錘鍊翻書搜典學作獺祭魚也庚午國難幾欲遷移豈知草間偷活不獨家山萬方一概吾道何之詩興從此挫矣然結習難除復將丁巳前後之詩付之鋟木非矜風雅不過同寒鳥哀蛩亦各自鳴其所不容已云爾

癸酉買鐙日時居舊京西城鬼門關外

白石詩草二集自序

覺的吸收。就其學習古人而言,更是林林總總,不可執一而論。從晋陶淵明的坦蕩閑静,唐杜甫的沉鬱頓挫,白居易的平易自然,杜牧的俊爽流美,李商隱的情致深藴,宋蘇東坡的豪邁疏放,陸放翁的慷慨曠達,明徐青藤的任情使性,直至朱晦庵、陳白陽、瞿佑、袁隨園、龔自珍等人的詩文,均有挹取和運用。特别是古代質樸通俗的詩作,從詩經、樂府到唐代"梵志體"、"打油詩",宋代朱希真運用口頭語的《樵歌》到金冬心的懷人絶句,鄭板橋的道情、家書、題畫詩,乃至胡大川的幻想詩等等,都能兼收并蓄,融會變通。如金冬心《懷人絶句》有"不畏早朝待宫漏,尺三汗脚滿靴霜"的詩句。齊白石則有"鄰翁笑道齊家懶,洗脚上床夕照紅"和"不見昔賢為宦後,舊靴脚上底全無"的詩句。二者神韵相通近似之處不待言喻。當然,古人對齊白石的影響也不能一概而論。相比之下,杜甫、白居易、蘇東坡、陸放翁、朱希真、金冬心、鄭板橋的影響更大一些。可見,齊白石詩文是綜合百家,含英咀華,獨闢門户的。其詩文獨具坦蕩、深摯、親切、詼諧、自然的風格。正如齊白石在自傳中所説:"我的詩,寫我心裏想説的話。本不求工,更無意學唐學宋。駡我的人固然很多,誇我的人却也不少。從來毁譽是非,并時難下定論。等到百年以後,評好評壞,也許有個公道。"齊白石還説:"余四十以前之詩,樊樊山、易實甫稱譽之。五十以後,皆口頭語,不為詩也。"他曾將五十歲以前苦吟而成的詩稿付之一炬,并賦《焚稿》一詩:"舊稿全焚君可知,饑蠶哪有上機絲。苦心豈博時人笑,識字無多要作詩。"十分清楚,齊白石要保留的是頗受毁譽的"口頭語"式的"不為詩"之詩,是直抒真情實感的生命之作。這些詩閃爍着齊白石的個性特質,反映了齊白石詩文的主體面貌。其摯友王仲言於壬申年(一九三二年)跋其詩集時説他的詩"有東坡、放翁之曠達,無義山、長吉之苦吟。人之度量相越,真不可以道里計也。""山人少日之詩,隨手弃去,今之存者,半皆晚年所作。裒而集之,尚有數卷。尺幅雖小,具有壯觀。卷中思親念舊之外,題畫之作獨多。然皆生面别開,自抒懷抱,不僅為蟲魚花鳥繪影繪聲而已。""詩亦酷肖其人,有不可一世之概。雖零篇斷句,其氣亦如長虹。""謂如孤雲野鶴,對之令人塵氛輒掃。"

齊白石接受了其師王湘綺"詩文為中華之魂魄"的觀念,始終以自己真誠的魂魄為詩為文,不搞無聊的虚僞之作。其詩文多為題畫詩文,常常是先有詩情而後升華為畫意。對社會人生的詩意感受是他書畫篆刻創作的基礎。他總是詩文成而後書畫篆刻成,情趣到而後筆墨刀味到。可以説,齊白石在繪畫上"衰年變法"的成功,在很大程度上得利於他詩文的先期成功。否則就難能産生那麽多意味深長、内藴豐厚的繪作。徑言之,齊白石的藝術是最徹底的詩化藝術。齊白石藝術大厦是憑靠自成體性的詩文來支撑着的。這種中華藝術的獨特現象曾在徐青藤、金冬心、鄭板橋等人身上有過充分體現,而

偶吟

齊白石則以超凡才情將其詩化藝術推入農夫民衆的心窩深處。應該説，齊白石一生都是以“草木衆人”、“尋常百姓”自居的，他創構的藝術世界充滿了農家的善良和純真，充滿了蔬笋氣息和鄉土芳香。其作品題材也多是農家日常勞動生活和親近的鄉間風物，處處閃爍着樸素健康的色彩。直至晚年，他那熱戀鄉土的童心依然跳躍在詩畫創作之中，常常令觀者激動之餘喟嘆不已。他在與胡仙逋通信中表明自己情感“與尋常百姓共之”。在其世界和平理事會授獎儀式上答詞中也説：“正由於愛我的家鄉，愛我的祖國美麗富饒的山河大地，愛大地上的一切活生生的生命，因而花了我的畢生精力，把一個普通中國人的感情畫在畫裏，寫在詩裏。”齊白石一生寫詩不下三千首，其中多為七言絶句。七言律詩、五言絶句、五言律詩、五言古詩次之。其七絶的質量和數量在中國詩歌發展史上是少見的。在其對格律詩駕輕就熟之後，很快轉到了不受聲韵對仗限制的隨心所欲境界，如他在四十六歲畫荷題跋中所説：“客論畫荷花法，枝幹欲直欲挺，花瓣欲緊欲密。余答曰：此語譬之詩家屬對，紅必對緑，花必對草，工則工矣，未免小家習氣。”事實也正是如此，齊詩動人之處多在於詩化的情趣意味和質樸真切的感受。這曾使許多詩藝嫻熟而情感平庸的詩家自愧弗如。也曾使一些自命清高而漠視民衆的文士為之動容却徒唤奈何。也許這就是齊白石“自詡能詩”和“自謂詩優於畫”的根本原因。

就齊詩的用場而言，用於題畫占了絶大部分。其題畫詩多愈千首，數量之巨，似為古今中外之首屈。有些題畫詩在白石一生中使用多次，反復推敲，反復改動，所下功夫極深，宛若瑩白的玉石，熿熿地閃爍光彩。老人雖胸横古人，心裝天下，但得詩并不容易，而適用於題畫尤難。因為詩通畫境，畫中生詩。畫意詩心融為一體，才能進入題畫詩的境界。其中三昧，如老人詩中所云：“隻字得來也苦辛，斷非權貴所能知。”

齊白石的詩詞聯語，作為本卷第一部分，共分四輯。第一輯取自戊辰(一九二八年)本《借山吟館詩草》，録詩一百二十首。第二輯取自癸酉(一九三三年)本《白石詩草二集》，分八册，録詩七百五十四首。這二輯均出自齊白石生前手訂本，曾經樊樊山、王仲言、黎錦熙校改删定。一九五七年黎錦熙為慎重出版，又請葉恭綽做過進一步核訂。一九六二年，齊白石後人齊良遲、齊良已及齊佛來又搜集到兩輯以外的遺稿，由黎錦熙整理為《白石詩草續集》，録一九〇二年以前即其四十歲以前詩篇二百零五首，作為第三輯。又將其自訂兩輯詩集未録之詩一百零九首和直到一九五七年逝世前的佚詩八百四十九首，編為《白石詩草補編》，分第一編和第二編，作為第四輯。應該深切感念黎錦熙先生，是他第一次將齊白石生平詩詞以整體結集的面貌公諸社會。其結集本收録詩詞多達二千零三十七首。其按語至精至簡，足令後人嘆服。本卷高

黎錦熙(一八九〇年—一九七八年)

度珍視黎錦熙的結集成果，僅對個別差誤予以校正(如添補疏漏的詩題，改正印刷中的錯別字等)，同時以"又按"形式加了少量補注，基本一仍其舊。此卷新增録詩詞聯語計一百三十三首，使齊白石結集詩詞聯語總數達到了二千一百七十餘首。在標點、注釋方面依然用黎錦熙結集時使用的圈點式與按語式，以保持詩詞部分在整理上的和諧一致。

三

齊白石言及自己藝術時，多談詩、書、畫、印，極少論到其文。他的親友與研究者，也頗少言及之。一九六三年人民美術出版社出版的《齊白石作品集》包括了繪畫、篆刻、書法與詩詞，其中詩詞卷係黎錦熙所編，亦未涉及白石歷年所寫的文章。這并非一時的疏忽，乃出於一種習慣性的看法——即覺得齊白石的成就，主要不在文這一方面。至於齊白石自己，則更没有做過當文章家的美夢。他甚至認為文章寫好了，就不必再像自己這樣揮灑彩墨了。如他為文學家、翻譯家林紓題畫時寫道："如君才氣可横行，百種千篇負盛名。天與著書好身手，不知何苦向丹青"。⑥

白石言事

然而，如果要全面了解齊白石的藝術及人，就非得讀他的文章不可。因為他無意為文之文，寫得實在太有特色、太能打動人心了。從美術史的角度言之，這些文章不僅是齊白石藝術的重要組成部分，而且有其不可替代的價值和意義。

一九三二年齊白石與張次溪

齊白石文章，本卷收入傳記(三種)、墓志(五篇)、紀念文章(七篇)、序(十二篇)、記(十三則)、講話及留言(五種)、書信(七十三函)、日記(三十七條)、批語(五百餘則)、潤格(十種)、告白(十六條)，總計六百八十餘條，計二十餘萬字。雖不能説"全"，也算得上齊文的總匯了。這些文字言之有物，有感而發，應用而為。從無空洞虚華之詞，總是掏心剖膽、感慨成篇，多以素樸的文筆寫素樸的心意。因此，他的自傳平實親切、意味悠長；他的祭文細膩深婉、情真意切；他的序跋記叙精闢、寄寓綿長；他的書信傾訴衷腸、言簡意豐；他的潤例開門見山、大方磊落；他的告白簡明扼要、干脆利落……其中祭悼或憶念親友的文字最能感人，以口頭語、心裏話述家常事、眼前景，一往情深，使讀者感同親受，身心為摧。

白石老人自述(齊白石口述張次溪筆録)

應該説，齊白石二十七歲從師胡沁園、陳少蕃以前，文字基礎薄弱，没有寫文章的條件。從師後，才從陳少蕃那裏學《孟子》，繼而學唐宋八家的古文。後來又在陳少蕃指導下，利用閑暇讀了《紅樓夢》、《西厢記》、《聊齋志异》等許多古典名著。好友王仲言、黎松庵等人也都把家中藏書借給他讀，幫助他提高文化修養。《齊璜生平略自述》云:"從胡沁園、蕭薌陔遊,能寫算,猶不能與人通書簡。"這時候,好友黎雨民幫助了他。"客南泉,黎雨民贈箋紙十匣與予,隔壁通函,予不得已,每强答,如是數月,能老實成文"。[7]黎雨民,名丹,清黎文肅公培敬的長孫。是他强迫齊白石學寫了數月書信,白石才"老實成文"。這"隔壁通函"的故事生動感人,足見師友們對白石學文的關注和熱誠。在如此情況下,白石學會了寫信作文章。

從二十七歲到三十七歲十年間,齊白石作畫寫詩練書法攻篆刻的同時,也應時即興地作了一些文章。一八九九年,三十七歲齊白石拜師王湘綺時,特意拿了他"做的詩文、寫的字、畫的畫、刻的印章"以請教正。王湘綺稱贊了他的畫與印,説他的文"倒還像個樣子,詩却成了《紅樓夢》裏呆霸王薛蟠的一體了"。[8]王湘綺的評論激勵了白石學寫詩文的志氣,使白石更加勤奮地讀寫。王湘綺經學治《詩》、《禮》、《春秋》,宗法公羊。詩文在形式上主張模擬漢魏六朝,在内容上提倡"經世致用",是晚清文壇擬古派的宗主。齊白石接受了他"經世致用"的思想,文章開始注意到記述、議論與抒情的結合,文章走向抑揚有致、深婉自然。四十餘年後,為齊白石編寫年譜的胡適對王湘綺的評論大不為然,且痛加譏諷。其實,王湘綺評論的是齊白石三十七歲的詩文,胡適所盛贊的却主要是白石四十歲以後的詩文,胡適不免失於明察。在齊白石成長過程中,王湘綺的提携與指教,是至關重要的。

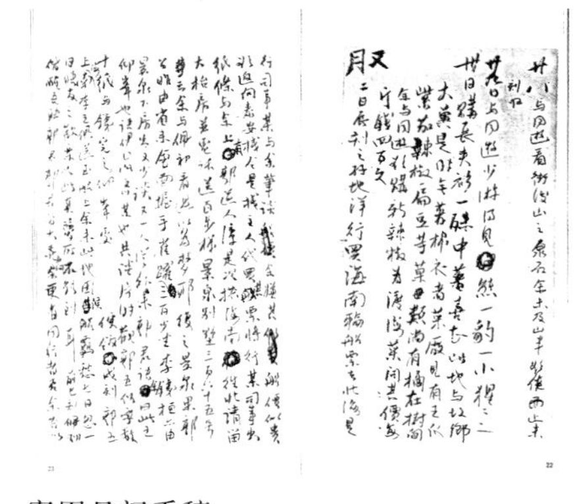
寄園日記手稿

從一九〇九年至一九一八年是齊白石"五出五歸,身行半天下"後造室讀書時期。《白石老人自傳》述及這段生活時説:"我這幾年,路雖走了不少,書却讀得不多。回家以後,自覺書底子太差,天天讀些古文詩詞,想從根基方面,用點苦功。"龍龔也記述説,白石在這十年中詩文書畫各方面"作了充分的自我進修",其中"文學方面,散文的寫作,用字造句,都是説自己的話,不搭大架子,也不避俚言俗語"。[9]從所見這時期的文章可知,齊白石在作文創意、修辭、鋪墊、音韵、節奏諸方面,都下了許多功夫,寫作水準有了空前的提高,形成了齊文深摯、自然、精煉、雋永的藝術風格。將此前所作的《借山館記》(一九〇四年)、《大匠墓志》(一九〇六年)、《寄園日記》等文章,與此時期所作的《門人馬傳輝七月家奠,余亦祭之》(一九一一年)、《祭次男子仁文》(一九一三年)相較,便可清晰地看出這種帶有飛躍性的變化。此後,由於父母親人的辭世、社會交際的頻繁、創作書畫的急需,迫使齊白石寫作了許多文章。文筆更為活脱深刻,成為研究其思想發展和藝術創作生涯的不可或缺的部分。

評論齊白石的文章,首先應從内容入手。齊白石是位十分注重情感的人。人有滴水之恩,便思涌泉為報。他敬長輩、尊師長、愛親友、戀妻兒,均達到無以復加的程度。每一位朋友的幫助,他都永世銘刻心頭。每一段友情生活,他都憶念回味不已。每位長輩或親人故去,都令他悲慟哀悼、痛不欲生。他的真誠愛心是貫穿其一生的。準確地説,齊白石的文章不是為了"文藝",而是一種生命和情感的需要。正唯如此,齊文以紀念性文章最有代表性,也最為動人心魄。曾使胡適深受感動的《祭次男子仁文》,便是典型的一例。

……仁兒年六歲,其兄十二歲,相携砍柴於洞口。柴把末大如碗,貧人願子以勤,心竊喜之。夏。命以稻棚於塘頭守蓮,一日吾入自外,於窗外獨立,不見吾兒,往視之,棚小不及身,薄且篩日,吾兒仰卧地上,身著短破衣,汗透欲流,四傍野草爲日灼枯,余呼之曰:子仁! 睡耶? 兒驚坐起,抹眼視吾,泪盈盈,氣喘且咳,似恐加責。是時吾之不慈尚未覺也。……八年之間,吾嘗遊桂林及廣州。吾出,則有吾兒省祖理家,竹木無害。吾歸,造寄萍堂,修八硯樓,春耕小園,冬暖圍爐,牧豕呼牛,以及飯豆芋魁,摘蔬挑笋,種樹養魚,庋書理印,琢石磨刀,無事不呼吾兒,此吾平生樂事也。兒事父母能盡孝道,於兄弟以和讓,於妻女以仁愛,於親友以義誠,閑静少言,不思事人,夜不客宿,絶無所嗜。年來吾歸,嘗得侍側,故能刻印。……世變日丞,無奈何,九月初六日忍令兒輩分爨。十一月初一日吾兒病作,初八日死矣! 越二十六日將葬杏子樹三角園,痛哉。初三之日坐吾厨下,手携火籠,足曳破布鞋,松柴小火,與母語,尚愁其貧,不意人隨烟散,悲痛之極,任足所之。幽樓虚堂,不見兒坐;撫棺號呼,不聞兒應。兒未病,芙蓉花殘,兒已死,殘紅猶在。痛哉心傷! 膝下依依二十年,一藥非良,至於如此! 汝父母未死,將何以至之也?……

胡適在《齊白石年譜序》中幾乎全文摘引,并寫道:"樸實的真美最有力量,最能感動人。""他没有受過中國文人學做文章的訓練,他没有做過八股文,也没有做過古文駢文,所以他的散文記事,用的字,造的句,往往是舊式古文駢文的作者不敢做或不能做的!"胡適似為倡導白話文而借此貶抑古人的,其實大無必要。但齊文中具備的"樸實的真美"與真情,却被他一語道破。

此外,齊白石文章作為藝術品,也確有卓越超群之處。齊文精於以極減省的筆墨勾勒出人物完整的精神面貌,使之呼之欲出。如對其母親周太君的介紹:

太君,湘潭周雨若女。年十七,歸同邑齊貫政。……於歸日撿

> 箱，太君有愧容。姑曰：好女不着嫁時衣。太君微笑之。三日即躬井臼，入厨炊爨。田家供竈，常燒稻草。草中有未盡之穀粒，太君愛惜，以搗衣椎椎之，一日可得穀約一合，聚少成多，能换棉花。家園有麻，春紡夏織，不歇機聲，機織成，必先奉翁姑，餘則夫婦自著。年餘，布衣盈箱，翁姑喜之。敬順翁姑有禮。（《齊璜母親周太君身世》一九二六年）

寥寥百餘字。便將善良、純樸、勤勞、孝敬翁姑的周太君和盤托出，寫得血肉俱生，形神畢見。若無蒲松齡手段，勾勒人物何能至此。

齊文極善於描述人物的細節故事，抓住最富感染力的片段，突現人物的生命豐采。如寫與妻弟陳春華初次見面認識的情景：

> 君隨阿姊於歸時，年齡俱幼。余年十二，君年九歲。初相見，亦能效新姻之客氣，各自能作羞人態度。越明日，漸與之語。再明日，相與嬉戲於中堂。堂上從前有龕，立家神，置金磬，君躍舞使磬落地，疾轉如輪，君追而持之於掌上，以指敲之，錚錚然，且大笑曰：無妨無妨，尚未破也。相歡逾月。（《祭妻弟陳春華文》一九一八年）

追思一段往事細部，即將兩個兒童初見時裝羞與相識後的頑皮活現紙上，令人忍俊不禁，神隨文往。

又如寫祖父萬秉公："暮年弄孫自樂。嘗天寒圍爐，純芝已六歲，公猶以羊裘襟裹於懷，夜則以爐鉗畫灰，朝則以指頭畫膝，教之識字。復從村塾於楓林亭，去家二里，或天行雷雨，公左手提飯籮，右執雨傘，負雛往返，沿路泥濘，口誦論語，教和其聲，如是者經年。"[10]僅僅九十一字，便把祖父愛孫教孫的樂趣盡寫無遺，字裏行間流淌着祖父對齊璜的深愛和厚望，足能引發天下有爺之孫的共鳴與懷思。再如寫陳夫人也是如此："二十歲時，長女菊如再孕。一日無柴為炊，手把厨刀，於星斗塘老屋後山右自砍松枝。時孕將産生，身重難於上山，兼以手行，以及提桶汲井，携鋤種蔬，辛酸歷盡。饑時飲水，不使娘家得聞。有鄰婦勸其求去，吾妻笑曰：命祗如斯，不必為我妄想，有家財者不要有夫之妻。"[11]這種真真切切的典型事例，足以動人心弦。寫來字重千鈞，如泣如訴，筆墨全從心血中流出。

齊文往往抓住幾句令人深長思之的話語，就可以活現人物的精魄。如《齊璜生平略自述》中對祖母的憶念：

一日，祖母使予與二弟純松各佩一鈴，言曰：汝兄弟日夕未歸，吾則倚門而望，聞鈴聲漸近，知汝歸矣，吾始安心爲晚炊也。予聞此數語，當即流泪。是時，予年雖小，覺讀書有味，牛放於楓林亭外，仍就外祖父點論語下卷，坐亭間讀之。如手欲拾薪，將書挂牛角，歸則寫字。一日，祖母正色曰：汝衹管讀書寫字，生來時走錯了人家。諺云：三日風，四日雨，哪見文章鍋裏煮？明朝無米，吾兒奈何！

長年被饑寒煎熬的祖母忍痛令孫兒放弃讀書，對於聞鈴始炊、愛孫如命的老人家情何以堪！心何能安！言猶在耳，景猶在目。較之明代歸有光《項脊軒志》叙述的那位關注"兒寒乎？欲暖乎？"的祖母，此處更覺酸楚凄苦，亦更能揪人心肝腸肚。

齊文的點睛之術也是令人叫絶的：

明年戊午，民亂較兵尤甚，四圍烟氛，無路逃竄。幸有戚人居邑之紫荆山下，其地稍僻，招予分居。然風聲鶴唳，魂夢時驚，遂呑聲草莽之中，夜宿於露草之上，朝餐於蒼松之陰，時值炎夏，浹背汗流，緑蟻蒼蠅共食，野狐穴鼠爲鄰，殆及一年，骨如柴瘦，所稍勝於枯柴者，尚多兩目而能四顧，目睛瑩瑩然而能動也。（《白石詩草二集》自序，一九三三年）

寫活了一雙尚能四顧的眼睛，便把避亂難民的困境渲染得淋灕盡致。這點睛傳神之筆，令人讀後難忘。

在寫景抒情上，齊白石也是高手。不妨摘引《與黎大培鑾書》一段讀之：

……璜自遊廣州歸，幾擬進謁，因以事牽未果，愧甚。一日獨坐，回憶二十年前與公頻相晤，時蜕園雲溪多同在座，聚必爲十日飲。或造花箋，或摹金石，興之所至，則作畫數十幅。日將夕，與二三子遊於杉溪之上，仰觀羅山蒼翠，幽鳥歸巢；俯瞰溪水澄清，見蟛蜞横行自若。少焉，月出於竹嶼之外，歸坐誦芳樓促坐清談，璜不工於詩，頗能道詩中三昧，有時公或弄笛，璜亦姑妄和之。月已西斜，尚不欲眠，當是時，人竊笑其狂怪，璜不以爲意焉……

叙事、寫景、抒情熔於一爐。精於遣詞煉句却又自然從容，無斧鑿之痕，其瀟灑如行雲流水，讓人想起蘇東坡的前後《赤壁賦》及柳宗元的《永州八記》。

寫自己的經歷與感受,但又講究文采聲韵,能如此,除了天資之外,没有對傳統散文的苦讀與體味,是絶難辦到的。在長期與文朋詩友的交往中,齊白石受到了王湘綺深婉有致文風的啟示,受到了王仲言敦實謙易文風的熏染,受到了樊樊山情味濃鬱文風的陶冶,受到了林畏廬詼諧清婉文風的影響。在飽讀古人文章的過程中,他一度傾心於桐城派的清順徐婉,對漢代賈誼、晋代陶潛、唐宋時期的柳宗元和蘇東坡,直至金冬心、鄭板橋、袁隨園、歸有光等人的文章都有涉獵或汲取,故能使文章樸實簡潔、文質統一,每以一二細事敘之,即令讀者欲涕。

四

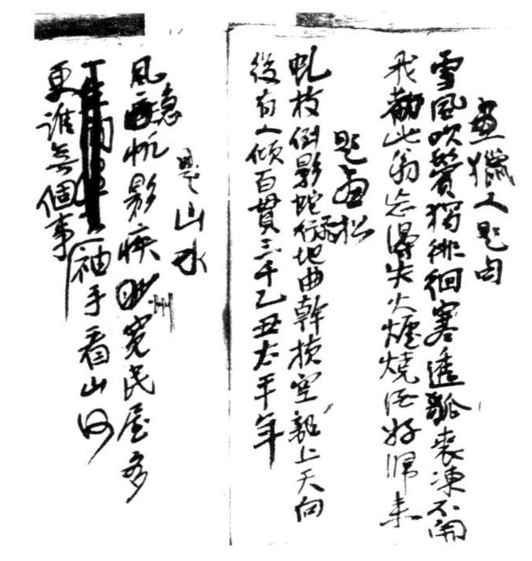

書畫題跋手稿之一

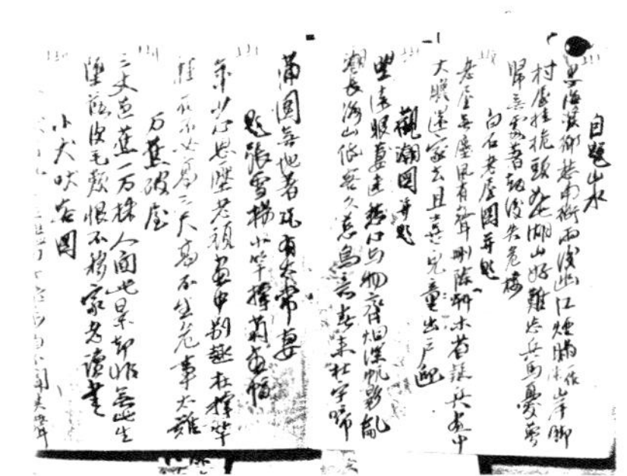

書畫題跋手稿之二

齊白石的書畫題跋是本卷第三部分。這些題跋,非文即詩,貫穿了齊白石書畫藝術生涯的一生,其風格與其詩詞、文章大體是一致的。齊白石喜作并善作畫題,有時一畫兩題、三題或數題,題款的位置在書畫作品中變幻無窮,稱得上集古代題款藝術之大成。而且養成了題跋書畫、篆刻、簡册的習慣。有時為滿足親友或買主的要求,常常是多次題跋同樣或近似題材的作品,造成一些題跋大同小异。這裏按年代選録了九百餘條有代表性的題跋,并加以扼要注釋。同時也選録極少量近似題跋文字,供讀者進行比較和分析。這些題跋絶大多數屬於齊白石本人創作,也有一些是借用他人詩文題識的。從其大量題跋中,可以清楚地看到齊白石作畫時的喜怒哀樂和酸甜苦辣,可以清晰地聽到齊白石的人生感慨和獨特見解,可以具體感觸到齊白石脉搏的律動和旺盛的活力,從而發現齊白石藝術逐步衍化發展的步履,進而把握其藝術思想漸次變异拓展的軌迹。

比起獨立的文章和講究聲律對仗的詩詞,作為“文章之枝派,暇豫之末造”的題跋,似乎無關宏旨或不涉緊要,可以無所羈絆、隨心適意、任情使性,正唯如此,畫家的題跋往往比獨立詩文更為真切動人,更具個性風骨,更有珍貴的認識價值和研究價值。齊白石的題跋文字突出體現了這一點。其内容豐富多采,筆法靈活多樣,文字活潑生動,風格幽默犀利。篇幅或長或短,有時短至數字,有時長達百言或數百言。有時是轉録詩文,有時是警句妙詞。有時是野語村言,有時是吉祥祝福。有時是心得體會,有時是小品雜文。有時是即興口號,有時是闡釋畫題、畫意、畫法。這些題跋的字裏行間,處處洋溢着濃厚的感情色彩和盎然的生活情趣,在内容的深度和廣度上均有超越古人之處,也為今人所難以企及。

齊白石以題跋生發繪畫的境象,升華繪畫的内容,使題與畫相映生輝,强化了繪畫的感染性和表現力量。如題不倒翁:“烏紗白扇儼然官,不倒原來泥半團。將汝忽然來打破,通身何處有心肝。”又有跋語數行:“大兒以為巧物,語余‘遠遊時携至長安作模樣,供諸小兒之需。’不知此物天下無處不有也。”語鋒尖鋭刺向舊中國普遍存在的貪官污吏。又如發財圖裏題跋算盤:“丁卯五月之初,有客至,自言求余畫發財圖。余曰:發財門路太多,如何是好。曰煩君姑妄言著。余曰欲畫趙元帥否。曰非也。余又曰欲畫印璽衣冠之類耶。曰非也。余又曰刀槍繩索之類耶。曰非也,算盤何如。余曰善哉,欲人錢財而不施危險,乃仁具耳。余即一揮而就,并記之。時客去後,余再畫此幅,藏之篋底。三百石印富翁又題原記。”這段幽默、潑辣、犀利、深刻的文字堪稱千古奇文。作者故意將“欲人錢財而不施危險”的算盤稱為“仁具”,與印璽衣冠及刀槍繩索等不仁行徑,對比寫在一起,從而將剥削者的虛偽暴露無遺。

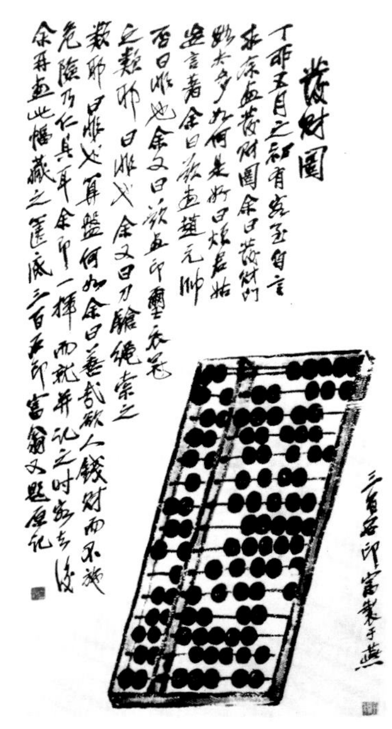

發財圖(一九二七年)

齊白石有些題跋通過畫境的描繪,表現對社會認識及人生的喟嘆,也是相當成功的。如題樊籠八哥“鸜鵒能言自命乖,樊籠無意早安排。不須四面張羅網,自有乖言哄下來。”題跋云:“諺云能巧言者,鳥在樹上能哄得下來。”這形象地描繪了他對戰亂社會環境的感受:羅網四布,人心惟危,如不好自為之,就會誤入壞人花言巧語的騙局或圈套。又如題畫白菜“牡丹為花之王,荔枝為果之先,獨不論白菜為菜之王。何也?”這裏特意為大衆蔬菜——白菜争王,實質上體現了深植於他心中的民衆意識。

通過書畫題跋表述對故鄉親人的憶念及愈老彌深的赤子之情,乃是齊白石題跋的又一特色。作為“尋常百姓人家”的“杏子塢老民”,齊白石時時憶念或歌咏自己中年在家鄉半勞動半文藝的生活。如題竹院圍棋圖:“闔闢縱横萬竹間,且消日月兩轉閑。笑濃尤勝林和靖,除却能棋糞可擔。”他對自己既能下棋又能擔糞的生活追懷不已。齊白石六十歲時仍懷着赤子之心回憶童年生活:“兒戲追思常砍竹,星塘屋後路高低。而今老子年六十,恍惚昨朝作馬騎”(題畫竹)。“五十年前作小娃,棉花為餌釣蘆蝦。今朝畫此頭全白,記得菖蒲是此花”(題釣蝦)。在題畫柴筢時除深情歌咏柴筢外,還縱筆寫道:“余欲大翻陳案,將少小時所用過之器物一一畫之,權時畫此柴筢第二幅。”九十二歲畫牧牛圖。回憶自已幼時“身繫一鈴,祖母聞鈴聲,遂不復倚門矣”,且題詩云:“祖母聞鈴心始歡,也曾總角牧牛還。兒孫照樣耕春雨,老對犁鋤汗滿顔。”此外,齊白石的許多題跋,如題“小魚都來”,題雛鷄的“他日相呼”,題打柴叉遊戲,題“甑屋”、“白石畫屋”等匾額跋文,均寫得朝氣勃勃,意趣盈盈,充滿天真爛漫的情懷和深沉摯切的志意。

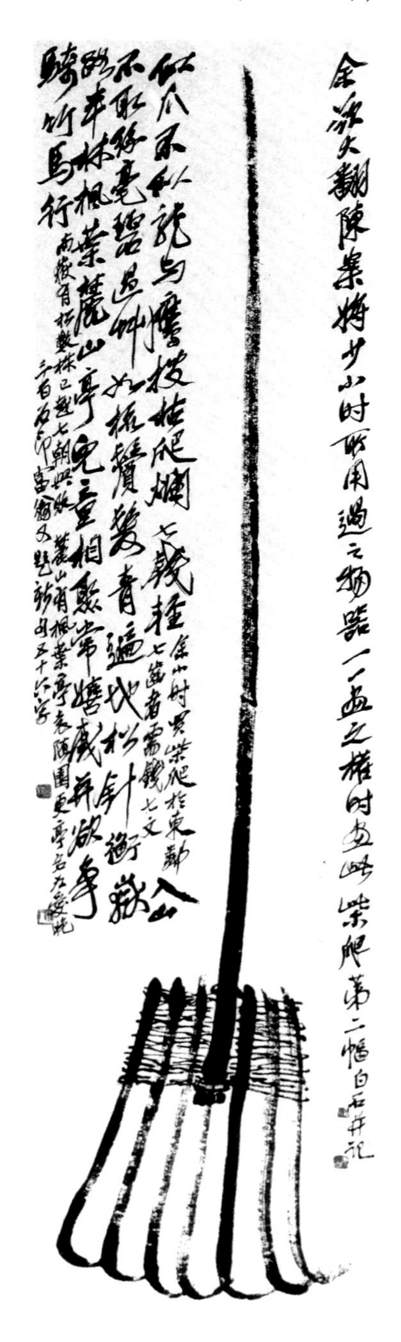

柴筢(約三十年代)

齊白石還用題跋書畫的形式,表達獨特的創作感受和精闢的藝術見解。如五十五歲在題蟹與石時寫道:“余寄萍堂後,石側有井。井上餘地平鋪秋苔,蒼緑錯雜。嘗有肥蟹,横行其上。余細視之,蟹行其足一舉一踐,其足雖多,不亂規矩,世之畫此者不能知,陳師曾、郭葆生最以余言之不妄,三百石印齋主者瀕生記。”其長年在堂後石側觀察蟹行,感受細膩,與尋常畫家不可以道里計也。齊白石許多精闢的藝術見解都是通過題跋書畫而公諸社會的。如六十四歲題畫時寫道:“善寫意者,專言其神;工寫生者,衹重其形。要寫生而後寫意,寫意而後復寫生,自能神形俱見,非偶然可得也。”八十五歲題蘭云:“凡作畫須脱畫家習氣,自有獨到處。”八十六歲題贈胡橐時寫道:“藝術之道要能謙,謙受益,不欲眼高手低,議論闊大,本事卑俗。有識如此數則,自然成器。”九十一歲題畫枇杷云:“作畫在似與不似之間為妙,太似為媚俗,不似為欺世。此九十一歲白石老人舊語。”諸如上述論畫文字,非光非電,已使文苑閃爍;非雷非霆,而令千載震驚。

明代毛晋説:“題跋似屬小品,非具翻海才,射雕手,莫敢道隻字”。[12]齊白石以空前數量的題跋,將文學藝術、書法藝術引入繪畫篆刻作品之中,為空間藝術形象增添了時光流變的美質,取得了令人敬佩的成就。

枇杷(一九五一年)

綜上所述,齊白石詩文和題跋,真實地表達了他的生活、情感、思想見解和藝術主張,它們既是藝術史、文化史的珍貴遺産,又是平實、誠摯、耐人尋味的文學作品。由此可以看到齊白石作為兼備普通人、大書畫家及天才人物的豐富性,體味他在處世和創作中的種種甘苦,感受他的智慧、熱情和才華,并透過他的歌吟與議論領略到那個剛剛逝去年代的氣息與氛圍。

一九九六年八月於天津美術學院近椿室

注

①張次溪整理《白石老人自傳》,人民美術出版社,一九六三年,北京。

②劉振濤、禹尚良、舒俊杰《齊白石研究大全》第一五五頁,湖南師範大學出版社,一九九四年,長沙。

③《齊白石傳略》第四三頁,人民美術出版社,一九五九年,北京。

④《白石老人自傳》第五四頁,人民美術出版社,一九六二年,北京。

⑤癸酉《白石詩草》自序。

⑥《白石詩草二集》,一九三三年自訂本。

⑦《齊璜生平略自述》。

⑧《白石老人自傳》第三二頁,人民美術出版社,一九六二年,北京。

⑨龍龔《齊白石傳略》第四二—四三頁,人民美術出版社,一九五九年,北京。

⑩《祖父萬秉公墓志》,一九三一年。

⑪《祭陳夫人文》,一九四〇年。

⑫《汲古閣書跋·容齋題跋》

第一部分

齊白石詩詞聯語

第一部分　齊白石詩詞聯語

第一輯　借山吟館詩草（一九二八年自訂本）　　黎錦熙校注

本輯《自序》是戊辰年寫的，即一九二八年，白石六十六歲。這年以後的詩當然未收入此輯。至於《自序》後面樊樊山的題詞并詩，乃是十年前的丁巳年寫的，即一九一七年（白石年五十五歲；題詞中說“適有戰事，兵後將歸”，指這年北京“復闢”之役）；這年（丁巳）以後十年間的詩，基本上也未收入此輯，因《自序》中已說明是據丁巳年“樊鰈翁删定”本付印的，算到戊辰，“又十年矣”。

樊序

瀕生書畫皆力追冬心。今讀其詩。遠在花之寺僧之上。真壽門嫡派也。冬心自叙其詩云。所好常在玉溪天隨之間。不玉溪不天隨。即玉溪即天隨。又曰。俊僧隱流鉢單瓢笠之往還。復饒苦硬清峭之思。今欲序瀕生之詩。亦卒無以易此言也。冬心自道云。隻字也從辛苦得。恒河沙裏覓鈎金。凡此等詩。看似尋常。皆從劌心鉢肝而出。意中有意。味中有味。斷非冠進賢冠。騎金絡馬。食中書省新煮餘頭者所能知。惟當與苦行頭陀在長明燈下讀。與空谷佳人在梅花下讀。與南宋前明諸遺老。在西湖靈隱昭慶諸寺中。相與尋摘而品定之。斯爲雅稱耳。今吾幸於昆明劫灰之餘。閉門聽雨。三復是編。其視冬心先生集自叙於雍正十一年者。其感慨又何如耶。瀕生行矣。贈人以車。不若贈人以言。若鋟木於般若閣者。即以此爲前引可也。

丁巳六月初三日。樊山樊增祥拜題。

又題

久借山中宅。疏松間老梅。茹蔬來佛影。得酒試仙才。夙抱嶔崎想。親看戰鬥來。從兹詩境擴。得力在燕臺。

瀕生以丁巳五月至京。適有戰事。兵後將歸。賦詩爲贈。即題其集。

天貺節前三日。祥再識。

還家寄寶覺禪林僧 寶覺禪林去湘潭城南一百零五里。一名化城庵。

波水塵沙衣上色。海山萬里送人還。遍行世道難投足。既愛吾廬且息肩。老比寒蟬聲欲斷。瘦如饑鶴命堪憐。石泉笑我忙何苦。輸與高僧對榻眠。

小園客至

經營身世合長嗟。舊友相逢强自誇。夜讀百篇慚造士。造士即進士。春耕三畝亦農家。筠籃沾露挑新笋。爐火和烟煮苦茶。肯共主人風味薄。諸君小住看梨花。

秋日山行。與兒輩語農事

雲山千仞峙高寒。江浦秋晴見淺湍。心事已如霜殺草。年光不似水迴灘。老來農器交兒管。秋後田租供口難。安得山泉爲變酒。四鄰歡醉倒杯寬。

孤吟寄黎鼂衣鼂衣者。黎承禮辛亥後自呼也。

饑腸索句苦中娱。世態深窺欲碎壺。此口不吟無可語。任人竊笑以爲迂。諸侯十載老賓客。蓑笠一朝存阿吾。誰更不欺憔悴死。秋風聽葉賞心俱。庚戌冬。鼂衣於麓山下造一室。日聽葉庵招余遊焉。按。“庚戌”爲一九一〇年。此首前後與鼂衣唱和各詩。大都是清末“五出五歸”後之作。

鼂衣和前題。次韻贈之

瀼西歸後得清娱。小費經營酒一壺。宦後交遊翻似夢。劫餘身負世豈嫌迂。梅花未着先招客。鼂衣和詩云。探梅莫負衡山約。時正九月。桃葉添香不負吾。謂鼂衣也。醉矣欲眠詩思在。憐君閑與老農俱。余一字白石老農。

夏日高卧

閉門睡有真滋味。孤僻衰年更妙哉。涼氣入窗知雨至。清香到枕覺荷開。懷人却喜山僧話。逐客不妨詩友來。晞髮據床君且去。更移茵席卧庭苔。

贈留霞老人

飛花舞蝶入疏簾。竹杖芒鞋出綺檐。閑散半生緣不仕。聲名兩字總能廉。事無招謗和平處。詩不常爲法律嚴。未許時流知此秘。清風明月屬蘇髯。

老病兼寄鼂衣

年來白晝若黄昏。却病無方深閉門。眼老作書鴉并似。脾衰食粥汩俱吞。風情雖老非全減。文字無靈懶更論。多謝天衢箋不斷。壁間猶和舊題痕。天衢山去城南五十二里。

與兒輩携酒至舍外飲

扶筇携瓮合荒墟。幾得逍遥百歲餘。病後形骸如蠹木。衰時頭鬢廢瓊梳。成仙無術從他死。伴鬼猶憂處世如。一息尚存惟酩酊。呼兒荷鍤且隨余。

蕭齋閑坐。因留霞老人贈詩次其韵

不作揚塵海島仙。結來人世寂寥緣。苦思無事十年活。老耻虚名萬口傳。茅屋雨聲詩不惡。紙窗梅影畫争妍。深山客少關門坐。老矣求閑笑樂天。
一室蕭然賦索居。雪風聲斷雁聲初。飽諳世味思餐菊。借山館後。立春後三日。尚有殘菊。深省交情慎寄書。硯水成冰心共冷。柴車更榻計非虚。欠伸坐久還須睡。夢喜星塘舞彩裾。阿爺阿娘住星塘老屋。

閑窗有懷

獨樹當門嶺四旁。别無風景到閑窗。人稀荒野飛磷縱。犬瘦蓬門走丐狂。燕子巢居原作客。鷓哥身世苦思鄉。謂星塘老屋。樵歌牧笛當年侣。勸我蓮峰着草堂。

十二月十五日得鼂衣和詩。次韵以贈

栗里歸來景未昏。水光山色繞清門。池開曉鏡雲常鑒。月墮明珠山欲吞。劚藥鋤輕閑可把。養魚經熟静能論。笑君難脱詩人氣。司馬青衫舊泪痕。
乞得身閑足自娱。登山臨水唤提壺。抛書把釣非驚俗。賣劍買牛未是迂。父老蜀中傳舊政。黽衣曾官蜀中也。烏鷗湘上識今吾。携笻容我相隨去。醒眼看人一笑俱。

楓樹園野望感傷

投老一丘草木儔。七年容易此勾留。行看種樹成青嶂。却憶移居未白頭。靈藥解尸虛晚歲。病楓傷蠹覺先秋。人生懶外惟扶醉。斜日長繩繫住不。按。原稿作“否”。但舊詩皆作“不”。讀“否平聲”。

次韵羅君贈黄山桃有序。

門人山桃女子出示羅君贈詩。余與羅君不相識。聞其身世與余略同。因次其韵。山桃許爲代達云。

錦箋文采識荆州。笑倩娥眉作蹇修。老我交遊思縮脚。愛君吟咏又摇頭。生涯無望詩三百。活計非窮鬢未秋。欲勸相將叱犢去。扶犁樂趣勝風流。

題門人陳紉蘭女士墨蘭畫幅

絳紗青案憶窗昏。燒燭爲余印爪痕。隨意一揮空粉本。迴風亂拂没雲根。罷觀舞劍忙提筆。耻共簪花笑倚門。壓倒三千門弟子。啓予憐汝有私恩。

甲寅雨水節前數四日。余植梨三十餘本。一夜因讀東坡與程全父書求果木數色。太大則難活。小則老人不能待。余感以詩按。甲寅爲一九一四年。後列各詩。多辛亥革命後數年間鄉居遣興之作。

老饞一啖費經營。穩把烟鋤世味輕。遍種園梨霜四角。衹愁頭鬢雪千莖。盜桃臣朔饑無補。懷橘兒郎壯可耕。斛米若酬木竹石。十年腸裏作雷鳴。東坡枯木竹石。月須米五斛。酒數升。以十年計。樊鰈翁爲余評定畫價。嘗借用此事。

題蕭薌陔師畫荷

花恬風雪憶門墻。粉本争傳仕女行。豈獨畫師稱世俗。誤公心迹是文章。開圖草裏驚蛇去。下筆階前掃葉忙。擲牝黄金何所益。人間我亦老蕭郎。

爲蓮峰老人畫像并題

老年舉止費思量。豈肯隨人舉世忙。閑讀道經塵夢斷。偶貪禪榻岳雲凉。藥良却病千般賤。飯軟加餐萬事忘。一笑此翁狂未減。巍峨猶着古冠裳。

酬故人書題後　四首

鷄啼犬吠隔重圍。墨水爐烟晝掩扉。餘習未能除畫債。此心多病惡人非。賣燈苦效冬心早。與語歡如季札稀。謂羅秋浦先生。且喜枝頭檐外鳥。有時飛去有時歸。

舊侶如雲散不逢。卜居徒近祝融鐘。麓山無復尋碑夢。黎鯨公招遊麓山。有同遊者某。邀余明日渡河。同賞趙撝叔印譜。岩洞虛歡移樹傭。身後友師金蛺蝶。撝叔印譜有二金蝶堂印。余私淑焉。眼前奴婢木芙蓉。老天也遣憐愁寂。時有清風響古松。

掃地焚香亦上乘。形骸流亞出家僧。學書當紙裁蕉葉。移榻隨風植蔓藤。破筆最憐山下家。閑心長向佛前燈。近詩怕入佳人口。斷句殘箋綉綺綾。謂山桃。

驚聞木石亦俱灾。聞舊鄰家搶劫毁物。一物多情賤碧瑰。石喜雕鎸傷後弃。硯同生死忍先埋。最難函谷騎牛去。余嘗遊長安。樊鰈翁。夏天畸。皆贈余以石印。聊慰行路之艱苦。哪更漳河跨馬來。由長安轉京華。道出漳河。於馬上見淺水微波。露石一角。令人拾之。先以爲可以磨刀。宿邯鄲磨洗之。知銅臺磚也。留得寶刀同患難。夜深磨洗對尊罍。

贈東鄰子

陳書前清人。工於畫。自號南樓老人。上元弟子。可繼是無能。已嫁羅敷恨不勝。執臼階前秋又盡。鳴機窗外月無恒。書成快意傳青鳥。屋破應須補緑藤。鼠尾麝煤情太薄。爲君實下泪三升。

前題

偶扶清趣到蘿霞。溪水春晴罷浣紗。隔座送茶閑問字。臨池奪筆笑塗鴉。誰删翠袖閨中態。自寫朱顔鏡裏花。王叟三千門下士。不聞多藝女侯芭。

次韵友人相思詞

十里香風小洞天。塵情不斷薛濤箋。錦茵無復烏龍妒。珠箔空勞玉兔圓。兩個命乖比翼鳥。一雙心苦并頭蓮。相思莫共花光盡。早有秋風上鬢邊。

前題

隔得銀墻萬里天。王昌消息滯書箋。東陽有泪知腰瘦。殘月無愁學鏡圓。別緒不堪紅板柳。情思難斷碧塘蓮。神仙亦有高唐夢。朝暮勞君到枕邊。

石泉來借山。睡遲

竹陰移榻午晴凉。草閣鷄聲話正長。盡夜傾談猶厭短。三年乍見未爲狂。遠歸憔悴真如我。已過韶華在异鄉。領略戎衣休更着。勸君珍重舊時裳。

小園梅開。畫入尺幅。寄貞兒長沙　二首

冒雪衝寒兩袖風。自嗟肌骨祇梅同。此身願化梅千億。笑道無人作放翁。

好耐家園春意寒。依人生計十分難。饑時與汝梅堪嚼。開盡梅花雪可餐。

宿老屋

杏塢茅堂舊寂寥。松柴當燭記曾燒。廿年老矣情如死。辜負梅花開一宵。黎大丹嘗宿星塘老屋。余燒松照談詩境。

花朝後四日小園看果木

野雀山狸慣一家。擾人鷄犬覺聲嘩。半春俗客亦無到。昨夜東風開李花。借山嘗有狐雀入室。

閑立

晴數南園添竹笋。細看晨露貫蛛絲。人叱木偶從何异。躦到兒呼飯熟時。

小村

落日呼牛見小村。稻粱熟後掩蓬門。北窗無暑南檐暖。一粥毋忘雨露恩。

丙辰四月十一日。聞南北軍約戰於湘潭。有友人避兵來借山。偶觀借山圖及諸題詞。因懷唐叟傳杜　二首

按。“丙辰”爲一九一六年。“四月十一日”爲陽曆五月二十日。“南北軍約戰”指反袁戰役。時桂軍已入湘。六月六日袁世凱死。以後湘潭一帶常被北洋軍閥部隊侵掠。白石於次年(一九一七年)來北京。

軍聲到處便凄凉。説道湘潭作戰場。一笑相逢當此際。明朝何處著詩狂。

自誇足迹畫圖工。南北東西尺幅通。却貴筆端泄造化。被人題作奪山翁。傳杜題借山圖詩云。山本天生誰敢借。無端筆底奪天工。山翁是奪非緣借。盡在揮毫一笑中。

訪東鄰吴子震春。吴子以四月十一日詩韵三叠爲贈。余三叠答之　六首

好雨知生五月凉。今年常出打禾場。草間未死思尋子。亂世人誰共此狂。
足弱方知舉步工。鄰家隔坳暮烟通。年來牛馬將何走。我正多愁似汝翁。
草木疑兵曉露凉。北軍返。家人避之深山。信宿草間。却從愁外憶詞場。當年意氣全消却。冷眼看人舉世狂。
斷舌無辭吟咏工。罵人原不爲窮通。謂唐傳杜。期君訪去愛詩癖。再三十年無此翁。
南衡秀出彩雲凉。名盛當年翰墨場。獨我於書少無分。青燈應笑白頭狂。
自砍柴門未欲工。鶉衣敝褲往來通。小籮剩得明朝米。鄰里尤窮唤富翁。

喜睡

自嗟多事累平生。晚歲方知睡味清。識字害於真快活。學詩奪却懶聲名。竹床夏熱西窗雨。草舍春寒午枕晴。堪笑抛竿舊漁侣。江湖辜負夕陽明。

余次韵面山後人詩。王叟品丞。羅生蕃。各三叠贈余。余三叠答之。陳諸近事　四首

真個窮多無謂交。糗粻空費手曾抛。兩峰自笑非常眼。一患羞人萬口嘲。羅兩峰聘。嘗畫鬼趣圖。
小飲移壺竹凳頭。吾人得失酒杯漚。堪嗟不足東村叟。管盡田園日日憂。
客至盤餐祇莧藜。芋魁苗長與人齊。諸君强健重來日。楓葉如花菊塢西。
戴笠相逢孰下車。慢人還勝絶交書。更誰一勸加餐飯。十八雙鱗赤鯉魚。羅生嘗招小飲。余非病必往。

雨後閑行

前村雨過稻粱齊。送老相親祇杖藜。背嶺出遊當嶺返。宅居不慣辨東西。

作畫戲題

愧顔題作冬心亞。樊鰈翁增祥爲題借山圖句。揚州八怪冬心亞。大葉粗枝世所輕。且喜風流俱汝輩。不爲私淑即門生。

次韵胡七丈鑫五十

宦海茫茫今昔非。退歸心事豈終違。老奴尚報開籬菊。賢婦猶能下錦機。一洗眼中他日泪。無灾身上舊時衣。莫言無補絲毫事。捫虱傾談識者稀。
白首何心逐俊豪。吾儕豈失逸民高。山行過雨花間屐。田獵臨風馬上弢。皮陸交遊無俗士。荆關身世异官曹。相看尚未全衰却。秉燭真須永夜遨。
語音不熟漫開門。舊卷猶嫌風亂翻。好事縱添詩幾首。得閑何惜酒盈樽。懸河瀉水休嫌衆。充棟藏書未薄孫。客至終朝緘口坐。不關吾好總休論。
岩岩白石隔華筵。不會真同萬里一作海角。邊。工寫右軍丢字帖。善鳴東野托詩箋。兵時草木疑堪嘆。劫後池亭亦可憐。從此百年添勝事。荷花無恙上佳篇。七丈生與荷花同日。

次韵吴老世釭見贈　二首

世和時候乍凉天。睡足從容製小箋。爲國曾

勞千里足。還家得息十年肩。狗猫入句貪何礙。杖履看山奈有緣。此外萬般都不管。阿戎須肖乃翁賢。

不隨肉食老衡湘。誰若頹齡壯氣揚。蔬飯可餐從我懶。湖山雖好在他鄉。藥苗已擷瘡應治。酒量非寬債易償。莫倚身强猶看劍。青燈不似少時光。

往日

南北東西縱賤軀。十餘年事未模糊。關中春日遊還厭。滬上秋風醉欲扶。萬頃蘆花燕地异。京都陶然亭一帶。一望無際皆蘆荻。一星燈火桂林殊。桂林城内有獨秀峰。峰上有燈。樹甚高。晚景蒼蒼時。燈如一星早出。衆星出不可辨燈也。曾經好景尤難數。埋骨終消一處無。

今日

半畝園池一老夫。眼昏看世不模糊。早知貧賤出高士。見慣公侯亦衆儒。芍藥有恩稱作相。芍藥有花相之目。芙蓉無福唤爲奴。芙蓉有奴婢之目。竿頭笑繫粗麻綫。臨水呼兒學釣徒。

題石門畫册

余友胡廉石以石門一帶近景。擬目二十有四。屬余畫爲圖册。此十年前事也。未爲題句。蓋壬寅後不敢言詩。乙卯冬廉石携此册索詩來借山。黎鼍衣已先我題於圖册之上。余不禁技癢。因補題之。按。乙卯爲一九一五年。

石門卧雲

提壺獨上石門寬。不散雲陰暑亦寒。睡足忘歸思伴醉。隔三千里唤陳摶。

湖橋泛月

二頃菰蒲遍水生。小航端似白鷗輕。萍翁或不騎鯨去。呼我湖中掬月明。

槐陰暮蟬

三徑莓苔上玉階。詩翁六月不曾來。空山落日無人響。斷續蟬聲在緑槐。

蕉窗夜雨

天涯曾聽雨瀟瀟。白盡人頭此寂寥。獨汝絶無離恨意。隔窗猶種緑天蕉。

竹院圍棋

圍闘縱横萬竹間。且消日月兩輪閑。笑儂尤勝林和靖。除却能棋糞可擔。

柳溪晚釣

日長最好晚凉幽。柳外閑盟水上鷗。不使山川空寂寞。却無魚處且勾留。

棣樓吹笛

釜無箕豆自心安。身静尤知天地寬。花外一聲聞鐵笛。雲横碧落棣樓寒。

静園客話

往日風流孰更知。卅年白盡鬢邊絲。園林静處思重到。却話同君買畫時。

霞綺横琴

兒女呢呢素手輕。文君能事衹知名。寄萍門下無雙别。因憶京師落雁聲。

雪峰梅夢

護花何祇隔銀溪。雪冷山遥夢豈迷。願化放翁身萬億。有梅花處醉如泥。

香畹吟尊

花前詩思酒杯深。倶有元方作賞音。可憶衰翁齊白石。唱酬無伴候蛩吟。

曲沼荷風

漫將荷芰盡爲裳。曲岸風來遠亦香。欲剥蓮蓬倩纖手。如君何必羡鴛鴦。

春塢紙鳶

仰觀萬丈落儒冠。一綫欲無雲際寒。不見木鳶天上去。諸君塵世未曾看。

古樹歸鴉

八哥解語偏饒舌。鸚鵡能言有是非。省却人間煩惱事。斜陽古樹看鴉歸。

松山竹馬

墮馬揚鞭各把持。也曾嬉戲少年時。古今贏得人誇譽。淪落長安老畫師。夏天畸先生贈余詩云。漫言丘壑平生足。垂老長安作畫師。

秋林縱鴿

鈴聲翼影及天嬌。十五年前記手描。何幸徘徊林下路。萬株紅樹似前朝。辛亥秋反正以來。湖南無兵灾。

藕池觀魚

清池荷底羡魚行。巨口細鱗足可烹。此日讀書三萬卷。不如熟讀養魚經。

疏籬對菊

西風吹袂獨徘徊。短短秋籬霜草衰。一笑陶潛折腰罷。菊花還似舊時開。

仙坪試馬

世無伯樂馬空群。指鹿爲龍尚有雲。一角寒坪照鞭影。不生髀肉最憐君。

龍井滌硯

君家書法筆如椽。衣鉢阿翁舊有傳。日洗硯池揮宿墨。好從井裏悟雲烟。此景物非静觀者不能知也。

老屋聽鸝

音乖百囀黄鸝鳴。斗酒雙柑老屋晴。笑我買山真僻地。十年不聽子規聲。自丙午新遷。老妻嘗云。來此不聞杜宇已九年矣。

鷄岩飛瀑

造化可奪理難説。何處奔原到石巔。疑是銀河通世界。一作碧海。鼎湖山頂看飛泉。丁未春夏余小住肇慶。嘗偕郭憨庵遊鼎湖山。觀飛泉潭。其泉似從天河傾瀉而下。其響若雷。在潭底久立。清凉之氣令人神爽。

石泉悟畫

肩擔時稿非真石。十日工夫畫一泉。萬里歸

來十年事。爲君添隻米家船。

甘吉藏書 甘吉樓名。廉石先人藏書樓也。

親題卷目未模糊。甘吉樓中與蠹居。此日開函揮泪讀。幾人不負乃翁書。

哭沁園師 十四首

榴花欲着荷花發。聞道乘鸞擁旆旌。我正多憂復多病。暗風吹雨撲孤檠。去冬今夏。兒死弟亡。按。此是一九一四年事。

此生遺恨獨心知。小住兼旬耐舊時。書問尚呈初五日。轉交猶寄石門詩。五月五日遣人奉書。返報公去世已七日矣。

閑隨竹杖驚魚散。静對銀甌聽鳥嘩。夢也解尋行慣路。園亭池畔怯看花。

平生我最輕流俗。得謗由來公獨知。成就聰明總辜負。授書不忘藕花池。

窮來猶悔執鞭遲。白髮恒饑怨阿誰。自笑良家佳子弟。被公引誘學吟詩。樊鰈翁有友人嘗謂曰。吾輩從今而後。絶勿引誘良家子弟作詩填詞。

蘇家席上無門下。因喜停車長者風。難得掃除無習氣。稱呼隨衆曰萍翁。

忌世疏狂死不删。素輕餘子豈相關。韶塘以外無遊地。此後人誰念借山。

興來嬉笑即揮毫。上口清茶勝濁醪。我亦孤人無地着。公有滿堂兒女一孤人之句。紡車如海間兒號。

諸侯賓客舊相違。四十離鄉歸復歸。一事對公真不愧。散人長揖未爲非。

初逢事若乍同歡。興極看梅雪不寒。一瞬卅年吾亦老。殘軀六月怯衣單。

往迎車使禮荒唐。喜得春風度草堂。五百年來無此客。入門先問讀書房。

老來不足是吟哦。百事心灰兩鬢皤。青案烏絲遺稿在。好詩應有鬼神呵。

廿七讀書年已中。願余流亞蠹魚蟲。先生去矣休歡喜。懶也無人管阿儂。

學畫乖忌能精篤。作畫新奇便譽詞。惟有暮年恩并厚。半爲知己半爲師。

梅花 三首

海國香風萬樹開。也曾輕屐遍蒼苔。照人清夢月如舊。可惜萍翁白髮衰。

老耻人逢賀遠遊。此心真與此身仇。入山覓得輕鋤柄。除却栽梅萬事休。

小技羞人忌自誇。久將心事付桑麻。小園梅樹檐前雪。着我蓑衣數落花。

自嘲

富貴無心輕快人。亦非故遣十分貧。五旬以後三年飽。不算完全餓殍身。

胡貞婦詞 八首

幻境姻緣冰雪心。春閨能有幾多人。甘梨領略夫妻味。莫誤他生卜鬼神。

乘鸞跨虎此生休。夢醒無言但泪流。烟雨石門山下路。陌頭楊柳見君愁。

存將一息慰高堂。聞訃何堪苦毁傷。得計青山相伴好。阿爺還打女兒箱。

魂魄何曾夢再來。鬼神事業夜烏哀。招魂剪盡箱中紙。月落青林暗砌苔。

墓門銀燭是佳期。此日哪能地下知。憔悴此生何可似。秋風紅豆死相思。

衣裳縞素涕痕垂。厨下羹湯食性知。我與汝翁同此恨。承歡時即斷腸時。

赤繩何苦太無情。一繫無依少婦名。萬口揚芬在何許。五年長夜亂蟲聲。

白骨相依總慘傷。人間無命到鴛鴦。老天也有相憐意。青草年年冢角香。

次韵面山後人見贈　四首

大袖寬衫幾論交。殘書全碎早應抛。窮通原不關文字。不見詩人窮自嘲。
髮衰無可雪盈頭。在世真如水上漚。明日欲揮求米帖。今宵猶飽且無憂。
老猶奔走拄青藜。空想嵇康懶并齊。慚愧不如鄰舍叟。芒鞋不出草堂西。
曾砍山柴製作車。雪深不負故人書。明年又欲一竿去。萬里烟波好釣魚。

次韵面山後人見贈四絕句。文君和以贈余。余再次其韵。兼答文君　四首

高逸風流孰重交。時文流輩更輕抛。相逢一笑同淪落。自執蝘蜓作解嘲。
莫將一物耿胸頭。舊識凋零雨後漚。能就借山顛醉否。笑君何着杞人憂。
雕蟲衹合老蒿藜。矮補茅檐舉手齊。無害暮年真善計。牛欄還繞屋東西。
曾也移家理舊車。老夫不載載殘書。鄰翁不識之無字。日飽何殊蠹字魚。

戲題齋壁。示子如移孫

窗紙三年暗似漆。門前深雪不曾知。掃除一室空無物。衹許兒孫聽讀詩。

瑞生見示泉塘山館詩草書後

筆端怒罵逐風來。詩不關書有別才。不道龍駒千里足。吾家有汝好懷開。

題六弟小影 戊申夏余戲爲畫小影。壬子冬病歸。甲寅夏死矣。因題之。按。甲寅即一九一四年。　二首

偶開生面戊申時。此日傷心事豈知。君正少年堂上老。乃兄毛髮雪垂垂。
堂堂玉貌舊遺民。今日真殊往歲春。除却爺娘誰認得。天涯淪落可憐人。

山桃女子自畫小像。以爲未似。戲題

二十年前我似君。二十年後君亦老。色相何須太認真。明年不似今年好。

長安遠

萬丈塵沙日色薄。五里停車雪又作。慈母密縫身上衣。未到長安不堪着。

第二輯　白石詩草二集（一九三三年自訂本）　黎錦熙校注

本輯《自序》是癸酉年寫的，即一九三三年，白石年七十一歲。這年以後的詩，另作《續編》，列入第三輯。本輯是白石自訂的。所收的詩，除第一輯已收的不重復外，大約從壬寅（一九〇二年）直到寫《自序》之年（一九三三年）止，三十多年間的詩都有，而以丁巳（一九一七年，即第一輯所收截止之年）以後約十六七年間的詩爲多。白石分爲八篇，雖略以年代先後爲次序，但并不嚴格；今一仍其舊，不予移動，衹於必要處附以“按語”而已。

自題詩集五首以補自序之不足 第二集乃六十歲以前至七十二歲之作。末十六年居舊京。故題畫之詩最多。

哪有工夫暇作詩。車中枕上即閑時。廿年絶句三千首。却被樊王選在兹。此集呈樊山老人選定。其句有牢騷者。或未平正者。痛删之。復倩仲言社弟重選。其句雖淡雅。而詩境未高者。或字樣奇險者。又删之。再後倩劭西君校訂鈔詩者之錯誤。竟於樊王删弃者。選回一百餘首。題畫寄樊樊山先生京師及洞庭看日之短古。即黎選也。

樵歌何用苦尋思。宋朱希真撰有樵歌。其中多白話詞。昔者猶兼白話詞。滿地草間偷活日。多愁兩字即爲詩。

輪蹄銷盡此生忙。贏得人間兩鬢霜。此集既成羞自序。先生百事總尋常。

畫名慚愧揚天下。吟咏何心并世知。多謝次溪爲好事。滿城風雨乞題詞。此集初心未敢求人題跋。張子次溪替人遍乞詩詞。余老年因得樊山翁社中詩友數人爲友。無才虚費苦推敲。得句來時且快鈔。誹譽百年誰曉得。黄泥堆上草蕭蕭。

題詞

湘潭王　訓仲言

抛却鄉山十五年。人山人海作遊仙。畫師聲價時無兩。尺幅能售百萬錢。

遺臣清室老樊山。聽雨燕京獨閉關。舊事欲談時折簡。一燈對坐泪痕潸。

塵根消盡方成佛。凡骨猶存敢論詩。學到此翁真不易。微吟撚斷幾莖髭。

一代相知心夙許。數行遥寄手親書。故人厚意殊慚負。年至形衰氣更虚。

佛頭着糞奚爲者。紙尾書名願效之。况有題詩老崔灝。狐裘何苦愛羊皮。此首因作序故云。

妍媸可任人相説。得失由來心自知。天外孤雲雲外鶴。空中來去總無羈。

天津趙元禮幼梅

故都萬人海。齊叟足聲名。光怪新書畫。沈酣古性情。黄花霜信緊。白髮夢魂驚。想象耽奇句。天花照眼明。

絶似冬心筆。樊山品騭真。高吟動寥闊。情話寫酸辛。身世一杯酒。年華雙轉輪。詩人能老壽。慎勿厭勞塵。

桐城吴闓生北江

詩畫一道。而兼之實難。自古畫家以詩自鳴者。右丞外未有所聞。豈其遊神乎浩渺之天。有异趣邪。抑其精力之所至。固有不能兼得者邪。白石翁畫名滿天下。而其題畫之作。縱筆所之。亦復超妙自如。洵其才有獨到者。翁畫知者甚多。而其詩則知者尚少。余故表而出之。以告世之讀斯集者。

常熟宗　威子威

稿藏五處香山老。省得搜遺到後人。定本能完天亦靳。晚年自在氣常春。詩工體物先窮理。筆可通靈便入神。偶仿玉溪聊寫意。却添情緒着閑身。

畫名竟把詩名掩。此事知君是作家。白鶴朱霞好標格。筆床硯匣舊生涯。早探妙悟先成竹。却道清思在飲茶。讀罷借山吟館序。老人意興到梅花。

多憂傷老亦尋常。除却求名有主張。生世不諧憑寄托。中年以後耐思量。安排營壙王官谷。消散題詩輞水莊。憶着天琴同感喟。一般丹墨費平章。

江東楊　圻云史

粗枝大葉詩如畫。天趣流行水滌腸。不食人間烟火氣。亂山深雪菜根香。

與爾銷愁但苦吟。輸君書畫似冬心。携詩朗咏翠微里。不覺松根秋露深。昨遊香山。携君詩坐松下讀之。

盡收蒼莽上詩樓。赤日青天江海流。爲謝瀟湘齊白石。潑翻雲水畫滄州。君告次溪許繪江山萬里樓圖見贈。

湘潭黎培鑾松庵

名滿瀛寰老畫師。筆端風骨自權奇。壽門嫡派雲門語。曾讀山翁手寫詩。

不是逢人苦譽君。定庵句。年來造詣本超群。待君續集重編日。我亦商量作跋人。

魯濰王質生蟫齋

超妙能争造化功。老來詩格更沈雄。畫師何讓藍田叔。詞客重逢白石翁。共仰清才同立鶴。敢將小技陋雕蟲。天琴殁後誰知己。多少名流拜下風。

詩瓢畫幰足千秋。漫笑先生雪滿頭。梅影新詞姜白石。篘廊偶筆宋黄州。百縑妙盡南田法。九日豪陪北海遊。博物張華真雋逸。拚將吟稿幾尋搜。

古吴汪榮寶衮甫

當代論三絶。於君愜素衿。風流接湘綺。名字滿鷄林。動墨成奇趣。安弦即雅音。藝舟看獨往。何止似冬心。

湘潭齊廷襄秋薑

翛然白石負清名。古貌肅霜鬢。曾經滄海饒幽趣。振奇采。寫入詩情。細鏤劍南遐思。居然冀北明星。瓣香湘綺擅斯能。化雨久相承。板橋三絶猶餘事。更超軼。寰宇翔聲。愧我有慚詞客。與君憑吊湘靈。（風入松）

古閩李軍倜釋堪

詩中有畫畫中詩。畫意詩心相與追。齊翁詩名爲畫掩。畫故雄恣詩尤奇。自云不學無所師。得天獨厚得人稀。苦硬清峭古之遺。詩如其人復奚疑。

東莞張伯楨篁溪

湘潭私淑憶當年。始識齊侯是國賢。自古詞人推白石。衹今畫手仰南田。談禪待證三生契。傾蓋偏深半面緣。雙管下時雙絶擅。藝林争看筆如椽。

東莞張江裁次溪

詩筆畫筆同嶔奇。試問誰能兩兼之。粤維吾丈才超軼。畫則蒼老詩淋灕。丈與家君爲摯友。湘綺門下時聚首。不同泛泛縞紵交。朝夕盤桓衹詩酒。曾刊借山吟館詩一編。樊山序之得真詮。况復字摹冬心先生體。直比老將沈雄出幽燕。忽忽今又十七載。更見才思大如海。傳聞詩如束笋多。深藏不教鷄林買。走也向其屢乞求。丈乃什襲等琳璆。一再拜懇始示我。大稿肯付雙肇樓。雙肇樓圖丈所畫。走頗感激欲膜拜。兹爲印行白石詩。傳之後世亦佳話。

篇一

題畫寄樊樊山先生京師并序。

壬寅冬。樊樊山先生增祥與余相見於長安。癸卯春。余遊京師。樊君約以後至。至則余返湘矣。丁巳夏。余重到京師。適有戰事。朋舊多散亡。獨樊君閉門聽雨。君爲余叙詩草云。今吾幸於昆明劫灰之餘閉門聽雨。感念今昔。往往見於言笑之間。是年秋。余歸。樊君相贈以言。戊午秋。余畫閉門聽雨圖奉寄。圖成。心有所感。因題此歌。按。壬寅是一九〇二年。丁巳是一九一七年。次年戊午是一九一八年。作此詩。

十五年前喜遠遊。關中款段過蘆溝。京華文酒相征逐。布衣尊貴參諸侯。陶然亭上餞春早。晚鐘初動夕陽收。揮毫無計留春住。落霞横抹胭脂愁。癸卯(按。一九〇三年)三月三十日。夏壽田。楊度。陳兆圭在陶然亭餞春。求余爲畫餞春圖以記其事。琉璃廠肆投吾好。鐵道飛輪喜重到。舊時相識寂無聞。衹有樊嘉酒相勞。酒酣袖手起徘徊。聽雨闌門半截碑。塵世最難逢此老。讀吾詩句笑顔開。笑翻陳案聊復爾。鼓手歌喉入舊史。佳話千秋真戲場。伶人身重并天子。京師諺云。戲子天子。前朝慈禧太后喜小叫天王瑶卿演劇。君王必登場打鼓。慈禧訓政。叫天瑶卿皆賜六品緋衣。供奉内廷。不獨今無聽戲人。瑶卿淪落叫天死。近來争戰遍人寰。刀槍不毁舊河山。滿地黄沙城郭在。四圍紅葉風雨還。頤和園裏昔人去。凌烟閣上功臣閑。芙蓉集裳真堪着。秋菊落英殊可餐。我聞寒蛩愁唧唧。復觸此言長太息。我本天涯坎壈身。離亂重逢合沾臆。燕城舊約一相違。銷盡輪蹄汗總揮。春草傷情南浦别。好山看厭桂林歸。庾嶺有梅車屢倦。虎丘無月馬非肥。己酉(按。一九〇九年)八月十五夜。携兒輩同遊虎丘。是夜無月。借人瘦馬。幾驚危險。細雨横風賓客老。輕裘緩帶故人非。可憐身世寒蛩似。號向人前聽者稀。何若老樊深閉户。春風不得入羅幃。欲查日記翻詩卷。樊君有將詩爲日記之句。因避時賢隱畫妃。畫妃。亭名。余曾爲刻畫妃亭小印。五車書存課孫讀。二頃田蕪任鶴饑。我欲借公門下住。秋雨打門紅葉飛。

丁巳十月初十日到家。家人避兵未歸。時借山僅存四壁矣 按。丁巳。一九一七年。避兵事見自序及序後按語。 二首

佛家財寶五家通。離亂心情萬事空。明月入窗如有意。照人一竈在厨東。

人失人得何彼此。一物豈横胸次死。猶有山間香意來。寒梅零亂着花蕊。

書冬心先生詩集後 三首

與公真是馬牛風。人道萍翁正學公。始識隨園非僞語。小倉長慶偶相同。

隻字得來也辛苦。斷非權貴所能知。阿吾一事真輸却。垂老清平自叙詩。

豈獨人間怪絶倫。頭頭筆墨創奇新。常憂不稱讀公句。衣上梅花畫滿身。

悼詩有序。 二首

余十年以來。喜觀宋人詩。愛其輕朗閑淡。性所近也。然作詩不多。斷句殘聯約三百餘句。丙辰秋爲人竊去。因悼之以詩。按。丙辰。一九一六年。

平生詩思鈍如鐵。斷句殘聯亦苦辛。對酒高歌乞題贈。緑林豪杰又何人。

草堂斜日射階除。詩賊良朋影不殊。料汝他年誇好句。老夫已死是非無。

畫梅

小驛孤城舊夢荒。花開花落事尋常。蹇驢殘雪寒吹笛。祇有梅花解我狂。

畫怪石水仙花

小石如猿醜不勝。水仙神色冷如冰。斷絶人間烟火氣。畫師心是出家僧。按。原稿有自注。東坡集。楊康功有石狀如醉道士。詩中有猿化石故事。

曉起對鏡

寬衫秃髮自堪嗟。不怪旁人作怪誇。雲白天青擲飛錫。夢中昨夜着袈裟。

畫荷花

墨海靈光散紫霞。大千世界一蓮花。阿難不是難成佛。應悔當年一笑差。

焚稿

舊稿全焚君可知。饑蠶哪有上機絲。苦心豈

原作紙。博時人笑。識字無多要作詩。

看梅 十二月三十日。 四首

買山老叟黄茅堆。空谷佳人去不回。風月從來無定主。對花須盡一千杯。
經冬閉户類羈囚。屋角墻頭即遠遊。明日倘能還健步。拖笻一樹一勾留。
爲君醉死一千罌。早唤兒童荷鍤行。有識梅花應記得。那年栽樹世清平。
插得梅花滿帽檐。憑空起舞却非顛。乃翁髮短白如鶴。明日梅花又一年。

示兒輩

掃除妄想絲毫事。省却人間分外愁。畫虎不成先畫犬。呼龍不到再呼牛。山中曲木犁堪就。城上殘磚硯可謀。村北老饞窮過我。一生衹爲强相求。長沙正廢城。城上有舊磚可作硯。

看雲

深山窮谷未相宜。生長清平老亂離。欲化雲飛着何處。昆侖嫌近祝融低。

插花 按。以下戊午(一九一八)年鄉居時作。

卑濕湖南一春雨。上階閑草亦青青。勸君休作千年計。折得山花插滿庭。

兵後雜感 四首

月黑龍原作鏟。鳴號夜烏。一時逃竄計都無。誰家五代長毛狗。頃刻論功長百夫。
窮鄉亦復有桑麻。香稻黄粱處處嘉。四五日中三百里。可憐何獨祇黄花。
囊底空空對客慚。牛衣猶在可供探。不應掠去銅臺瓦。我固清貧君過貪。
白日光寒烟霧開。幾家歡喜幾家哀。長饑鄰叟翻憐我。不再提籮乞米來。

京師雜感 十首

大葉粗枝亦寫生。老年一筆費經營。人誰替我擔竿賣。高卧京師聽雨聲。
祝融峰下白雲深。空谷何嘗聽足音。扶病偶行三萬里。此來真遂看山心。
蒼顔白髮對人慚。野鶩山狸一笑堪。我也昔年曾見過。玉欄杆外淡紅衫。余嘗見冬心翁畫紅衫女子倚欄。題云昔年曾見。
七月玄蟬如敗葉。六軍金鼓類秋砧。飛車親遇燕臺戰。滿地弦歌故國心。余陰曆五月十二日到京。適有戰事。二十日避兵天津。火車過黄村萬莊。正遇交戰。車不能停。强從彈雨中衝過。易實甫猶約聽鮮靈芝演劇。余未敢應。(按。此指一九一七年張勛“復闢”之役。段祺瑞軍自津浦路攻入北京。城内炮戰一日。)
羞人重見老僧閑。强上陶然舉步艱。朱棹碧欄俱認得。曾安紙筆畫西山。陶然。亭名。
堂上原作院。歌聲可斷魂。燕京黯淡戰烟昏。劫灰餘得老樊在。聽雨瀟瀟獨閉門。
槐堂六月爽如秋。四壁嘉陵可卧遊。塵世幾能逢此地。出京焉得不回頭。
禪榻談經佛火昏。客中無物不消魂。法源寺裏鐘聲斷。落葉如山晝掩門。
八月京華霜雪天。稻粱千頃不歸田。人言中將人中鶴。苦立鷄群我欲憐。
折腰靖節已堪傷。乞米昌黎可斷腸。自古詩人窮不死。客居能敢傍閻王。張仲颺居閻王廟隔壁。

喜岩上老人過借山 三首

六十年華兩鬢斑。從無姓字落人寰。出門一笑尋詩去。衹在岩前水石間。

不信人窮爲作詩。曉窗展卷夜燈遲。溪頭一日東風雨。流去桃花也不知。

劫餘物盡剩晴窗。脱帽揮毫共此狂。再五百年無此事。相逢歡樂即凄凉。

東風寄京師諸友并序。 按。原稿“京師諸友”作樊鰈翁增祥。楊潛庵昭俊。陳朽翁衡恪。京師。郭憨庵人漳。張正陽登壽。漢口。

余生多病。皆由感受東風之故。每值百草萌動時。頭顱作痛。今淺草競萌。余病益苦。休問舊時賓客。先此聊告諸君。

驀地東風吹。誰云天不私。老夫增病日。百草競萌時。绿遍湖南雨。青生舍北池。誰憐頭似雪。二豎總難麾。

昔感

年少時和喜遠遊。故園景物懶回頭。深林繞屋無驚雀。好紙如山每汗牛。借山藏陳年紙約五車。衰老始知多事苦。亂離翻抱有家憂。相憐衹有芙蓉在。冷雨殘花傍小樓。

次韵某生二月十九日禱於觀世音菩薩

大士由來不可知。荒唐傳説誕生期。危時猶有人求福。可惜慈悲無殺機。

次韵某生食竹米飯竹米飯見南岳志。

一飽爲憂事豈知。道消年日亂離時。太平錯恨貧非福。雛鳳無聲老鳳饑。

謝袁煦山并序。 四首

余吞聲草莽之中。煦山携詩相尋。再三始遇。憔悴憐君。豐神似我。自言兵灾。損失過甚。欲謀教授爲活。余念其貧困至此。能不失爲君子。可謂風中勁草矣。因謝以詩。

長饑猶道讀書高。日飲瀟湘水一瓢。無地可容君插足。一時人物萬牛毛。

筆耕我亦老相同。七八硯田稱富翁。今歲秋收見何物。芙蓉門外一株紅。

好静耽詩生恨遲。二毛猶有此衰絲。今人正欲相殘日。古調能彈自愛時。韓子送窮留亦好。塞翁失馬福焉知。草間新咏無人見。留與山靈好護持。

五洲一笑國非亡。謂外人笑中國。同室之中作戰場。稻槁鄰猶關痛癢。城焚魚亦及灾殃。下流不飲牛千古。自薦無慚士一長。四顧萬方皆患難。諸君揮泪再思量。前朝安南使者見中國道旁禾槁詩。誰言行路人。痛癢不相關。

九日岩上老人小飲八硯樓 二首

提壺賒酒老猶能。客約重陽喜不勝。身健哪容負佳節。性孤偏自愛良朋。樓前秋色楓千本。湘上愁心山萬層。此會難忘知遇感。公侯參宴昔年曾。

笑余塞耳厭聞笳。醉倒籬邊烏帽斜。月上東山君莫去。金纓明日過時花。

次韵醫者。兼寄留霞老人留霞老人善醫。

藥爐延火老相親。顧我支離抱病身。知避聲名方是鬼。不操刀斧别無人。影隨鳩杖松山月。露濕鴉鋤芝塢春。無物可醫斯世難。與君同有泪痕新。前朝某爲鬼所祟。一日聞鬼相語曰。薛君將至。吾輩當去。袁枚贈薛一瓢詩。百鬼避聲名。

山行見砍柴鄰子。感傷 二首

束髮天寒苦負薪。衹今赢得性情真。九泉回

首無慚色。兩字傷心是正人。斷舌語言弓脱矢。雕梁身世木從繩。問余無害爲何物。狗子猫兒老可親。

來時岐路遍天涯。獨到星塘認是家。我亦君年無累及。群兒歡跳打柴叉。余生長於星塘老屋。兒時架柴爲叉。相離數武。以柴篼擲擊之。叉倒者爲贏。可得薪。

煨芋分食如兒移孫

韓子平生身是仇。此心深羨老僧幽。羊裘把釣人還識。牛糞生香世不侔。貧未十分書滿架。家餘三畝芋千頭。兒孫識字知翁意。不必官高慕鄴侯。

題賓曙東硐樓并序。 三首

戊午之夏。賓君領軍。欲辭其職。因造硐樓。將以詩酒。樂此餘年。按。戊午。一九一八年。時湘衡間南北軍閥混戰。兵匪騷擾。

天光黯黯霧漫漫。幾處猖狂幾處殘。安得老萍能變化。化爲長劍滿湘南。

萍翁叱犢課耕歸。一粥關門未必非。愁絶小樓居不得。長蛇繞榻大蜂飛。

嗟君身世此相同。所喜鄉名喚鄭公。一角紫雲如肯割。人間我是借山翁。

次韵丁德華女士避兵嚴光冲嚴光冲鄉里僻地。不見故事。 二首

尋得桃源十載餘。桃花流水閉門居。秦人不識津頭路。夢想嚴光結草廬。

少時哪裏見持戈。意氣諸君今若何。吾輩自經庚子後。一齊不唱飯牛歌。

懷人并序。 四首

王仲言來書。代德華索和詩。余因德華知詩。遂有感於舊識。怪林黛玉重逢。泪痕猶濕。恨杜蘭香竟去。魂夢不來。紅粉固易凋殘。青衫自慚淪落。畫餘茶後。非序風情。鼎剩月圓。實傷懷抱。再次前韵。以托愁心。

楊柳青青春雨餘。赤泥紅板對溪居。祇今惟有秋風在。落葉如山擁故廬。

玉璫緘札阻兵戈。隔得蓬山奈遠何。怪殺清時虛過了。畫餘茶後唱山歌。

鼎餘鷄犬亦登天。空覓金丹四十年。凡骨未除仙侶散。任他明月萬回圓。

門前楓樹認荒莊。鬼怪神仙總杳茫。魂夢不來痕迹古。吟江流水板橋霜。

憶桂林往事 六首

穿洞登岩冬復春。人間無此最閑人。寄言獨秀山頭月。今日先生太苦辛。

眼昏隔霧尚雕鐫。好事諸公肯出錢。死後問心何值得。尋常一字價三千。乙巳(按。一九〇五)年。余初客桂林。其篆刻純似龍泓秋庵。樊山先生曾爲書定潤資。常用名印。每字三金。石廣以漢尺爲度。石大照加。石小二分。字若黍粒。每字十金。

麝煤鼠尾自支持。作畫題詩處處隨。夢到山靈仍識否。如今白盡鬢邊絲。

廣西氣候不相侔。自打衣包備小遊。一日扁舟過陽羨。南風輕葛北風裘。桂林無論冬夏。南風則燥。北風則寒。

無覊老馬笑齊璜。公等雕籠意氣揚。不信杜鵑啼破血。能言鸚鵡哪思鄉。是時余正欲歸。同儕皆不可。

豎抹横塗天不欺。雕蟲難許作人師。豈知岳麓山頭骨。貴出榕城并客時。乙巳冬。蔡松坡亦客廣西。欲從事於畫。余未敢應。丁巳(按。一九一七年)春。松坡國葬於麓山。

竹外補種梅花 三首

水邊林下步遲遲。荷笠携鋤人笑痴。老去種

梅如種竹。願人看到太平時。

花香如海是前年。繞屋横枝欲雪天。村北老翁曾看見。相逢今日一凄然。丁巳戊午間。梅樹亦變爲秦灰。(按。即一九一七。一九一八年間。)

少時恨不逼西湖。厭聽妻兒説米無。一笑從容移几去。梅花樹下畫林逋。

看梅懷沁園師　二首

聞道韶塘似昔年。老翁行處總凄然。藕池深雪泥爐酒。誰爲梅花醉欲顛。

三十年前不識寒。沁園堆雪捏獅看。如今覺得風增冷。正有梅時怯倚欄。

梅花　二首

着屐提壺喜晚晴。出門忘却敝袍輕。此生塵世忙何苦。幾見梅花影亂横。隔塢微風香欲斷。小樓殘一作初。月雪無聲。老翁賒得東村酒。得暇何妨醉百觥。

斷角殘鐘半掩關。尋梅無伴意閑閑。人歸遠浦烟籠水。犬吠孤村雪滿山。插帽豈知今日笑。對花不似昔年顔。放翁死後風流絶。作劇尊前老更頑。

岩上老人爲題借山圖。次韵寄答

茅舍欹斜樹椏枝。心閑無物匪新詩。紙窗忽暗知雲過。梅影初來覺月移。李白自能才莫敵。楊朱何泣路分歧。借山亦好時多難。欲乞燕臺葬畫師。擬明年再往京師。老死不言歸矣。

題岩上老人愚齋

文采風流久喪時。舊書無角日相持。此翁合是愚人未。白盡頭顱始學詩。語云。人皆知以食愈饑。未知以學愈愚。

篇二

題送學圖庚申正月十二日畫。按。庚申。一九二〇年。

處處有孩兒。朝朝正耍時。此翁真不是。獨送汝從師。識字未爲非。娘邊去復歸。須防兩行泪。滴破汝紅衣。

題王瑶卿畫梅庚申三月初二日。於王在明處重見王瑶卿畫梅。又題一絶句。按。此下各詩。爲一九二〇(庚申)年二月避湘衡間戰事又携兒孫二人遷居北京(四客京華)後之作。

頤和園裏月娟娟。打鼓君王親賜錢。樊樊山題王瑶卿畫梅曲叙云。銀幣之賜無虚日。今日聽歌人散盡。世間重見李龜年。

題畫芍藥按。原題爲胡南湖畫桑樹芍藥。

閑遊亦感桑三宿。滿地饑蠶瘦欲休。芍藥開時争得意。春陰已盡不知愁。

畫蟬

好飲瀟湘水一瓢。因何年老喜遊遨。借山不是全蕭索。猶有殘蟬咽亂蕉。

答友按。手稿題爲余十八年前爲蟲魚寫照得七八隻。今帶來京請樊山題記。見者皆求畫此。因自嘲云。原詩曰。折扇三千紙一屋。求者苦余蟲一隻。後人笑我肝腸枯。除却寫生一筆無。

素絹三千紙一屋。百怪塊然來我腹。蟲魚草木吾豈無。畫稿三擔何其愚。

自題山水末一首兼寄東鄰女子出家南岳。　三首

采藥心中要一山。不須一物袛雲環。畫師畫

得雲山出。老死京華愧滿顔。
餘年眷屬更纏綿。况有衰親九十年。安得劉安遺剩鼎。一家鷄犬白雲巔。
三十年中感不勝。人情閲盡耻爲僧。故人知我當時意。五十三參老愈能。

望雲 并序。

一夜。夢讀東坡死後猶憂伴新鬼句。感動涕泣。因泣而醒。泪猶盈眶。明日遊西山登其巔。南望浮雲。有思親舍。

拖笻北上復何求。我亦中年萬事休。老鬼畫符時不合。故山埋骨死猶憂。省親安得雲爲馬。飲水何妨頸似牛。年少清平歡笑事。等閑贏得泪盈眸。

逢梅蘭芳 按。庚申(一九二〇年)七月廿一日日記手稿云。姚玉芙約余喜筵。梅蘭芳曾求余畫。見余認識。呼曰。齊先生至矣。歸途得一絶句。後八月廿八日於跋齊如山所藏梅蘭芳所書中幅中亦記此事。詩中草衣改作布衣。三四句作如今淪落長安市。幸有梅郎呼姓名。

記得先朝享太平。草衣尊貴動公卿。如今燕市無人識。且喜梅郎原作瀾。呼姓名。

畫莊周夢蝶圖

换骨金丹未必無。且看蝴蝶影蘧蘧。世人欲想化蝴蝶。熟讀莊周所著書。

開瓮圖

立此何爲。有缸有杓。人謂是能文者東坡。我謂是爲盗者畢卓。

老松秋色圖

荻蘆葉細如髮。鳥雀斜飛欲無。何不畫個鍾馗。磨劍斬鬼之餘。坐此松下讀書。

西山松下

衡岳亦有此松。已經七朝風烟。何以不使我歸。閑聽祝融流泉。

畫秋海棠 二首

玉階滿地是相思。化作胭脂君不知。愁絶杜蘭香去後。背人終日泪絲絲。
七月西風十指凉。卷簾斜日射銀墻。山翁把筆忙何苦。争得秋光上海棠。

招朱心佛飲不至。來書請以畫代酒

故人能知我。苦無沽酒錢。一錢不值贈君畫。石榴如斗藕如船。記取同居蕭寺年。

答朱心佛中秋日贈葡萄 按。手稿作葡萄干。注云小者無子。燕人製爲干。 二首

葡萄無子金珠賤。知我平生爲口遊。一啖舉頭同看月。客中幾過此中秋。
木偶泥人似老翁。法源寺裏感相逢。此翁合是枯僧未。又聽觀音寺裏鐘。

閉門

燕京七月覺秋寒。閉户慵聞世事難。炊粥但求終日飽。畫符自謂畫筆如天師畫符。聊博老年歡。慣猥獸炭鉗融火。恣寫烏絲字出欄。萬事不如離别少。黄花樽酒草堂寬。

畫蝦

蟹未肥時酒似波。蘆蝦風味較如何。果然個

個爲龍去。海國焉能着許多。諺云蝦頭全似龍。可以化龍。

得小竹可作釣竿

苦思把釣小池塘。無角殘書撒手忙。竿影不教長五尺。恐驚七十二鴛鴦。

家園黄菊影本

香清色正好幽姿。種向深山孰得知。太息此花非昔比。連年常有踐牛時。

咏菊

愛菊無詩自取嘲。長安人笑太無聊。花能解語爲吾道。好在先生未折腰。

睡鳥

好鳥離巢總苦辛。張弓稀處小栖身。知機不獨三緘口。按。原注閉嘴鳥。閉目天涯正斷人。按。原注閉目鳥。

家書謂小圃必荒。吾聞之恨不出家

按。原題畫芋。

年來小圃芋凋零。每到秋來草更深。我欲出家從佛去。不妨人笑第三乘。按。原稿作人間不見懶殘僧。又按。原手稿下注云。余生平最厭和尚。厭其非眞。故及之。

畫蟋蟀

秋光欲去老夫痴。割取西風上繭絲。唧唧寒蛩吟思苦。工夫深處老夫知。按。原稿作祇心知。

友人園池見蜻蜓按。原稿題畫蜻蜓。

亭亭款款未凉秋。點水穿花汝自由。落足細看飛上去。鷄冠不比玉搔頭。

畫梅

草間偷活到京華。不爲饑驅亦別家。擬畫借山老梅樹。呼兒同看故園花。

老溪俗謂老壩。在借山館西北一百步。

入溪松影龍翻浪。洗硯墨花雲布天。此景閑窺還讓鶴。安寧能待五千年。

梅花　二首

種樹自呼爲處士。看花誰想作秦人。心腸鐵石從來硬。劫後相憐十二分。

佛號鐘聲煩惱場。僧房清静話荒唐。此心已在西山麓。夢裏梅花繞屋香。

由燕返湘。近鄉遇微雪按。一九二〇(庚申)年十月。由保定返湘。

隔年痴想靠豐收。肩不能挑老可愁。南地從無三寸雪。遺蝗聞已遍山丘。

近鄉

岳色湘流可斷腸。近鄉心事更凄愴。世間是處堪埋骨。不必餘年死故鄉。

五日夏天畸贈羊裘

新賣蓑衣緑似油。頭顱白盡更何求。天涯不欲人相識。何用嚴家五月裘。

聞家山松因蟲傷 并序。

先王父嘗言。前朝同治九年。星塘老屋一帶。松葉爲蟲食盡。一日風雨雷電。其蟲盡死。丁巳以來。借山館後之松蟲食欲枯。苦思庚午之雷電。不可得矣。按。同治九年爲一八七〇年。歲次庚午。

松針食盡蟲猶瘦。松子餘生緑可哀。安得老天憐惜意。雨風雷電一齊來。

己未三客京華。聞湖南又有戰事。將欲還家省親。起程之時。有感而作。

按。己未是一九一九年。三客京華第一次指一九〇三年即清光緒二十九年癸卯。第二次指一九一七年即民國六年丁巳。故己未來京是第三次。其情况并見本輯自序中。又按。此詩應録於本卷庚申諸作之前。

一日飛車出帝京。衡湘何處着閑民。園荒狐已營巢穴。世變人偏識姓名。愁似草生刪又長。盜如山密鏟難平。三年深負紅梨樹。北地非無杜宇聲。

庚申秋九月梅蘭芳倩家如山約余綴玉軒閑話。余知蘭芳近事於畫。往焉。蘭芳笑求余畫蟲與觀。余諾之。蘭芳欣然磨墨理紙。觀余畫畢。爲歌一曲相報。歌聲凄清感人。明日贈之以詩

按。庚申。一九二〇年。此詩應録於前逢梅蘭芳一首之後。 二首

飛塵十丈暗燕京。綴玉軒中氣獨清。難得善才看作畫。殷勤磨就墨三升。

西風颼颼裊荒烟。正是京華秋暮天。今日相逢聞此曲。他時君是李龜年。

題畫墨牡丹 按。此下各詩皆己未(一九一九)年之作。應都次於本卷庚申(一九二〇)諸作之前。

衣上黄沙萬斛。家中破筆千枝。至死無聞人世。祇因不買胭脂。

岩上老人以詩見贈。次韵答之 按。此首是己未(一九一九)年還家省親後之作。

讀五車書六十年。學詩何不亂離先。趙家感慨詼諧出。袁氏才華瀟灑傳。食葉蠶肥絲自足。采花蜂苦蜜方甜。書生餘習終難捨。人笑愚公老更顛。

友人次余籬豆詩韵見贈。余次韵答之

有好偏能興趣長。不辭日日事都忙。早梅欲雪看花發。春竹聞雷覺笋香。氣已漸和亡雅俗。客如隨意更疏狂。近來惟有詩堪笑。倒綳孩兒作老娘。聊齋志异。作老娘三十年。今日尚倒綳孩兒。亦復何説。

留霞老人去年八十。自言且喜重遊泮水。紀之以詩。郵稿來京師。余次韵奉答

菊花時節正重陽。想到家山酒味芳。我輩早知行路倦。相公還道此身强。吾鄉諺稱。新得秀才者爲相公。此翁至今猶有呼爲羅一相公者。人休相見稱遺老。自喜翻新唤大郎。一笑星塘同甲子。兒年六十客他鄉。星塘謂阿爺。

柳絮

忙飛亂舞春風殘。祇博兒童一捉歡。何似棉花花落後。年年天下不知寒。

題畫雨後荷花

通身折斷是情絲。幾見初開欲語時。不忘百梅祠外路。雨餘清露夜垂垂。

辛酉九日到家。二十五日得如兒京師來電。稱移孫病篤。余至長沙。又得如兒書。言病已穩。到漢口。又得書。言病大減。作詩以慰如兒之周密按。辛酉。一九二一年。是年二月來京。八月又回湘。此辛酉九日指九月九日(即重陽節)也。得電又即赴京。 二首

電機三報阿移病。沿路鴻鱗慰老親。漢口釋疑真未死。開緘一笑不成聲。

賣畫買書非下謀。讀書須識有巢由。吾兒不負乃翁意。寧爲兒孫作馬牛。

燕京果盛。有懷小園

家園尚剩種花地。梨橘葡萄四角多。安得趕山鞭在手。一家草木過黄河。

門人爲畫小像。友人以爲未似。余自戲題一絶句

身如朽木口加緘。兩字塵情一筆删。笑倒此翁真是我。越無人識越安閑。

枕上

掃除煩惱活餘生。一物無容胸次横。孤枕早醒偏好事。百另八下數鐘聲。

十出京華二絶句按。辛酉(一九二二)年十一月。又因家人病回湘。十出京華乃與赴保定合計。二首

窮年奔走幾時休。十出京華白盡頭。荒冢纍纍沿路有。昔人曾也好名不。

活餘心事久成灰。兒女痴情願尚違。燕樹衡雲都識我。年年黄葉此翁歸。

被銘

窄則不掩。薄則不温。累人至重。禦寒覺輕。

石硯銘

汝潤吾樂。汝破吾饑。汝頑吾噫。

筆銘

破筆成冢。於世何補。筆兮筆兮。吾將甘與汝終古。原作同死。

題凌宴池夫人小楷書 二首

字小行行古所無。眼花相看誤烏絲。三千疋絹三千字。説與夫人價要知。

堪笑前人學寫經。祇今博得俗書名。老夫亦種芭蕉葉。專聽秋天夜雨聲。

望雨

故鄉離亂難歸日。客舍晴干久渴時。窗外緑天非待雪。雨來蕉葉最先知。

喜雨

軟塵常作半天霧。無物能無三寸沙。今日風來非作惡。隔城飛雨洗藤花。

社稷壇觀劇今名公園。

名園無草復無苔。醜旦登場樹幾排。祇有杏花曾得意。三年一見狀元來。

門人馬霖寄贈胭脂

霖也中年似我痴。怕公年老畫無姿。羊城寄盡胭脂粉。燕市猶嫌未入時。

唐規嚴還長沙。請傳語趙炎午

按。此下二首是一九二三(癸亥)年作。是秋譚(延闓)趙(恒惕)戰於衡湘間。

石榴子熟西風急。蔬菜根香秋雨凉。君返長沙逢老趙。爲言白石苦思鄉。

中秋夜

與夏天畸在保陽。

倚門望子老親癯。燕市三年佳節無。凡三日五日及八月十五日。多爲大畸招往保陽。不在京華也。今夜與君同看月。家山兵亂久無書。時湘軍正在交戰。

示移孫

按。此壬戌(一九二二)年夏在保定時所作。

客非卑濕地。多病却相猜。生既能痴蠢。長應無難灾。五絲蒲節過。二竪薛君來。薛君。薛一瓢。見隨園詩話。豈爲讀書苦。因勞七尺骸。

夢家園梨花

并序。

余種梨於借山館前後。每移花接木。必呼移孫携刀鑿隨行。此數年常事。去年冬十一月初一日。移孫死矣按。去年指一九二二年。此詩作於一九二三年(癸亥)。

遠夢回家雨裏春。土墻茅屋靄紅雲。梨花若是多情種。應憶相隨種樹人。

題陳師曾畫

按。陳師曾(衡恪)歿於一九二三年。

槐堂風雨憶相逢。豈料憐公又哭公。此後苦心誰識得。黄泥嶺上數株松。

阜城門外衍法寺尋瑞光上人

即題上人所贈之畫。

故我京華作上賓。前朝癸卯年。夏午詒請爲上賓。農髯三過不開門。曾農髯過訪再三。余以病却。曾入門曰。吾已來矣。公何却耶。今朝古寺尋僧去。相見無言將虱捫。

寶姬多病。侍奉不怠。以詩慰之

寶姬自言有姊從朱姓。有弟名海生。忘其居住地名。

痴拙誰言百不能。相從猶識布衣尊。分離骨肉余無補。憐惜哀頽汝有恩。多病倦時勞洗硯。苦吟寒夜慣携燈。此情待得删除盡。懶字同參最上乘。

訪胡槐齋先生不遇　二首

十年不見槐公面。今日欣看壁上詩。三雅門生同甲子。清霜都上鬢邊絲。沁園師自號三雅主人。

難得山中清静福。但聞蟲鳥忽風雷。故人腰足真牛馬。此去京師十五回。

自嘲

青鬢離鄉忽白毛。苦思無計絶煩勞。世途行盡堪誇耀。妻妾都能打被包。

安定門車站送郭五柩回南

丈夫死幸得棺材。况有家山骨可埋。倘使今朝易當日。三千門客會都來。郭五名人漳。好賓客。

題陳師曾畫

君我兩個人。結交重相畏。胸中俱能事。不

以皮毛貴。牛鬼與蛇神。常從腕底會。君無我不進。我無君則退。我言君自知。九原毋相昧。

題畫

休言濁世少人知。縱筆安詳費苦思。難得近朱人亦赤。山姬能指畫中疵。寶姬爲余理紙十年。余畫中之巧拙。必能直指言之。按。據此自注。此詩當是一九二八年(戊辰)所作。

木床　二首

瘦軀倦卧似枯骸。未死衰翁孰肯埋。竊恐就棺他日苦。木床練習背皮來。
早起遲眠懶未能。百年居此衹三分。鄰翁福厚終朝睡。好在一作衹爲。無人識姓名。

次韵石安見贈詩四首之一

吞聲容易泪盈巾。携手猶疑隔世身。鏡裏白頭疑一作終。作古。燈前紅豆最思君。蒼茫夜火添新鬼。寥落晨星數故人。狗子不存猫亦死。惟餘草莽日多親。

書菊影詩草後

婿求韓重遇應遲。待得成雙鬢欲垂。誤汝一生緣底事。輕人兩字在能詩。并頭蓮子心殊苦。比目魚兒影太痴。早識使君原有婦。十年何用泪絲絲。

食鷄頭菱

更誰同唱采菱歌。樂事從來有幾何。食我鷄頭親剥肉。不辭纖手刺痕多。

石燈庵題壁

法源寺徙龍泉寺。佛號鐘聲寄一龕。誰識畫師成活佛。槐花風雨石燈庵。

避亂携眷北來按。此詩載在壬戌六月初六日筆記中。壬戌是一九二二年。

不解吞聲小阿長。携家北上太倉皇。回頭有泪親還在。咬定蓮花是故鄉。蓮花。山名。

虎坊橋越中先賢祠觀浙紹水灾書畫助賑會。余畫杏花一幅題云

蹇驢晴繫虎坊開。應世今爲展覽來。一代精神屬花草。凌家伶俐二陳乖。謂凌直支。陳半丁。陳師曾。

枕上

卧聽鄰窗半夜鷄。入春離思太萋迷。萍踪飄蕩身何着。鬼道揶揄手敢携。南地不容烏鳥哺。北方亦有杜鵑啼。飛魂更怯還家夢。繞屋愁雲舊種梨。

三月初三日夜夢到家

無憂無患要無家。北竄南逃感物華。一夜夢歸人不覺。閉門深處發梨花。

題錢樸園遺像樸園名溱。前清嘉道間人。

將軍行處金鋪地。餘吏還鄉珠滿車。不見昔賢爲宦後。舊靴脚上底全無。

友人有遊京華者。以詩見示。余即次其集中詩韵答之

清遊詩句合全留。與子皆爲水上漚。一日欲吟三百首。老年安得健如牛。

小窗看雪

喜雪難堪是污踐。不妨三尺擁青門。墻頭雀過嫌泥爪。天上鴻飛忌月痕。非侶交遊終易別。成群私淑總無恩。貧居豈合停車馬。野寺荒城隔替人。僧瑞光居阜城門外衍法寺。

自嘲

何用高官爲世豪。雕蟲垂老不辭勞。夜長鐫印忘遲睡。晨起臨池當早朝。嚙到齒搖非禄俸。力能自食匪民膏。眼昏未瞎手猶在。自笑長安作老饕。

得羅癭公所書扇面。喜成五律一首

破愁開口笑。喜得故人書。天馬無羈勒。驚蛇入草蕪。病非碑下死。時人謂苦臨碑帖至死不變者。爲死於碑下。名豈世間無。癭公病重。有求其書於廠肆者甚衆。一藝餘知己。塵寰德不孤。

嘗夢死者　二首

昏燈欲滅聽敲門。死者嘗來入夢魂。六十歲餘方自覺。七分人氣鬼三分。

醒猶恍惚在冥中。意裏人偏夢不通。惟有暮年無限恨。周公孔子不相逢。

題大滌子畫

絶後空前釋阿長。一生得力隱清湘。胸中山水奇天下。删去臨摹手一雙。

紀事

异地逡巡忽十年。厭聞虛譽動幽燕。西山舊夢編茅屋。春日新愁見紙鳶。作畫半生剛易米。題詩萬首不論錢。城南鄰叟才情惡。科甲矜人衆口喧。

病減

六軍難壓小兒啼。白日鳴雷肚裏饑。妻妾安排鍋要煮。老夫扶病畫山溪。

寄萍堂并序。

余居宣武門内劈柴胡同西口北行數武。堂壁挂湘綺師所書寄萍堂三字。

凄風吹袂异人間。久住渾忘心膽寒。馬面牛頭都見慣。寄萍堂外鬼門關。

四月初八日於長沙吾家遯園家晤梅兒　二首

四載長離膝。相逢更可憐。婚姻惟打罵。骨肉隔雲天。東閣聽蟋蟀。梅兒逃打罵。居娘家年餘。西山負杜鵑。余居京華。連年得梅兒兄妹函請歸。余未能應。猶餘傷苦泪。羅帕爲兒沾。

赤繩勿太堅。休誤此華年。未識嬌兒苦。難鳴嚴父前。鋼刀情倘薄。其夫婿嘗持刀欲殺。奔走鄰家。幸爲阻隔。乃免。銀鬢見何緣。從此蘧蘧意。更名唤蝶仙。

慰梅兒

生來教讀事都無。何獨吾家汝不愚。性氣剛時爺可諫。余有友勸遊日本。梅兒以父年將七十。痛諫阻。聰明極處自能書。牛衣卧體原天命。鷄肋容拳豈丈夫。難得顧全能食力。鳴機殘捲夜燈孤。

題畫一燈一硯

無計安排返故鄉。移干就濕負高堂。强爲北地風流客。寒夜孤燈硯一方。

篇三

憶梅

看花不怯天寒冷。我是山梅舊主人。忘却黄昏不歸去。百梅祠外雪紛紛。

看梅

足迹曾經半天下。看山豈怯路漫漫。齒摇不識孤山一作西湖。月。每對梅花汗滿顔。

墨梅

通身鑄鐵净無塵。香墨緣來舊有因。月下人看初恍惚。山中雪滿更精神。自知得地神仙窟。何必移根宰相門。畫入溪藤顔色古。無須東閣動吟魂。

折花枝　二首

人生歡樂幾多時。常折花枝寄遠思。狂態未除情態作。鐵廬塘外雨風知。

赤泥紅板乍離時。常折花枝寄遠思。春又不寒宵又永。一雙蝴蝶夢魂知。

畫折枝花

逢人誰個説黄筌。作畫題詩筆不干。風雅不如聲色貴。亂離猶説原作播。李龜年。

倒枝梅花　二首

十年梅樹風烟静。不出高樓長不休。飛雪半空花不辨。好枝高極解回頭。

花發無辭天意寒。一生香在雪中山。年深自有低心日。不欲教人仰首看。

臘梅

千花開時汝未覺。汝欲開時萬花落。却共山梅豐骨清。寒香可惜人不嚼。

看梅憶星塘老屋

疏影黄昏月色殊。老年清福羨林逋。此時正是梅開際。老屋檐前花有無。

題畫梅

妻子分離歸去難。四千餘里路漫漫。平安昨日家書到。畫出梅花色亦歡。

題兒婦紫環畫梅

世人欲笑汝頑痴。炊爨餘閑筆一枝。何必一家都好事。苦心惟有百梅知。

遊香山。門人由山頂而下。持折枝梅花爲贈

强對梅花笑滿顏。相尋舉步太艱難。杖藜哪有扶人力。好看梅時怯上山。

憶梅

最關情是舊移家。屋角寒風香徑斜。二十里中三尺雪。餘霞雙屐到蓮花。餘霞。蓮花。皆山名。二山相隔二十里。

入窗梅影

花疏幹老無人賞。紙帳蘆簾瘦影孤。祇好嫁人作商婦。西湖雖在失林逋。

枯枝紅梅

灼灼丹光姑射砂。東風吹得上梅杈。老枝有態原無意。遠勝玄都觀裏花。

友人重逢呈畫梅 三首

法源寺裏曾相見。鴨子廟邊今又尋。何必相逢重相善。與君同是倦遊人。

詩酒歡心非昔年。畫家如草復如烟。天涯到此緣何事。下筆如神不值錢。

雪冷冰殘肌骨凉。金農羅聘遜金陽。尹和伯名金陽。畫梅空前絶後。竹籬茅舍心如鐵。百里無名可斷腸。湘綺師題和伯畫梅句。八十老翁心似鐵。竹籬茅舍好年光。

水邊梅花

横斜影如鐵。池上初消雪。好風時不寒。吹碎池中月。

畫紅梅

閑將古鼎剩丹霞。着上檐前枝上葩。自笑此翁清福薄。老年花髮怯還家。

山寺窄徑傍紅梅

冰顏却厭雪同色。緑萼猶嫌玉有瑕。着盡胭脂鐵骨在。諸君莫認是桃花。

葡萄下説往事

山妻笑我負平生。世亂身衰重遠行。年少厭聞難再得。葡萄陰下紡紗聲。

所見

未能老懶與人齊。晨起揮毫到日西。空羡閑僧日無事。葡萄藤下飼家鷄。余居石燈庵。目之所見。

代書約胡石安

漫言燕市風塵惡。七月葡萄味正甘。我欲勸君相伴往。啖餘携手看西山。

三月五日寄舊鄰

人生相見幾多時。今夕明朝事豈知。玉漏不寒銀燭永。云一作吟。箋書盡寄相思。

葡萄藤蟲傷

紫乳蒼莖苦蝕侵。蠹牙如斧大蜂針。漢家廣地今何似。何况山家一架藤。

畫盛開朱藤花爲外國人求去。并求題句

一筆垂藤百尺長。濃陰合處日無光。與君挂在高堂上。好聞漫天紫雪香。

畫藤蘿

晨起推開南向窗。春晴風暖日初長。傳聞舍北藤蘿發。追得花魂上紙香。追花魂借用葉法善追魂碑事。

朱藤并序。

時居保陽遊蓮花池。見池上紫藤最盛。歸客窗後。畫長幅并題。

三畝清香滿地陰。蓮花池上客遊曾。偷閑願借藤陰住。合作無能粥飯僧。

借山館外野藤花

陰密如雲蔽日華。偶聞香氣更思家。借山四野皆藤海。樵牧何曾認作花。

雨裏藤花

苦雨斜風不出城。亂人心思打窗聲。柔藤不借撑持力。卧地開花落不驚。

得兒輩函復示

朱藤年久結如繩。楓樹園借山館屋右側園名也。旁香色清。亂到十分休要解。畫師留得悟天真。

己未年藤蘿正開。余避亂離家按。己未。一九一九年。此題畫紫藤回憶。

春園初暖鬧蜂衙。天半垂藤散紫霞。雷電不行笳鼓震。好花時節上京華。

題畫藤

湘上滔滔好水田。劫餘不值一文錢。更誰來買山翁畫。百尺藤花鎖午烟。

秋藤遊西山卧佛寺紀實。

自笑看山足力微。出門三步便思歸。扶笻怕嚇藤間鳥。鳥起能驚霜葉飛。

春藤

西風昨歲到園亭。落葉階前一尺深。且喜天工能反復。又吹春色上枯藤。

老藤

藤蘿花盛憶先朝。百劫千霜老似蛟。長到松巔垂百尺。色香也惹懶蜂高。

畫藤花

兒時牛背笛。歸去弄斜陽。三里壕邊路。藤花噴异香。

畫藤

青藤靈舞好思想。百索莫解頭緒爽。白石此法從何來。飛蛇亂驚離草莽。

見吴缶廬畫憶星塘

少年不識重歸期。愁絶於今變亂時。老屋此生能見否。菜根香處最相思。

題畫畢卓

宰相歸田。囊底無錢。寧肯爲盜。不肯傷廉。

李鐵拐

形骸真個能瀟灑。我笑神仙尸未解。天下從來多妄妖。葫蘆有藥人休買。

畫獵人題句

雪風吹鬢獨徘徊。寒透狐裘凍不開。我勸此翁忘得失。泥爐杯酒好歸來。

題不倒翁

能供兒戲此翁乖。倒不須扶自起來。頭上齊眉紗帽黑。雖無肝膽有官階。

漁翁

江滔滔。山巍巍。故鄉雖好不容歸。風斜斜。雨霏霏。漁翁又欲之何處。桃源在。人民非。

畫西城三怪圖（并序。）

門人雪庵和尚嘗言。前朝同光間。趙撝叔德硯香諸君爲西城八怪。謂畫筆不儕流俗。吾曰。然則吾與汝亦西城兩怪歟。惜無多人也。雪庵尋思曰。臼庵亦居西城。可稱三怪。一日臼庵來借山館。吾白其意。明日臼庵出紙。索畫此圖。

閉户孤藏老病身。哪堪身外更逢君。捫心哪有稀奇想。竊恐悲庵暗笑人。

自畫息肩圖并戲題

眼看朋儕歸去拳。哪曾把去一文錢。先生自笑年七十。挑盡銅山應息肩。

李鐵拐題句

形骸終未了塵緣。餓殍還魂豈妄傳。抛却葫蘆與鐵拐。人間誰信是神仙。

畫瓜

朱門絶少。茅舍秋早。一笑加餐。何曾同飽。

題畫瓜

桑陰有瓜。萍翁有家。未白頭時總可誇。

種瓜

删除草木打虚花。（樊山翁詩。寒門燈打一錢油。打油打花。皆諺語也。）却笑平生爲口嗟 。新種葡萄難滿架。復將空處補絲瓜。

題畫絲瓜（絲瓜見形而名。不見故事。）

不妨菜肚斯生了。我與何曾同一飽。（蘇句。）紅薑紫芋食有餘。亂藤横戀絲瓜老。

絲瓜

種瓜五月已生遲。六月南方不雨時。且喜垂垂見瓜日。秋風又向小園吹。

種瓜復憶星塘老屋

青天用意發春風。吹白人頭頃刻工。瓜土桑陰俱似舊。無人喚我作兒童。

畫葫蘆

風翻墨葉亂猶齊。架上葫蘆仰復垂。萬事不如依樣好。九州多難在新奇。

葫蘆架未整齊。石燈庵老僧笑之。戲答

三年閉户佛堂西。咬定餘年懶最宜。隨意將瓜來下種。牽藤扶架任高低。

畫佛手柑

買地常思築佛堂。同龕彌勒已商量。勸余長作拈花笑。待到他年手自香。

畫葫蘆

塗黄抹緑再三看。歲歲尋常汗滿顔。幾欲變更終縮手。捨真作怪此生難。

合掌佛手柑

我亦人間雙妙手。搔人癢處最爲難。從今塵垢皆除盡。合掌來同彌勒龕。

畫葫蘆

劫後殘軀心膽寒。無聊更變却非難。一心要學葫蘆訣。無故哈哈笑世間。

畫佛手柑題句

去年一日訪僧家。傍坐垂柑手亂叉。衣上惹歸香氣在。猶疑天女撒來花。

遊卧佛寺

欲擲禿毫携佛手。佛亦低眉笑開口。長安添個在家僧。一笑逃名即上乘。

畫鷄冠花

老眼朦朧認作鷄。花冠綉脛羽毛齊。客窗一夜如年久。聽到天明汝不啼。

得家書

白石山前二頃田。家書報到鎖荒烟。客中逢友還誇説。居此無愁已十年。

煨芋忽憶家山往事

東坡誇有。白石豈無。門外田丘青露珠。中年一飽好山居。

畫芋

叱犢携鋤老夫事。老年趣味休相弃。自家牛糞正如山。煨芋爐邊香撲鼻。

芋苗兼蟹

芋魁既有。蟹螯豈無。不能飲酒。山姬笑愚。

夢茹家聲閑話

芋葉青青露氣清。貧家鷄子每成群。昨宵夢見東鄰叟。猶話中年共太平。

蓼花芋葉

出門兩脚轉如篷。非爲銅山訪鄧通。十載家園總辜負。芋苗黄瘦蓼花紅。

題畫芋

萬緣空盡短燈檠。誰認山翁不類僧。但得老年吾手在。芋魁煨熟樂平分。

畫扁豆

籬豆棚陰蟋蟀鳴。一年容易又秋聲。正當佳日休辜負。明日西山看晚晴。

題畫菜

料理清蔬飽過年。菜挑常有集門前。諸君休笑無顏色。也活餘齡七十邊。

憶菜蔬小圃

久别倍思鄉。吟情負草堂。飽諳塵世味。尤覺菜根香。自掃園中雪。誰憐鬢上霜。傷心娱老地。歸夢嘆青黄。

種菜

白頭一飽自經營。鋤後山妻手不停。何肉不妨老無分。滿園蔬菜繞門青。

畫白菜兼野菌

北方白菜味香殊。鄉味論甜總不如。可惜無名播天下。南方野菌勝蘑菇。

飽菜并序。

余性嗜蔬笋。席上有蔬菜。其味有所喜者。雖鷄魚不下箸矣。

諸侯賓客四十載。菜肚羊蹄嗜各殊。不是獨誇根有味。須知此老是農夫。

畫白菜兼笋

田家蔬笋好生涯。兼味盤餐自可誇。更有不勞栽種力。年年屋角紫藤花。

題畫菜并序。

一日有及笄女子求余畫。畫成再求題句。

欲了前生未了因。拈毫題句費精神。園蔬也有塵凡福。曾見窗前看畫人。

畫菜

味美還在嚴霜。奢詞煮鷄鴨湯。前輩語云。鷄鴨湯煮白菜。遠勝滿漢筵席二十四味。充肚勝半年糧。諺語云。蔬菜半年糧。樊樊山翁爲余題借山圖句云。豈聞菜肚驕羊蹄。得志者勿忘其香。

題畫菜

先人代代咬其根。種菜山園深閉門。難得中年太平日。人知識字布衣尊。

畫芥

手種新蔬青滿園。冬天難捨掘其根。何年仍享清平福。着屐携籃剪芥孫。

題門人王雪濤畫菜

畫欲流傳豈偶然。幾人傳作屬青年。憐君直得前人意。五彩靈光散墨烟。

畫短檠贈門人雪庵和尚

經年懶不出門行。布襪無塵足垢輕。猶有前因未消滅。蓮花寺裏佛前燈。

題大滌子畫像（朱彝臨本。雪庵上人藏。） 二首

下筆誰教泣鬼神。二千餘載祇斯僧。焚香願下師生拜。昨夜揮毫夢見君。
草莽當時劫網逃。亂離身世道方高。八年吾亦思歸苦。烏烏私情杏塢巢。（吾父年八十又六。母年八十。居杏子塢老屋。按。白石父一八四五年生。此詩作於一九二四年甲子。）

畫菜

朱門良肉在吾側。口中伸手（諺語云。貪食者口中伸出手來。）何能得。是誰使我老良民。面皮變作青青色。

畫珊瑚樹

昨得山妻慰問書。雪深三尺着裘無。羊裘典矣因思贖。五尺珊瑚畫一株。

天竺

山居幸有炊烟起。鄰叟尤窮粒米無。見我墻頭天竺子。齊家樹結珊瑚珠。

食柿

戰聲連夜近城邊。萬物將來不論錢。果木何心傷劫亂。啖來還似舊時甜。

食桃實

步虛昨夜到瑶臺。清露無聲濕玉階。惟有飛瓊持贈别。天風吹袂下蓬萊。

荔枝

過嶺全無遠道愁。此行曾作快心遊。荔枝日食三千顆。好夢無由續廣州。

與友人説往事

客裏欽州舊夢痴。南門河上雨絲絲。此生再過應無分。纖手教儂剥荔枝。（嘗有歌女剥荔枝啖余。）

題畫荔枝與友人分韵。余得安字

論園買夏鶴頭丹。風味雖殊痂嗜難。人世幾逢開口笑。紅塵一騎到長安。

思食荔枝

此生無計作重遊。五月垂丹勝鶴頭。爲口不辭勞跋涉。願風吹我到欽州。

畫鉢菊

揮毫移向鉢中來。料得花魂笑口開。似是却非好顔色。不依籬下即蓬萊。

看菊

半年足不出柴門。屋角昨宵葉有聲。晨起扶笻過籬落。菊花開到二三分。

題畫鉢中紅菊

名園籬下繞紅霞。一旦移來賣菊家。雨露滿天沾不到。最堪憐是鉢中花。

某園看菊歸

曾傍東籬着老苗。主人何幸隱名高。菊花節比先生硬。開盡秋風不折腰。

惜秋

秋風容易到山家。且喜無錢酒可賒。醉倒籬邊勿歸去。此花開後更無花。

篇四

書夢

難捨吾廬近曉霞。昨宵扶杖夢還家。感秋偏折簪頭菊。思懶猶憐戀地瓜藤無棚架。亦覺可憐。園裏菜傷全是蟲。籬邊蒿長過於花。老妻笑道君休管。不見山中壑口蛇。

殘菊與老來少同時

本來菊亦如人淡。慘緑單衣老不慚。惟有風情終未減。倩人扶着要紅衫。

題畫籬外菊

踏花蹄爪不時來。荒弃名園衹蔓苔。黄菊獨知籬外好。着苗穿過這邊開。

看菊

老菊燦霞紅。扶笻立晚風。痴頑無伴侶。蟋蟀作吟朋。

嘆菊

重陽欲近雨絲絲。賞菊家園酒一卮。七載已經三百劫。如今又作戰場時。

對菊憶陳師曾

京華風俗。招畫人一飲。求合作畫一幅。先動筆者爲主。登報紙名必居首。師曾每奪筆一揮。此時畫侶凋殘。因追嘆也。

往日追思同飲者。十年名譽揚天下。樽前奪筆失斯人。黄菊西風又開也。

丹楓黄菊。畫贈黎松安

三十年前溪上路。丹楓亂落黄花瘦。與君顔色未曾凋。人影水光獨木橋。松安居杉溪。溪上有獨木橋。惟有耕者能過去。非行人橋也。松安云。有人能倒退過此橋者。吾願以佳印石贈。余竟能得。

畫鉢菊

紙窄堪容鉢半邊。半邊須賣正圓錢。有人若

問圓全價。帶土連花五百千。京錢一百爲一千。

題人畫菊

三月春陰解護持。東風開盡萬花枝。菊花獨耐人間冷。開向苔枯木槁時。

題陳師曾畫幅

無功禄俸耻諸子。公子生涯畫裏花。人品不慚高出畫。一燈瘦影卧京華。

畫菊

漢苑春殘無艶色。東籬秋盡有霜葩。一般草木關天命。芍藥無緣見菊花。

爲菊影畫菊并題并序。 三首

菊影湘潭人。能歌曲。詩有深思。願從某少年。未遂。遂長齋念佛。

好枝開得殊消瘦。霜落蛩哀月又斜。顧影要知非薄命。生來還自勝桃花。

誰能一足踼禪堂。肯把相思做一雙。修到此身如可化。化爲七十二鴛鴦。

少年常慣乞春陰。不管流光寸寸金。老眼朦朧還寫照。來生應作護花鈴。

次韵退園咏菊

十年盜寇如鱗密。草莽吞聲越五秋。祇好携家從北上。雨中黄菊泪俱流。

追思

少年樂事怕追尋。一刻秋光值萬金。記得那人同看菊。一雙蟋蟀出花陰。

爲人書餐菊樓三字并題 二首

九月霜風落木寒。少年忘却葛衣單。饑來不乞長安米。尚有樓頭菊可餐。

我家亦向東籬種。太息落英埋陣一作戰。云。今日到君樓上坐。老饞强迫要平分。

題張雪揚小竿撑菊畫幅

年少心思壓老頑。畫中别趣在撑竿。種花不必高三尺。高轉多危撑亦難。

題畫

有蟹已盈筐。有酒亦盈卮。君若遲不飲。黄花欲過時。

紫菊

九月西風霜氣清。舍南園圃紫雲晴。看花祇在朱欄外。不惹園丁問姓名。

紅菊

黄花正色未爲工。不入時人衆眼中。草木也知通世法。捨身學得牡丹紅。

卧開菊

休笑因何卧地苗。大風吹不折花梢。寒香秋後人方覺。腐盡蓬蒿一丈高。

畫白菊

小技老生涯。揮毫欲自誇。翠雲裁作葉。白

玉截成花。

畫菊

幾朵霜花貴百緡。價高殊不遜黄金。油鹽煤米皆能换。何必專餐苦落英。

畫黄白菊

黄金從來有價。白玉自喜無瑕。多謝秋風得力。一齊吹到吾家。

看菊懷沁園師故宅

青鬢烏絲未唤翁。年年佳日喜秋風。余不樂過春日。紅雲滿地閑看菊。猶憶停車謁沁公。

憶家山采菊短籬

饑來喜采落英餐。二十年前意未闌。不獨菊花老辜負。籬南還有舊青山。

卧地秋花

世亂何人着意栽。殘香秋色自安排。花肥莖瘦腰無力。不借撑持卧地開。

昨夢

昨夢到瀟湘。孤村落日黄。芙蓉無色菊花荒。往日風光堪斷腸。

馬五娘西鄰婦也。

窗外西風憶昔凉。黄雲紫雪繞低墻。有時聞吠柴門犬。報到看花馬五娘。

自題紅蓼紅菊

水邊籬下鎖紅霞。秋老星塘處處花。安得能成歸去夢。入門先見阿娘爺。

遊北海看荷花

閑看北海荷千頃。强説瀟湘水更清。岸上小亭終日卧。秋來無此雨聲聲。

題湘潭龔家女士畫荷

横塗縱抹見才華。料理湘潭唤畫家。着得胭脂好顔色。六郎到底遜蓮花。

殘荷

山池八月污泥漖。猶有殘荷幾瓣紅。笑語牡丹無厚福。收場還不到秋風。

蓮花

舍利紅梁吐焰光。好風吹得到銀塘。爲何供上如來座。辜負鴛鴦卅六雙。

題畫秋荷

不染污泥邁衆芳。休嫌荷葉太無光。秋來猶有殘花艷。留着年年紙上香。

遊北海偶得二十八字

金鰲玉蝀昨宵霜。北海青荷動影凉。堪笑白頭老商婦。持將作鏡却無光。

畫荷花憶陳紉蘭。

板橋辛苦木魚聲。是否南無念不平。料得如來修已到。蓮花心地藕聰明。余喜樊山老人此句。遂用之。

題雪庵禪師畫荷

墨海靈光初散發。大千世界蓮花茁。凡僧有眼無由達。花裏如來身丈八。

新荷感往事

人生能約幾黃昏。往夢追思尚斷魂。五里新荷田上路。百梅祠到杏花村。

題畫荷花兼蟹

年年糊口久忘歸。不管人間有是非。三字難除香色味。荷花殘矣蟹初肥。

題畫翡翠鳥兼枯荷

飛過池南水同碧。穿來竹外色無疑。有魚足飽不飛去。直到荷枯水盡時。

畫并蒂蓮兼鴛鴦

銀塘過雨夏天凉。燦爛紅雲花一雙。修得幾生此清福。神仙不作作鴛鴦。

畫殘荷

顛倒縱横早復遲。已殘猶有未開枝。丹青却勝天工巧。留取清香雪不知。

枯荷

荷花身世總飄零。霜冷秋殘一斷魂。枯到十分香氣在。明年好續再來春。

題畫枯荷

中婦過池旁。鬅頭暗自傷。長思看容鬢。無地可梳妝。昨日荷葉青。今朝荷葉黄。青時難作鏡。黄破哪來光。

題畫墨牡丹

衣上黄沙萬斛。冢中破筆千枝。牡丹不施黄紫。空勞洗硯渾池。

畫白牡丹

垂老無饑事太難。時宜合盡總痴頑。翻將破禿三錢筆。洗盡胭脂畫牡丹。

畫墨牡丹

不借春風放嫩芽。指頭常作剪刀誇。三升香墨從何着。化作人間富貴花。

題畫牡丹

塗紅抹碧牡丹肥。葉葉花花態未非。可笑春風還用意。入窗猶向畫中吹。

題畫折枝菊花

持贈名花尺幅間。嚴霜如殺不知寒。牡丹三月春風過。枝葉滿庭誰復看。

遊社稷壇。壇西行有石。其狀雖醜。有奇特氣

輕衫三月滿長安。如蟻遊人看牡丹。花外一拳人不識。牡丹驕貴石頭頑。

聞黄村有戰事。余關門作畫。聊安一家恐怖

老婦愚姬心膽寒。每驚危險强相安。耻聞昨夜黄村戰。塞耳關門畫牡丹。

月季花

看花自笑眼朦朧。認作山林荆棘叢。獨汝天恩偏受盡。占他二十四番風。

梅花

花開天下正風雪。冷殺長安市上人。笑倒牡丹無福命。開時雖暖已殘春。

烏子藤南岳山下最多。其藤多刺。結子似桑子可食。子多似葡萄。

野藤結子饑堪嚼。小刺何傷休嫌着。滿架薔薇荆棘林。有花看時君不覺。

避難

石燈庵裏膽惶惶。帥府園間竹葉香。庚申余攜子如。移孫。父子祖孫三人避兵帥府園友人郭憨庵家。不有郭家同患難。亂離誰念寄萍堂。按。庚申。一九二〇年。避兵指直皖之戰。

畫桃竹笋共幅

瞎人不知花何色。聾者不知笋有味。謂耳食者。天下萬一非瞎聾。洛陽紙價須當貴。

雪中看小竹

棘多月季吾當避。挂破鶉衣補也難。且喜此君同歲暮。一天風雪不知寒。

畫竹

扶笻安得人如故。林下清風時拂衣。數笋却忘天欲暮。朝雲含笑喚翁歸。

畫朱竹

曾看姑射煉仙丹。耀壁霞光出洞寬。却被好風吹上竹。龍孫慈母總朱顔。

新笋

帶得清香出土來。心虚節勁异凡材。諸君决不如春笋。當路逢人肯避開。不肯避人當路笋。

題畫竹

十年種竹成林易。世亂園荒再種難。自笑老年無長物。快來添個竹中山。

題畫竹

兒戲追思常砍竹。星塘屋後路高低。而今老子年六十。恍惚昨朝作馬騎。

畫老來紅

年過五十字萍翁。老轉童顔計已窮。今日醉歸扶對鏡。朱顔不讓老來紅。

畫老來紅

四月清和始着根。（北地春日寒不生草。）輕鋤親手種蓬門。秋來顏色勝蓬草。未受春風一點恩。

畫老來少（按。即老來紅。）

老眼遥看認作霞。群芳有幾傲霜華。陶潜未賞無人識。顏色分明勝菊花。

畫雁來紅（按。即老來紅。）

秋根愈冷愈精神。霜葉如花正占春。塵世祇誇籬下菊。愛花還是折腰人。

畫老來少

胭脂抹上溪藤紙。風急霜嚴不怕寒。草木何曾通世故。也能修煉返紅顏。

老來少兼菊花

愁風苦雨香還溢。冷露嚴霜色更佳。一角短墻人迹絶。有時猶惹蝶蜂來。

畫老少年（按。即老來紅。）

芙蓉凋盡菊花殘。老轉紅顏似汝難。草木何心苦修煉。笑他人世説仙丹。

老少年

老少年紅燕地凉。離家無處不神傷。短墻蛩語忽秋色。古寺（衍法寺雪庵嘗邀余看老少年。）鐘聲又夕陽。却憶青蓮山下雨。（庚申春。余携子如移孫就學京師。至蓮花山下。忽大雨。避雨舊鄰家。時老少年方萌動。）怕言南岳廟邊霜。（去年秋。貞兒來函云。南岳山下雁來紅倒亂成趣。惜阿爺不見。）何時插翅隨飛雁。草木無疑返故鄉。

畫老來紅

世愛蓮花與牡丹。驕人容色艶長安。衰翁費盡胭脂餅。（以棉花浸胭脂水。京師謂爲胭脂餅。）猶作尋常衆草看。

題毛生畫山水

板橋流水野人家。萬木陰凉一帶斜。此景借山聊仿佛。芙蓉一樹對門花。

題陳明明山水畫册　二首

閨房曾有老人稱。二百年來君復生。要羡陳家雙畫手。南樓以後又明明。

細看斯册感星塘。萬壑千丘總斷腸。山水無靈佐清福。老年衡岳變（一作作。）他鄉。（余離鄉已七年。將來生死不能歸矣。按。白石於一九二六年丙寅回湘潭一次。此詩當是一九三三年作。）

題山水畫　二首

漁翁家在長沙側。江上愁心山萬層。過盡官軍橋尚在。隔江垂柳亦當門。

巢由無處再相逢。絶徑空餘橋路通。湘綺不存尤寂寞。江湖滿地失人踪。

爲人題水禽。因憶往余所見。追摹一幅

曾看贛水石上鳥。却比君家畫裏多。留取眼前好光景。篷窗燒燭畫烟波。

畫山水

理紙揮毫愧滿顏。虚名流播遍人間。誰知未

與兒童异。拾取黄泥便畫山。

題門人于非闇畫山水

憐君傾倒銀河水。出没山岩水路通。松樹祇教人見尾。久經雷雨即神龍。

畫西山圖

西山一帶寂無聲。樹木傷枯失雨晴。祇有白雲無世態。朝朝猶向隔溪生。

晚眺

何處安閑着醉翁。愁過山路樹陰濃。解衣易酒無人要。隔岸徒看望子風。

畫漁家曬網圖 二首

古屋歪斜未寂寥。凉風穿去網蕭蕭。晚來更有堪誇處。無際餘霞在板橋。
近岸虚舟三兩隻。隔江垂柳一千株。鷄啼犬吠全删却。可惜老夫終歲居。

門人畫山水。余爲題句

隱居門下無訪客。簾外春晴正暖風。欲借好山堂上挂。等閑得聽五株松。

香山道上所見

松樹上天龍倒立。山亭過雨傘低撑。無人終日來閑眺。辜負山腰雲自生。

畫竹霞洞圖借山圖之三。

石橋依洞水粼粼。澗外危岩入斷雲。僻地路通人不到。何妨坐到月平身。

吾畫不爲宗派拘束。無心沽名。自娱而已。人欲駡之。我未聽也

逢人耻聽説荆關。宗派誇能却汗顔。自有心胸甲天下。老夫看慣桂林山。桂林人自誇云。桂林山水甲天下。

題畫山水

楊柳參差夕照紅。板橋南岸酒家通。錦帆不落飛何處。絶恐回頭是此風。

畫山水

柳條送盡隔江船。岸上青山斷復連。百怪一時來我手。推開山石放江烟。

畫芙蓉仙閣圖

芙蓉城裏滿城花。傳説人間事可誇。滿地紅雲繞樓閣。此中祇合住仙家。

贈姬人

誰教老懶反尋常。磨墨山姬日日忙。手指畫中微笑道。閑鷗何事一雙雙。

題友人臨石濤黄山圖 二首

斯圖略與黄山似。松樹滿山生晚烟。扶杖老翁猶好事。石梁危處看飛泉。
苦心百煉阿長手。如笋諸峰勢插天。我欲卧遊無路迹。白雲鋪地没人烟。

題畫

欲尋鄰叟下山腰。因避時賢居最高。人壽百年能幾日。松陰窗户話王喬。

緑天過客圖并序。

余曾遊安南。由東興過鐵橋。道旁有蕉數百株繞其屋後。已收入借山圖矣。

芒鞋難忘安南道。爲愛芭蕉非學書。山嶺猶疑識過客。半春人在畫中居。

癸亥七月十九日。聞家山大戰。慨然題壁按。癸亥。一九二三年。秋間譚延闓自粵入湘。與趙恒惕戰於衡州。

又道湘軍上戰鞍。劫灰經慣漸心寬。料君一物難携去。數叠青青屋後山。

題畫有鸕鷀捕魚。

密網攔江有漏魚。鸕鷀過去釣潭枯。持竿君欲垂何處。兩岸蕭蕭柳幾株。

題畫

千株松樹萬層山。生長清平湘水間。釣也不垂書不讀。記曾無事數風帆。

題某女士所臨夏珪溪山無盡圖　二首

清閨畫筆入纖微。十丈鮫綃仿夏珪。老子一看三太息。溪山猶在昔人非。
青青無盡擁螺鬟。渺渺長流歲月閑。七十老人還羡汝。太平鷄犬亦仙班。

自題畫山水

堤岸垂楊緑對門。朝朝相見有烟痕。寄言橋上閑看者。羡汝斜陽江上村。

題某女士山水畫幅　二首

當代如山名畫流。展幀願識女荆州。前朝多少名高輩。生在於今祇合愁。
老口三緘笑忽開。平鋪直布即凡才。廬山亦是尋常態。意造從心百怪來。

黄君子林。出友人所臨石濤遊黄山桃花源白龍潭卷子屬題。余讀石濤白龍潭上所作之詩。自不能下筆。强得一絶句。書於卷後

夢中彌勒許同龕。展卷真觀現鉢曇。安得從公坐石上。黄山山下白龍潭。

題畫山水

携杖安閑鷗不驚。沿橋泛泛且隨人。如斯好景留君駐。更有松聲學水聲。

題門人畫山水

廢却文章有所增。畫風直欲勝前清。乾嘉名輩諸王筆。此日閨中一半能。

題山水畫

萬竹林中屋數間。門前池鴨與人閑。一春荷鍤行挑笋。露濕春衫人未還。

題門人釋瑞光畫大滌子作畫圖　二首

下筆憐君太苦辛。古今空絶别無人。修來清靜華嚴佛。尚有塵寰未了因。
有禮狂塗亦上乘。瑞光能事欲無能。畫人恐被人爲畫。君是他年可畫僧。

題門人畫

振衣千仞上山巔。却羡斜陽飛鳥還。尤喜水低出頑石。石頭不識世推遷。

題夏子复畫山水

初識不聞君作畫。風流文采弟兄豪。苦教當日居今日。公子丹青價自高。

題釋瑞光秋山遠眺圖

畫裏風光感慨同。衡峰七二夢難通。老僧再作看山畫。添個湘潭白石翁。

門人臨余借山圖感爲題句

矮籬圍屋兩松間。晚眺曾經背手閑。不肯與人排患難。亂離時節故鄉山。

釋瑞光臨大滌子山水畫幅求題　二首

愛公心手邁諸曹。隨意拈來局格高。畫法不妨僧有我。揮毫一洗衆皮毛。
長恨清湘不見余。是仙是怪是神狐。有時亦作皮毛客。無奈同儕不肯呼。

爲陳梓嘉題所藏胡石查江村漁樂圖　二首

開圖人物各安閑。第一漁家樂境寬。江上風光腸可斷。看來都似故鄉山。
還家眷屬早商量。宦後都思蔬菜香。歸去布帆一千里。异鄉無此好長江。

篇五

洞庭看日圖 余壬寅冬之長安。道出洞庭。即畫此圖。按。壬寅。一九〇二年。

往余過洞庭。鲫魚下江嚇。浪高舟欲埋。霧重湖光没。霧中東望一帆輕。帆腰日出如銅鉦。舉篙敲鉦復住手。竊恐蛟龍聞欲驚。湘君駕雲來。笑我清狂客。請博今宵歡。同看長圓月。回首二十年。烟霞在胸膈。君山初識余。頭還未全白。

畫山水題句

山外樓臺雲外峰。匠家千古此雷同。卅年删盡雷同法。赢得同儕罵此翁。

題畫

借山門外清溪曲。世外桃源却不如。使我借山半天下。此間容否我移居。

畫山水夜景

門對寒江水自流。門前猶繫打魚舟。酒酣對話清平事。黑夜無人網不收。

借山館圖

六七鄰家享太平。有時雨急失溪聲。出門十載路萬里。却負山頭雲自生。

友人出湯雨生南湖草堂圖乞題

展軸欣看畫裏湖。草堂烟雨合君居。風又不狂波不惡。行看兒女上竿魚。
畫筆無慚識字人。湯君能事舊知聞。當時未要沽名譽。今日人間也播君。

題某女子臨雪江歸釣圖

箬笠蓑衣興未闌。一篙如鐵不知寒。今朝又欲之何處。萬徑無人雪滿山。

題畫山水

此間合着幽人住。花鳥蟲魚得共閑。七尺低檐三丈竹。一灣流水數重山。

題畫山水

好竹凌霄屋似舟。山深景物例清幽。亂離終日無人到。時聽溪聲細細流。

擬畫借山圖

徐徐入室有清風。誰謂詩人到老窮。一事更堪誇友輩。開門長見隔溪松。

題畫

年來何處不消魂。江上惟餘夕照痕。野老人家無長物。千株楊柳不關門。

畫雨中借山館圖

不教磨墨苦人難。一日揮毫十日閑。幸有楊枝慰寥寂。一春家在雨中山。

題山水畫

曾經陽羨好山無。巒倒峰斜勢欲扶。一笑前朝諸巨手。平鋪細抹死工夫。

題畫山水

隱隱遠山低。荒烟接斷堤。無人來此境。明月過松溪。

看山圖題句

習習秋風吹酒顔。江間過盡挂風帆。舟人打槳何須急。老子遲遲要看山。

自題山水畫

墨海發鄉愁。南衡雨後幽。江烟迷岸脚。村樹上桅頭。如此湖山好。奚堪戎馬蹂。夢歸無處着。劫後失危樓。

白石老屋圖并題

老屋無塵風有聲。删除草木省疑兵。畫中大膽還家去。稚子雛孫出户迎。

畫觀潮圖并題

望遠眼萋迷。愁心與物齊。烟深帆影亂。潮

長海山低。客久慈烏老。春來杜宇啼。蒲團無地着。況有太常妻。

小犬吠客圖長短句

堯亦可吠。何況乎君。盡力來幾步。自不聞其聲。

漁家圖

江上青山樹萬株。江流分處老漁居。年來水淺鸕鷀衆。盤裏無魚七載餘。

畫過海圖長幅

過湖渡海幾時休。哪有桃源遂遠遊。行盡波濤三萬里。能同患難祇孤舟。

畫山水雜以花草

未工拈箸先拈筆。畫到如今不值錢。秃管有靈空變化。忽然花草忽山川。

題畫

有色青松無恙風。太平山水在胸中。鬼神所使非人力。他日何人說此翁。

題畫山水

亂塗幾株樹。遠望得神理。漫道無人知。老夫且自喜。

鸕鷀

大好江山破碎時。鸕鷀一飽別無知。漁人不識興亡事。醉把扁舟繫柳枝。

題蕭謙中山水

秋風上樹微微見。山色入雲漸漸無。我已買山同此意。此中祇少聽書狐。余居衡岳山下。古木叢林。常有狐入室。余每遠出。狐則不見。歸。狐則復現。

東坡圖

平生君最輕餘子。餘子何嘗不薄君。若以才華作公論。此翁隨處合孤行。

題蕭謙中畫幅

白雲横截山腰斷。墨海倒傾樹影斜。若是前朝清泰日。雨餘樓上有仙家。

題畫

似口倒岩將嚙屋。如鱗古樹已成龍。此間有路之何處。不與漁樵道路通。

題畫

春烟萬柳晴。波縐舞風清。江石學龜小。布帆較葉輕。

畫山水

白屋兩間雙山下。黑雲作樹墨能捨。筆端大雨傾銀河。太息不能洗兵馬。

山水

鴉歸殘照晚。葉落大江寒。茅屋出高士。板

橋生遠山。

畫山水

雨後山雲濕。潮生江水渾。披蓑往何處。一欒欲黄昏。

題雪庵背臨白石畫嵩高本

看山時節未蕭條。山脚横霞開絳桃。二十年前遊興好。宏農澗外畫嵩高。癸卯春。余由西安轉京華。道出宏農澗。携兒於澗外畫嵩山圖。按。癸卯。一九〇三年。

雪庵和尚爲余東鄰畫山水

石壁嵯峨古屋荒。若非仙迹即僧房。前身我是撞鐘者。合傍僧房築草堂。

題山水畫。壽直支先生尊堂上

筆端生趣故鄉風。柴火無寒布幕紅。奪取天功作公壽。數重山色萬株松。

作小幅補東堂之破壁

峭壁當空無醜態。長松倒影有龍情。自經丁戊名心减。畫個江樓聽雨聲。按。丁戊即指丁巳一九一七至戊午一九一八年。

題人秣陵山水卷子

少年心手最憐君。穩厚縱横筆不群。若使山川居盛世。秣陵足可賽嘉陵。

自題看山尋句圖

絶無人處且遲歸。道路逢人語不違。縱使世情更盡底。看山尋句未全非。

畫漁家

太平湘上最難忘。漁艇無人盗不防。今日網干吾事了。上床酣睡未昏黄。

題雨後山村圖

十年種樹成林易。畫樹成林一輩難。直到髮亡瞳欲瞎。賞心誰看雨餘山。

小姑山圖

往日青山識我無。廿年心與迹都殊。扁舟隔浪丹青手。雙鬢無霜畫小姑。

酒家

門前山色碧如螺。日似銅鉦挂樹柯。瓮内酒香君不飲。銅鉦猶在失東坡。

題畫山水

落霞高不着征塵。筆底丹光晚景新。古樹秋深餘瘦影。大江東去四無人。

題畫

山下長松一萬株。山頭仙屋入天衢。老年安得全無事。閉户山頭讀道書。

贈雪庵山水畫册補題册後。

病後友朋如隔世。指頭神鬼不相親。加題左右支吾字。自恐他年認不真。吾畫近年多僞本。

胡冷庵臨陳師曾山水相贈。題一絶句

堪笑同儕老苦勤。鼠鬚成冢世無聞。傳人自古由緣定。本事三分命七分。

與友人晚眺

相伴出柴關。愁心强作閑。扶筇歸未晚。且看那邊山。

題借山圖

吟聲不斷出簾櫳。斯世猶能有此翁。畫裏貧居足誇耀。屋前猶有舊鄰松。

星塘老屋圖

亂離身世任浮沉。久矣輕帆出故林。難忘星塘舊茅屋。客鄉無此好桐陰。

雪中雙柏樹

好山依屋上青霄。朱幕銀墻未寂寥。最喜雪餘無冷態。門前柏樹立雙蛟。

家山雜句　六首

空中樓閣半雲封。萬里鄉心有路通。紅樹白泉好聲色。何年容我作鄰翁。
少時戲語總難忘。欲構凉窗坐板塘。難得那人含笑約。隔年消息聽荷香。
密樹濃陰繞地雲。石岩雙影虎同蹲。是誰留着秦時月。抛在長空照近人。
風光能不似塵寰。翠柏森森長夏寒。我欲結鄰居嶺上。遠看山色少遮攔。
中年自唤老齊郎。對鏡公然鬢未霜。兒輩不饑爺有畫。茅堂可作讀書堂。又按。草堂不漏杏花香。
峰高如削世間稀。木末樓居亦未奇。何處老夫能得意。客遊歸後畫名低。

畫華岳圖題句

仙人見我手曾摇。怪我塵情尚未消。馬上慣爲山寫照。三峰如削筆如刀。

星塘老屋圖題句 又按。黎集佚題。故添補之。

星塘雨過跳珠急。杏塢花開老眼明。白屋有知應悶殺。公卿不出出閑人。

獨秀山

笑看獨秀如碑立。可惜周遭没字痕。祇有晚風殘照候。一竿燈火亂星辰。

小孤山圖題句

昔年難捨出鄉關。海水波狂湘水閑。今日題詩在燕市。笑人不怪小孤山。

追憶

己酉還家作老農。心情亂後更疏慵。鄰翁笑道齊家懶。洗脚上床夕照紅。按。己酉。一九〇九年。清宣統元年。

題松窗高卧圖

記曾栽樹荷鋤行。此日還家夢不成。安得老年無個事。北窗高卧聽松聲。

門人雪庵和尚贈山水畫

畫水鈎山用意同。老僧自道學萍翁。他年如有人知識。不用求工即是工。

滕王閣并序。

甲辰春。余侍湘綺師遊廬山。秋七夕。湘綺於南昌邸舍招諸弟子聯句。湘綺師首唱云。地靈滕江匯。星聚及秋期。按。甲辰。一九〇四年。

揮筆難忘舊夢踪。滕王閣上坐春風。西山南浦今無恙。不見聯詩白髮翁。

題泊廬山水

北房南屋少安居。何處清平着老夫。見此峰巒忽惆悵。王郎極勸住西湖。王代之。由西湖美術院來函云。極勸我丈南來主持。則中畫前途希望無量。

憶昔遊

好山行過屢回頭。戊己連年憶粤遊。佳景至今忘不得。萬杉深處着高樓。按。戊申己酉。即一九〇八至一九〇九年。

題竹霞洞圖

老眼昏花懶讀書。七年居此事都無。晚凉岩下水邊石。坐看西斜月墮珠。

雁塔

長安城外柳絲絲。雁塔曾經春社時。無意姓名題上塔。至今人不識阿芝。

爲泊廬弟畫松山畫屋圖并題

户外清陰長緑苔。閑花自長不須栽。山頭山脚蒼松樹。愛聽濤聲入户來。

凌淑華女士畫夜景贈余。題一絶句

開圖月似故園明。南舍傷離已五春。畫裏燈如紅豆子。風吹不滅總愁人。

題畫

老着安閑想。泥堂洞裏天。水源人不到。鷄犬亦神仙。

題畫山水

松下遠山圓。秋藤天上懸。世人休罵我。我是畫中顛。

擬畫穴岩圖并序。

家鄉傳狐祟。一夜兒輩方卧。有近視眼之少婦立面前謂曰。君家須助牛羊各一以作衆食。妾奉山君之命而來。不然。君之屋前後頃生風可懼也。兒輩問娘子從何而來。曰。妾居山深水闊之穴岩也。

麽狐假虎故園灾。仙袂姍姍近枕來。零碎好山空闊水。號風嘯雨穴岩開。

題自畫山水

黄泥堤外見鸕鷀。堤上垂楊正挂絲。隔岸誰

家吹牧笛。月明橋上立多時。

題白石草堂圖

林密山深稱隱居。田園亂後未全蕪。昨宵與客還家夢。猶指吾廬好讀書。

題陳女士山水畫

興來信步出柴關。幽徑寬舒獨往還。猿鳥不聞秋不冷。無言落木下空山。

題畫山水

連山掩掩遮遮。窄徑曲曲斜斜。落日餘霞世界。深林叢樹人家。

篇六

過星塘老屋題壁

白茅蓋瓦求無漏。遍嶺栽松不算空。難忘兒時讀書路。黃泥三里到家中。余九歲從村塾於楓林亭。

林外斜陽圖

觀者心憂煩。題詩愁更酸。藤繁終礙樹。林密惜遮山。孤霧描原易。斜陽逐最難。更誰騎八駿。明日太蒙還。

峭壁叢林圖

余曾遊桂林。息峭壁下。有牧童自言此間多狐。常誘人入叢林中。數日不放。人亦忘歸。問山名。牧童不答。

巍巍峭壁聳清虛。下有幽人與世殊。我欲遠離塵俗事。入岩求與野狐居。

雙松立雪圖

歲暮寒風烈。長松立冰雪。人知心後凋。不見通身節。松小時或砍其枝。必留數寸。以保松之不死。樹長大。所留枝包在樹內。皮外不得見。

松壑騰雲圖

恨不再移家。寂居松壑裏。炊烟人不知。長共白雲起。

題畫山水

客帆欲何往。歸計總凄然。得失田園在。奔栖衣履寒。微風生遠浪。夕霧渾長天。畫裏能容否。米家書畫船。

自題閑看西山圖

老年看西山。眼底桃花謝。自笑惜花情。無復華陰夜。余出西安。道過華陰縣。登萬歲樓看華山。至暮點燈畫圖。圖中桃花。長約數十里。

邑城楊韡春女士來書。以書答之

客路題詩寄謝家。閑愁筆下亂如麻。如今哪有當年句。馬上斜陽城下花,

木棉花

看山曾作天涯客。天涯亭在欽州城外。記得歸家二月期。遊遍鼎湖山下路。木棉十里子規啼。

畫枇杷

藤黃欲作黃金換。賣亦可。人笑黃金未是真。却勝昔賢求米帖。文人比較畫師貧。

憶家山看茶花

茶花碗大不論錢。青霧紅雲屋角邊。扶杖出門從緩看。已消春雪不寒天。

秋海棠

碧苔朱草小亭幽。曾見紅衫憶昔遊。隔得欄杆紅卍字。相思飛上玉階秋。

食海棠子

春陰漠漠護山房。銀燭高燒照艷妝。無意時光欺白髮。海棠結子又秋霜。

秋海棠

天涯行遍復天涯。燈影鷄窗兩鬢華。過去相思灰萬寸。階前猶發舊時花。

畫海棠（并序。）

湘綺師函云。借瞿協揆樓。約文人二三同集。請翩然一到。（按。此一九一一年即辛亥年三月初十日事。）

往事平泉夢一場。師恩深處最難忘。三公樓上文人酒。帶醉扶欄看海棠。

秋海棠

開放西風非衆胎。鉢泥身世可憐材。惜花餘得秋蝴蝶。作對蘧蘧過玉階。

到家看榴花

七載榴花背我開。還家先到樹邊來。眼昏隔霧花休笑。未白頭時手自栽。

畫石榴

東鄰乞得石榴根。歲歲墻頭實競裂。吴國榴環既不存。石家金谷何須説。

松雪圖（爲楊鞏春畫。）

忘情又爲松留影。瘦爪老鱗歲月深。空谷幸餘梅竹在。後凋不負歲寒心。

畫松

盡日身疲陪客倦。餘年心細抱兒工。今朝偷得閑時刻。畫出家園戰後松。

畫松

也曾不負借山風。不種群花獨種松。午熱每思移席就。晨炊不用買柴供。（家山以松爲炊。）友朋閑話堪爲麈。雷雨常經亦化龍。若使晚年清福在。松明（松明即俗所謂松光。）當燭夜窗紅。（余少時極貧。黎雨民過訪。信宿不去。夜無油燈。常以松節燒火談詩。）

畫松

忽然雷雨忽風雲。百歲能消幾暮春。擬欲偷閑無處去。松陰日午到黄昏。

題門人楊泊廬畫松

本大根深高不危。九霄鱗爪縱横飛。千年雪色不凋壞。任汝寒風盡力吹。

畫南岳古松 南岳志。此松已歷七朝。

孤秀出靈根。青蒼入寺門。大風聲始遠。消雪冷無痕。幹老枝原瘦。鱗粗龍益真。半山亭名。重見汝。識否撞鐘人。

曾爲舊友黎德恂壁間畫松寄題 德恂因號松安。

露鱗垂爪黑雲生。雷雨何心解縱騰。安得安閑情似舊。卧君書屋聽溪聲。黎君書屋外有杉溪。

題畫果樹

更途改户計非愚。買米呼煤慮豈無。不聽名園誇果樹。昨宵燈下畫三株。

院中垂柳

年來行路足如薾。日日書房至卧房。深羡垂楊太瀟灑。隨風摇曳過鄰墻。

鳳仙花

雨過園林洗淡妝。淺紅輕碧近銀墻。此花已有神仙福。願在佳人指上香。

棕樹

形狀孤高出樹群。身如亂錦裹層層。任君無厭千回剥。轉覺臨風遍體輕。

畫鳳仙花

朱欄十二粉墻斜。芳徑紅衫半掩遮。曾見阿珊惆悵立。含情手折鳳仙花。

凌霄花

好花隨意高千尺。開到長松最上頭。若種鄭公園圃裏。飛仙早可作遨遊。

水仙花

雪前雪後總芳妍。一陣風來却可憐。溪水成冰寒透骨。被人猶道是神仙。

水仙花

珊珊豐骨是仙根。波上靈妃玉照真。何處教人魂欲斷。溪邊殘雪對柴門。

題畫芍藥

點花出葉太艱難。白白朱朱尺幅寬。罷筆爲花三太息。狂風不折亦春殘。

法源寺桃花

破笠青衫老逸民。法源寺裏舊逡巡。重來幸有桃花在。認得衰翁是故人。

桃實

傳説瑶臺風露稀。神仙事業老猶疑。果然臣朔能三竊。何用長安索米爲。

一夜夢董雙成賜桃實 是日畫桃實。是夜因有此夢。

雙成親手將桃賜。不是星精便是仙。凡骨未除思欲食。諸君再過六千年。

夢中重登萬歲樓。有感舊遊萬歲樓在華陰縣。

中年長安遊。佳景初驚訝。積雪堆華山。桃灼華山下。

題畫桃花

却與紅梅少异。點花出幹同工。笑汝輸梅一着。開時還借東風。

夢許飛瓊賜桃昨夢雙成。因之今夜又夢飛瓊。幻由人生。

夢醒不見許飛瓊。須識神仙即我心。果有塵緣在人世。天風應吹步虛聲。

公園桃花正開。開放一日。園丁無干涉

名園無主孰爲賓。來看桃花却感秦。九載萬愁聊一喜。園丁不禁看花人。

賣畫得善價。復悵然紀事

曾點胭脂作杏花。百金尺紙衆爭誇。陳師曾壬戌春往日本。代余賣杏花等畫。每幅百金。二尺紙之山水得二百五十金。平生羞殺傳名姓。海國都知老畫家。

老屋

少不能詩孰使窮。門前一樹杏花風。怕窮立脚詩人外。猶是長安賣畫翁。

折梔子花

五月却疑枝上雪。老年猶感鬢邊霜。帽檐插滿人休笑。開過千花無此香。

北蘆草園看牽牛花

閉門燈影鬢霜華。老懶真如秋蟄蛇。百本牽牛花碗大。三年無夢到梅家。梅蘭芳嘗種牽牛百本。花大如碗。

食桔有懷故鄉

湘水澄清岳麓霜。秋來奴婢照金黄。十年不作山前客。愁絶天涯老陸郎。

燕市見柿。憶及兒時。復傷星塘

紫雲山紫雲山去湘潭南行一百里。山下即杏子塢。上夕陽遲。拾柿難忘食乳時。七十老兒四千里。倚欄鶴髮各絲絲。

夢中謝黄山桃贈栗子

紫殼冰霜六月天。纖纖刺血笑言温。小園許我重相見。愁絶君家窺户猿。

食栗

枝摇鷹爪微風過。香壓鷄頭清露餘。自有中心瑩似玉。滿身利刺莫嫌渠。

葵花　二首

長苗孤秀春風暖。秋雨秋風葉損稀。獨有本心忘不得。夕陽西下尚依依。
落葉西風青石鋪。青石鋪。邑城南行一百二十里。傷根久雨百梅祠。一痕初月黄昏後。傾盡葵花日不知。

余二月二十八日於梅蘭芳處見隔年芭蕉。畫之。因題一絶句

臘梅花放已殘冬。冷日寒霜草木窮。惟有芭蕉心不改。猶留破葉待春風。

芭蕉夜雨

留得窗前破葉。風光已是殘秋。瀟瀟一夜冷雨。白了多少人頭。

種蕉

乞得芭蕉本。曾將種院中。心嬌天正暖。葉重雨初濃。咫尺千條路。諺語芭蕉葉上千條路。孤高四面風。還家一萬里。安得種蓮峰。

畫雨裏芭蕉

頃刻芭蕉生庭塢。天無此工筆能補。昔人作得五里霧。老夫能作朝朝雨。

雨中芭蕉

名花凋盡因春去。猶喜芭蕉緑上階。老子髮衰無可白。不妨連夜雨聲來。

蕉窗夜雨

欲種千株待幾時。故鄉迢遞得歸遲。蓮花山下窗前緑。猶有挑燈雨後思。

得家書。喜芙蓉正開。得二絶句

記得移家花并來。老夫親手傍門栽。借山劫後非無物。一樹芙蓉照舊開。

春花自不識秋風。三月園林遍地紅。不獨碧桃爲薄命。牡丹無福見芙蓉。

室中無蘭。枕上聞香。戲得二十八字

白石山前亂草堆。昔年曾見好花開。花魂昨夜猶纏我。時有清香上枕來。

北海晚眺

微名不暇與人争。獨眺漪瀾秋水澄。細數游魚過半百。清閑一輩要無能。

小魚

昨夜清溪響。源頭春水來。無心通變化。雷雨勿疑猜。

某客贈以活蝦。欲求余作曹邱書

倒退前行跳不能。碧蘆陰底水澄清。欲知湖海隨流去。且待春雷雜雨聲。

蘆蝦

池邊塘畔長蘆叢。入水枯蘆腐作蟲。泥草本根如再化。海天無地着神龍。相傳蝦頭似龍。可以化龍。

畫蝦　二首

塘裏無魚蝦自奇。也從荷葉戲東西。寫生我懶求形似。不厭聲名到老低。

苦把流光换畫禪。工夫深處漸天然。等閑我被魚蝦誤。負却龍泉五百年。

友人求畫魚

去年相見因求畫。今日相求又畫魚。致意故人李居士。題詩便是絶交書。

題畫魚蝦蟹三種爲一幅

好躍大頭緣有糞。横行多足却無腸。浮魚水涸將沉陸。見莊子。兩岸車聲晝夜忙。

題畫菖蒲

五十年前作小娃。棉花爲餌釣魚蝦。今朝畫此頭全白。記得菖蒲是此花。

池上晚眺

有風園柳尤生態。無浪池魚可數鱗。此是中年行樂事。夕陽閑眺到黄昏。

魚

畫龍點睛能飛去。老子應畫點睛魚。七十年華四千里。紅鱗能否寄家書。

友人直支畫酒缸。門人雪濤畫鱖魚。求題句

厨下有魚猶可砍。堂前滿瓮未曾開。諸君有酒何時飲。李白劉伶去不來。

追憶鐵蘆塘

少小心多記事珠。老年一事未模糊。鐵蘆塘尾菖蒲草。五十三年尚有無。

端午日

歲歲端陽節。菖蒲插滿門。果然真是劍。應享太平春。

於金鰲玉蝀橋頭見蘆花。寄舊鄰子

茅塘春漲碧波瀾。塘坳蘆茅青正繁。不忘叮嚀墻角外。蘆花消息待君還。

與友人重過三道柵欄。話陳師曾

柵欄三道草秋衰。作别陳人不再來。陳師曾七月二十四日來三道柵欄。言二十八日之大連。聞在大連得家書奔祖母喪。死於南京。吾輩何爲不飲酒。蟹肥時過菊殘開。

夜吟

潑墨塗朱筆一枝。衣裳柴米賴撑支。居然强作風騷客。把酒持螯夜咏詩。

鄰人求畫蟹

老年畫法没來由。别有西風筆底秋。滄海揚塵洞庭涸。看君行到幾時休。

食蟹。兼寄黎松安。王仲言。羅醒吾。陳伏根。尹啓吾。黎薇生。楊重子。胡石安

家山咬定不須歸。燕市霜螯九月肥。湘上故人餘幾輩。及時應把菊花杯。

思遷青島

飄然心已别京師。道出烟臺决幾時。清福餘

年如有分。持螯海上自删詩。

食蟹

九月舊棉凉。持螯天正霜。令人思有酒。憐汝本無腸。燕客鬚如雪。家園菊又黄。飽諳塵世味。夜夜夢星塘。

前題

黄菊初香蟹已肥。偶逢陶謝瓮須開。劉伶畢卓李太白。今日諸君安在哉。

夜飲

歸夢難成寒夜永。黄茅堆子（一作嶺上。）二親遥。衰年强作無愁客。對酒吟詩把蟹螯。

與客小酌

世情閲盡終何如。蘆荻蕭蕭秋氣殊。酒熟蟹肥黄菊放。吾儕不飲何其愚。

食蟹

有詩無酒。吾不醜窮。有酒有蟹。吾亦涪翁。

蟹側行。觀八跪之屈伸。似有所恃

斜日照山塘。蘆茅秋影凉。横行何所恃。世不識文章。

小魚游於池中之石側

雨過石方潤。人閑物不驚。池魚似有意。出水聽吟聲。

池上觀魚

幽人生不辰。干戈阻鄉井。何如池内魚。閑嚼芙蓉影。

觀魚

丁巳年前懶似泥。杖藜不出借山西。細看魚嚼桃花影。習習春風吹我衣。（按。丁巳。一九一七年。）

食蟹（是日得見陳秀園女士麗湘集。因得此句。）

風雅休言衰極時。亂離猶見此才思。團臍縛得菊花放。下酒閑看謝女詩。

寒鳩

容易秋風上樹株。丹楓落盡碧松枯。黄雲四起天將雪。看汝鳩居識冷無。（雀巢鳩居。）

螳螂

秋風來了。葉落草枯。後邊有雀。當路有車。

余平生工緻畫未足暢機。不願再爲。作詩以告知好

從今不作簪花笑。誇譽秋來過耳風。一點不教心痛快。九泉羞煞老萍翁。

聞秋蟲

瀟湘久雨嫌春濕。燕地多情偶再遊。道路四

千寒暑异。蟲聲到耳一般愁。

聞紡紗婆一名紡織娘。

乞取銀河洗甲兵。餘霞峰下老歸耕。此生强半居朝市。聽慣空山紡織聲。

蝴蝶

世間遷變事都非。北舍南園夢不歸。願化此身作蝴蝶。林花放處作雙飛。

蜻蜓

落日風輕江鷁微。釣魚不得便思歸。中年至樂原無事。立看蜻蜓點水飛。

籬豆花

豆花都异昔年時。風雨殘秋剩幾枝。蛩語有心賡絶唱。籬邊唧唧晚風吹。

鑽木蟲此蟲常於屋梁鑽穴巢生子。土人呼爲鑽木蟲。年久能斷梁傾屋

鑽木爲巢轉曲工。瓜花時候長兒蟲。工夫日久能傾棟。堪笑無能作賊蜂。養蜂者謂蜂中亦有賊。

秋蟬

翅輕流響急。紅葉影離離。不必矜聲遠。秋風能幾吹。

秋蛾

園林安静鎖蒼茵。霜葉如花秋景新。休入破窗撲燈火。剔開紅焰恐無人。

題如兒畫蝗。點綴稻穀

一生飽食稻粱中。稻葉全無穀豈豐。何似鳴蟬飲清露。絶無人怨到疏桐。

蝴蝶花

拈毫身并化。細看自知狂。栩栩飛無意。蘧蘧夢正長。雨餘香翅重。風過舞衣凉。一笑漆園叟。曾經作吏忙。

蝦蟆

四月池塘草色青。聒人兩耳是蛙鳴。通宵盡日撾何益。不若晨鷄曉一聲。

篇七

夢遊羅浮絶句

羅浮曾夢步莓苔。一角玉梅花正開。折得幾枝下山路。一雙仙蝶逐人來。

聞促織聲有感

通身百結衣如鶉。爲褲常更老婦裙。機杼衹今焚已盡。空勞唧唧促晨昏。

蝶

起舞欲何之。西風退粉時。秋娘衣共薄。凉透五銖絲。

蝴蝶

花圃秋光盡。名園香氣微。却憐蝴蝶影。作

對欲何飛。

蝴蝶

蓮花峰下淡烟横。杏子塢前春雨晴。十五年來難再夢。一雙蝴蝶晚風輕。

蜻蜓

啞啞鴉噪碧槐梢。唧唧蛩哀霜砌坳。堪笑蜻蜓亦多事。亭亭款款下花腰。

秋蟬

世間碧樹太無情。一夜清霜葉滿庭。留得殘蟬咽林木。風寒日冷和吟聲。

山行

十年（十年。謂丁巳以前十年。）無個事。野鳥共幽閑。山下何人到。清風在竹間。

芋魁

一丘香芋暮秋凉。當得貧家穀一倉。到老莫嫌風味薄。自煨牛糞火爐香。

鷄雛

渴時共水一盆。雛時優劣何分。爲雄應當善鬥。屬雌不要司晨。

畫烏

不獨長松憶故山。星塘春水正潺潺。姬人磨墨濃如漆。畫到慈烏汗滿顔。

閑眺

紅雲耀目隔秋塘。倒挂芙蓉照水光。獨立微風天欲暮。近人野鶩一雙雙。

鷹

振羽何曾獵一圍。無窮搏擊祇私肥。如今四面全開網。淺草平原一縱飛。

午倦

午倦藤床半掩扉。芭蕉風細響聲微。呼童打起八哥去。不到黄昏勿許歸。

八哥

能言鸜鵒學難成。松下閑人耳慣傾。兩字八哥渾得似。自稱以外别無能。

憶兒時事

桃花灼灼草青青。樂事如今憶佩鈴。牛角挂書牛背睡。八哥不欲唤儂醒。

家雀

家雀家雀。汝居有屋。我歸畏縮。汝栖有竹。我耕無犢。（前三月得家書。猪牛已空。）

菜圃傷蟲。放家鷄啄之。蟲猶未盡。菜亦傷矣

菜味入秋香。何來蟲似蝗。家鷄入菜圃。蟲减菜俱傷。

過午鷄聲北京官吏多於午後方離床。

一生消得幾清晨。朝氣還鍾早起人。天下鷄聲君聽否。長鳴過午快黄昏。

余居朝市十年矣。忽憶故里南鄰 三首

十五年以前。足衰尚能步。閑行偶出門。忽過南鄰路。快活鄰家翁。手足中持農具。也有炊烟起。一飽無畏懼。不着杞人憂。亦無時俗惡。洗脚上田塍。無言自歸去。

鴨

出則天下亂。海鳧堪耻時。山塘波泛泛。蘆荻雨絲絲。所幸毛無取。因能老有期。春來水初暖。此外百無知。

片石長短句。

借山館前一片石。頑硬不靈形亦醜。既不能補天。又不能攻玉。徒教世人呼爲友。

枯松

辜負千年雷雨殊。當初變化此心無。至今祇博諸君笑。斷尾蒼龍松半枯。

鬥鷄

不識雕籠苦。家鷄任所之。有時啼不已。十日問非期。雨過蒼苔潤。春寒碧草遲。鷄亦食苔草。傷貧甘作盜。得霸尚嫌雌。鳴勝吾儕耻。非良視者知。生來輕一鬥。看汝首低垂。鷄鬥敗則低首喪氣。

金拱北畫風雨岩栖鴉圖乞題

音乖百囀耻黄鸝。識鬼靈睛世勿疑。墨費三升諸色遜。岩高千尺衆株低。霜臺舊侶寒猶重。春樹無情葉漸稀。吹海墨風能立足。落花紅雨不沾泥。聲粗舌硬何人聽。切勿啞啞作苦啼。傳云鴉目能見鬼物。鳴則不祥。

鷄群

成群無數。誰霸誰王。猖獗非智。奸險非良。驕鳴輕鬥終非祥。

芋

遊興離愁舊夢俱。丁巳後不敢還鄉。燕京回首事都殊。曾嘗世味三千里。麗浦風寒聽鷓鴣。

梅花

不用金鈴小護持。垂垂肯着最低枝。守梅靈雀如仙鶴。飛上雲根花不知。

八哥

不如鸚鵡語言乖。好學金人口不開。幸得羽毛無所取。筠籠有食可飛來。

蝴蝶影

小院無塵人迹静。一叢花傍碧泉井。鷄兒追逐却因何。滿地斜陽蝴蝶影。

小鷄農家趁秋收時家家孵鷄雛。

飼之不飽復如何。孵卵家家趕打禾。天下將

雛論五霸。恒河沙少小鷄多。

八哥

霜風殺草情怯。黄菊依然開也。任他花開花謝。八八無須饒舌。

睡鳥

風静霜微冬暖。山深林密枝低。應覺夜鳥多事。江寒月落猶啼。

八哥

太平籬矮無人越。八哥見羊呼盗竊。往日今朝難概論。人閑忌諱休偏説。余小時養一八哥。能言。見牛羊大呼曰。對門屋强盗來也。

過星塘老屋

大樹垂枝别後栽。眼昏紅葉作花猜。山林却比市朝好。野鳥無籠去又來。

梅花

因何遲到此時開。天地荒寒萬籟哀。青鳥也知傷變亂。不辭風雪探看來。

啼鷄

人正眠時不必啼。錦衾羅帳正雙栖。佳禽最好三緘口。啼醒諸君日又西。

雙鷗曾過九江所見。

潯陽江外有池塘。風過菰菱水有香。羡汝閑閑鷗兩個。羽毛何必似鴛鴦。

檐前

寄萍三道栅欄開。小院春深長緑苔。盡日關門人不到。檐前鴉鵲不驚猜。

黄鸝

中年青鬢未成絲。門酒微醺歡樂時。隔院黄鸝聲不斷。暮烟晨露百梅祠。

睡鳥

高岩大樹亂鷹啼。飽足無非樹下鷄。此鳥忘機在沙際。月明移影一雙栖。

私淑弟子高生畫飛雀

時看好鳥去猶還。未入樊籠天地寬。却是爲何忙不了。這山飛過那邊山。謂高生初由日本歸。

鷹余親眼所見。立於大楓之枝。常數年不去。

連年看汝立。嘴爪世應稀。殺氣層霄上。飛搏衆嶺低。天高安有網。樹下久無鷄。諺云。饑鷹不打樹下鷄。飽足忘金彈。昂頭未肯飛。

鷹

祝網無驚四面深。當年擊處尚搜尋。終朝立此好泉石。要洗搜尋處處心。

鵲

舊夢易生愁。銀河哪再遊。今朝雙鬢雪。靈

雀識儂不。

鵂鶹 幽禽也。不越前横草。

是誰教汝作幽禽。林下天寒秋氣深。狂亂野風顛倒草。旋行猶被雨淋淋。

得家書。揮泪記書到之遲

夕陽烏鳥正歸林。南望鄉雲泪滿襟。家報乍傳慈母病。可猜疑處更傷心。家書已越半月始到。今日存亡可疑。

家雀

家雀家雀。東剥西啄。糧盡倉空。汝曹何着。

鷗

如水光陰何苦忙。禽蟲草木入詩腸。衰年精氣無從着。化作蒲塘鷗一雙。

借山館孤寂。猶有烏啼

法源寺裏舊曾居。比較今朝孤僻殊。除却兒孫人不見。枯槐滿院日啼烏。

鸚鵡

憐君五五猶存舌。咧咧人前聽未清。莫是言些傷感事。不然何以不成聲。

鵲

神仙難免近荒唐。七夕銀河事渺茫。靈鵲果能橋可架。古今何僅厚牛郎。

雁

平沙遠浦總雙栖。不識筠籠有鬥鷄。得飽便知尋早宿。荻蘆移影夕陽低。

牛

星塘一帶杏花風。黄犢出欄東復東。身上鈴聲慈母意。如今亦作聽鈴翁。余幼時嘗牧牛。祖母令佩以鈴。謂曰。日夕未歸。則吾倚門。聞鈴聲則吾爲炊。知已歸矣。

白猫捕蝶圖

爲辦氍毹汝已辭。捉蟲捕鳥竟何之。舊書嚙破看難捨。夜榻思安唤不回。良肉庖中貪飽後。落花陰下趁眠時。若無栩栩飛來蝶。認作兒童捏雪獅。

題畫鼠 壬寅居百梅祠句。昨於舊詩韵中得稿。乃移孫代書也。

汝足不長。偏能快行。目光不遠。前途路須看分明。鼠目無寸光。故猫能見鼠。鼠不能見猫。

畫天雁小猫

長天雁一行。靈猫面勿仰。爲汝一寫生。教人休妄想。

小鼠翻燈

昨夜床前點燈早。待我解衣來睡倒。寒門祇打一錢油。哪能供得鼠子飽。何時乞得猫兒來。油盡燈枯天不曉。

門人英也畫猪呈余。戲題補壁

精神費却太憨愚。往事今人汝識無。卧榻變形因狀馬。生毛滿臉已成猪。現傳燕京。有一人常畫猪。年久面上生毛。兩眼外不見臉肉。毛愈深密。性愈蠢惡。不妨蛺蝶蘧蘧舞。最好袈裟寂寂居。活佛閑蟲俱可作。康衢捨却豈吾徒。

馬伯逸畫馬

論長説短任人狂。呼馬爲牛也不妨。一體皮毛神骨异。世無伯樂馬皆良。

耕牛

奔馳南北復東西。一粥經營老不饑。從此收將誇舊話。倦遊歸去再扶犁。

獨脚凳吾鄉牧童坐者。

獨脚一個。散手倒卧。誰爲扶持。自家穩坐。人世有此。何福能使。牧豕兒童。采茶娘子。

灞橋余初遠遊。年將四十。

名利無心到二毛。故人一簡遠相招。蹇驢背上長安道。雪冷風寒過灞橋。

師曾亡後。得其畫扇。題詩哭之

一枝烏臼色猶鮮。尺紙能售價百千。君我有才招世忌。誰知天亦厄君年。

紅葉

窗前容易又秋聲。小院墻根蟋蟀鳴。稚子隔窗向爺道。今朝紅葉昨朝青。

余有弃畫。次生拾藏之。余以詩記其事按。此乙丑(一九二五)年作。

家山田屋久荒蕪。匪劫官災無日無。稚子也能知禍害。猶言得畫勝分租。

夢友人故居

塵揚東海幾栽桑。遷變如雲可斷腸。曾是故人萊舞地。堂前一樹紫丁香。

題林畏廬畫

如君才氣可横行。百種千篇負盛名。天與著書好身手。不知何苦向丹青。

如兒同居燕京七年。知畫者無不知兒名。以詩警之

吾兒能不賤家鷄。北地聲名父子齊。已勝鄭虔無子弟。詩名莫比乃翁低。

題某生印存古今人於刻石祇能蝕削。無知刻者。余故題此印存。以告世之來者。　二首

做摹蝕削可愁人。與世相違我輩能。快劍斷蛟成死物。昆刀截玉露泥痕。世間事貴痛快。何况篆刻風雅事也。維揚僞造與人殊。鼓鼎盤壺印璽俱。笑殺冶工三萬輩。漢秦以下士人愚。維揚鑄工笑中外收藏秦漢鑄印者太愚。

余生期。諸門人進酒。飲後照影紀事

斯世何容身外身。相從寂寞惜諸君。衰年眼底無餘子。小技尊前有替人。鬼道余居西城鬼門關外。柴門天又雪。星塘余父母居星塘。茅屋日邊雲。明年此

日吾還在。對鏡能知老幾分。

夢大滌子

皮毛襲取即工夫。習氣文人未易除。不用人間偷竊法。大江南北祇今無。

鉢中花

數畝香粳滿院麻。老農身世未應嗟。受人恩即多拘束。籠鳥朝官鉢裏花。

見陳師曾畫。題句哭之

哭君歸去太匆忙。朋友寥寥心益傷。安得故人今日在。尊前拔劍殺齊璜。

秋藤

小技雕蟲豈易精。狂生不是百無能。老年筆勝并州剪。剪取秋光上剡藤。

題畫

掃除凡格總難能。十載關門始變更。老把精神苦抛擲。工夫深淺自心明。

自誇

諸君不若老夫家。寂靜平生敢自誇。盡日柴門人不到。一株烏臼上啼鴉。

門客以所書篆聯呈閱。書此歸之

詩文餘力夜燈寒。能事憐君正少年。領取堅强出金石。刪除姿媚見雲烟。生蛟乍斷手中劍。快馬忙加日下鞭。長笑俗書稱草聖。須知一字絹三千。

題友人冷庵畫卷

對君斯册感當年。撞破金甌事可憐。燈下再三揮泪看。中華無此整山川。

李生呈畫幅。戲題歸之

布局心既小。下筆膽又大。世人如要罵。吾儕休嚇怕。

夢家園

歸夢怯勾留。匆匆妻子愁。紅梨花尚在。墻外再回頭。

題畫剪刀草

卅六紅鱗久斷書。故鄉消息近何如。草根縱似并州剪。兩字思家怎剪除。

取鰍魚具 鰍魚具無故事。兼示貞如二兒家山。

下田淺淖穴愁痕。下具泥中更斷魂。不見大鰍居海底。好憑雷雨出烟墩。烟墩嶺去邑城南行九十五里。余之宗祠在焉。

東院

東院一株柳。陰凉生户牖。終歲足音無。六月蟬有聲。

答家鄉故人

晚學糊塗鄭板橋。哪曾清福及吾曹。老雲

東坡呼朝雲爲老雲。扶病逃吞藥。小米啼饑苦罵庖。名大却防人欲殺。年衰常夢鬼相招。壽高不死羞爲賊。不醜長安作餓饕。

與英也談往事

憐君能不誤聰明。耻向邯鄲共學行。若使當年慕名譽。槐堂今日有門生。余初來京師時絶無人知。陳師曾聲名噪噪。獨英也欲從余遊。

友人寄自青樹圖題詞一卷書後

燕市多寒暑不删。故鄉蝸舍惜傾殘。寄言城外自青樹。要與平分作借山。

戊辰秋貞兒來京省余。述故鄉事。即作畫幅一。題句以記之按。戊辰。一九二八年。

驚聞故鄉慘。客裏倍傷神。樹影歪兼倒。人踪滅復存。西風添落葉。暮霧失前村。遠道憐兒輩。還來慰老親。

友人凌君。門人王生。合作畫乞題句

鴨有魚有。笋有鼎有。畫家猶不肯添杯。直待何時方飲酒。

竹杖刻二十三字

節勁心虛。得汝不孤。吾行亦行。吾止亦止。扶醉扶危真君子。

題門人李生畫册二絶句

論説新奇足起予。吾門中有李生殊。須知風雅稱三絶。廿七華年好讀書。

深耻臨摹誇世人。閑花野草寫來真。能將有法爲無法。方許龍眠作替人。

題門人畫百花長卷

石千畫筆妙傳神。寫出幽花色色新。年少有能心似鐵。芒鞋不出舊京門。舊京能畫者。多爲口四散。

憶羅山往事　二首

石潭舊事等心孩。磨石書堂水亦灾。余學刊印。刊後復磨。磨後又刊。客室成泥。欲就干。移於東。復移於西。移於八方。通室必成池底。風雨一天拖兩屐。傘扶飛到赤泥地名。來。松安聞余得數印石。冒風雨而來。欲與平分。

誰云春夢了無痕。印見丁黄始入門。余初學刊印。無所師。松安贈以丁黄真本照片。今日羡君羸一着。兒爲博士父詩人。松安刊印。與余同學。其天資有勝於余。一旦忽曰。刊印易傷目。吾不爲也。看書作詩。以樂餘年。

篇八

樊山老人後人學畫采桑圖。乞題句

桑干葉少得歸遲。人并蠶饑有所思。貪把鴛鴦綉衣者。哪知五月賣新絲。

戲畫遲遲瞌睡圖余五十九歲生良遲。六十一歲生良已。字曰遲遲。

問道窮經豈有魔。讀書何若口懸河。文章廢却燈無味。不怪吾兒瞌睡多。

鵝栖

意氣而今非昔年。衰頹漸漸信神仙。劉安拔宅白雲裏。想見鵝栖亦上天。

秋蟬

無心聲遠借桐高。翅薄身輕過柳條。一夜秋風來小院。無情一樹碧陰凋。

題張次溪江堂侍學圖　二首

雪深三尺立吴門。侍學江堂倩寫真。繼起桐城舊家法。精神好爲國追魂。湘綺師云。詩文爲中華之魂魄。

君家名父早知聞。湘綺門墻舊夢痕。華髮三千同學輩。幾人有子亦能文。

讀陶荔男闕箴齋詩剩書後

平生風義本無倫。痛哭難酬知己恩。千首詩篇才調絶。一生得力在梅羹。謂陳梅羹。

題姚華畫幅

百年以後見公論。玉尺量來有寸分。死後是非誰管得。倘憑筆墨最憐君。

歸夢

廿年不到蓮華洞。草木餘情有夢通。晨露替人垂别泪。百梅祠外木芙蓉。

贈門人姚石倩

巴蜀燕京萬里雲。白頭從事最憐君。與君竹葉閑亭裏。添個拈毫作畫人。

夢遊

一點兩點黄泥山。七株八株翠柏樹。欲尋樹杪住僧樓。滿地白雲無路去。

種蕉

安居花草要商量。可肯移根傍短墻。心静閑看物亦静。芭蕉過雨緑生凉。

題顔雍耆後人刻印遺草　二首

神刀鬼腕遠凡胎。短命顔回却可哀。造物難逃天所忌。不應有此出群才。

從來富貴出嬌兒。識字能文總不知。獨有九泉顔太史。膝前公子擅詩詞。

畫枯蒲睡鴨題句

菰蒲安穩了餘生。謀食何須入亂群。一飽真能如睡鴨。睡鴨。香爐名。天明不醒又天明。

畫曬網圖題長短句

網干酒罷。扶醉上床。休管他門外有斜陽。

因外客索畫。一日未得休息。倦極自嘲

一身畫債終難了。晨起揮毫夜睡遲。晚歲破除年少懶。誰教姓字世都知。東西外人。不知余名。但傳齊白石三字。

九日與黎松安登高於宣武門城上　二首

百尺城門賣斷磚。西河垂柳繞荒烟。莫愁天倒無撑着。猶峙西山在眼前。

東望炊烟疑戰雲。西南黯淡欲黄昏。愁人城上餘衰草。猶有蟲聲唧唧聞。其時東北失守。

爲人題霜燈畫荻圖　二首

子孫作宦爲親存。此母能生此後人。一代家庭佳故事。霜燈寒荻草堂清。
我亦兒時憐愛來。題詩述德愧無才。雪風辜負先人意。柴火爐鉗夜畫灰。余四歲時天寒圍爐。王父就松火光以柴鉗畫灰教識阿芝二字。阿芝。余小名也。

牽牛花

夏秋開花。東風長藤。可怨西風。莫忘春恩。

十一月望後避亂遷於東交民巷　二首

湘亂求安作北遊。穩携筆硯過蘆溝。也嘗草莽吞聲味。不獨家山有此愁。
不教一物累阿吾。嗜好終難盡掃除。一擔移家人見笑。藤箱角破露殘書。

往事示兒輩

村書無角宿緣遲。廿七年華始有師。燈盞無油何害事。自燒松火讀唐詩。余少苦貧。二十七歲始得胡沁園。陳少蕃二師。王仲言社弟。友兼師也。朝爲木工。夜則以松火讀書。

多愁時即讀放翁詩。覺愁從舌端出去也

四鄰春社虛重醉。七子何人未白頭。老把放翁詩熟讀。不教腸裏獨閑愁。

枕上聞秋聲

容易秋風窗外鳴。嚴更五換睡難成。夜長如歲年偏短。與我何干愁欲生。

懷人

屋角銀河愁倒水。雲中閃電怕燒天。書生未信終離亂。隻手神州待轉旋。

松安席上見壁間陳師曾遺畫

安陽石室人何在。題句姚華去不還。我輩莫愁須飲酒。死生常事且開顔。

爲門人釋雪庵畫不二草堂圖題句

佛號鐘聲兩鬢霜。空門猶有畫思忙。草堂不着真山水。零亂荒寒堪斷腸。

天津美術館來函徵詩文。略告以古今可師不可師者　四首

輕描淡寫倚門兒。工匠天然勝畫師。昔者倘存吾欲殺。是誰曾畫武梁祠。武梁祠畫像。古拙絶倫。後人愈出愈纖巧。
南北風高宗派分。乾嘉諸老内廷尊。樓臺工正推爲聖。九地如知應感恩。
邁古超時具別腸。詩書兼擅妙諸王。逋亡亂世成三絶。千古無慚一阿長。
青藤雪个遠凡胎。老缶衰年別有才。我欲九原爲走狗。三家門下轉輪來。鄭板橋有印文曰。徐青藤門下走狗鄭燮。

鼠子傾燈

翻盆打碗物何仇。黍稻如雲待稼收。明夜課兒愁一事。寒門能有幾燈油。

門人陳小溪臨借山圖屬題

畫裏風光是借山。廿年不使客歸看。最佳日

落炊烟候。野鶩無猜并鴨還。

遊西山

得偷閑處且閑行。不管明朝缺米薪。萬慮盡銷添一事。登高還有望鄉情。

爲家公甫畫秋姜館填詞圖 三首

秋姜館前出岫雲。秋姜館後鷓鴣聲。五十華年詞萬首。舊家公子最憐君。

稻粱倉外見君小。余廿七歲前爲木工。常弄斧於君之稻穀倉前。草莽聲中并我衰。放下斧斤作知己。前身應作蠹魚來。

吾家寂寞三百載。誰起風流文字衰。垂老病中開口笑。龍潭雙鯉送詩來。

憶少年

工餘獨自喜山行。生長清貧幸太平。常怪秋風最多事。横吹落木亂泉聲。

憶往事

老來山水斷因緣。最喜閑遊是少年。無事出門三十里。赤泥山下聽流泉。

畫雙魚題句

不爲人世寄相思。哪識江間布網絲。滿地是非全不曉。芙蓉花下一雙魚。

自嘲 吳缶廬嘗與吾之友人語曰。小技人拾者則易。創造者則難。欲自立成家。至少苦辛半世。拾者至多半年可得皮毛也。

造物經營太苦辛。被人拾去不須論。一笑長安能事輩。不爲私淑即門生。

答徐悲鴻并題畫寄江南 二首

少年爲寫山水照。自娱豈欲世人稱。我法何辭萬口罵。江南傾膽獨徐君。

謂我心手出异怪。神鬼使之非人能。最憐一口反萬衆。使我衰顔滿汗淋。

題雙筆樓圖 二首

讀書要曉偷閑暇。雨後風前小愒天。難得添香人識字。笑君應不羡神仙。

多事阿吾偶寫真。元龍百尺近星辰。目明不欲窮千里。且看西山一角雲。

夢贈門客牛尊 夢藍面大腹婦人呈詩。自稱門生。余醒後記之。

好奇貪怪生虚境。故有天魔入夢來。七十老翁還嚇倒。赤牙藍面鬼懷胎。

别淑華。畫鸚哥與之。題一絶句

湘上青山好景光。能言鸚鵡莫思鄉。太平橋外槐花下。親手開籠欲斷腸。

如兒畫杜鵑花寄呈。且題云花大如杯。异鄉未有。余知其意

西河沿上柳行斜。久客逡巡便作家。送老不如歸去好。异鄉無此杜鵑花。

宗子威等八人公函云。重陽日午後集北海漪瀾堂品茗。瓊華島登高。余得二絶句

玉蝀金鰲秋氣凉。半黄槐柳各成行。青天不會分成敗。依舊城中九月霜。

瓊華島上夕陽斜。北海秋清對飲茶。插菊滿

頭休夜散。嚴更五换過時花。

九月十日與宗子威讀樊山老人詩。甚感佩。是夜夢與宗君同見樊君。醒後得二絶句哭之

御風乍到大乘巷名。坳。坐上少文詩興豪。鷄唱月斜人戰栗。一叢庭竹冷蕭蕭。李北海爲道士葉法善作文。道士求并書。李却之。道士上法壇召李爲書。書未畢。鷄鳴。李欲歸。其手戰栗。漸漸書不成字迹矣。

似余孤僻獨垂青。童僕都能辨足音。怕讀贈言三百字。教人一字一傷心。樊君爲余序詩草云。今瀕生行矣。贈人以車。不若贈人以言。

遼東吟館談詩圖。爲宗子威作

遼東有福添吟館。詩料盈眸客不貧。鴉鵲亂飛翻夕照。牛羊分類下前村。談詩窄徑人初到。濯足渾河水早分。遼東吟館前有渾河之分流。難得樊嘉作知己。宗君有渡遼吟草。樊山叟稱之。加密圈。遠遊應未負詩人。

邵逸軒國畫研究所周年徵詩文。贈三絶句

要窮花草有精神。不失廬山面目真。將老丹青三百輩。頭頭研究最憐君。

等閑富貴若浮雲。日日揮毫寄此身。河岳有君雲有幸。蹉跎慚愧白頭人。

是孰才華一代新。千秋還要一生心。他時畫苑傳名姓。此日求工四十人。邵君之研究所得四十餘人。

爲楊雲史畫江山萬里樓圖并題

錦鱗直接長天碧。點點螺鬟遠黛昏。咫尺江山論萬里。開窗都屬此樓吞。

張生出吴摯甫先生手書中幅求題 二首

文章妙絶書生事。書法精工分内能。難得傳人兼福命。蘇家父子早齊名。

風流末代更誰何。振鐸蓮池弟子多。惟有春風還似舊。年年池上發藤蘿。蓮花池在保陽城内。

追悼歌女前壬寅十三余之垂髫女也。生甚慧。欲從事於畫。余因遠遊却之。女不樂。余行時往慰之。豈知不可再見也。二首

最堪思處在停針。一藝無緣泪滿襟。放下綉針伸一指。憑空不語寫傷心。

一别家山十載餘。紅鱗空費往來書。傷心未了門生願。憐汝羅敷未有夫。女嘗函云。俟爲白石門生後。方爲人婦。恐早嫁有管束。不成一技也。

老來少

過盡西風草木凋。嚴霜九月尚餘苗。精神却比黄花勝。獨有黄花上市挑。燕京賣花挑上從無老來少。

遣愁

意馬心猿晝夜忙。半思還客半思鄉。等閑拈起三錢筆。寫出家溪烏桕霜。

鼠

一技難成五不能。嚙書毁物害都曾。葡萄可食何妨食。莫損陰凉一架藤。

門人畫得其門徑。喜題歸之

閉門老懶似秋蛇。見汝辛勤喜便誇。從此不居諸侣下。揚雄門下有侯芭。余非以揚雄自比。借言有門生也。

雕蟲豈易世都知。百載公論自有期。我到九原無愧色。詩名未播畫名低。

余自校閲此集。至卷六。中有紫雲山上夕陽遲句。感泣一首

十載思兒日倚門。豈知百里即黃泉。丙寅（按。一九二六年）還湘潭。值家園有戰事。百里星塘。使我年各九十之父母不能相見。竟成長别。今朝空泣思親血。龍背横騎向紫雲。紫雲山脉下一小山。蜿蜒横於紫雲山前。名曰細龍背上。吾母横葬於龍背。墓向紫雲山。

友人函問由天津往廣州海道之情況。詩以答之

中年一事最魂驚。十度航洋膽水傾。老矣山行情尚怯。松風洶涌作濤聲。

示往後裔孫

衡湘空費卜平安。生既難還死更難。向後有人收白骨。荒烟孤冢問香山。香山有萬安公墓地。吾决買穴埋骨。按。白石殁葬北京西郊魏公村湖南公墓。

壬申冬。遷東交民巷　二首

南還有夢愁泥雨。北客何心再徙遷。骨外埋憂無净土。身能成佛隔西天。
偷活偷安老自憐。雕蟲誤我負龍泉。太平時日思重見。虚卜靈龜二十年。

跋

白石詩草八卷。爲樊山先生審定。山人由燕寄湘。屬訓校字。訓老眼昏花。何能爲役。然良友之托。義不敢辭。爰竭數日之勞。粗爲斠閲。校畢。乃附數語於後。今天下之言詩者伙矣。自山林以至城市。稍知聲韵之學者。罔不以風人自命。或言神韵。專求句調鏗鏘。或講格律。務必準繩謹守。二者雖皆詩家之所有事。要之皆末而非本也。詩之本何在。必其人目營八表。心隘九州。負不世之才。抱絶塵之想。富貴聲華之境。舉不足以動其中。然後觸景生情。得心注手。自能唾弃一切。妙絶時人。此李杜蘇黄之詩。雖閲世已千載。而至今展卷。猶能使人百讀不厭也。若夫胸懷齷齪。志識卑庸。無論吟不能工。即工亦無可采。譬之寒蛩幽鳥。唧唧啾啾。終日啡雨啼烟。何能令人耳悦。以是言詩。詩道衰矣。又何怪作者牛毛。而傳者麟角哉。山人生長草茅。少好潑墨以自娱。胡君沁園。風雅士也。見君所作。喜甚。招而致之。出所藏名人手迹。日與觀摩。君之畫遂由是孟晋。有一日千里之勢。沁園好客。雅有孔北海風。同里如黎君松安。雨民。羅君真吾。醒吾。陳君獲根及訓輩。常樂從之遊。花月佳辰。必爲詩會。山人天才穎悟。不學而能。一詩既成。同輩皆驚以爲不可及。當是時海宇升平。士喜文宴。同志諸子遂結詩社於龍山。酣嬉淋灕。顛倒不厭。其一時意氣之盛。可謂壯哉。其後君爲郭君葆生招去。作諸侯之上賓。數年之間。嘗由秦而贛而粤。然必歲一返里。以省其親。歸則仍與二三知己。行酒賦詩。以爲朋友之歡。雖暫散而可終聚也。迨辛亥以還。海内多故。君避地燕京。不求人知。而名轉動海外。陳君師曾。携君畫東遊。日人出二百五十金購之。師曾勸君遊日本。却之。風晨月夕。惟與樊山互相往還。南望故鄉。常有欲歸不得之慨。而往時龍山社友。亦多星散。拈題分韵。寂焉無聞。人事隨時世爲變遷。可概見矣。惟君遠客舊京。年七十而神明如故。作畫刻石。無异昔年。雖目見耳聞。時多感慨。然興之所至。猶復揮毫。有東坡放翁之曠達。無義山長吉之苦吟。人之

度量相越。真不可以道里計也。古今謂詩人少達多窮。觀君之身世。少坎壈而老康娛。豈其然哉。豈其然哉。山人少日之詩。隨手弃去。今之存者。半皆晚年所作。裒而集之。尚有數卷。尺幅雖小。俱有壯觀。卷中思親念舊之外。題畫之作獨多。然皆生面别開。自抒懷抱。不僅爲蟲魚花鳥繪影繪聲而已。山人性傲岸。客至。非所心許。輒移床以遠之。其詩亦酷肖其人。有不可一世之概。雖零篇斷句。其氣亦如長虹。世無能詩之人。未有能識其妙者。君則恒以此自負。每謂詩到無人愛處工。劍南之句。可謂先獲我心矣。訓生平知好。本不多人。其中出處雖殊。要皆不免草木同腐。惟君以布衣鬻畫。海國知名。詩亦成家。决可流傳他日。此非一人之阿好。實乃萬世之定評也。訓於朋輩之詩。心折惟君。謂如孤雲野鶴。對之令人塵氛輒掃。今君詩幸已成集帙。所望速付雕鎸。俾訓之不才。得以附名卷末。使後世觀者。知君朋輩中尚有是人。則雖窮老空山。亦將没齒而無恨矣。壬申冬弟王訓　拜撰。按。壬申爲一九三二年。

第三輯　白石詩草續集（一九三三年以後之詩）　黎錦熙編注

此輯是癸酉（一九三三年）白石自訂《白石詩草二集》出版以後所作，到一九五七年病歿時止，約二十多年間之詩，由白石後人搜集其零星遺稿，匯録於此，名之爲《白石詩草續集》。

邵君以余十二年前壬戌之畫請補題按。壬戌爲一九二二年。

幾家樓閣雨中春。十二年來墨色新。此日重看頭盡秃。畫時儂是二毛人。

前題并序。

癸酉夏。舊京將有戰事。居人多南遷。盡售家物而去。邵君於市上見余此幅。以自售畫之價高數倍買之。余感之。再題一絶句按。癸酉爲一九三三年。時日本軍閥自熱河侵入長城。

亂離思弃價誰論。焦尾偏逢識者真。烟雨有君增價值。買柴原是賣柴人。楚南諺云。挑柴賣。買柴燒。

趙幼梅君過訪。席上偶吟

願識荆州一笑逢。分明不是夢魂中。閑吟屢贈才無盡。相慕多時意更濃。瓊島密雲千里碧。天津夕照十年紅。莫辭今日杯杯飲。亂後詩翁唤醉翁。

幼梅次韵贈余。余再用原韵贈之

賓客如雲滿座逢。平生歡樂笑談中。人情無此閑情好。世味争差詩味濃。對雨明燈樓角亮。入津斜照浪花紅。他時更欲無人識。蓑笠燕臺作釣翁。

趙幼梅索畫扇

晨起還餐天半霞。王喬笑我是通家。磨刀割取紅霞片。剪作人間益壽花。此詩似騷體。因幼梅次余韵有陸地頑仙是此翁句。

王蟫齋以詩換畫。用韵答之

樊嘉曾與説君詩。不慣逢人説畫師。今日得君詩換畫。吾生能有幾多時。

友人由巴黎歸。見有吾一人畫展皆僞作

吾畫遍行天下遠。欲求親手總難論。如今君子都兼僞。何獨丹青要認真。

爲門人羅生畫白石齋圖并題　二首

印草三函畫一張。聚精對坐静焚香。人間亦有痴如汝。客國名居白石堂。日人有加納者。於東交民巷造一樓。四壁懸余畫百餘幅。重叠如鱗。名爲白石堂。

篆刻如詩有别裁。削摹哪得好懷開。欹斜天趣非神使。醉後昆刀信手來。

題乳婦嬰孩

老年應學小孩兒。一飽休啼百不知。屋角春雷驚不覺。欲醒却是未醒時。

巢父洗耳圖題句

從來高士説巢由。應悔因堯姓字留。洗耳下流如果濁。牛腸清潔亦千秋。

門下徐肇瓊曼雲求題畫册　二首

喜教張敞畫眉初。不醜吾窮女丈夫。能把閑情寄蟲草。曼雲精室讀書餘。

精神費盡太痴愚。何用浮名與衆俱。老想此身化蝴蝶。任憑門客寫蘧蘧。

龍山訪舊圖題詞　四首

家山久别最傷神。故友書來一斷魂。垂老杖藜歸訪舊。七千餘里畫中人。

人道蘇瑰還有子。謂王仲言及余。太邱膝下尚無孫。余自謂。龍山過雨生青草。誰作詩壇繼起人。謂良琨鐵生等無繼詩社之意。

王羅年少説功名。廢却文章各愴神。天上晨星如七子。吟箋祇合話來生。

愁望西南日暮雲。多情善病最憐君。何時聚首平安日。却話思安卜鬼神。余刊有思安卜鬼神印章。

夢舊遊江西過紅羊洞

扁舟曾也過樟樹。下水鸕鷀爲飽忙。清泰心閑望山洞。豈知今日亦紅羊。樟樹鎮屬江西。

望雲哭二弟純松

看雲憶弟遠天涯。六十餘年一瞬嗟。今日黄茅堆子地。曾騎竹馬看山花。

京華飛車塵

四野車馬塵。高飛作瘴霧。東風吹入城。西風吹不去。

謝門人侍遊西山甲戌四月一日。　二首

別無一個更聰明。好學家貧恨此生。咏雪得詩君道蘊。補袍用紙女蘭成。

綉手出身爲畫手。門人知己亦恩人。幸餘餘習師緣在。得侍西山看暮雲。

四月三日與門客登岳雲樓

岳雲樓上話方長。樓下藤花亂名香。最是園丁解人意。安排小几倚西廊。

題曾默躬畫默躬畫寄門人某某。求余題。　二首

休説三軍智計微。傷心遷變事都非。十年清政千秋在。一角嘉州墮泪碑。默躬題畫有云。今春偕釋證性及同學數子漫遊嘉峨。土人談往事。竟泪下。竪碑紀焉。

讀書然後方知畫。却比專家迥不同。删盡一時流俗氣。不能能事是金農。

見人畫松泉似家山物題之

閑看松間月色圓。更臨山石濯流泉。异鄉亦復愁離亂。辜負家山十九年。

應人詩集徵題詞。即書集後　二首

詩有牢愁機入危。杜陵客老合官卑。更誰蘧玉知今是。天下於今半屬非。

黄泉碧落總茫茫。反哺追思泣兩行。我與君家同此恨。昨朝猶刻悔烏堂。昨刻悔烏堂印。

爲羅祥止畫憶母圖并序。　二首

祥止小時。乃邱太夫人教讀。稍違教。必令跪而責之。當時祥止不能解。怪其嚴。今太夫人逝矣。祥止追憶往事。且言且泣。求余畫憶母圖以記母恩。余亦有感焉。圖成并題二絶句。

願子成龍自古今。此心不獨老夫人。世間養育人人有。難得從嚴母外恩。

當年却怪非慈母。今日方知感憶親。我亦爺娘千載逝。因君圖畫更傷心。

秋柳　二首

一輩愛才具青眼。三徑隨風掃緑苔。秋又未寒葉又落。誰憐衆木柳先衰。

南還有屋難安隱。羡子高樓鑒水凉。什刹海旁如肯借。老萍添個寄萍堂。

摘　果

昨朝小院露華深。摘下枇杷在緑陰。又惹是非人看得。萍翁鋪地用黄金。

答秋薑

今朝一飽無餘事。何苦勞形惹自嗟。到底難除苦吟興。夜深持蟹咏黄花。

蟹

披甲拳丁性氣高。草泥鄉里見君曹。平生自負横行力。却遜乘潮海外妖。

鼠　二首

不仁一飽誰無妒。獨汝願人不苦貧。吾有葡萄珠滿架。酸甜與汝許平分。

五技平生一不成。登岩緣石算何能。若無顛倒山中樹。前人題大滌子畫云。零亂山川顛倒樹。不成圖畫祇傷心。應更傷心畫不成。

初見白芙蓉

誰爲乞取銀河水。洗盡胭脂去世華。不與嬌娃鬥容色。生來清白作名花。

蛛網

經綸一網休矜巧。不見春來食葉蠶。抽繭繅絲身不顧。願人風雪不知寒。

憶少年

百梅祠外塘頭眺。十字坡前牛背眠。往事重尋難再夢。心隨鴻雁渡湘烟。

夢見釣徒

此翁堪羡不知愁。剩水殘山尚漫遊。多事流泉聲不斷。教君停住小扁舟。

遊西山道中羡牧牛者

萬柳枝疏見草坪。滿天雲霧失晴明。牧童手有犁牛在。祇有農家心太平。

夢逢故人

閨房誰掃嬌憨態。識字自饒名士風。記得板塘西畔見。蒲葵扇名。席地剥蓮蓬。

周芾棠放生池亭

征途歸後得閑時。魚樂從容子獨知。寄語憩園高隱者。羡君亭下放生池。

鼠鬧

饑鼠饑鼠。何多如許。何鬧如許。既嚙我果。又剥我黍。燭炧燈殘天欲曙。嚴更今已换五鼓。

春日閑行。過蘆溝橋望西山

秋盡冬殘霜雪融。草根本末换東風。堪憐惟有西山在。依舊春來有亦作作。笑容。

寄黎松安

天外朋儕懷伯道。樓頭風月屬蘇瑰。不作世間錢樹子。人乖難得命相乖。

寄内 四首

閨房有福或無才。不識之無老命乖。天假糟糠殘夢永。有兒爲母寄詩來。

七千餘里路漫漫。亂世巢居咬定難。知汝能憐心最苦。半思南岳半西山。

井泉浮底浄無沙。檐角蜂窠鬧似衙。知得病隨春暖起。自開窗户看梨花。凡咳春暖自愈。

嘆卿十日頭全白。患難生還幸甚時。忘却恩仇了無事。分甘膝下女羲之。

自畫戴笠圖 二首

青藤笠子老安排。無論晴陰戴上來。囊畫出門歸换米。亦作采藥杖藜扶我去。等閑不敢把頭抬。

日行卓午灼膚肌。戴上平平隱最宜。無意人間拾官吏。龍鍾不便把頭低。

贈門人

有才不負識之無。投筆從戎作壯夫。馬上雕鎸思漢篆。雪中畫字擬秦符。看山偶出金牛路。問道專來白石居。誰肯等閑辭宦早。一時千載計非迂。

許情荃贈詩次韵　二首

七十三年霜鬢垂。形骸太瘦爲詩詞。前身更有丹青債。餘習猶教世偶知。
高士從來説許由。手中繩索日牽牛。洗耳下流知濁水。犁牛與舜亦千秋。

余四十歲後客欽州。拓有印草。爲友人所得。今重見。口占一絶句題後

天涯海角夢俱荒。使者傳書喜欲狂。三十年來鴻雪在。朱泥如舊鬢添霜。

某報館索畫即題

衰年兩耳百無聞。却厭籬根蟋蟀鳴。白露已深寒露近。不勞蜂蝶鬧秋晴。

聽蛙

青青淺草水邊生。聒耳無知遠近鳴。不聽鷓鴣三十載。要來北海聽蛙聲。

夢遊南岳

生長衡山下。今朝始上峰。石來千載樹。松老六朝龍。國破神難護。民殘鬼亦窮。彈花雲滾滾。風葦浪重重。驚醒遊人夢。聲聲舊日鐘。

過巫峽

怒濤相擊作春雷。江霧連天掃不開。欲乞赤烏收拾盡。老夫原爲看山來。

過酆都并序。　四首

丙子春爲友人招遊峨嵋。舟過酆都。乃寶姬生長地。遂隨之其母墓。

看山訪友買扁舟。載得姬人萬里遊。聞道寶珠生此地。愁人風雨過酆都。
爲君骨肉暫收帆。三日鄉村問社壇。難得老夫情意合。一作甚。攜樽同上草堆寒。
從來生女勝生男。卅載何須泪不干。好寫墓碑胡母字。千秋名迹借王三。王三指方鶴叟。
始知山水有姻緣。八十年人路九千。不是衰翁能膽大。峨嵋春色爲誰妍。

慰姬人

笑嘻患難總相同。萬里孤舟一老翁。病後清癯怯風露。夜深窗隙紙親封。

某報記者求詩

金戈鐵甲入篇章。鳥語蛩鳴到耳旁。天下有聲聞即説。憐君却是爲人忙。

張兆芬求題畫

結茅岩上北堂居。林木蕭疏秋氣殊。蟻鼠不來塵不到。借儂補讀少年書。

寄畫菊

香清色正愛堪嗟。九月嚴霜冷發花。安得着根高隱地。人間亦復有陶家。

次韵志筠門客

三絶知名一見遲。相逢下拜却非痴。感君願綉平原像。明日成都自買絲。

無題 二首

讀書猶悔十年遲。織補餘工筆一枝。紙上蟲聲君作畫。點燈猶誦借山詩。
三載殷勤侍長尊。戚疏久處更相親。使君携婦巴西遠。日盼飛空卅六鱗。飛空謂飛艇也。

題門人張白子畫雁

一雁足輕書斷。半天霞并雲飛。西去蓉城客裏。臨風北望思歸。

題蔡淑慎女士畫廬山風景册子

星聚南昌舊夢酣。前癸卯年(按。一九〇三年)侍湘綺師遊南昌。七夕賜飲。今諸弟子聯句。自起二句云。地臨勝江匯。星聚及秋期。傷情南浦别時難。開圖面目真如此。是我烏絲舊看山。

題畫

寒霜一夜殺蘆花。作對成雙天一涯。水濁泥渾都莫管。祇謀安穩宿平沙。

西山看杏花憶家山杏子塢

人生能吹幾番風。一瞬皤然七四翁。杏塢老枝應記得。也曾看過牧牛童。

無題

野鳥野鳥。家雀家雀。野鳥山能占。家雀穀能剥。山占穀無存。家雀猶未覺。

燈下題畫册

畫蟲時節始春天。開册重題忽半年。從此添油休早睡。人生消受幾燈前。

卧地藤蘿花

卧地藤蘿獻紫曇。不同秋菊共時殘。菊花難耐霜風折。不倚東籬自立難。

岳雲樓看藤蘿

岳雲猶幸未摧殘。十日春風一日閑。滿架藤蘿高十丈。杖藜扶我上樓看。

丁丑七月望前按。丁丑即一九三七年。七七事變爆發。

故國無埋頑父地。客都又戴杞人天。思靠西山同患難。西山雖在亦堪憐。

咏杖并序。 二首

丁丑七月九日清晨。傾跌傷左足。按。是年白石七十五歲。依命家言自改爲七十七歲。

此心休與足爲仇。跛叟相呼勝馬牛。一息尚存誰料得。明朝不識更何憂。
舉步衰年慎重時。不應仗健缺扶持。跌傷凡骨無由换。父母黄泉幸不知。

新桃花

去歲葉無痕。今春花又新。誰云君命薄。我輩不如君。

丁丑除夕寄家書書其後

耕荒歇殺硯田牛。夏去春來睡未稠。寄語家山老妻子。團年（鄉俗除夕老少團聚拜家神爲團年。）不必替爺愁。

畫貝葉題贈篁溪

漫遊東粵行踪寂。古寺重經僧不知。心似閑蛩無個事。細看貝葉立多時。

偶吟

去年大膽愁中活。今歲還家夢裏忙。不若魚蝦能自樂。一生不出草泥鄉。

登煤山思還湖南岳麓山

布衣人識勝封侯。款段何來舊帝都。技絶盲人能相馬。（某軍有馬夫。目瞎不用。馬夫曰。小人摸馬之骨。能知良否。遂加以官。）相輕騷客亦呼牛。飛還岳麓無仙術。吊死煤山是衆流。竊望天南雲一角。登臨高處轉增愁。

憶梅

十年無忘手親栽。雪裏紅雲繞屋開。今日倚窗着花未。絶無人自故鄉來。

麻姑

仙子難抛采藥籃。老夫何處覓金丹。仙壇若許客來去。我願來參五十三。

蟲籠（其蟲北地呼蟈蟈。亦作叫姑姑。絡緯之類也。）

葫蘆小小作雕籠。不怕寒號動北風。蟲蟻也應論福命。借人温暖活殘冬。

觀凌直支畫幅　二首

十年朋友共燕龕。零落晨星别不堪。展卷梅花還憶舊。雪飛時節在江南。
東園南浦西風急。草木凋殘露氣清。黄菊正開偏有意。蝶兒凉得可憐生。

題凌直支畫梅。即寄直支江蘇（時丁丑(按。一九三七年)中秋日。）

不見萍翁越七年。近持鐵拐學神仙。（予一跌竟成殘疾。(按。未殘也。)）今夜虎丘來看月。（袁隨園句。中秋無月虎丘山。）此心還在簡齋先。

婁生詩草題詞　二首

深信能詩有别裁。一言半字費安排。何須苦讀三千卷。好句都從天分來。
吾儕偷活不須愁。兩字兵戈句莫收。後五百年刀筆吏。是非應自有千秋。

魯人重畫聖迹圖題詩徵和。予和第二十三圖畫息鼓琴（孔子晝息於室而鼓琴。閔子自外聞之。以告曾子曰。昔也夫子鼓琴。音清澈以和。今更爲幽沉聲。夫子何所感而若是。二子入問。孔子曰。然。固有之矣。吾見猫方取鼠而欲得之狀。故爲此音。可與聽音矣。）

見猫取鼠亂清琴。曾閔猶能識審音。假有聖賢今日在。七條弦上是何聲。

題李芳谷山水畫卷

三十年前張伯英題云。此卷祇着印。無款識。不知歲月。當在三十年前作。好風景。行看騎馬約追尋。山水尚無零亂意。展看圖畫不傷心。

題黄碧崖畫卷黄碧崖爲王雪濤女門生。爲余之再傳弟子也。

下筆白陽真嫡派。百花精神各有態。閨房能事從來稀。難得綉餘超群輩。借山門客幾三千。碧崖得在三千外。

題蕭謙中畫幅

閑讀道經居最宜。一丘一壑識東西。有家獨我傷歸思。辜負香山杜宇啼。

同邑菊影能詩。余友王仲言誇許之。余因得相見。戊寅秋。忽寄呈六絶句於京華。次韵答之　六首

徒教磨墨老青娥。燕地夕陽屋角多。我欲携家歸杏塢。一鞭飛不過黄河。

事無拘束一身寬。薄幸應當白眼看。富貴不如貧賤好。驕人兩字仗艱難。

今日誰來念此公。輕人書問不相通。蔡經欲乞麻姑爪。無奈桑田萬萬重。

追思逆旅負當時。城下春花始着枝。湘水有潭情不淺。卜期歸咏鹿門詩。

雕蟲誤我劍雌雄。一輩經營苦畫中。死後定評誰曉得。九原萬國不相通。予之畫萬國皆知。縱有佳評。能通於九原否耶。

相見無言别更無。禪門關斷十年書。舍利强於紅豆子。阿余知子子知余。

題桃源漁隱圖　二首

平生未到桃源地。意想清溪流水長。竊恐居人心膽破。拈毫不畫打魚郎。昔人句云。怕有漁郎來問津。

此地誠福地。山溪自古今。桃花流水去。何處覓秦人。

聞王仲言。黎雨民。羅醒吾數日内先後辭世。哭之

鄉書盼到半年遲。聞道浮家泪正垂。復道故人都得訃。孤燈欲滅冷風吹。

題門人盧光照歲朝圖

忽聞爆竹響連聲。扶杖開門感不勝。七十五齡加一歲。衰頹猶自客燕京。

明年八十記事　四首

千愁不死有斯翁。世有知音感慨逢。八十年人九千里。焦琴身世是孤桐。

星塘地名。吾父葬此處。龍背地名。吾母葬焉。隔壠遥。三角園地名。吾祖父葬焉。平蓼葉地名。吾祖母葬焉。高。騎馬出門四十載。祇今赢得悔烏巢。吾悔不如烏鳥。以上地名。皆離湘潭城一百一十里。

中年種樹早成林。緑遍餘霞餘霞峰名。余居住處也。雨露深。一夜凍雷閑數笋。天涯還有荷鋤人。謂子貞兄弟。

錦綳珍重小兒曹。謂吾第七子良末。富貴何如隱逸高。養大勿傷錢樹子。年深防倒莫争摇。

題循環圖　四首

射騎聲色丐前非。施捨慈悲宦後歸。貴賤從來天不管。循環兩字在人爲。

形容苦樂經營甚。婦女都知意匠工。寄語荒嬉紈褲輩。細看斯卷識窮通。

此卷印將三萬本。足傳南北復西東。但願世人都悟覺。無私公道勝天功。

色聲以至爲寒丐。要早休時未捨休。不怪年來離亂地。歌臺無日唱聲收。

石邊題句

今年八十一。硯田自食力。犁耙不下肩。如牛健似昔。

題藝術學堂學生畫刊。兼謝學堂贈余泥石二像　三首

輕描大寫各勞神。受得師承見本真。八十老翁先論定。半如兒女半風雲。謂工者如兒女之有情致。粗者如風雲變幻不可捉摸也。

疏狂哪可作人師。門客三千姓不知。宗派問余情更怯。鬢鬚如雪竟無辭。

園丁一技用心殊。推石和泥肖鄙夫。因羡缶廬身後福。鑄銅千古占西湖。

爲仲葛畫梅花草堂圖題句

白茅蓋瓦初飛雪。青鐵爲枝正放葩。如此草堂如此福。捲簾無事看梅花。

小圃

老年顔色菜俱青。一飽何曾深閉門。且喜小園香滿地。惹來蜂蝶日相尋。

食蟹開瓮

富貴何如把酒壺。昔人沉醉却非愚。先生有蟹欣開瓮。陶謝能來共飲無。

年八十。枕上句

炎窗冰硯猶揮筆。六十年來苦學殊。污墨誤朱皆手迹。他年人許老夫無。

庚辰秋。菊影又寄來一絶句。又和之

詩緣無分恨何多。愛殺黄河曲可歌。勸子何須勞遠夢。暮行休冒雨滂沱。

柳岸春風

歲晚瘦餘山石在。風來輕大柳條知。扶笻我欲橋東去。何處能容老畫師。

歲朝圖

八十年光爆竹催。屠蘇酒熟喜盈杯。先生可飲何妨飲。又看新桃换一回。

燈滅小鼠偷油

燈枯黑暗使人愁。昨夜來偷今夜偷。枕上新吟書不得。畫錢難打許多油。

老來少

墻邊籬下自生根。夏雨萌芽漸漸深。秋後餘紅遍天下。東風本受半時恩。北地草木遲者四月始生。老來少遲草也。

追憶蜀遊

白頭猶有懶嵇生。無畫無詩負蜀行。山谷扶犁官一輩。何猿叟詩。涪翁扶犁凍雨裏。薛濤造紙井千春。浪

傾河漢黄牛峽。雲繞衣裳白帝城。峨嵋青城何處是。欲遊此二處。土人言其危險。未往。看山情重是虚名。

登西山絶頂南望

衡湘歸路漫漫。南望無際雲寒。看盡世間風景。不如兩字家山。

代書答小時友

年過八十猶强飯。人世難逢壽命長。自小與君争歲月。我輸望月在他鄉。

蛛網

挂網空中機莫猜。纏絲傷竹巧安排。元稹詩。縈纏傷竹柏。杖頭必欲驅除去。明日飛絲結網來。

種葫蘆

桑陰隨意種葫蘆。説道葫蘆可賣藥。從來幻術愚世人。竟有愚人能信着。

小池

門前池水清。未有羡魚情。魚亦能知我。悠然逝不驚。

思鄉

岳麓丹楓雲繞。雨湖碧柳烟環。頤養天年安泰。杖藜歸去湘潭。

竹山按。當是題畫。

隱居無煩憂。栽竹遍深谷。數笋歸來遲。炊烟繞茅屋。

題望雲樓

樹静風不寧。子養親不存。更上一層望。墓門横白雲。

紅菊花

半是仙家半畫家。醉餘燒鼎煉丹砂。丹砂誤作胭脂用。化作人間益壽花。

西山望月

種樹成數抱。鴉飛暮復還。人豈不思鄉。望月在西山。

小鷄

初得出殼。大地無倫。祇貪飽啄。五德何存。

無題

蝴蝶不來蜂又去。青蠅無厭趁時忙。絳盤青橐秋風起。滿地荒寒一夜霜。

馮臼庵遺畫題詞

與君同跋方生畫。畫手能詩未易尋。三怪圖中偏剩我。余曾爲臼庵畫西城三怪圖。三怪乃臼庵與余及余門人瑞光。老夫留作哭君人。

門人楊泊廬臨余借山圖册十余開。求題記余之借山圖原名紀遊。湘綺師曰。何不皆題爲借山。可大觀矣。原圖五十六。丁巳(按。一九一七年)春來燕京。友人陳師曾借去月餘。還時失其十圖。

五十六圖半天下。吾賢得仿十之三。剩水殘

山真位置。經營與俗异酸鹹。

馮臼庵去後五年。陳梓嘉得馮畫。寄燕求題

多少經營畫得成。故人心力太分明。寄言湘上龍山主。羨汝挑燈賞鑒情。

題汪藹士畫梅 二首

若問畫師師阿誰。金羅不是補之非。與天造化同工苦。猶道春風花不飛。

展畫題詩感舊遊。曾騎仙蝶下羅浮。傳聞顛倒山頭樹。雪冷花殘笳鼓愁。

許情荃神交友也。來書勤問患難。久未答。惭感寄此詩

慣遲作答越年期。好懶嵇康老愈非。今日得書知一笑。遷還死去兩無疑。

題門人王雪濤畫册

老屋亂藤笑玉池。素練凸粉蔣君痴。吾賢下筆如人意。羨汝成名鬢未絲。

爲人題畫

春山多白雲。鐘聲出遠寺。何處安閑人。騎驢過橋去。

徐悲鴻畫馬題句

昔人畫馬能畫骨。悲鴻畫馬得傳神。若教伯樂今朝在。此馬能空萬里群。

題畫蟹甲申。按。即一九四四年。時日寇侵占中國。

處處草泥鄉。行到何方好。去歲見君多。今年見君少。

侯且齋。董秋崖。余倜視余。即留飲按。是年一九四五秋。日寇投降。十月十日北平受降。

柴門常閉院生苔。多謝諸君慰此懷。高士慮危曾罵賊。一作緣學佛和常抱佛。將官識字未爲非。受降旗上日無色。賀勞樽前鼓似雷。莫道長年亦多難。太平看到眼中來。

丙戌端午。舊友黎松安之孫贈五絲纏臂。以句告松安按。丙戌是一九四六年。

君與我論交。情比潭水深。未聞管與鮑。交得到兒孫。

懷家山鐵蘆塘邑城驛道南行一百里爲白石鋪。鐵蘆塘離白石鋪三里。

少小嬉娛忽衰邁。天涯剩有吾還在。鐵蘆塘尾草泥鄉。春漲夢看蝦世界。

爲人作婚聯復作詩書於聯側

昨夜星辰仙袂凉。有人月下與商量。赤繩在手長如許。繫汝良緣作一雙。求余證婚。詩語因及之。

次韵門客述懷。兼書問近事 二首

百歲多憂涕泪横。新亭收泣計須成。何妨裹革歸寒骨。誰擬抬棺護衆生。遺禍戰争兹片土。坐觀成敗古長城。榆關咫尺千餘里。痛哭人民滿舊京。

偷活偷安老豈然。雕蟲誤我負龍泉。還家有夢愁泥雨。望遠何人掃瘴烟。骨外埋憂無净土。身能成佛隔西天。太平時日思重見。虛卜靈龜二十年。

泊廬以仿石濤山水畫求題

皴山鈎樹十年心。筆底工夫苦自深。天不忌人享名譽。毋忘當日指南針。壬戌泊廬從余遊。余誘其師大滌子。泊廬笑曰。吾師乃指南針也。

客自金陵來函。索畫燕歸來圖。余知其意。并題一絶却寄

七千繞道莫徘徊。葉落金陵秋氣衰。燕子南巢終是客。西山猶在好歸來。

陳散原書箋跋後

拙處靈通論正宗。談何容易世都工。老蓮絶妙丹青手。不見書家是乃翁。

某女生出工筆花卉册求題

填脂堆粉倚門嬌。不是鈎摹便是描。他日狂揮神外似。工夫須識在今朝。

題徐悲鴻畫馬　二首

墨忧年少亂師真。下筆生風似有神。家國愁時教一笑。文長席上有門生。

從來君子揚人善。名借詩文始久留。此日倘逢唐杜甫。徐君畫馬足千秋。有跋悲鴻門人畫馬者。語薄其師。悲鴻門人復以是馬求余題。因及之。

門人萬里畫蝶偶題

自從欄外牡丹香。直到籬邊菊影荒。三百日中本無事。蘧蘧憐汝一年忙。

題人畫

當年創造識艱難。北派南宗一概删。老矣今朝心力盡。手持君畫繞廊看。

友人呈印草。題後

莫誇白石把昆吾。手力强君目不如。鐵畫飛空鸞翼拙。朱文入細繭絲粗。末二句指其所作。

汪藹士畫梅花小册百紙索題

若非宿昔林和靖。定是羅浮舊蝶仙。花態故能都曉盡。縱横顛倒樹三千。

答婁生刻石。兼示羅生

縱横歪倒貴天真。削作平匀稚子能。若聽長安流俗論。漢秦金篆秦權之類。盡旁門。余之印篆。多取用秦權之天然。故都某舊貪吏嘗與人論印曰。近代刻印者。負大名尚是旁門也。此言即謂余。可一笑。羅生曾聞之憤然。

贈淑瑛

左芬名與乃兄齊。南北優遊處處宜。多少男兒羞出户。大家何况是娥眉。

門人王雪濤以畫求余補足

瓜果連年有旱憂。懶猫沉睡在前頭。老夫添個油燈火。照見人間鼠可愁。

邵君索題畫

半江流水一孤舟。籃裏無魚酒豈謀。三尺絲綸將論税。先生身健不須愁。

劉琢玉初摹仿白石萬梅江岸圖。余書一絕句。以成横卷

偶畫梅花江岸春。最難摹仿得傳神。吾門門客三千輩。願汝終朝作替人。近代學畫者。三年後即可別圖衣食。不復言畫矣。

次韵金息侯寄贈

新詩壓倒老齊璜。親手開緘見國光。一笑神交人咫尺。你儂兩個懶嵇康。

贈瞿兑之

色色工夫任衆誇。一枝妙筆重京華。豈知當日佳公子。老作詩文書畫家。

題兑之畫梅

圈花出幹勝金羅。小技雕蟲費切磋。若使乾嘉在今日。風流一定怪增多。

寄門人王文農

胸無塵土自心安。詩畫娱情意更閑。羡汝漢陽高隱者。開窗隔水對龜山。

餘霞峰舊居

移花接梨樹。實重壓枝低。期頤人萬里。時聽子規啼。

偶成

獨剩頤年何所求。吞聲偷活豈無愁。蘆溝草木西山色。依舊風烟秋復秋。

懷家山按。指餘霞峰。 四首

東港田中泉。注蔭二頃寬。餘流下江去。與濁共長天。
千仞餘霞山。杜鵑花蕊繁。春深一夜雨。紅過那邊灣。
宅邊楓樹坳。獨酌無鄰里。時聞落葉聲。知是秋風起。
東溪烏臼樹。結子白如雪。盡日祇鴉聲。直上黄昏月。

思老屋 三首

山莊李家屋。先人舊種田。世遷丘畝在。春雨一犁寒。
星塘白茅屋。咫尺杏花村。除却牛羊迹。終朝無足音。
星塘老茅屋。三面種松樹。不見聽鈴人。空悲聽鈴處。璜小時與二弟純松牧牛。祖母爲知其將歸與否。各佩以鈴。以便聞鈴聲入門爲炊。

失題

黄藤嘴上追傾泪。長板橋邊夢掃墳。人世共知雪个畫。九原誰憶杜司薰。

失題

濁世聲高有阿爺。官家不作作書家。寄言侍奉三公子。字癖憐余勝嗜痂。

哭凌直支

地方無鬼君何害。泉下新鄰君又愁。倘若陳姚知識在。相逢應續舊風流。

回憶鄉居　三首

繞門烏桕樹。別久愛吾家。慈烏幾點墨。霜葉半村花。
坐臥碧紗幮。暑消凉氣回。是非無由入。勞汝蚊如雷。
楓樹園前見。牛犢廟外啼。竹深人不到。反照入前溪。

月季花

墻角亂花叢。別來是夢中。半生彈指過。七百廿番風。

無題

萬里長江水。奔流去不回。昔時人不在。今後復爲誰。

偶成

鷓鴣行不得。杜宇不如歸。行年將九十。方識鷓鴣非。

自嘲

鐵柵三間屋。筆如農器忙。硯田犁未歇。落日照東厢。

憶星塘老屋

杏子塢外山。閑看日將夕。不愁忘歸路。幸有牛蹄迹。

題畫葫蘆

葫蘆式舊局新奇。牽架垂藤瓜卧土。一尺鮫綃三萬錢。挂君堂上生風雨。

卧佛溝隱者

隱居卧佛寺。宦後屋數間。地靈人盡曉。分來岳麓山。

聞方威余履薄冰溺死

謹慎狐不若。神狐疑惑多。隔冰聞水響。不敢過黄河。黄河南北多狐。冰凍時。狐往返過河。聞冰下有水聲即退。

題畫山水戊子作按。一九四八年。

門前淺水溪。墻外老松樹。盡日無人聲。鸕鷀來復去。

新街口看菊壬辰作按。一九五二年　三首

宅近新街口。草木如鄉間。主人何許人。采菊看西山。
客來座位少。詩多滿壁題。菊花三百鉢。占盡屋東西。
落日照東墻。三輪勝牛背。惟有小嬛乖。叮囑明年會。

第四輯　白石詩草補編

第一編　一九〇二年以前之詩

黎錦熙編注

此編是白石壬寅(一九〇二年)四十歲以前所作,上溯至己丑(一八八九年)二十七歲初讀書學詩時,約十餘年間之詩。其稿已自弃去,後人搜得殘本,附録於此,作爲《白石詩草補編》第一編。

題山水畫

蒼茫雲水接長天。江岸垂楊鎖暮烟。白髮紅衫相對語。春風載酒夕陽船。

留別譚舍人

揮手長亭泪暗彈。驪歌唱罷笛聲殘。詩能脱俗功非易。交到忘形別更難。百里山河歸路遠。一天風雪故人寒。分明約有前期在。楊柳春回我亦還。

過沁園呈漢槎夫子

按。胡沁園。字漢槎。白石於一八八九年(己丑。清光緒十五年)拜爲師。始學詩。時白石已二十七歲。

梅花香處沁園東。深雪停車立晚風。愧我無長知己少。羡公三絶古人同。事經挫折行彌慎。詩有牢騷句欠工。客裏侯芭應有夢。夢携詩稿拜揚雄。

訪德恂居

按。黎松安。字德恂。龍山詩社詩友。白石於一八九三(癸巳)年來其家畫像。王蛻園亦來其家課讀。始議組設龍山詩社。

爲訪幽人過曉霞。一鞭殘照晚風斜。轉過紅樹樵夫徑。直到清門處士家。畫寫寅窗雲滿幅。琴彈午夜月生花。高山流水知音少。何幸鍾期遇伯牙。按。曉霞山。衡岳七十二峰之一。

癸巳冬客譚舍人家。寄懷唐梅琴。七琴

按。癸巳。一八九三年。

東園揖別正新秋。無限相思歲月流。半載離情孤館冷。五更殘夢故人愁。懷君心逐凌烟閣。作客身憑燕子樓。舍人齋名燕子山房。芳草明年春又緑。王孫相約踏青遊。

癸巳冬歸里途中遇犬。口占

按。癸巳。一八九三年。

小畜何爲者。成群類虎驕。論功身未戰。求食尾曾摇。有識應迎客。無知敢吠堯。銜衣休作態。如我竟囂囂。

訪王言川

按。王訓。字仲言。初字言川。號蛻園。白石廿七歲時在胡家之同學友。著有蛻園詩文集若干卷。

緑蕚花香十里天。不辭風雪訪藍田。生逢有益人常少。別後相思夢屢牽。交友情深君若鮑。煅詩吟苦客如蟬。龍山雅集皆三絶。七子寒名夙有緣。按。龍山詩社於一八九四(甲午)年組成。凡七人。推白石爲社長。

甲午上元訪德恂茂才

按。甲午。一八九四年。

緑蕚無言傍水隈。春風勒馬故人來。園亭客到茶烟起。燈火橋横鐵鎖開。愛畫我携摩詰稿。論詩君屬謫仙才。半簾微雨一樽酒。午夜銅壺漏漫催。

乙酉春客途見梅一株。雅淡可愛。今春甲午又過。依然如故。感而賦之

按。乙酉爲一八八五年。甲午爲一八九四年。

記得含愁客路別。又逢客路費吟哦。美人春好因緣薄。處士情痴眷戀多。十載相思憐我未。半生憂鬱奈卿何。夢飛昨夜黄昏月。知

否扶持幾度過。

甲午冬客涓江贈某女史按。甲午。一八九四年。

香閨姓字播騷壇。千古重聞蘇若蘭。擇友但交才子易。學書期到美人難。吟詩願博名花笑。顧曲曾憐霜夜寒。前九月從女史處吹笛書事云。夜静誰人來顧曲。月明悄立隔簾霜。次日鸚鵡傳言。知是女史。故云。悄立隔簾明月夜。少年慘緑屬誰看。

用暮春遣興韵贈德恂

文章司馬夢横行。妙筆奇才世已驚。高士停車稱弟子。美人聯袂拜先生。琳瑯香閣詩千首。絲竹東山耳半傾。海内輸君還一着。四齡雛鳳有詩聲。按。此詩是一八九四(甲午)年間所作。

題畫贈遊士

數尺絲綸一葉舟。荻花洲上晚風秋。賣魚沽酒平生樂。莫老江湖釣白頭。

夜雨晤子詮弟話舊譚子詮(亦作荃)。龍山詩社社友。

暮天斜雨鎖柴關。别久逢君憶故顔。何幸西窗消永夜。談心剪燭話巴山。

偕立三仙譜晚眺二絶

流泉西望景如描。幾樹梅花傍小橋。破屋横烟籠野竹。樵歸夕照下山腰。
北風携手聳吟肩。山色蒼茫正暮烟。想入非非無覓處。數聲鐘出白雲巔。

寄懷譚舍人

懷人風雨倍添愁。無限相思寄鄴侯。萬卷詩書遺子讀。千秋功業代天謀。深情交我輕裘共。好夢尋君畫舫遊。唱到陽關三叠曲。一林春樹暮雲浮。

題叢竹

何日教人仰面看。茅廬叢竹夏生寒。化龍早逐風雲去。莫待漁郎作釣竿。

留别譚連臣

携觴勸酒别維摩。料理花箋醉後歌。交到忘形痕迹少。事難如意俗情多。還家路遠離亭晚。客屐天寒宿雨過。再會有期今日約。約同梅柳渡江河。

客吟江。值風雪。感而有作

日隱黄雲北雁飛。天心變换景俱非。漁翁不管風塵事。蓑笠寒江釣不歸。

咏雪梅訪友作。　二首

霜落蒼松三徑哀。百花着意待春來。寒梅傲雪渾如我。不逐東風早自開。
記得携鋤帶月栽。年年籬落水邊開。天寒歲暮知音少。除却林逋孰往來。

客中有索畫牡丹者。時丹青未就。作詩答之

憐君百里費相思。遥寄鮫綃索畫痴。余自號畫痴子。富貴若教顔色好。金錢莫惜買胭脂。

訪陳少蕃夫子按。陳少蕃。號樸石庵。白石二十七歲時在胡家之受業師。著有樸石庵詩草二卷。二首

十里疏林冒雪來。梅花香處蓆門開。詩心亂茁如春草。願借東風一剪裁。

記曾立雪拜禪居。公見贈有樹裏禪庵舊夢荒之句。回首光陰七載虛。安得神人施慧劍。夢中剖腹納詩書。按。此詩當是一八九五(乙未)年作。

畫梅贈陳少蕃夫子

冰心玉骨雪肌膚。春占江南是此株。持贈先生消息好。莫教幽興寄林逋。

訪醒吾弟不遇按。羅醒吾。龍山詩社社友。

抱琴來遠雪飛飛。深坐天寒燭影微。客裏柴門聞犬吠。夢中童子報人歸。

爲子詮弟畫小照并題

三間茅屋柳陰藏。管領幽人逸興長。净几撿書燒燭短。晴窗披卷課兒忙。

冬日晤佑生即以志别 二首

最難風雨一停車。對酒聯吟興自舒。今日羡君高一着。付兒還有五車書。

春初别我舊山房。歸夢頻牽客思忙。我酌欲行留不住。梅花開遍秘書莊。

過沁園訪仙譜

用意東風着色匀。尋芳人過沁園頻。枝頭鳥識山林樂。梢上花含富貴春。訪舊記當三月暮。論交已自十年親。師門闊别情難遣。且喜重來歲序新。按。此詩當是一八九八(戊戌)年作。仙譜即沁園長子。

題山水畫

紅蓼丹楓一色秋。看山人上水邊樓。江間有客乘風去。一片帆飛萬里舟。

尋梅

雪冷江深無夢來。相尋曾記那年栽。美人到底多情種。依舊芳心向我開。

步言川弟贈詩韵 二首

黄鸝求友不知年。喜得風流夢浩然。逸興雅同蓮社客。才情不讓竹林賢。局開圖畫醫塵俗。言川龍山七子圖皆余繪。境闢岩泉間野烟。奇絶龍山真勝地。何須遊歷過斜川。按。龍山本名五龍山。在湘潭東南鄉。

吟詩香爇篆烟横。清興來時句易成。人是多愁無藥療。酒逢知己賭杯傾。客中送客三春暮。山外看山百感生。揮手怕過楊柳路。離亭風笛曳殘聲。

冬日晤立三弟話舊按。胡立三。龍山詩社社友。

遮愁當户種垂楊。避俗西窗隔短墻。性不譽人何足怪。交非知己自然狂。豪情看世眼中小。感慨憂時詩思忙。千古傳名從此定。莫教添上鬢邊霜。

題山水

春深萬壑飛泉挂。翠藹孤村野樹叢。江上風光堪畫處。夕陽歸艇一漁翁。

晴雪。訪何明生村居

乘輿山村着屐忙。午晴殘雪訪何郎。鳥鳴春到梅花閣。酒熟人過緑野堂。爐火當窗詩煆就。松風臨水劍磨光。多情話久渾無事。各仿蘭亭字幾行。

元日客譚舍人家作

寶鴨添香一縷烟。新詩隨意客中聯。昨宵賓主談時節。今夜明朝是去年。

客馬家河黄舍人家寫真

丹青百里駐車輪。寫出廬山面目真。獨有毫端難肖處。汾陽豐骨鶴精神。

客黄舍人家留別羅裕忱茂才

春雲醒夢雨初干。檢點行囊興未闌。樽酒別離天色暮。湘江寂寞客舟單。情深公比汪倫甚。畫絶人同米芾難。若問抱琴重訪日。桂花風裏挂秋帆。

蝴蝶蘭

此身應是莊周化。其臭渾同王者香。栩栩枝頭飛有意。春風吹動舞衣裳。

春日留別七琴

約同遊歷過長沙。蘆荻西風八月楂。春雨莫留雙屐久。秋江應共片帆斜。兩行殘泪離亭午。萬叠青山歸路賒。後會有期歡飲處。一樽緑蟻對琵琶。

過倒湖

帆收畫舫夕陽天。仍繫湖腰緑樹邊。滿座清風君勸飲。半簾殘月客吟箋。烟花笑我渾如夢。筆墨親人夙有緣。記得暮春前歲別。離踪彈指恰三年。

和友人見贈原韵

愛閑有客和新詩。弄巧翻教拙不知。銀燭三條燒午夜。捧心無恙效西施。

寄懷李某二首

江東雲暮逐相思。才思飄然白也詩。漫附竹溪長隱逸。清平三調獻何時。
自憐書畫半生痴。文字因緣結已遲。遥寄音書憑鶴往。寸心如訴故人知。

前詩中有清平三調獻何時之句。李某謂何字太空。應改乘字。余感其意。再占一律贈之

芒鞋踏破路漫漫。聚首論文興未闌。俊逸不群原屬李。推敲莫定幸逢韓。詩吟白雪知非易。斧弄班門始信難。今夜客呈三叠稿。竹窗風雨不妨談。

春暮途中咏柳

栖栖過客解征鞍。楊柳東風夕照殘。百尺遊絲紅板路。牽愁容易繫春難。

祝唐揆一世伯七十壽辰

淵明逸興汾陽骨。花酒娱情七秩過。膝下餘

歡承四代。人間清福占三多。菊花晚節秋彌艷。身健詼諧老不磨。消受麻姑長進釀。童顔鶴髮日婆娑。

過上人禪居

山門清净晚風凉。客過維摩老佛堂。數點梅花雙管筆。上人自畫紅梅一幅索題。余即題一絶。有色即是空空即色。美人莫自命紅顔之句。半窗雲影一爐香。悟空心入丹青妙。養慧書翻貝葉忙。解識美人非色相。不妨圖畫挂西厢。

貧居雜興 五首

爱客酒賒竹葉醉。供親鼎煮菜根香。平安即是貧居福。白髮雖衰幸飯强。
詩仗友刪裁句易。書無錢買課兒難。小窗倚膝天寒夜。字寫芭蕉映雪看。
薪析青山兒代負。雨過緑野弟躬耕。草樓竹塢炊烟鎖。晚景相看自覺清。
稻熟任餘鸚鵡啄。月秋不問桂花香。平生愛與人争處。畫品詩名字幾行。
樹種梅花師處士。路除荆棘便人行。非關管領風光好。培植園林占早春。

題上人紅梅畫幀

拖朱帶笑含春意。艷態憑僧畫取看。色即是空空即色。美人莫自命紅顔。

和德恂茂才見贈原韵 二首

深沉幽閣遠塵埃。阮籍垂青舊雨來。問道幸從三益友。刪詩難得不凡才。香添紅袖更深讀。花擁青蓮舌上開。英杰推君殊邁衆。著書年少仗靈臺。
風過疏林月一籬。秋聲同夜聽書帷。子安便腹文無稿。摩詰前身畫有詩。立志易酬天下事。虛心難學古人奇。近來我是多愁者。君莫多情慰别離。

醒吾弟遠歸。余過訪話舊 二首

相思幾載暮雲横。千里尋君夢未成。秋海棠開忻話舊。碧天如水月三更。
賦閑身似山雲懶。幾度爲霖竟未成。不負故園春色好。覺憐紅豆負蒼生。

德恂茂才以詩索和

忽逢開瓮酒香稠。共醉黄花興倍幽。行樂却忘貧裏過。虛名應怕世間浮。憐才於我推知己。愛畫憐君作卧遊。蟬咽秋風殘照晚。苦吟原爲故人酬。

德恂茂才三叠前韵。再次原韵答之。兼以留别

陽關漫叠錦箋稠。酒興闌時歸興幽。叢菊月篩三徑影。捲簾人約再來遊。傳家書付兒曹讀。報國心雄劍氣浮。此日不須推繫鉢。雪風重過帶詩酬。

八月初客中送黎玉笙晚歸

蕭蕭落木下秋天。山色蒼茫帶暮烟。客裏送君風笛晚。半弓新月小橋邊。

答言川弟贈别遠遊 三首

新秋别已告維摩。殘菊依然卧薜蘿。拓落生涯憑筆硯。商量行李走關河。虛生風月窮愁過。將老丹青感慨多。幾欲揚鞭難自遣。年來堂上鬢皤皤。

何須載酒促遊人。（黄業臣偕遊。故云。君有况有侯芭載酒偕之句。）梓里難忘師友親。把臂夜聯蕉葉雨。坐風閑讀沁園春。（謂沁園夫子。）牽愁路遠關情重。好學家貧奈性真。待卒十年窗下業。英雄幾見老風塵。

辭家前路客騎單。縱有逢迎知己難。子讀雲山儕李白。我眠雪屋學袁安。詩書共領青燈味。車笠應無白眼看。風雨他年龍變化。隨君摇曳上雲端。

和玉笙見贈原韵

載酒難忘故舊情。金風半榻訂詩盟。門垂五柳居非隱。芋熟殘僧香正生。最苦風塵憐我甚。漫將肝膽向人傾。篋中久已鳴雄劍。天下何勞事不平。

秋夜客涓江書事

秋風一笛客窗凉。裂石穿雲調短長。夜静誰人來顧曲。月明悄立隔簾霜。

和立三弟見贈原韵

夕陽斜度鳥。乘興暢幽尋。朝裏無朋輩。窗前伴客吟。挑燈知己泪。拔劍故人心。起舞縱横恣。鷄鳴感慨生。

又和七律一首

昨夜西風葉有聲。一樽相對興縱横。詩吟飯顆同穀瘦。曲斗旗亭憶舊赢。太白百年爲醉客。食其舉世號狂生。策驢莫訝歸心切。時近重陽雨滿城。

和言川弟秋夜有感

秋氣横天地。西風葉半床。英雄餘壯膽。兒女自柔腸。慧始艱危出。悲無老大傷。陶陶讀書樂。弄月一天霜。

月菊有感　二首

瘦菊秋深佳色温。追思往事月黄昏。偷香蝶舞三更夢。冒雨情牽十載根。人太清高難載福。花如雅淡總消魂。荒鷄五唱歸心切。各自無言濕泪痕。

霜露横秋歸路遠。倚籬眷戀楚靈均。一天愁思憐同病。晚節風情老更親。會不多時難遽别。再來遲約更傷神。逢卿日暮清晨去。看否容顔瘦幾分。

子詮移居涓江别墅。適余過訪。見贈一首。依韵答之

有約相尋石徑隈。三邊紅樹島門開。五車書富非貧士。七步詩成見异才。籬豆横秋宜月上。牡丹移植待春來。園林有主風光好。客過勾留酒一杯。

贈賴石秋

客裏秋深菊葉黄。吟邊索句北窗凉。才高年少李長吉。畫絶名虚顧野王。萬里青雲揚旆路。一簾明月秘書香。古來報國儒生事。看劍杯添午夜霜。

和立三弟秋感

看詩脱帽酒杯傾。雄劍悲鳴鬼魅驚。病後看

花情半怯。愁中得句夢猶清。青琴古調知音少。黄葉空山著述成。相顧頭顱年尚少。問君何事感平生。

和胡碧岩先生五十自壽原韵（四首録三。）

彈指滄桑閲五旬。坡公猶是少年身。吟髭未老撚名士。蓮炬何時歸重臣。千古英雄三尺劍。四朝騷雅一詩人。畫堂樽酒開筵候。梅柳江風渡錦春。
交遊聚散等浮漚。無定行踪憶我不。勸酒别從春二月。賡詩遲到客三秋。半簾香氣風前桂。三代書聲竹裏樓。朱紫妒公知也未。占人清福勝鰲頭。
何勞五斗鶴相憐。海内論文讓酒仙。才子不官餘壯氣。美人遲嫁待良緣。玉堂傳詔期他日。鐵硯欣穿已十年。搔首竹林明月夜。文昌光射斗牛邊。

爲貞吾弟畫羅浮夢别圖并題（按。羅貞吾。龍山詩社社友。）

夢入羅浮裏。天風送帔斜。才人多艷福。春怨落仙家。離别傷瑶草。團圓待月華。莫教遲負約。開盡玉梅花。

醒吾弟索畫洞簫贈别圖并題

江上送君行。依依泪欲傾。碧簫千古恨。紅豆一生情。吹月明年約。登樓何處聲。章臺春柳緑。打不盡黄鶯。

和言川喜余過訪原韵

揮麈清談興正增。到門剥啄叩忘譍。客來不速龍無吠。人是多情馬醉乘。詩品丹青杜子美。書宗科斗李陽冰。龍山七子皆年少。（謂龍山詩社。）裘馬何須羨五陵。

和德恂茂才喜余過訪原韵

花徑風寒户半開。空林霞照晚佳哉。疏籬菊影人歸去。雙屐梅香客再來。（前九月和茂才見贈原韵兼以留别。叢菊月篩三徑影。捲簾人約再來遊之句故云。）兒女閨中稱艷福。文章天下嘆奇才。論交何幸頻相問。月落鷄談酒一杯。

留别胡琴堂　二首

繞屋霜風緒葉稠。中庭叢桂鎖深秋。故人歡會談心久。花影移窗月一鈎。
萬書堆裏兩相歡。暮醉朝吟興不闌。今日欲歸都下泪。來時哪料别時難。

過七琴話舊

一去歲雲暮。驅車又我過。交難天性合。别久客愁多。落月猶疑夢。殘燈且嘯歌。七弦彈古調。知己復如何。

題畫梅

興來磨就三升墨。寫得梅花頃刻開。骨格縱然清瘦甚。品高終不染塵埃。

和德恂送别之章

酒榼詩囊促小奚。離亭風晚夕陽低。交成知己應難别。泪透離襟莫滿題。歸去路從霜葉盡。夢來人隔嶺雲西。黄昏揮手家山遠。不忍揚鞭快馬蹄。

和言川弟客中送余之作　二首

不須别泪落樽前。詩思憑君付錦箋。歸去歲

殘驢背冷。一鞭風雪雁横天。

客中送客漫傷神。子亦將歸客裏身。明月輞川深夜讀。添香不是夢中人。

晴雪喜少蕃夫子見過

犬吠柴門報小童。吟邊開瓮忽逢公。問奇幸喜揚雄過。樂道何須顔子窮。雪暮浮山寒白屋。春來桃李動東風。笑談千古憑良夜。小火泥爐酒一鍾。

宿吟江。與陳茯根夜話按。陳茯根。龍山詩社社友。

涓江春水浸霞紅。亂世相逢感慨同。蕃榻客談邊戍月。楚山雲嘯暮天風。鶯花如夢遊人倦。戎馬無功壯士窮。銅滴三催銀燭短。樽前有泪灑英雄。

寄内

客中歸思感春殘。咫尺天遥雨不干。旅館鷄鳴驚夢斷。人家花好帶愁看。登樓莫悔封侯勸。識字應知課子難。堂上年來雙白髮。憑君洗手勸加餐。

和德恂春日晚眺原韵

載酒看山入好詩。客中春好惹相思。詼諧行樂周宏正。騷雅多情杜牧之。覓句奇兒吟起舞。野花無主問應痴。羡君醉卧黄昏後。歸去何妨帶月遲。

潤生以詩見貽。依韵奉答

聽説君歸倍有情。况當君赴舊時盟。客窗過雨逢三月。豐骨如梅瘦半生。疾病好憑良藥起。肝腸莫盡美人傾。貧交兄弟愁難訴。淪落天涯夢不平。

暮春遣興

看看春去旅魂驚。步步青旗有脚行。唤起客愁蝴蝶夢。催歸人老杜鵑聲。落花流水無言去。細雨斜風短鬢生。湘上年年慚繭足。相歡難遣酒樽傾。

寄懷貞吾。醒吾。用潤生贈詩韵

寸心兩地各傷情。何日空山話舊盟。萬里干戈憂國士。九邊戎馬愧書生。酒闌起舞鷄三唱。燭灺狂歌泪獨傾。霖雨當爲天下潤。願君努力答升平。按。時值中日甲午戰敗。割地以和。

劉宗唐新婚後館中晤余。以詩見贈。次韵答之

畫眉雙管半題詩。臨别牽衣重送之。紅豆多情夫婿種。緑楊飛夢女兒痴。客窗聽雨應添恨。春色登樓有所思。千萬叮嚀君記取。歸來莫到半年遲。

無題代少年述

棠花陰下步莓苔。習習微風户半開。扶病書生能踐約。鍾情兒女爲憐才。吴姬心事難爲别。杜牧風流有所猜。千古相思紅豆種。願君南國莫多栽。

逢黎潤生

江東半載暮雲横。客裏相逢倒屐迎。過我帶愁情更好。看花不怯病應輕。樽前毛髮青如

故。湘上文章舊有名。著述空山深閉户。英雄從古屬書生。

留别潤生

客中話舊改愁顔。半日聯吟半日閑。人仗聰明貧可樂。交忘形迹俗能删。黄花有約君應待。碧柳牽情我獨還。難遣明朝揮手别。春風飛泪出羅山。

留别德恂。仲言

詩太多愁得句難。無端别恨到鷄壇。三條蠟燭一簾雨。垂泪天明尚不干。
牽衣難别更傷情。莫向長亭遠送行。無定浮雲遊子路。怕聽風笛訴離聲。

咏梅花　二首

幾生修到骨珊珊。塵世繁華盡已删。生就清高宜本色。别無嬌艷妒紅顔。有人載酒尋詩去。曾自携鋤種月還。驢背往來相問客。蓬門從此不能關。
卅載香塵見本真。冰霜滿地鬥豐神。月斜影瘦吟身苦。鶴守天寒處士貧。傲骨自然無仰面。素心留得對高人。百花莫謾争顔色。開盡東風不算春。

客中見柳有感

楊柳和風樹。春愁陌上生。封侯夫婿老。看劍酒杯傾。關塞烽烟亂。風塵歲月更。升平何以答。萍路夢神京。

和立三偶感

難遣英雄氣。高吟狂且清。所思關國事。不朽重詩名。著述男兒分。干戈將士明。東山卧花月。夢不入蒼生。

訪黎雨民紵廷按。黎雨民。名丹。龍山詩社社友。

相逢如故下車時。識字虚名上日知。好學始知貧不賤。論交何幸友兼師。眼中非俗無多士。海内輸人舊有詩。雨民十二齡時。京洛已有詩名。今日聯吟滋愧我。十年翻恨讀書遲。

客中對月有感。兼寄醒吾

津亭對月憶離群。故國天涯共二分。客路未歸應嘆我。世人欲殺孰憐君。江南舊雨愁多夜。塞北秋風夢裏雲。萬古相思千里路。音書無雁寄孤軍。

第二編　一九〇二年至一九三三年之詩

黎錦熙編注

此編是一九五七年白石歿後，從他的日記手稿和自訂一、二兩輯的原稿中搜集得來的遺詩。自壬寅癸卯間（一九〇二至一九〇三年）起，至癸酉（一九三三年）自訂第二輯作序時止，約三十年間之詩，略依時序，録入此編。作爲《白石詩草補編》第二編。

枕上得懷人詩一首 按。此一九〇三（癸卯）年在西安作。見白石日記三月一日。次日啓程往北京。

梅花積雪桃花雨。老馬春寒萬里行。扶病寄書能念我。懷人無日不憐卿。太真石在古皇城。太真物。畔三升泪。西子圖中無限情。消瘦沈郎知薄命。寄言知己到傾城。

夏太史午詒偕遊入都。過華岳廟。同登萬歲閣看華山。余畫圖寄郭觀察葆蓀於長安 按。夏名壽田。郭名人漳。

光陰不返黄河水。勝賞重經且莫愁。碑石火殘存五岳。樹名人識過青牛。晴天金掌欲攀日。滿地白雲盡入樓。按。原作日晴金掌傲山色。雲近黄河學水流。歸卧南衡對圖畫。刊文還笑夢中遊。

宿滒溪灣。畫嵩山圖。枕上得詩一首

天涯何處异塵寰。三月東風出漢關。十里碧桃花不斷。滒溪流水畫嵩山。滒溪問之於土人。

邯鄲道中

劫後輪蹄補幻遊。卅年還怯夢公侯。緣何網却閻羅法。生賜車中撞骨頭。

偶成 按。白石日記。到北京後在南城南半截胡同寓室自署北萍精舫。

墻陰一角昧清門。古木當檐慨杏村。三尺溪藤十日水。重簾隔斷緑槐痕。

自題小姑山圖 按。白石日記。閏五月由津滬轉江輪還湘。

忠魂熱血有還無。記説彭郎奪小姑。我欲覓公談往事。一横一作痕。碧色長菰蒲。

次韵羅秋老贈詩 按。白石己酉（一九〇九年）重遊廣東日記（題爲寄園日記）二月啓程。正月録答和諸友贈詩十餘首。

四年足迹往來頻。未見琳瑯筆底春。今日始知詩律細。更誰若此性靈真。行空天馬疾如矢。積阜輕珠吹似塵。老去偶後改微。吟春社飲。子孫安得孟家鄰。

贈秋老

携觴策杖石橋邊。日撫孤松醉欲眠。僻地山高雲活活。清溪雨過水涓涓。課兒文刻深宵燭。佐友詩裁晚歲箋。猶有濟時心力在。相逢誰似此公賢。

次韵王品丞先生見贈　二首

好與衡雲并影閑。一丘一壑外無關。喜人過看多栽竹。到眼忘情不展顔。沽酒倒囊緣客飲。倚松招鶴待書還。願花長好公尤健。歲歲茱萸共看山。

老將騷壇跬步遲。窮人不信爲工詩。天衣無縫非人力。鴻爪留痕偶到時。雪夜新橋誰過訪。梅花明月有懷思。雲鬟捧硯吟應罷。雛鳳聲清出故枝。

次韵品老見贈。補咏癸卯還家復登竹霞洞岩 竹霞洞在邑城西南一百里曉霞山下。余癸卯還家。尚借山於洞口周人祠堂屋居焉。（按。癸卯。一九〇三年。）二首

故國西風菊影閑。鬢絲禪榻夢須還。兒童相見稱生客。明鏡高堂非舊顔。萬里離情衣上泪。十年遭遇畫中山。余有紀遊三十二圖。不移一室熏香坐。蛩語柴扉晝自關。

岩石登臨接翠枝。欲鎸心記惜無詩。坑除斷簡疏同學。溪上飛花有所思。白社龍山詩社在邑城西南八十里五龍山。借僧寺之清静爲吟社也。鐘聲僧佛在。暮雲天遠簡書遲。社友羅三羲。陳二節。皆出遊學日本。王二訓客山東。黎松安培鑾客上海。余由長安轉京師始歸。勿因敗興吟情盡。自過和戎庚子時。

紅豆有所寄

獨憐紅豆最多情。用意天工處處生。曾着白衣庵外雨。乍開元武廟邊晴。佳人低唱痴俱絶。故我相思灰未成。欲寄離愁多采擷。教君復憶舊稱名。余少時自號紅豆生。

應郭觀察人漳相招東粤舊遊。口占

嫁人針綫誤平生。又賦閑遊萬里行。庾嶺荔枝懷母别。瀟湘春雨憶兒耕。非關爲國輪蹄愧。無望於家詩畫名。到老難勝飄泊感。人生最好不聰明。

東粤舊遊將行。諸友以詩送别。口占

四首

卜居四載緑盈階。寂寂山花野鳥哀。一日柴門時吠犬。蒼頭和雨送詩來。

劫餘何處着吟髭。舊學商量自覺痴。倒綳孩兒羞識字。草衣濁世幾人知。

門前鞍馬即天涯。遊思離情兩鬢華。辜負子規無限意。年年春雨夢思家。

世外巢由鷄鶴群。烏絲三叠感諸君。桃花潭水深如許。化作江東日暮雲。

題伯常先生畫像

先已填詞二闋。自未知其何如。再作律詩二首。任擇其頗亨者書於圖幅之上耳。故用意與前詞有雷同者。按。借山吟館詩草有爲蓮峰老人畫像并題。即此題二首之一。

風流自盡美髯鬚。知己何人更陸朱。伯翁曾索余刊時文知己惟陸朱小印。撰著未傳終可待。形骸雖老絶非迂。蓮峰隔霧看猶見。竹院分凉坐不枯。若使阿吾爲俗手。拈毫必欲寫貂珠。伯老爲余一言前清衣冠畢露不畫之畫。殊覺有趣。非聰明者。不能爲也。自稱之。知公一笑。或嘆賞也。

按。白石壬寅(一九〇二年)出遊至己酉(一九〇九年)約八年間之詩,據現存日記手稿録補如上。自己酉還鄉至丁巳(一九一七年)重遊北京約九年間之詩,别有《借山吟館詩草》手訂本,已照編爲第一輯。丁巳以後至癸酉(一九三三年)約十六七年間之詩,復有手訂之《白石詩草》第二輯。其中未收之詩,則仍據現存日記手稿及二輯删去之原稿録補如下。

次韵楊潛庵喜白石過寺居

時潛庵居北京法源寺。按。一九一七(丁巳)年五月重來北京時事。

塵心消得幾聲鐘。寂静渾同世外悰。六十老翁身萬里。秋風來聽六朝松。寺外有唐時古松。

食葡萄

高堂八十别兒愁。一事無因又遠遊。日食葡萄當餐飯。京華老死未爲羞。

九日遊公園遇陳衡恪 二首

草木無聲太寂寥。偶逢陳朽坐相招。野花繞徑鋪秋景。柏樹拏天立萬蛟。彈雨驚魂無往日。茶烟閑話失今朝。家園我亦栽松菊。始信平安要福消。

衡湘無地着黄花。老婦嬌兒何處家。强向人前誇静樂。故山兵門滯京華。

黄河鐵橋爲水衝斷

水歸河急鏈横流。路斷方知萬里遊。怪殺車輪何努力。長沙三日過蘆溝。

補題借山圖借山圖第五圖祝融峰圖也。　二首

聞道衡湘似弈棋。山光慘淡鳥烏悲。庭闈此日知何處。腸斷題詩老畫師。
祝融天際白云寒。南北相征戰未還。畫裏山河無賦税。攞來燕市幾人看。

感謝友人借山兵後。以書并詩將寄余京師。復聞余歸。遣使達之。即答二詩。按。此丁巳(一九一七)年十月復還鄉後之作。二首

音書詳細三千字。一字真堪一嘆嗟。歡樂舊交三百輩。却忘緘扎到京華。
北風入户空齋冷。作答難除寂寞詞。多謝故人聊小補。壁間添得數行詩。

畫梅并序

邑女楊韡春遲嫁早寡。常依其母。喜讀書。能詩。嘗求余畫。或恐他人加題於餘白。并求贈詩滿之。

惜玉誰爲醉似泥。孤山如夢鳥空啼。梅花可否無遺恨。曾嫁林家唤作妻。

畫秋荷

香遠尤清衆不侔。筆端神鬼直通幽。飄零花草尋常事。君見秋風不欲愁。

十二月三十日看梅按。共五首。二輯卷一已録四首。

老子面寒心似鐵。行無偏向害無驚。飛讒説盡全非我。衹有梅花辨得清。

戊午元日。於劫灰之餘。三檢手作。樊樊山先生贈序之詩草外。一概焚於梅花塢外按。戊午。一九一八年。

詩篇畫幅譽交加。印稿如山處處誇。慚愧一生對知己。暮年尤怕見梅花。

貞兒如兒移孫次孫追隨種桔。戲作

老猶栽桔勝貪眠。待得嘗時在十年。木石也宜佳子弟。滿園甘果樹三千。

春夜

音信郵亭道路賒。山居百里即天涯。春來兵事無消息。側耳庭槐聽夜鴉。世俗相傳。烏夜啼。必有兵禍。

老況

銷盡輪蹄聽塞笳。東塗西抹但成鴉。老妻也識雕蟲趣。春暖呼雛學種瓜。

舊感

年少無愁共醉狂。尤鍾多難總凄凉。故人久别難相識。衹有桃花依舊香。

京師雜感按。共十二首。二輯卷一已録十首。此回憶上年事。　二首

蘆荻蕭蕭斷角哀。京華曾苦望書來。一朝望得家書到。手把并刀怕剪開。
同室操戈可斷魂。燕京黯淡戰烟昏。是非自有南狐筆。聽雨蕭蕭一閉門。

喜岩上老人過借山館。賦贈按。共五首。二輯卷一已録三首。二首

紅梨含雨柳初黄。依様風光短短墻。十二年來人獨老。今朝須盡一千觥。
庭除終歲鎖蒼苔。傍户專爲俗客開。膝下兒孫長似我。才看此老送詩來。

余不能飲。詩中常飲千杯。客以爲笑。余以意聞

好酒沾唇面即紅。愁誇歡醉一千鍾。何方能得區區死。萬籟無聞到耳中。

避害夜宿紫荊山草莽中。大雨按。事見本輯自序中。

燃箕泣豆急如湯。湯火飛魂何處藏。風過稻田生碧浪。天行雷電閃銀光。芒鋒刺體昆吾鈍。人迹寒心帝舜長。亂世天倫尤抱愧。獨無兄弟一悲傷。帝堯長。帝舜短。蓋反其意。舜因短。尤嫌其長。

謝袁煦山按。七絶四首。二輯卷一已録二絶。二首

恒饑不惜苦吟身。東抹西塗春復春。把酒對君長太息。今年赢得是清貧。
華屋山丘到眼前。樓臺苔蔓碧如烟。新詩好令雛兒讀。才曉曾經戊午年。按。戊午。一九一八年。

二月十五日家人避亂離借山。七月廿四日始歸

劫灰三尺是秦年。逐目秦餘感變遷。害物蟻蜂俱盗賊。上天鷄犬亦神仙。友朋萬里一搔首。文字盈擔小息肩。且喜歸來忙乞火。四鄰隨處散炊烟。借山書籍爲白蟻所食。梨熟爲大蜂所啖。二月十五日離家。十六日悄歸。視其物。鷄犬無存。王湘綺樊鰈翁及諸友人贈余手迹幸隨身保存。

題京師秋景圖并序

黄八以次韵友人京師晚眺詩求畫此圖。蓋詩中有畫意也。并索題詞。余亦有感舊遊。即次其韵書於圖幅。

十載三朝萬事空。拈毫愁畫落霞紅。每思欲駕葛天上。一笑歡居芥子中。鬼道會經關命數。人窮不必怪詩工。陶然亭在西山好。且看鴉歸向晚風。

前詩有意未及者。次韵再題一首

炎威遠白露。秋氣横碧空。如何初菊黄。徒使夕照紅。烏鴉城郭窄。樓閣有無中。同室干戈急。他邦騎射工。諸君猶袖手。聽此怒號風。

煨芋分食子如移孫按。共一律一絶。二輯卷一祇録一律。

曾經犀浦芋魁無。白石香同味絶殊。欲乞銀河洗兵卒。老饞千里欲專車。項羽本紀。士卒食芋菽。

題賓曙東碉樓按。共七首。二輯卷一已録三首。四首

把酒登樓萬籟低。安排筆硯對山溪。諸君新學誇詩句。來看碉翁信手題。
拔除不利耻慈仁。鐵面征行敢滅親。四百年來無此日。奚爲後我苦思君。
武夷精舍陸家憂。與世相忘老一邱。四顧蒼生若休息。抉吾老眼挂碉樓。
舊政蜀中傳父老。先聲今已播杭州。願公莫道他鄉好。有此湖山誇宦遊。是時賓君云赴杭州。

補贈舊鄰林母生日　二首

人間我亦盜桃人。竊見瑶池燭影明。難羡殺尊侍阿母。董雙成與許飛瓊。聞林母生日宴。有少女能詩者數輩。
門前車馬客三千。此母能生此子賢。他日耄年呼我到。坐中添個老遊仙。

有見誹於吾都團防者。以詩解之

面容干唾是豪賢。笑罵隨風過耳邊。凡事既從輕下手。諸君莫謝謗盈肩。人如盡殺誰爲盜。鬼若無虧便報冤。國亂倘平鄉里靖。我來修補小西園。

次韵丁德華女士避兵嚴光冲按。共四首。二輯卷一已録二首。二首

卜築荒唐處士莊。戰場詩屋尚茫茫。問君禍始無人説。刀筆他年有短長。
漫將治亂問青天。死外無關是暮年。獨有老王王訓。憂國意。金甌撞壞幾時圓。

憶桂林往事按。共十首。二輯卷一已録六首。　四首

消閑臨水一竿絲。五美堂西碧柳垂。却被人呼垂釣者。從來無那羡魚時。
榕葉團團蓋不如。桂林風物故鄉無。不看山水全無事。日坐榕陰把酒壺。
粉名馬肉播天涯。粥號魚生美且佳。世味飽嘗思飲水。幾曾經過會仙來。會仙。米粉店名也。
石山如笋不成行。縱亞斜排亂夕陽。暗想我腸無此怪。更知前代畫尋常。

不識字

識字須知如人親。小孩認母能知聲。影去長途識背面。足來空谷辨微音。欲弄是非見肺腑。照鈔文字分聰明。與君相見吾年老。一别終如行路人。

竹外補種梅樹按。共六首。二輯卷一已録三首。　三首

凋盡朱顔未減狂。吟梅看竹兩匆忙。客來不俗常高興。日日期君到草堂。
呆卿意氣此生違。偷活人間萬事非。一事龍鍾丢不得。冷風寒雪看梅歸。
墻頭老幹手親栽。折簡難呼高韵才。解語梅花應笑道。從無騷客跨驢來。

昔遊　二首

鼎湖山上聽僧鐘。端石溪頭問老空。笑道遠看初不識。木棉花勝落霞紅。端溪硯石佳者出自老洞。土人謂老洞爲老空。
山猿野鳥畏風高。沉硯河流無怒濤。我昔謁公曾肅拜。官堂皮革尚餘毛。謁包公祠。土人傳聞包拯辭肇慶。一硯不欲。沉於河中。包公祠有鼓。言是包公在時物。鼓皮尚有牛毛未脱。

王仲言次韵丁德華避兵詩書後　二首

雄豪詩句易驚人。淡遠憐君幾苦勤。水面行風機上錦。天公人力自成文。
有明七子笑吾群。老矣堆胸萬斛塵。賴有王郎詩播世。龍山不謂絶無人。余少時有龍山詩社。社友凡七人。時人呼爲七子。

讀石頭記書後　二首

石頭無意化頑時。世務文章總不知。最苦胭脂偏吃得。胭脂其味甚苦。不諳人世有民脂。
背人終日泪絲絲。草木通靈亦太痴。負汝傷心儂意苦。錯瞞鸚鵡不能知。

聞袁熙山來東村

雪消冰解泥三尺。聞道袁安過晚村。倘識皋翁辭世去。也應窗外立黄昏。是時正爲兄弟作難。余欲去長沙上林寺爲僧。

鄰子牛刀非獨解牛也。余將遷避

善哉至此真長技。日解千牛刀尚携。巴蜀一時威似虎。仇家此日命如鷄。深林小徑炊烟斷。遠嶺孤村夕照低。我老豈甘終觳觫。春風思遁廣之西。

題岩上老人愚齋按。共四首。二輯卷一已録一首。　三首

榮幸無因謗易生。昔賢所誤是聰明。哀公至死人無怨。解向凡夫拙處行。
桐花十里鳳雛聲。好竹連山笋味清。如此風光容易占。我來岩下作愚人。
心膽無偏舌豈柔。不平一怒便成仇。未能學得先生一作愚翁。訣。風雪漫天發遠愁。欲避族鄰仇害。將之遠方。

有獸　二十二首

有獸有獸名狐狸。媚人本事真神奇。鬼之所乘忘三德。令人至死爲娱嬉。
有獸有獸名曰兔。臨急潜藏穴三數。薯粟黑夜誰能守。白日下山獵在後。兔前足短。以下山路爲危險。諺云。上嶺飛飛走。下嶺打筋頭。
有獸有獸名曰狼。頭鋭額白靈异常。日日山中與村上。逐食倒立卜所向。
有獸有獸名曰猫。形全似虎豈皮毛。鼠子一時苗害盡。魚餐日飽守厨庖。放翁贈粉鼻詩。日飽魚餐卧錦茵。
有獸有獸名曰獺。陳魚不食善搜括。無論何類便爲婦。猿鳴一聲候已久。
有獸有獸名曰犬。摇尾饑情厨下轉。當門吠客無疏親。不識堯亦爲何人。
有獸有獸名麒麟。從角至趾何其仁。毛蟲種族誰爲黨。三百六十君之辰。
有獸有獸名曰虎。伸爪露牙好威武。饑食既肥心焉止。豈知山後吼獅子。
有獸有獸名曰牛。一犁春雨何年休。牛欄稻草誰爲留。馬槽穀米如山丘。
有獸有獸名曰馬。軍中身世刀槍下。齒長骨瘦戰未酣。功不如狗胡爲者。
有獸有獸名曰羊。越壕尋隙一生忙。苗害菜傷藩屢觸。羝羊之心猶彷徨。
有獸有獸名獅子。喜怒威在尾與齒。百獸辟易吼一聲。誰信當年犬所生。
有獸有獸名騶虞。肉食自死不逐驅。獅龍猊虎各得體。内仁外猛人亦無。
有獸有獸名曰象。黄金絡首黄澤養。卒因有齒焚其身。天下美材應想想。
有獸有獸名曰豹。隱之南山烟霧罩。留名竊恐無全皮。天邊露犬四飛到。
有獸有獸名熊羆。輕捷巧猛獸中稀。山居最好年年蟄。昌邑巴西事已非。
有獸有獸名曰鼠。折苗害物牙如斧。官倉高大食有餘。乞丐鉢中飯幾許。時借山館外土地祠下宿一乞丐。鉢中之飯爲鼠所盡。因及之。
有獸有獸名曰豕。低首趨下性如此。不見山中有野猪。食其所潔長孫子。
有獸有獸名曰鹿。清室銅駝常并宿。但恐碑傳成讖言。南師北鹿真相逐。
有獸有獸名猩猩。面孔語言如群氓。不知驕諂與非是。安得與汝親平生。
有獸有獸名曰犀。頭角寶貴明珠齊。食人飲濁供大腹。角外千斤價值低。
有獸有獸名銀獐。斯時不怪性張皇。我老更思看見日。紫雲碧樹好村光。

枕上題畫雀滿幅微波。以爲海水。水中畫一石。雀立石上。按。以下各詩皆己未(一九一九)年作。 二首

錦鱗擁石小如螺。上有靈雀立無波。天外黑風海波起。黑風海水奈翅何。
田鷄山鳥識鷗盟。飛去飛來却有情。閉口無聲啼已倦。蒼茫四顧海塵生。

題齋壁

對君真個日如年。與佛同龕未有緣。尚食人間烟火食。爲君親解五銖錢。

題某生畫卷 四首

色嬌筆潤。牡丹始華。刻竹篩影。羞殺管家。
粉凸於絹。百世相宜。以人傳畫。尚書可爲。謂鄒小山。
行三萬里。破無量紙。知者無人。不求形似。余自謂。
看到兒孫。捲卷傷神。花如解語。曾見夫人。

友人見余畫籬豆一幅。喜極。索去。後報我以婢。詩以紀其事

菟絲情短此情長。萬事何如爲口忙。采擷不思紅豆子。加餐嘗坐紫丁香。南湖有紫丁香館。良朋如此皆爲累。愛我雖衰未减狂。蟋蟀聲中歸萬里。一作十月家山滿籬架。老饞親口教厨娘。

次韵石倩見贈詩

偶播雕蟲不算名。燕京七月晚凉生。秋風殺草愁鋪野。落日歸鴉飛滿城。

王惠廉過借山館。拈松安老人舊贈借山詩韵作詩爲贈。次韵答之按。此首是己未(一九一九)年九月還家後之作。

香墨吟箋叠叠稠。旗亭歌妓唱聲幽。人生難得小紅識。詩不能成太白浮。料理火爐供夜話。商量梅蕊待重遊。諸公勿與王郎鬥。一曲黄河且漫酬。

留霞老人去年八十。自言且喜重遊泮水。紀之以詩。郵稿來京師。次韵奉答按。共四首。二輯卷二已録其一。 三首

豈獨持山當壽年。再論清福亦君先。燈前笑寫蠅頭字。雨後看耕洲上田。公居留霞洲。出户杖藜橋未遠。課孫書本手難捐。此生教我輸頭着。家隔黄河萬里天。
倒回己未冠君年。雲路初登姓字傳。亂世却思當日好。美人未負及時妍。老人二十歲得秀才。芹香重宴三千客。鶴壽權開八百筵。且喜采裾承舊學。文章家世算長綿。
丁戊連年賦索居。風光幸不异當初。官軍皆弃雲横岳。鷄犬無聞月滿墟。家慶尚餘堂上壁。國恩祇廢鬢邊梳。羡君灑掃猶如舊。百手新詩手自書。按。丁巳戊午。即一九一七至一九一八年。

戲贈黄山桃

女子多能願已違。山桃曾從事於畫。文君新寡實堪悲。朝朝相伴爲何物。青石當門没字碑。山桃居青石鋪。

昔感

蓮花峰下寫魚蟲。小技當年氣亦雄。昔者齊名思雪个。今時中國祇萍翁。妄思已付東流

水。晚歲徒誇萬里笻。何物慰余終寂寞。法源寺裏夜深鐘。

題畫

愈老愈痴頑。兒扶舉步艱。鳥鳴疑笑我。再四看西山。

題王瑶卿畫梅

零落天家舊善才。畫梅聊把鬱懷開。感時不獨瑶卿在。諸老題詞泪迸來。

山水 題方子易畫册。

墨點作爲歸鳥遲。江村晚樹遠無枝。故鄉有此湖山好。可惜親又作翁。衰離亂時。

鍾馗過橋圖 橋下藏一小鬼。

足下水泱泱。橋頭劍似霜。如斯過得去。露面細思量。

題畫壽郭五

壽君畫不值文錢。五月十三年復年。天假老萍八百歲。累君添造米家船。
命不如人世所輕。來時我亦有年庚。自家有日都忘却。即問衰親記不清。一作祇有阿娘記得清。按。原手稿祇作哪。

壽人母 按。詩草原稿自批云。凡壽詩。無謂。不存。

有子無殊烏鳥慈。私情已被世都知。柴門客到勞風掃。詩筆神來信手施。

揶揄

二十年前學刻符。長安争説好工夫。今日舊交俱笑道。舊交相見半揶揄。

題畫魚

無角殘書撒手忙。苦思把釣小池塘。平生厭看江湖闊。赦汝紅鱗十八雙。冬心翁詞。赦爾三十六鱗游江湖。

畫蟹

未必識文章。祇解横行老。呼之爲蟛蜞。恐惹夫人惱。按。原手稿夫人作文君。

畫菊

老萍對菊愧銀鬚。不會求官斗米無。一畫京師人不買。先人三代是農夫。

菊花白頭翁

菊花大如碗。菊葉大如掌。此鳥未受雕籠恩。塵世何人識音響。

題畫 畫蜻蜓爲客索去。即題一詩。

蜻蜓入畫無靈血。飛落人家無返時。客路四千頭似雪。丹青换米勝民脂。

十指詩

去年苦作他人嫁。今歲爲人作嫁忙。嫁後即嫌針綫拙。笑人僧寺紫丁香。

題畫菊

鮫綃作地布秋陰。抹紫塗黄霜氣清。罷筆向花三太息。對花相稱是何人。

題畫葫蘆瓜

倒藤垂葉意綿綿。老去心思費轉旋。作怪作奇非不可。不如依樣老餘年。

題畫桃花石笋

矮矮桃花開石旁。連山好竹隔危墻。五春翁是長安客。歸夢無忘覺笋香。

無題（按。以下爲辛酉(一九二一)年二月五日遊燕京後所作。）

木板鐘鼎珂羅畫。摹仿成形不識羞。老萍自用我家法。作畫刻印聊自由。君不加稱我不求。

題賀孔才諸子中正月刊

文字無靈欲不平。越難識字越相輕。誰能斯世無偏向。不薄今人愛古人。

畫矮鷄冠花

不管秋聲作怒號。風來折斷耻蓬蒿。誰言（原作笑君。）不自知才短。衆草低垂汝（原作却。）見高。

畫荷花（爲荷花生日。）

一花一葉掃凡胎。拋杖拈毫畫出來。解語荷花應記得。那年生日老萍衰。（余慶荷花生日。年六十矣。）

題畫荷花。次姚茫父韵

衰頽何苦到天涯。十過蘆溝兩鬢華。畫裏萬荷應笑我。五年不看故園花。

題缸内蓮花

海濱池底好移根。杯水丸泥可斷魂。知得荷花嬌欲語。寶缸身世未爲恩。

題畫雀

高枝無限足隨投。萬嶺千山未解謀。慚愧衰翁四千里。年年猶作有窠憂。

題畫葫蘆

别無幻想工奇异。粗寫輕描意總同。怪殺天工工造化。不更新樣與萍翁。

題畫梅爲林畏廬先生七十壽　二首

韓子文章妙衆官。换人凡骨勝金丹。此翁合是傳人未。著萬篇書在世間。
風流北地無多侣。瀟灑西湖有舊家。常與同儕千歲鶴。壽公衹合畫梅花。

又題一絶句於梅花幅後

追思年少悔雕蟲。出幹穿花也用工。六十年來（一作人。）半間屋。京華閉户聽寒風。（一作。蛩。）

題畫桃花

千樹紅雲憶舊栽。怕人打槳問津來。漁郎遁

盡山源在。桃樹無愁依舊開。

葡萄 二首

子垂晶玉星光瑩。藤舞龍蛇日影靈。可惜無心通變化。不知雷雨是何聲。
耀光紫玉休勞琢。成縷青絲待上機。一見垂涎千載耻。種藤劉氏亦何之。

題畫菊

雅稱斯花絶侶儔。昔人還有折腰羞。老夫一粥關門卧。滿地黄金夜不收。

食梨頭放翁詩注。梨頭小梨也。

果熟年年不在家。畫中何物是生涯。長安童叟都堪羡。賣盡梨頭坐飲茶。

遇軍人同車。因感連年戰争。哀之以詩按。此是辛酉(一九二一)年十一月由京回湘視家人病時所作。

年少何由識死因。南軍北隊布如雲。不知遍地皆磷火。盡是人間養育恩。

絹銘按。共五銘。二輯卷二已録其三。

黑則難驅。白則易污。

錢銘

錢之爲形。外圓内方。廣之通神。貪之不祥。損人不昌。

松雪圖爲楊鞶春女士畫。按。共二首。二輯卷六已録一首。

垂垂玉塵將揮地。皎皎白龍欲上天。要識雪霜屬天意。加君清潔一千年。

題畫梅

素心不忘歲寒時。林下塘頭昏月遲。衹有松煤真死友。化君香魄一千枝。一作五千株。

食新石榴

湖南晴雨偏違物。禾果干枯日不陰。秋盡石榴花自着。雪風結子豈天恩。

日中折天竺

枝似石榴風力倦。實如天竺霞光襯。何須人世共知名。奇幹靈根君不見。

壬戌正月元日畫竹按。壬戌。一九二二年。時在家鄉。

非草非木。與世不偶。竹兮竹兮真吾友。

又畫歲寒三友圖

殘雪盡消茅舍暖。經冬誰與扣柴關。山居豈肯無朋友。賴汝容吾共歲寒。

題畫蔬

常誇代代諳斯味。濁世何勞奔走工。到老寂寥才對鏡。行年六十乃衰翁。

題畫菜

潑墨散靈光。移菀稱草堂。閑人真易做。坐對菜根香。

臘梅

有色不儕艷麗。無酸饞人齒牙。可惜寒天開放。被人亦喚梅花。

三月三日

老夫今日不爲歡。强欲登高着屐難。自過冬天無日暖。草堂烟雨怯山寒。

題不倒翁（按。此壬戌(一九二二)年三月北上在長沙時作。） 二首

烏紗白扇儼然官。不倒原來泥半團。將汝忽然來打破。通身何處有心肝。
追思少小總堪憐。瓦狗茄牛一慨然。兒戲不如今日盛。長安市上擺三千。

題畫 二首

生吾祇有天難做。既罵炎威又喜晴。到底不如石上鳥。閑閑一飽絶無聲。
漠漠北風捲地吹。臘梅着意作枯枝。此身草木無由化。去盡年光也不知。

瓜花紡紗娘

遮天蔽日飛蝗過。禾果瓜蔬盡不生。娘子食花無大害。紡紗還有吉祥聲。

葡萄

聞道王家畫有詩。老萍得畫句何遲。此生與酒原無分。熟盡葡萄也不知。

芙蓉野鴨

木末芙蓉花又開。秋風殺草影先衰。紅鱗望斷家書絶。一鴨浮江去復來。

瓜蔬

輕鋤親手種瓜藤。蘿蔔生兒更咬根。但願此翁毋忘我。子孫長與隔柴門。

茶花

椏枝叠葉勝天工。幾點硃砂花便紅。不獨萍翁老無事。猶逢貪畫石安翁。（胡石安。）

題畫竹

野竹蕭蕭青上天。故鄉不值一文錢。長安市上曾爭買。尺紙三竿價十千。

題畫

葛衣芒履太痴頑。獨立西風上鬢端。食盡葡萄不歸去。蛩聲斷續在藤間。

題畫山水 二首

白石欲歸情更怯。西山好看路難行。白頭胡五狂猶在。同醉長沙夜雨聲。
江上青山千叠愁。山山布置在心頭。一朝對卧渾忘却。行盡崎嶇似舊遊。

題畫藤鳥

將藤作枕藤無用。對鳥呼名鳥不知。如汝不

材與不識。天年可保得閑時。

畫雀　二首

拈毫濡墨發奇思。指上秋風落葉時。不使世人謂蕭索。着將好鳥上高枝。

春風上鬢未成絲。記得衰翁歡樂時。隔院黄鸝聲不斷。蓮花山下百梅祠。

題畫魚

落日微風天欲凉。驚魚竿影插秋塘。我非垂釣臨淵者。赦汝紅鱗十八雙。

題畫菖蒲

少小傳聞可遠邪。天工磨洗作青蛇。如今始信無靈用。任汝溪頭好着花。

題畫菊

老腰已折耻陶家。久别非關玩物華。白石石邊親種菊。誰憐三載戰場花。

題畫菜

我亦人稱老畫家。負將筆硯在天涯。故園何日佳時節。種菜關門勝種瓜。

畫竹

自誇老子何能俗。好竹連山一萬竿。憐汝阿珠荷輕鍤。纖纖挑笋勸加餐。

書菊影詩草後 按。共三首。二輯卷二已録一首。

百家諸子人嘗讀。哪見人人有别才。最喜聰明發天趣。能詩不在讀書來。按。三句原作最喜你儂同此趣。

題畫

關心花落與花開。二月春風墮緑苔。何事不隨流水去。葉紅一作香。猶惹一作引。蝶飛來。

爲楊雨人畫蕉

佛寺僧房年復年。苦心小技豈隨烟。嗟君不買人間紙。寫破芭蕉不值錢。

畫餘得吊畫詩　三首

工夫是處反成非。獻璞翻勞刖足歸。有福兒孫垂老日。揮毫不必與時違。

楚弓得失不須論。無夢求全署姓名。他日有人能認得。須題白石造弓人。壬戌春北上。因京漢路有戰事。車不能通。行止於戚人胡石安家。自畫數幅。留爲家藏。不知爲何人得去。僅皮紙雨景一幅。若賣外人。可值五百金。最傷心者。多未署余姓名也。

離奇與世豈相偕。賣畫中華合活埋。暫喜不揮求米帖。千金三幅紫桃開。余以舊破紙長二尺畫山水。着紫色桃花最多。陳師曾爲余携去日本。賣價二百五十元。使余且愧。尤覺不能捨此畫也。

題老來紅

園角檐前風露稀。青衫誤盡少年期。老年竟有人憐惜。認作珊瑚七尺枝。

朱藤

半畝園荒久未耕。祇因天日失陰晴。旁人猶道山家好。屋角垂香發紫藤。

自題一丈紅

南北東西面面風。着苗何苦出花叢。畫來不

過長三尺。猶被人呼一丈紅。

題畫荷

山園劫後欲全荒。爲看殘荷出短墻。蓮實却無田賦重。白茅蓋廠小亭凉。

題牡丹

野花自瘦家花肥。倚石天香風不摧。常到鄰翁園裏看。也曾栽過兩三回。

題頳桐

少小揮毫到老時。工夫辛苦自家知。山姬剩有胭脂水。化作桐花開一枝。按。原作珊瑚七尺枝。

荷花

荷花瓣瓣大如船。荷葉青青傘樣圓。看盡中華南北地。民家無此好肥蓮。

題瓷美人

浴後豐姿倦絶倫。風開羅折雪膚瑩。豈知泥塑能傾國。也有娥眉妒殺君。原作人。一作妒十分。

岳州道中聞稻香

瀟湘不歇一春雨。雨歇農人起早嗟。且喜今年田穀熟。武昌一帶到長沙。

長沙街道不平。小車傷臂

大災祇欠命俱亡。小難猶添臂上傷。他日長沙問神鬼。斷無前席到齊璜。

方子易出畫松求題 二首

下筆如神在寫真。世間佳士亦晨星。不嗟曹霸長安道。至老無人識姓名。

點漆肯燒松萬竈。黑陰蔽日覺無天。移家世亂身無着。思入松陰且息肩。

與移孫書書後 按。前有示移孫一首。二輯卷二已録。此實壬戌(一九二二)年秋間移孫還鄉後。望其瘵愈之作。八月回湘親視。九月返京。十一月移孫死矣。

愛極翻多責。娭嬉寓一作即。訓詞。紅顔須有德。白玉貴無疵。静似稽生懶。養非顧氏痴。家駒二原作一。千里。今日喜方知。時聞友人言移孫讀書最勤苦。余喜之。

荷花題句

星塘老屋舊遺家。筆硯安排對竹霞。最是晚凉堪眺處。蘆茅蕩裏好蓮花。

題杏花 按。助賑水災所作。共二首。二輯卷二録一。

吾家老屋杏子塢。三十三年長相處。北上離親首重回。余慚辜負杏花開。

葡萄

北奔非作看山行。不爲葡萄風味清。到底携家何所事。我來八月聽蛩鳴。

畫柑 借山有柑樹。年年著花不實。

十指生香却勝天。揚葩不實空栽先。若思愈美求移地。且待人間五百年。

畫蟹

多足垂潮何處投。草泥鄉裏合鈎留。秋風行出殘蒲界。自信無腸一輩羞。

葡萄吟蟲

葡萄藤下晚凉遲。銀燭烏絲得句時。憐我孤吟思伴侶。鳴蟲作意爲賡詩。

刺藤不知爲何名。借山館四圍尤多。人觸之見血。

不加鋤挖易成陰。倒地垂藤便着根。老子見時心怕殺。實無可食刺通身。

畫荷

習習微風入小窗。舍南何處芰荷塘。清風也有輕狂意。經過蓮花亦有香。

題菜

生長清平不識饑。酒如泉水飯如泥。老來離亂無顔色。白石翁家菜滿畦。

臘梅

香微色正冒寒開。殘雪俱飛下玉階。笑倒春風猶未覺。世人誰爲嚼花來。

水仙怪石

石立空中堅能壽。花開寒時香始久。老夫性怪心冷後。自信不愧爲君友。

畫海棠子

海棠子熟鳥忙時。叢菊椏枝色亂施。如此園林無護惜。勞玆日月往來馳。

葡萄按。共二首。二輯卷三已録一首。

品重宜登王母筵。味香自列酪奴先。奇根濁地無人惜。畫裏誰流魏氏涎。

題畫　二首

友朋不踏上階苔。風掃柴門日不開。殘雪盡消花正好。八哥日到小園來。
畫裏望生涯。應當餓殍嗟。老天工造化。木筆巧生花。

畫芙蓉兼魚

木末花開秋日晴。池塘水暖見魚行。五年遷變桃源地。池底無蝦水亦渾。

秋風

葉落霜嚴景物殘。秋風忙殺幾時閑。老夫皮骨堅如鐵。吹破衣裳鐵尚頑。

題文信國公像文韶云出此請題。自言宋時原本。爲族人寶藏。實乃前朝乾嘉間臨摹本也。

宋縑遺像不消磨。清代摹工肖未訛。古道照人千古在。丹青猶有鬼神呵。

石燈庵題壁按。共二首。二輯卷二録一。此詩當是壬戌(一九二二)年六月以前之作。壬戌六月移居。

心出家時痴且頑。胭脂鋪地作蒲團。即空即

色終身誤。一笑天花着阿難。

題凌晏池夫人小楷書按。共三首。二輯卷二已録二首。又按。此下各詩當係壬戌癸亥間(一九二二至一九二三年)所作。

山谷扶犁凍雨收。字如錢小力如牛。世間有此佳夫婿。却勝加封萬户侯。

夢食柚　二首

携鋤不忘那年栽。霜刃今將雪剪開。世味遍嘗無此美。雲環相送下蓬萊。
薔薇滿院是荆棘。相近挂衣刺血痕。寄語人間愛花叟。幽蘭雖好不當門。

遊西山過玉泉山

能耐風塵舊帝京。四時天氣太干晴。七年苦渴窮僧寺。今日欣聽水石聲。

過跑馬場按。據注。此詩是癸亥(一九二三)年移孫死後之作。

千里家駒鞭自傷。夜燈何苦接晨光。移孫自言壬戌學校試驗。先六晝夜未眠。得取優等。此六晝夜乃致病之由。從兹無復歡隨杖。愁過城西跑馬場。跑馬場出北京西十里。

臨冬心先生垂釣圖酬蕭龍友醫次孫病

不教寂寞舊江湖。把釣臨流非爲魚。赦汝紅鱗三十六。鵜鶘飛過却踟躕。

中秋夜與夏午詒在保陽按。共二首。二輯卷二已録其一。

阿戎生子又成行。曾見長安一尺長。二十年來猶昨夢。絳紗抱子隔無雙。無雙。午詒姬人。曾從事於畫。

八月廿五日往保陽。廿七日返京華。過蘆溝橋

甑中有米復何求。奔走逢人老可羞。車快一時三百里。厭聞三字過蘆溝。

題陳師曾畫按。共二首。二輯卷二已録其一。

談何容易説工夫。畫裏花開卅載餘。師曾以卅年工夫方畫得此花。回首九原難忘却。雪深三尺缶廬孤。

亡友

譽余高到十分時。中有三分寓貶詞。心細方君全説得。九原不獨故人知。方君名表。字叔章。

有客

隔宵紙筆早安排。打破門聲客又來。坐久無言思欲睡。家人不信老翁衰。

阜城門外衍法寺尋瑞光上人即題所贈之畫。按。共二首。二輯卷二已録其一。

帝京方丈識千官。一畫删除冷眼難。幸有瑞光尊敬意。似人當作貴人看。

看書

篆文許慎説後止。典故康熙纂一作集。後無。二者不能增一字。老夫長笑世人愚。

梅花尹金陽。字和伯。湘潭人。畫梅自言學楊補之。余以爲過之遠矣。

今古公論幾絶倫。梅花神外寫來真。補之和

伯缶廬去。有識梅花應斷魂。

畫梅

安得將花插滿頭。客中變亂不須愁。今朝醉倒鮫綃下。欲爲梅花盡百甌。

畫梅花

通身衣上綉花時。綉得梅花三兩枝。墻北垂髫臨稿去。背將鸚鵡不能知。

梅

飛來好鳥似相關。知得無人到借山。長與梅花同歲暮。一天風雪不知寒。

題畫紅梅

不似玄都觀裏栽。天寒花發豈凡胎。着紅老樹偏多態。堪笑夭桃命不乖。

畫藤歌

客從外邦來。求我畫瘦藤。黄葉不須着。散墨又宜凝。好似書飛白。還如結亂繩。絲麻成縷復雜亂。龍蛇交影并飛騰。青藤老屋昔人去。謂徐青藤。三百年來耻匠興。畫畢詩成客欲去。槐梢蟬咽在秋庭。

紫藤

牽藤扶架半空寒。香氣從天下宇寰。最怕落花着衣上。自知前世是阿難。

折花枝共三首。二輯卷三已録二首。

烟鬟雲髻半偏時。常折花枝寄遠思。再五百年無此樂。那時惟有杏花知。

藤花題張生畫幅。

畫藤愁不亂。能亂即有神。謂藤還却是。曇花豈認真。海上吴君先我去。擲毫三嘆與誰論。

畫藤蘿

飛蛇上天影垂垂。雨後東風用意吹。滿架紫雲春色早。花開不欲蝶先知。

藤蘿

百花如睡未醒時。獨有藤花滿架垂。尚帶春寒人孰到。清香可惜惹蜂知。

畫紫藤花

清和三月露華濃。隔塢夭桃灼灼紅。滿架藤花笑桃樹。不應花發笑春風。

題畫紫藤

炮聲聒耳正如雷。誰爲朱藤扶架來。花卉與人同患難。亂繩百結草間開。

畫爬柴葉小孩

豺狼滿地。何處爬尋。四圍野霧。一篗云陰。春來無落葉。秋過又空林。明日敷炊心足矣。朋儕猶道最貪淫。

畫李鐵拐睡像

醉臉日曛曛。市喧睡不聞。神仙難足信。人世幾斯人。

搔背圖

大兒啼老小兒號。俯蓄思量慚白毛。垂老一身都痛癢。解衣還倩自來搔。

題李博亭之母寒燈課子圖

孟機歐荻柳丸苦。賢孝從來幾輩能。閨範千秋傳故事。寒冬添盞李家燈。

升冠圖

太平衣帶好官家。喜上眉端鬚鬢華。萬事青天都看見。看君不獨帶烏紗。

釣翁

望子摇摇酒興殊。手中籃裏總空虛。長江一日秋風起。滿地泥沙一釣徒。

畫李鐵拐

盡了力子燒煉。方成一粒丹砂。塵世凡夫眼界。看爲餓殍身家。

再題鍾馗像長短句。

烏紗戴上。應不管皮膚小癢。哪知趁着先生搔背時。將酆都鬧得不成模樣。有人家住在酆都。最難捨千樹梨花。仍舊開無三兩。

乞丐

卧無席地。食不炊烟。難捨葫蘆。我笑神仙。

爲人題赤身老農

諺云畫人難畫手。手既能工人自工。畫到傳神猶怕熱。築臺爲汝祭凉風。

畫爬耳圖長短句。

我欲羡你。無事爬耳。江流懶洗。不容氛垢積耳底。

題畫鍾馗搔背圖

骨瘦如柴爪似鉤。揚眉踏石了無愁。世間竟有人求福。不負髭鬚作鬼頭。

爲人題三閭大夫畫像

推移與世不相侔。既放行吟澤畔遊。兩字清醒合憔悴。美人香草亦千秋。

題李鐵拐像

生與塵凡有俗緣。休嗟形體太堪憐。脱離餓殍同儕伍。抱着葫蘆我獨眠。

題畫瓜

種種垂藤密似麻。年年結實亦開花。昨朝猶得鄉親信。羡我家園舊日瓜。

題畫瓜

六月鄉園暑氣蒸。閑看須待晚凉生。中年却比如今懶。戀地瓜紅未理藤。

畫瓜

畫藤須把瓜來種。定打輕鋤手自持。向後有人窮甲子。寄萍三道栅欄時。按。一九二二(壬戌)年在北京遷居西城三道栅欄。

題畫葫蘆

休作尋常舊樣看。本根靈秀畫都難。笑他湘上翻新者。徒葬長沙對岸山。

葫蘆

丹青工不在精粗。大葉方知礙畫圖。嫩草嬌花人賣盡。何人與我買葫蘆。

石上葫蘆

無勞撑架。借石自扶。新奇不好。藤亦何迂。

畫佛手柑 按。共二首。二輯卷三已録一首。

珠塵撤盡却舒拳。摩頂相將授衆仙。輪掌寶光飛左右。阿男成佛豈無緣。

畫佛手

當年微笑拈花手。歡喜偏偏佛易成。多少蒲團人拜爛。鐘聲佛號第三乘。

畫豆棚 題長短句。

最難捨。小有丘壑。豆棚瓜架。也曾親手來扶着。祇今别到十三年。辜負了明月清風當年約。

畫白扁豆 二首

揮毫當把昆吾刀。百煉千磨朝復朝。頃刻截成白玉片。西風吹上豆藤腰。
月下乍疑霜。秋來架滿香。蔓長生有種。玉潔豆無雙。

題畫白扁豆

我能將白玉。截作籬落豆。誰謂山翁貧。出門風兩袖。

爲蘇後青題美人畫册 二首

追思舊夢到瓊臺。惟有紅衫最愛才。十里天風山下一作下山。路。不寒春雪折花來。
曲欄杆内有吟聲。風過衣香細細生。往事有情生妄想。按。原手稿作全記得。欲原手稿作自。稱儂是鄭康成。

哭移孫

耶芭緣數尚餘疑。命相誰知有夭期。一汗不危偏用藥。殺人無罪好爲醫。

次韵彭复蘇元日寄詩

亂後厭聞談世事。老年漸喜結僧緣。更誰念我同新歲。晨起開函雪滿天。

蘭

一春穀口雨如麻。水洗風吹葉倒斜。移入室中須坐久。自聞香氣勝群花。

題高生芒花飛雀畫幅 共二首。二輯卷七已録一首。

霜葉青黄（原作如刀。）雙刃斜。山邊壕上影交加。從來不足供（原作爲。）人賞。樵牧相傳唤作花。

萬蕉破屋

三丈芭蕉一萬株。人間此景却非無。此生墮落皮毛類。恨不移家老讀書。

鴛鴦

老年心腸。不厭荷香。最怕牛羊。最喜鴛鴦。

麓山圖 爲張南溪畫。伊自言曾客麓山三年爲教授。 二首

孔家弟子計三千。劉氏傳經心事堅。且喜談禪近僧寺。麓山深處住三年。
如花楓葉小亭閑。夜醉長沙咫尺間。作客不辭卑濕地。他鄉要算好湖山。

畫松

嶺頭孤秀長松樹。午日行天入太陰。天外颶來吹力細。越吹越作老龍吟。

背臨石田翁岱廟圖

二十年前喜此圖。豈將能事作吾仇。今朝畫此頭全白。猶喜逢人説沈周。

山水

咫尺天涯幾筆塗。一揮便了忘工粗。荒山冷雨何人買。寄與東京士大夫。壬戌春。陳師曾代余賣桃花塢畫一幅於日本中日繪畫展覽會。畫長二尺五寸。得日金四百元。按。壬戌。一九二二年。

魚

雨後水添魚有致。池中石密網無能。食魚對客誇鱗細。憂寇看魚怕細鱗。

題方伯霧畫鷄 二首

毛羽由來見易知。側身求飽啄遲遲。畫家積習全删却。昂首超群頃刻時。
亂石流泉草一溪。畫中局格算新奇。拈毫亦用心思苦。知者人誰似老齊。

題友人畫梅册子 共四首。二輯卷三已録三首。

枕畔梅花客不孤。羅浮仙蝶下山無。工夫不與時相合。輸却萍翁老愈愚。

老少年

人謂花無情。年老容顔少。我謂花有情。愈老始顛倒。此苗秋來色始紅。秋殘則苗顛倒錯亂。

題周養庵畫墨梅

小鬟磨墨污肌膚。一朵梅花一顆珠。我唤此翁超絶處。畫家習氣一毫無。

挽朱焕如之乃翁　二首

百家書卷先人迹。無用文章後嗣爲。精舍夜深雷雨急。小鵝湖上有光輝。
喜看山水冒風塵。供養餘年道德身。嗜好我同清福异。衡湘八載未歸人。

題錢樸園遺像共二首。二輯卷二已録一首。

安守孤城餘力强。密勤山谷亦公堂。心神交瘁聲名在。芬德千秋三載忙。

題金拱北所贈菊竹畫幅。和拱北自題詩韵

黄花翠竹影交枝。風急霜嚴要護持。各有本心忘不得。年年相重歲寒期。

夢遊八達嶺并序　三首

甲子四月初三日。凌直支。陳半丁邀同日本畫家遊八達嶺。時余未往。明日諸人回京。以圖及詩相示。即次其韵按。甲子。一九二四年。

清夢追遊花落時。老年舉步十分遲。秦時皇帝今安在。寂寂天風嶺上吹。
帝王百世仗長關。坑火還疑在此間。萬里一時陳迹在。笑人猶有舊青山。
懷古長吟對夕曛。萌芽草木正紛紛。是非今日人能説。未若長城親見君。

瓜

曾呼兒輩草堂開。池畔桑陰處處栽。不獨有瓜香味美。虚花時惹蝶蜂來。

老來紅

欲工變化豈天功。滿院青青百草同。始到殘秋方出色。衆中分出老來紅。

蝴蝶蘭

勞人何苦幾時閑。栩栩枝頭入夢難。但願此身多變化。化爲蝴蝶遍人間。

月季

群花各自争妍媚。天道王魁奴婢同。任汝此生全占盡。一年多少發花風。

友人有遊京華者。以詩見示。余即次其集中詩韵答之按。共二首。二輯卷二已録一首。

江河湖海總狂波。乘興憐君覓句過。竊聽中華數豪杰。九牛毛少吏官多。

見友人齋壁丹楓畫幅

毛髮已如霜後葉。客中容易見秋風。昏花老眼嘗多事。怕看君家畫裏楓。

紅菊

十月霜風吹落木。短籬一帶燦朱霞。牡丹芍藥驕顔色。可惜無緣見菊花。

此時

黔驢此技自無慚。馬面何知對鏡看。諺云馬不知面長。
祇有東安吴大令。死生無汗洗衰顔。

蝗蟲

香稻已收無破葉。人居豐世即蓬萊。年年但願燕蝦賤。儘把斯蟲化盡來。

老少年

天寒霜重草花枯。楓葉聊同命不如。任汝秋風狂過去。一驚高墮到頭無。

山水

説鬼談禪事事忙。梧桐庭院午陰涼。匆匆三十餘年過。猶有青山唤我狂。

葫蘆

山翁心事却非頑。歲歲垂藤尺幅間。因喜葫蘆能解笑。笑人新樣出艱難。

畫石爲人壽

蟠桃結實三千年。竊恐神仙事妄傳。笑理溪藤忙畫石。石頭何止壽三千。

此翁

此翁不怪世相輕。粥飯人偏識姓名。南舍同儕人不駡。二毛書畫一無成。

紅梅

經冬香色到春來。深雪平墻掃不開。寒到十分偏耐久。若論福命較桃乖。

石榴

照眼花光。流涎秋霜。遍身荆棘。滿腹甘芳。

石榴

秋風上樹長金房。萬點丹砂煉有方。漫道天漿殊衆味。桔酸亦占小園霜。

鷄冠花

天安門外草萋迷。滿地紅雲日欲低。人正眠時無可醒。痴心欲倩汝長啼。

天竺

門前犬吠汗成珠。亂世家宜碩石無。天竺墜階紅未掃。怕人疑着是珊瑚。

菊

重陽時節雨潺潺。三兩花疏院不寬。老欲學陶籬下種。種花容易折腰難。

菊

一陣秋風過小院。檐前叢菊傲霜華。千紅萬紫春花好。無福能知有此花。

代書答雪庵上人

當時名譽未爲憑。醜到無鹽算絶倫。向後百年公論出。此時當有大慚人。

黄蜂 人多呼爲黄蜂。蓋取其色也。釀蜜祇供自食。人取則以尾上針刺之。

搜采春天百樣花。却非爲主快磨牙。金房釀熟渾成蜜。供世無心爲自家。

將赴招飲。適雪庵上人至

髮禿牙摇誇健康。東塗西抹苦何忙。有錢難買僧家畫。揮汗强顏見瑞光。瑞光是時之畫難求。

山水　二首

一石水波急。萬家沙岸秋。願君心化石。砥柱大江流。
有客苦何之。江山破碎時。勸君帆勿挂。竊恐看山遲。

山水

分明老眼久朦朧。未必相看是夢中。非盡人民山水是。餘霞猶似昔時紅。

山水

不爲官吏走天涯。舊侶逢時正落花。兩足難忘行熟地。相尋先到打魚家。

山水

迢迢雙鯉寄書難。何日披衣作客還。屋後龍孫昧山色。石邊亭子隔江閑。

山水

眼昏人事尚相關。破浪遥看江浦帆。無物不隨烟化去。堅牢隔岸舊青山。

荔枝

遠遊不復似當年。一月欽州食九千。群果園中論珍品。徐寅同説荔枝先。

魚蝦

蝦何大。魚何小。蝦何多。魚何少。有人問畫師。畫師曰天道。

山茶

硃砂研細色方工。艷不嬌妖衆豈同。自與群芳相隔絶。等閑桃李媚春風。

紅梅

幹冷枝寒欲放時。山村城郭總妍姿。修來有色無凡骨。開遍人間春不知。

畫栗寄南鄰

閑過鄰家食佳果。十圍栗樹壓低枝。今朝腰脚宜多服。不欲憐君刺手時。

梅竹石

石爲吾壽何嫌醜。梅爲吾妻免杵臼。惟竹與我情倍親。衰翁七十師兼友。

枇杷

大葉耳俱尖。黄金色不鮮。萬方風味好。不及白沙甜。

畫八哥園果

羡果人來汝竟飛。鸜哥心事口相違。殷勤剪汝三回社。剪出鄰朋有是非。

白菜鷄冠花

中年無事掩柴扉。日飽羊蹄心事違。貧士家風容易見。鷄冠花瘦菜根肥。

鷄

犬吠鴉鳴睡不寧。傳聞鴉夜鳴必有戰事。誰教空手作良民。家鷄夜半休饒舌。未及啼時我已醒。

墨菊

用意天工教守黑。世人却笑非顔色。花亦回頭大笑人。倒吊起來誰滴墨。

畫凌霄花

借樹沿岩百尺高。紅塵飛不到藤梢。置身雲外心難足。猶着遲葩向九霄。

枯荷

家鄉醉死寸心違。山下池塘蟹也肥。蓮葉蓮蓬香到老。岸邊茅廠幾時歸。

倒開紫菊

看花不必一般齊。籬落秋陰萬紫低。花草也難言氣骨。折腰多數挺腰稀。

秋海棠

四十離鄉鬢未華。陶然亭畔苦思家。重來頭白海棠在。依舊秋階正發花。

絲瓜土人取其形爲絲瓜。

瓜皮如綫一絲絲。秋至霜輕滿架垂。田舍對鍋餐有味。長安市上幾人知。

楊家女贈詩。次韵答之四首録二。

若爲男子是揚雄。一洗鉛華富貴空。不忘聯詩勞步步。衣香先入借山風。
難得髫年負畫名。風流文采耻傾城。知君一笑鄰家老。祇解呻吟脚病聲。

鳳仙花

幾時修得到仙班。生就紅顔勝玉顔。一夜清風過小院。却疑環珮步虚還。

食魚鳥

淺水待魚來。長喙利如鐵。魚小刺雖微。横吞看汝噎。

蓮花

静直濯清漣。通身無泥滓。獨愛更何人。太息濂溪死。

蟹

昨日家書到。阿爺望早歸。何時狼虎地。把

洒蟹螯肥。

蝦

有蝦有蝦。多足如麻。似此成群。海水終渾。

題畫

遊人如蟻夕陽斜。社稷壇邊數尺花。蜂蝶飛飛來又去。哪知曾是帝王家。

畫小鷄白菜小鷄食菜。蟲可食盡。

好生天道真偏怪。草木既生蟲又礙。安得門前原作化身。菜一畦。多蟲時候復生鷄。

八哥兒輩得於西山。剪其舌圓。教之能言。

八哥有識能原作因。言原作能。語。世事無須原作如斯。要汝原作若未。聞。誤原作剪。剪原作汝。三回春社舌。從今祇敢説恩原作也應駡死許多。人。

諸蟲

烏圮墡地名。前苦避秦。雨風過去草横陳。吞聲以外全無事。細究昆蟲遍體紋。

梅花山雀

天風二十四番遲。吹倒冰殘雪冷時。好鳥不嫌花寂寞。一雙飛上老梅枝。

紅蓼

蕭疏宜拂漫流水。廣院名園厭淡霞。細雨寒風天欲暮。一生作伴祇蘆花。

叠荷孤葦秋八月下旬畫。

八月涼風吹客衣。好花全謝野蒿非。叠荷作鏡皆光暗。一葦撑天恐力微。

荷

曲曲溪流白石山。溪深六月不知寒。荷花欲語終無語。不欲嬌人作遠觀。

題雪庵上人畫山水

平鋪直布不求工。翁似高僧僧似翁。正未可知山谷裏。白雲如絮有游龍。

凌霄花

半天飽聽怒風號。最好垂香數尺高。耻費萬端依倚力。知花人識是凌霄。

題雪庵背臨白石畫嵩高本按。共二首。二輯卷五已録一首。

中岳隨身袖底深。秦灰百劫幸無侵。何人見後存心膈。豈料高僧作替人。

題陳師曾爲余畫扇

槐堂風雨一相違。君在歡娛變是非。師曾在日。文酒詩畫之交遊已分爲東西兩黨。此後更誰忘意見。原作强奪扇。奪將團扇畫薔薇。原作不勞求畫畫將歸。

題王雪濤畫菜按。共二首。二輯卷三已録一首。

難得風流不薄余。垂青欲與古人俱。他年畫

院編名姓。但願删除到老夫。

畫燈一檠贈門人雪庵和尚 共二首。二輯卷三録一。

畫理詩思亦上乘。寂寥何幸對枯僧。孤燈若肯長回照。與汝餘年共死生。

小院静坐 昔人有緑蟻倒拖二句。余翻其意。

青門經歲不常開。小院無人長緑苔。螻蟻不知欺寂寞。也拖花瓣過墻來。

題大滌子畫像 按。共三首。二輯卷三已録二首。

當時衆意如能合。此日大名何獨尊。原作處聞。即論墨光天莫測。忽然輕霧忽烏雲。

桂花

蓮花山下水渾流。星斗塘邊草色秋。别後風光歸夢覺。故山叢桂替人愁。

畫蕙

移根山石門庭遠。時有清風吹好香。晚歲惜花如老命。鋤蘭不恐蕙俱傷。

蓼花

楓葉經霜耀赤霞。籬邊黄菊正堪誇。瀟湘秋色三千里。不見諸君説蓼花。

紅梅

東風無意到深林。吹放胭脂出色新。若與千紅較心骨。梅花到底不驕人。

十二月十二日重封移孫衣箱

衣上塵脂未并埋。重封不必再三開。若非瑶島長相見。一息無原作猶。存泪不原作自。來。

烏

風木栖難息。啞啞霜氣侵。夜啼聞製曲。移響入清琴。

翡翠鳥

荷葉俱青難辨色。身輕如燕嗜如雕。一生飽食魚多少。猶恐鷹鸇下碧霄。

水鳥青荷

青荷叠叠影初香。塘壩清陰賤大江。風大不知波浪惡。成雙何必羡鴛鴦。

魚 二首

滿地家鄉半罟師。偶隨流水出渾池。滄波亦失清遊地。群隊無驚候幾時。
一去長江久不回。無心變化負云雷。生成淺水池中物。恐觸絲綸怯夜飛。

凌直支先生尊堂上壽詩 四首録二三四。

持山作壽此相宜。與鶴同儕早有期。天假阿吾年八百。與公看到太平時。
傳家兩字重清勤。不負當年愛子情。一事乃翁曾不量。畫名無意并官聲。
從來烏鳥有私情。至樂無如子養親。我亦爺娘年百八。朝朝猶作倚閭人。

過玉泉山并序。

> 戊午春。余避亂於紫荆山下草莽中。移孫以筠籃提飯奉余越五月。余深喜此子他日必能有成。己未侍余居燕京。離膝不樂。八月病重還家。十一月初一日死矣。今遊西山過玉泉。獨自一人。聞泉聲嗚咽。因哭之。

出山泉水本無愁。何事潸潸咽不休。休對人間稱第一。人間有泪抗衡流。玉泉爲天下第一泉。

鴨

安穩平安淺水俱。羽毛無取老孤蒲。出教天下終離亂。三丈毛長耻海梟。

題陳仲恂所藏近代畫册 二首

鐵梅淡雅小又真。公壽平通任縱橫。青冢壘壘公道在。誰言海上不如人。
西山南岳總吞聲。草莽何心欲出群。生世愈遲身愈苦。諸公羸我老清平。

鵶

四野無人落日低。栖栖身世笑家鷄。畫師不合居離亂。願汝無從夜半啼。鳥夜啼云有兵亂。

畫八哥贈友人還衡山

羡子還鄉路。萍翁久苦思。寄言與鸜鵒。説與故鄉知。

粉蝶青猫

栩栩穿花蝶夢蘭。猫兒得失見心肝。不教着墨皮毛异。可亂山中虎子看。

題人秣陵山水卷子按。共二首。二輯卷五已録一首。

幾人丘壑在胸工。無悶猶貧老缶窮。向後有人發公論。也應不算老萍翁。

看大滌子山水卷子

供奉教人苦匠心。王家宗法謂無倫。能教真迹常呵護。祇有清湘合鬼神。

菊老來紅

參差落木過西風。菊到開時萬卉空。雪正欲寒霜又冷。同儕祇剩老來紅。

題金拱北畫鵝。次原韵

菖蒲水淺故無波。池小如籠豈養鵝。好放筆機浮海去。一繩攔住却因何。

畫紅梅兼喜鵲

尋梅扶杖過溪橋。喜鵲驚花上絳梢。打起鵲兒遠飛去。荒村小驛雪初消。

畫蚌

鳥張一啄偶然工。蚌亦横飛鳥絶踪。物性相持屬天意。江湖處處原作竊恐。有漁翁。

牡丹

濡毫不惜胭脂餅。北地謂舊時棉花胭脂爲胭脂餅。厭盡紅衫女子行。不獨當時好顔色。須知絶世露凝香。

葫蘆

傳家農器作良民。九歲兒時學種耕。五十三年無變樣。僅能羸得老清貧。

紅梅

豐神宜雪宜霜。爲汝清吟興狂。如此寒香冷艷。我非鐵石心腸。

題山水

枯樹當門稱夕陽。過橋獨屋景尋常。隔江數叠山如黛。叠叠愁心在故鄉。

白菜

夫種妻鋤興趣賒。何妨菜肚老夫家。到門一路黄如菊。不獨根香更有花。

雨後山水

雨初過去山如染。破屋無塵任倒斜。丁巳以前多此地。無灾無害住仙家。按。丁巳。一九一七年。

畫畢卓

李白稱仙。劉伶非顛。鄰家滿瓮。我醉猶眠。

雛鷄老蝦

記得門前看小溪。水清溪底却無泥。斜陽時候蝦成擠。羨殺群雛岸上鷄。

芋苗鷄雛

半畝田園對小窗。秋來芋葉半青黄。中年清福全無事。笑看雛鷄個個忙。

題如兒畫蠶

秋來漸覺葛衣單。霜落無聲天下寒。桑葉食完絲吐盡。願人知道寸縑難。

春寒

腰足强時懶似僧。老衰尤怯出門行。雲羅日黯何由暖。二月街衢尚凍冰。

嘗夢死者按。共三首。二輯卷二已録二首。

黄土圍墻岩石隈。蓬門特意對山開。問余樂趣從何得。時有松聲屋背來。

題山樹

天之高。地之厚。松柏之年。山石之壽。

應門

聽得敲門便快開。若非擔水即煤來。九年勝念彌陀佛。未入青山活砍柴。鈍刀砍樹木。見之欲憐。

到家

連年未入借山行。山路茅深辨不清。難識那年埋硯地。家園無异客來生。

題畫牛

躲却犁耙拖上肩。鼻無繩索任閑眠。謂牛呼作爲牛好。不在皮毛露十全。

雛鷄小魚

草野之狸。雲天之鵝。水邊雛鷄。其奈魚何。

題魚

臨水觀魚樂。魚來水作紋。蓮塘晴戲影。蒲浦雨無痕。

喜鵲

挂壁紙無痕。濡毫墨有神。雀兒靈欲躍。四野正無人。

沙鷗

蘆影蕭蕭又一年。月華應共故鄉圓。世人誰謂能如鳥。不識閑愁一對眠。

題梅花喜鵲畫幅

相稱山林處士家。冷冰殘雪此繁華。却嫌有鵲常來去。飛上枝頭總損花。

梅

相看處處總消魂。花有清香月有痕。小驛鶴歸雙弄影。羅浮蝶外四無人。

畫拈花佛

不爲貪愛走天涯。損道嗔痴誤出家。今識虛空身即佛。半跏趺坐笑拈花。

題山水畫

落霞高不着征塵。筆底丹光晚景新。古樹秋深餘瘦影。大江東去四無人。

題友人畫竹鷄

萬籟付秋空。疏篁翠影濃。深林有鳥宿。四野絶人踪。

題友人畫猫

一生撲蝶此工夫。卧柳穿花暇有餘。鼠子嚙書非汝事。不懈眠毬食溪魚。

題山水

塵事堆肩不必擔。人生偷（原作消。）得幾時（原作多。）閑。輕舟不礙風波作。行盡風波看好山。

題夜鳥

平沙萬里月如霜。蘆荻洲前夜未央。但願有情天下鳥。四方無網總成雙。

題友人畫錦鷄

幾曾閑眺出宣城。城外人家集鳥群。世有雕籠遜林麓。（原作泉石。）羽毛堪取悔（原作慎。）飛鳴。

鳳仙花

昨宵飛夢到瑶臺。清露無聲户半開。難得仙家慰相憶。晨鐘初動下山來。

題山水

泉水出江湍。長江去不還。乘風客何往。兩岸好青山。

題柹實

佛龕緣在許同居。溈溈山禪師。仰仰山。分甘味絶殊。雪庵嘗贈諸果。霜葉紅時須屋貯。鄭虔貧老要臨書。

老少年白菜

無色目何着。無味肚難飽。追思廿年前。茅舍秋光好。

題孫誦昭女士蝴蝶蘭畫幅

舊時風月借山來。親見枝頭栩栩開。今日筆端能變化。分明不作夢中猜。

題秋海棠

人生歡樂幾多時。相見無言别後思。萬里雲羅書斷絶。水晶簾外雨絲絲。

題畫木筆八哥

爲口終朝异地忙。眼看滄海幾栽桑。他年自有南狐筆。鸜鴿何勞説短長。

胡冷庵臨陳師曾山水相贈。題三絶句

按。原稿有序云。余喜師曾山水畫。今不可得。冷庵臨此得師曾筆墨之神。余求之。冷庵即贈。喜題三絶句藏之。又按。共三首。二輯卷五已録一首。

能出王家工匠群。京華都道原作陳君筆墨。世無倫。百圓尺畫人争買。呵護家家事鬼神。

直與原幀并駕藏。冷庵打破世無雙。他年此幅憑人説。山水離魂無短長。

有感按。原題過捨飯寺街。共二首。二輯卷二已録一首。

無能粥飯遍千街。此處原作寺。初聞笑口開。一日經過三百轉。何曾一飯捨吾儕。

題畫松

虬枝倒影蛇行一作飛。地。曲幹横空龍上天。向後有人傾百貫。三千乙丑太平年。按。乙丑。一九二五年。

代京華報國大慈仁寺盛林禪師付法偈

洪鐘八百付袈裟。�籜青龍歲月賒。竹本虚心心更妙。禪關打破笑拈花。

題山水

風急帆影疾。洲寬民屋多。更誰無個事。袖手看山河。

柹

老鴉飛得上垂枝。照日懸金憶舊時。今日揮毫堪自笑。青絲捨盡换霜髭。

柏爲蝶兒畫扇并題。

老麝香煤化瘦蛟。拏空柏樹一雙高。高堂剩

有貞松在。歲暮天寒心未凋。吾爺娘皆年近九十。猶能强健。

題楊三初山水小幅

十載逡巡得大觀。一時名畫遍長安。諸君自信無慚色。未見楊三初畫山。

題白心草堂圖

幽燕烏鳥動鄉愁。名譽何緣到白頭。不若怕翁心似鐵。長沙郭外一危樓。

題楊三畫扇

徑絶橋通水外山。荻花楓葉一江寒。有人倘解饒風趣。也應長衫再拜看。聞吴缶廬年已八十。嘗見名人真迹。必長揖再拜。

畫竹按。共二首。二輯卷四已録一首。

老年無竹與人看。十載園荒再種難。衹好借君三尺紙。歪斜聊畫兩三竿。

鷹

天半垂眸萬籟低。鳥踪飛絶一聲啼。家鶏搏盡腸猶飽。昂首將從何處飛。

題布袋和尚畫幅

無窮煩惱上心來。自召冤家撥不開。欲向此公求布袋。貪嗔痴愛一齊埋。

遯園樓居并序

余每還家。爲鄉人求畫所苦。今夏居於吾家遯園之樓。樓下有欲晤余者。遯園爲余謝之。因得安閑。深感遯園之慷慨痛快。

欲逃畫債仗吾賢。難得風和四月天。前五十年無此夢。遯園樓上作神仙。

題畫贈郭振庚女弟子

塵情删到我都無。猶有嵇生懶未除。商也能爲啓余者。殘燈古硯舊家書。

韡春女士出余舊時所畫扁舟載妓圖索題

載將西子任舟流。態度消魂背面羞。來去不勞摇槳力。好風能吹逆回頭。

蚱蜢

香稻正黄。秋風初凉。物分良善。蚱蜢非蝗。

題畫天臺仙子

昨宵飛夢到天臺。香霧仙雲撥不開。再億萬年忘不得。月明十里步虚來。

山水

誰肯傾囊解值錢。前人不在後人先。若求向後知斯趣。三百輪迴乙丑年。按。乙丑。一九二五年。

桃實

荒唐漢武事多傳。王母飛瓊便一作却。是仙。若向此桃論甲子。開花結實六千年。

東方朔

遊戲星精漢武年。逆鱗砍肉屬神仙。壽長能作三回賊。何止行年萬八千。

八哥

音乖憐汝勝啼烏。不識三緘便是愚。説盡是非何處好。羽毛回顧影兒孤。一作影兒回顧羽毛孤。

鵪鶉

當萬夫勇。着百結衣。若取羽毛。何如錦鷄。

瓶中墨梅

花能出色賤群芳。墨海靈奇散麥光。月下若無猶見影。瓶中已折尚聞香。

題十六年前自作之畫余年五十四。畫名不出長沙。因丁巳鄉亂避居京華。始得中外皆知。按。丁巳。一九一七年。時五十五歲。

清平欲作懶頭陀。十六年前鄉譽訛。慚愧微名動天下。感恩還在緑林多。

題畫

小小池邊一架瓜。瓜藤原不着虛花。羡君蔬食家鄉飽。無事開門爲聽蛙。

蝦

四月離燕八月歸。今年閏四月。半年喜欲客情違。燕來蝦勝鱸魚味。一飽猶眠萬慮灰。樊山翁爲余題畫蝦云。蝦曰燕來蝦。

畫芙蓉兼蝦

四千餘路還湘水。咫尺思親無見期。乙丑四月還湘潭。因鄉亂未敢還鄉省親。平生恨事。按。乙丑。一九二五年。何日家園一作星塘。可歸去。芙蓉池上立多時。

枇杷

黄金比較色相差。風味無酸濺齒牙。一樣果園三尺雪。枇杷不負隔年花。

菜

一生無夢侶侯王。贏得狂奴到老狂。不願與人徒食肉。齒搖惟識菜根香。

烏蚌

霪雨凄風田水波。農家百劫久無蓑。何堪烏蚌飛來去。泥水長渾怎種禾。

家鷄瓦雀諺云。斗米長斤鷄。斤鷄難買斗米。

斗米斤鷄話不訛。賣鷄還米復如何。老嫗把米常惆悵。滿目檐前瓦雀多。

老少年兼菊

九月西風吹鬢華。小園秋色赤城霞。殘霜初雪饒豊態。不獨人間有菊花。

題梅兒臨余畫鷄

漫笑名低鬢早皤。雕蟲其奈替人何。吾家譽

子真成癖。見此將來癖更多。

畫瓶梅兼燈

梅花相對愧銀髭。老耻虚名個個知。盡日工夫忙逐客。一燈梅下漫題詩。

題楊泊廬山水册　三首

離亂思鄉感百端。百梅祠外水潺潺。世情非盡蓮花山名。在。難忘開門雪滿山。
人逢竊笑怪兼迂。除却看山百不如。難忘麓山山下路。一林紅葉晚疏疏。
穿石穿山逐火飛。桂林重到寸心違。泊廬若問奇山水。陽羨曾看白石歸。桂林多山洞。余曾戲遊。呼土人持柴火引導。疾行如風。

山水按。二輯卷五有家山雜句詩。即此題。共七首之一。

愁心如水浪千重。徑絶斜横橋板通。塘外人家炊斷滅。閑遊猶有此衰翁。

鷄

祇司天曉。無能自飽。家鷄家鷄。食米多少。

頳桐

丹山路上却同名。枝上胭脂色并榮。齒已没殘情更絶。桐花發處鳳雛清。

柑

小園曾種實偏遲。移地還宜世泰時。我是人間傷渴者。味甘無分絶懷思。

芋

芋魁南地大如盆。一丈青苗香滿園。宰相既無才幹絶。老僧分食與何人。

枯木寒禽

飛向天涯枯樹枝。故山四面網張時。却非一飽閑無事。鷓鴣家鄉有所思。

祝融峰

高不勝寒入九霄。老僧六月着棉袍。廟門久坐無人識。祇有清鐘是舊寮。

小凳

掌珠體弱負先人。爐火羊裘亦有恩。余未成童時。先王父嘗冬夜圍爐。以烏羊皮襖裹余酣睡於懷。不識雪寒。五十餘年忙未了。老來閑坐尚無因。

菊九日畫。

又是秋風上鬢絲。折花須擇正開枝。帽檐不礙周圍插。黄菊明朝已過時。

願天圖

畫師不忘前身。爲此老叟傳神。仰首所爲何事。願天常生好人。

芋苗兼蟹

蟹重半斤湘上少。芋高一丈此間無。北地芋魁祇指頭大。家園十載生荆棘。何處持螯把酒壺。

題鴨

昂首雲天翅力微。漫悲高處不曾飛。寒江同侶菰蒲老。泛水初心尚未違。

不倒翁

秋扇摇摇兩面白。官袍楚楚通身黑。笑君不肯打倒來。自信胸中無點墨。

葫蘆

成童解喜畫聲名。五十年來不變更。早識今朝灾且難。何須依樣作良民。

山水

狼烟裊裊故鄉愁。夢裏星塘活水流。萬里白雲思母意。梧桐庭院五清秋。

深夜獨飲

魂夢驚猜睡不安。看人作事膽心寒。隨身帶得瓦槃在。鬥酒無因醉夜闌。

蘆笋蘆笋三年必須新插。若過三年。開花無笋。

牝鷄司曉婦當家。親見鄰嫗事事誇。三載不知蘆笋變。滿塘風露發天花。吾鄉草木着花爲天花。

蟲

昆蟲不識有仇恩。作對成雙尚有痕。我共草間苦偷活。風聲過去慘消魂。

題門人畫不倒翁又按。門人係指王雪濤。　二首

爲官分别在衣冠。不倒名翁却可憐。又有世間稱好漢。無心身價祇三錢。
相親寂寞老疏迂。同調忘年德不孤。憐汝啓予商也意。柴門風雪日停車。

題門人畫菊石

每逢佳節説還家。道近柴門打轉車。詩屋清閑思白石。戰場開謝憶黄花。余不還家已歷四年。乙丑夏至湘潭城居越五月。畏盗賊如鱗。未敢省親。

洞賓醉卧圖

兩袖清風不賣錢。酒缸長作枕頭眠。神仙也有難平事。醉負青蛇到老年。

爲友人題畫松柏

北風吹雨過林坳。一角丹楓正寂寥。最愛歲寒墻外原作林下。樹。千章松柏翠陰高。原作松如龍立柏如蛟。

八哥

昨夜啼鴉隔院聞。鄰家太息亦消魂。八哥竊聽當時事。相對凄然不敢言。

門人雪庵和尚贈山水畫按。共二首。二輯卷五已録一首。

秋樹餘霞望渺漫。危橋通徑水潺潺。維摹知得幽人意。添隻扁舟老看山。一作穩坐扁舟飽看山。

不倒翁

曾遊南岳廟前山。也捨三錢買得還。今日不

嫌柴米貴。將翁作畫賣人看。

竹

幽篁繞屋碧雲凉。物滿原來有損傷。最喜竹根隨意走。平安春笋過鄰墻。

畫鷄雛

黑如點漆筆無痕。呼入群鷄可亂真。縱（原作也。）有相逢大誇説。一生都是嫁他人。（原作背余猶道不如人。又自注云。余平生以來。借余畫及篆刻爲進身得知遇者。不勝枚指。）

題如兒畫蟲　二首

蟲紋纖細繭絲粗。世有尖毫雅趣殊。休被畫名誤生世。須防白到汝頭顱。

費力勞神老未除。一朝擲筆米薪無。願兒濁世無須肖。肉飽金多作壯夫。

山水

屋後青山多。斫柴思爛柯。門前溪水流。洗耳不飲牛。可惜借山翁。衰年在外頭。

題李生苦禪畫鴉

題君烏烏倍思親。無補私情愧苦吟。野外虺蛇城内蝎。四千餘里更傷心。（乙丑七月客居湘潭晏家。阿梅及其女甥皆被蝎刺其手。痛苦萬狀。）

題李生苦禪畫桃實

愛君筆底有清香。桃實垂垂隔短墻。欲作東方恣偷竊。啖餘猶恐與人嘗。

題友人畫小兒

怕讀詩書百不知。形骸合是耍孩兒。他年倘得（原作必定。）爲王霸。朽腹（原作兩隻。）空拳記小時。

鷄

蟲蟄五尺爪能鈀。倉虛增賦官如火。汝曹終飽非易供。伏卵伏卵又伏卵。

夢大滌子（按。共二首。二輯卷七已録一首。）

王家供俸大名垂。不識僧家萬世師。自有浣紗西子美。何妨千載有東施。

小鷄

如此何堪作範圍。插籬矮矮且稀稀。世間亦擾雛鷄米。不是穿籬便是飛。

題布袋僧像

此老此老。人譽也好。人駡也好。哪管你開口笑倒。亦有無因尋擾。這個小袋兒。未必能容得許多煩惱。

題畫人物　二首

相君此貌。人必汝冤。是愚是賢。不賊不官。是聾是啞。能聽能言。是仙是佛。不坐蒲團。

非顛非狂。一駡當先。非倦非懶。跏趺如禪。非怪非精。毛髮鬅然。舉目何着。如此青天。

無題

小小蓬窗可遠觀。草苗青比稻苗繁。眼昏錯認江間浪。却被清風吹上山。

題蕭謙中山水畫幅　二首

四山松樹密交枝。墨（原作黑。）入雲雷欲雨時。我羨長安老蕭賁。工夫心苦是人知。
登臨四望總傷神。剩水殘山屋倒傾。到底蕭郎心膽靜。筆端猶有讀書人。

題泊廬所畫松江山水

少節爲官喜上顔。十年塞上破裘還。（一作寒。）今朝剩有公餘暇。猶憶（一作畫。）松江舊日山。

鷄雛

鄰鷄知趕打禾場。毛羽臨風舞彩光。七十老嫗階下坐。笑看藤下小雛忙。

荷

年少何曾欲遠行。開門無物不關情。身閑心静全無事。六月蓮塘暑氣清。

將出京華（直心居士勸余出京。余將何之。因成七律。）

更從何處暫羈栖。客恨鄉愁泪滿衣。舊友心腸關患難。久居街道識東西。南方未報烏鴉哺。北地非因杜宇啼。相伴亦無偷活計。白頭猶有病山妻。

紅梅（按。二輯卷三有山寺窄徑傍紅梅即此題。共二首之一。）

本真不易入時誇。故買胭脂點點加。老幹着來方態度。衆中看去始參差。

老來紅

着苗原不類蓬根。喜得能贏不老身。曾見夭桃開頃刻。又逢芍藥謝殘春。半天紅雨魂無着。滿地香泥夢有痕。經過東風全寂静。艷嬌消受幾黄昏。

題馮臼庵畫竹　三首

下筆憐君六法俱。規模於我久都無。因求痛快全隨意。生死名低讓老夫。
閑人無日却能閑。賣畫何曾足飽餐。寄語同儕高畫手。羡君壁上竹雙竿。
輸却君家掩袖啼。拾（原作捨。）殘經劫有山妻。借山亦有三千紙。雨裹秦灰尺五泥。

題門人畫紅蓼

春風過去牡丹無。造物天工用意殊。江水欲寒洲亦冷。尚餘紅蓼對菰蒲。

題徐佩遐畫幅（仿余筆意作也。又按。徐佩遐。王雪濤之妻。）

善學無須費苦工。手靈心妙自相同。阿吾屢得輕人報。獨有金釵重此翁。

蝦

落日閑行袖手看。荷池清淺水無寒。有錢難買南鄰子。親手撈蝦勸晚餐。

題楊令茀畫幅

楓落餘紅天未寒。斜陽飛鳥倦知還。羨君遠眺忘歸去。停着扁舟江上山。

題楊令茀所臨其師陳師曾畫幅

開圖足可亂師真。奪得安陽石室神。地下有知應一笑。傾心濁世有佳人。

題楊令茀畫百合花兼石榴

墻角石榴熟。山頭百合開。無人相對酌。花外獨徘徊。

松

雷雨朝朝天夜黑。家居幻境松陰陌。不須棚席蓋炎威。赤日行天黯無色。

松

爲松扶杖過前灘。二月春風雪已殘。我有前人葉公癖。水邊常去作龍看。

松

難得當年快活時。貧家衹有老松知。不妨四壁烟如海。燃節爲燈夜作詩。

蟹

不惭顔色殼青原作俱。青。無復文君夢長卿。海内文章遺老隱。汝曹何恃尚一作亦。横行。

蟹

大地魚蝦慘盡吞。罟師尋括草泥渾。長叉密網才經過。猶有編蒲縳汝人。

魚

春雨過去。碧水盈池。石色生滋。魚樂我知。袖手閑觀不再時。

烏

禽畜圓圓卵。羽毛美各殊。憐君哺雛母。顔色似山烏。

芭蕉

少壯工夫在木鳶。鬼符發賣倒餘年。此生不識學書苦。辜負芭蕉作緑天。

茶花

王郎無地胸中竹。謂仲言。黎大有家壁上松。余曾爲德恂壁間畫松。伊用松名庵。我亦茶花開筆底。杉溪莫忘歲寒冬。

山水借山館。

當時有味是清閑。雖設柴門盡日關。經過宦遊陽朔原作羨。者。羡儂屋後數層山。

山水

當年深竹繞前溪。緑上青霄覺屋低。聞道今朝寧似舊。高山千仞是黄泥。

山水

太平身暇即劉安。金鼎何勞苦煉丹。竹裏草堂鷄犬響。却疑人在白雲間。

山水

山行無復舊青苔。萬物傷心豈眼開。顛倒長松傾破屋。舉頭猶見鶴歸來。

又我齋百篇聯語集題詞　二首

百聯才思未曾窮。斯世猶能有此翁。向後有人知又我。從今莫謂病無功。

杜公詩思（原作由。）愁盈腹。韓子文章道未窮。筆陣是誰爲老將。推君旗鼓作先鋒。

蟋蟀籬豆

秋風吹得晚凉生。扁豆籬邊蟋蟀鳴。人却怕寒嫌促織。從來不喜紡車聲。

山水

九載別家遊。藏書負汗牛。門前一溪水。流不去鄉愁。

泊廬贈畫題三絶句（録二。）

工夫何必苦相求。但有人誇便出頭。欲得眼前聲譽足。留將心力廣交遊。

不讀書人要買書。入門形勢作名儒。贏他一着三間屋。何愧胸中點墨無。

重聚留影（并序）　四首

前十一月某日余生期。諸生爲余合照小影記事。余題一律。直心居士見之。以爲非祥。語之仲恂。恂述其言。余曰。衹要詩好。生死何關。衹是此生有未爲之事。遂約諸生復聚。余着僧衣再照小影。以了佛緣。他日亦作剪紙可矣。

浴浴殘軀沐沐顔。在家可與佛同龕。天花亂墜吾曾着。記得前身是阿難。（余初遊南岳廟。見大鐘恍然舊物也。）

何方灑脱話（原作活。）餘年。借得僧衣不論錢。安得妻兒難認識。人生何必作神仙。

除却清言口便緘。世人都笑老愚頑。最難諸子從吾好。知道人間有借山。

袈裟遮體俗全無。塵土堆胸愧有餘。還是阿吾還是佛。却非活佛却非吾。

蟬兼秋草　二首

不欲聲高響衆知。山邊墻角草垂垂。五銖絲薄衣單冷。直到霜嚴葉落時。

飲將清露飽休飛。富貴彈冠素願違。怪底秋風太多事。無因來到鬢邊吹。

垂樹枝下水仙花

濃陰碧樹早隨烟。亂椏枯枝剩倒懸。殘雪冷冰寒透骨。被人呼作是神仙。

將發朱藤

亂椏半庭顛倒影。嚴霜殺葉已多時。春風最有相憐意。猶自殷勤滿架吹。

紫藤

密雲無日午純陰。倒挂斜垂作棘林。野雀不知香色意。花開花落不關心。

雀兼梅石

卧地梅開天欲雪。千山飛絶鳥何之。寄言石上饑寒雀。看汝栖栖有暖時。

小雀 鄉人呼爲雨霏霏。因鳴似三字。鳴必雨。通身紅色。頭有翎毛。尾長尺餘。

鄉山卑濕不思歸。三尺黄泥足力微。燈節雲連端午後。朝朝不斷雨霏霏。

畫月映蘆荻。二水鳥猶未栖止

北風蕭瑟鳥何之。魚盡江干可去時。惟有枯蘆根不滅。勞兹日月苦奔馳。

題畫 并序

> 厰肆有持扇面求補畫者。先已畫桂花者陳半丁。畫芙蓉者無款識。不知爲何人。筆墨與陳殊徑庭。余補一蟲并題。

芬芳丹桂神仙種。嬌媚芙蓉奴婢姿。蜂蝶也知香色好。偏能飛向淡黄枝。

猴兒盜桃實

桃實無人大似盆。攀枝上樹世無倫。如君本事甘爲竊。羞殺貪狼欲噬人。

竹

絶無此竹是長安。挂在長安愛者難。愈老愈剛寒且瘦。十分不俗幾人看。

題趙生畫葡萄

塗紅抹緑但求妍。欲合時宜捨本原。十載以前同此趣。無多筆墨出酸甜。

夢與雪庵共話

此身祇合共僧流。萬事從頭早已休。老境客稀私竊喜。故園兵久漸忘憂。懶看芍藥三春暮。已負芙蓉九月秋。夢幻由人心意作。曇花常現座前頭。夢雪庵自稱老曇。夢後五日。雪庵見此詩。自言削髮時原名續曇。幻境不可謂無憑也。

菊蟹酒缸

客中風物豈相違。與酒無緣强把杯。泥草早枯江水盡。菊花黄矣蟹初肥。

將就

事能將就易相安。我輩惟憂死後難。三等下車高士在。百年伴鬼寸心寒。低頭鶴到燈前影。余五十歲後即滿頭鶴髮。深雪牛眠屋後山。今秋貞兒來京。謂某知地理者。擬余身後與移孫合冢。爐火不寒堪過活。不妨輕快布衣單。四年以來。内着絲綿短襖。外着單布長衣。便過冬日。

山水

山川零碎際。把筆發愁思。隔岸生烟遠。屏山見日遲。風輕帆自覺。秋到柳先知。問汝扁舟客。回頭在幾時。

石榴

金風解惜世流涎。吹得天漿上樹顛。無奈諸君還不足。笑言更有棗梨甜。

母鷄兼雛

艱難伏卵勝懷胎。待出雛來氣力一作血。衰。禽畜也應不忘母。羽毛脱盡聽蚊雷。余題此句有所感也。

芭蕉

白石山前稚子情。杏花村裏老人星。客窗下筆還惆悵。怕慣春來夜雨聲。

題簡小溪學畫短槳

高官厚禄在能言。倒挂天河瀉水源。一夜讀終三萬卷。笑君不值一文錢。

草蟲粟上蝗蟲。

禾田楓樹尚增糧。離亂家家抱痛傷。才過緑林官又到。豈知更有害於蝗。

孔才携雪濤畫囑題

全删古法自商量。休聽旁人説短長。豈識有人能拾取。絲毫難捨是王郎。

獨脚凳此凳一足。高尺餘。牧童春雨泥濘時用也。

四面摇摇立脚難。坐須人力自相參。是誰弃汝爲官去。凳上黄泥尚未干。

題牧牛圖又按。黎集佚題。故添加此題。

祖母聞鈴心始歡。也曾總角牧牛還。兒孫照樣耕春雨。老對犁耙汗滿顔。又按。齊璜幼時牧牛身繫一鈴。祖母聞鈴聲。遂不復倚門矣。

爲加納君題卧遊室　二首

畫幅如鱗叠四墻。北方謂屋壁爲墻。尺縑天地在君旁。分明閑者卧遊室。却被人呼白石堂。加納四壁皆懸白石畫幅。人呼其室爲白石堂。

東城何止一千家。壯麗樓堂壁盡遮。慚愧衰頽偷活計。諸君猶作頌揚誇。

除日

新桃又换舊符焚。何日能干客泪痕。誰寇誰王誰管得。庶民無難即君恩。

水莽草

醫瘡百草總無靈。裂膽穿腸汝獨能。生此毒根遍人世。老天德缺上無刑。

題友人冷庵畫卷按。共二首。二輯卷七已録一首。

層次分明點畫工。啓人心事見毫鋒。他年畫苑三千輩。個個無忘念此翁。

題畫漁翁

看着筠籃有所思。湖干海涸欲何之。不愁未有明朝米。一作酒。竊恐空籃征税時。

李鐵拐圖

還尸法術也艱難。（李鐵拐神出其尸爲弟子焚化。借餓殍之尸魂。有憑焉。）應悔離尸久未（一作不。）還。不怪世人皆俗眼。從無乞丐是仙班。

八哥白菜

雀巢不欲占爲家。牛背歸來夕照斜。不道主人如菜色。巧言三字僕傳茶。

某索題菊花照影（園丁謂此花名龍虎怒。言花瓣似龍爪虎牙。）

秋光留影菊花素。張爪露牙龍虎怒。花草如此見精神。須知籬外愛花人。

畫天竺

人知自足始非愚。不管明朝一飽無。豈獨富豪三百石。珊瑚顆顆自穿珠。

天竺

天竺子紅三五尺。人言繞屋是珊瑚。今朝兒輩還家去。盡把根苗快鏟除。

題畫荔枝

方紅陳紫宋家香。根本酸甜自度量。既有徐寅知味美。何須人世共誇張。

題畫荔枝

身無官職任閑遊。一事無因到廣州。日食荔枝避賓客。布衣難見勝公侯。

畫荔枝

嶺外閑遊福命乖。買園門鎖夏天開。朝朝梯上千回樹。飽腹移陰席緑苔。

荔枝

折來猶有荔枝思。不忘曾遊過嶺時。爲客心閑形迹静。蜻蜓飛上手中枝。

畫菊

春風不到夏天來。秋盡應無草木胎。天下誰憐園圃菊。冒霜猶自亂叢開。

題畫蓼花兼菊

人工勝天巧。頃刻秋光好。哪怕西風陣陣寒。蓼花紅菊也開了。

題畫菊

屋角光華。籬下晴霞。簪之却勝春花。餐之又勝丹砂。

題畫黄牡丹

不須雨露憐花。筆補造化濃華。願作徐黄走狗。無心誇説姚家。

題畫牡丹

紫紫黄黄拂檻華。春風不吹自開葩。魏姚院宇今何在。却似齊家紙上花。

畫老來紅

秋光已盡色方佳。紅葉如花二月開。我怪寒霜亂多事。無因飛上鬢邊來。

畫老少年兼鵪鶉

鵪鶉不鬥一雙閑。百結毛衣世欲嫌。幸有珊瑚枝可喜。并來也值幾元錢。

題林景韓水墨老少年景韓好佛。

紅顏垂老豈修持。未被仙丹害苦思。羨汝本心墻外草。青青終是少年時。

賓臣將所藏某某山水畫請題二首

寂寞衰年合竹霞。謂竹霞洞。七年遷後慣無家。寄萍欲入雲深處。離亂樓居怕麗華。

風船

一日晴波山萬重。柳條難繫順風又作故人。蓬。笑一作勸。君直一作莫。到無邊岸。也恐回頭是此風。

題畫水仙

冷雪殘冰寒透。翠帶玉容如綉。誰言草木本無情。也有顛倒時候。

畫山水

閑閑小犬卧危廊。盡日無人到草堂。墻角老鴉啼不斷。幾枝烏臼一天霜。

雪庵與余合作山水并題

秋風經過未寥寥。猶有漁家近板橋。羨汝釣翁歸去路。荻蘆州上晚蕭蕭。

題林景韓卧地看雲圖

佛號鐘聲寺院非。景韓自言。深山奇處合幽栖。憐君不苦尋煩惱。席地看雲此最宜。

題門人楊溥畫册十二頁

無時洗馬休殘害。流水空勞鳴急瀨。且喜山山有路通。杖藜欲出青山外。

柳塘春漲圖

楊柳碧垂垂。雨雲飛復飛。塘頭春漲滿。可惜不聞雷。

溪山曉靄圖

無痕襯染最憐君。慘淡山光渾入神。宿靄曉來何得似。九分氛祲一分雲。

岱岳山麓古柏圖

古柏蒼蒼岱麓邊。瘦蛟盤屈活千年。靈根閱世如能語。誰是誰非概朗然。

題門人楊溥春流岸岸深畫册

連年苦雨望晴霞。常斷炊烟處處家。如夢不醒雲萬里。溪潮上岸礙桑麻。

夏山欲雨圖

春山無樹必生茅。（林密無茅草。非居深山者不知。）哪怕年年用火燒。惆悵無人種桑梓。白雲空布濕陰高。

題王代之瀑雨圖

銀河倒挂水全傾。截斷長空風不行。求飽老翁思米賤。欲來驚蟄聽雷鳴。（諺云。驚蟄鳴雷米似泥。）

題畫木筆

罵人多恨此何愚。秃筆如山太史無。但願生人天意合。百年以後出南狐。

畫木筆

二月春風長緑苔。眼昏不覺上階來。兒孫笑折花枝到。才曉墻頭木筆開。

題畫木筆

木筆含葩秃且粗。可能濡墨作書無。是非此日誰能管。百載無情有董狐。

畫枇杷

老病却思鄉。田園好風景。坐啖盧桔黄。芭蕉慢移影。

畫枇杷

厭嘗世味况枇杷。任汝黄金壓樹斜。經過白沙啖千顆。始知不負隔年花。

題畫枇杷

隔年風雪看花發。值到春殘始漸黄。難得丙丁身手健。筠籠提盡滿園香。（按。丙午丁未。即一九〇六至一九〇七年。）

畫海棠蠟燭酒具

千金一刻是春宵。沉睡何如醒醉嬌。此老風情全减未。夜深銀燭爲花燒。

畫海棠子

海棠着蕊未開時。上樹兒童折幾枝。如此春光無護惜。勞兹日月往來馳。

山水横卷。爲門人畫兼題

畫家能事最憐君。知者三分罵七分。相似當年僧大滌。（王氏謂曰。大江之南。惟有石濤一人。）黄河東北祇斯人。（余謂此時畫山水者。惟雪庵有别派。）

余畫家山天竺。人不能知（山野天竺。皮如竹籜。幹如黄連枝。）

枝似竹籜風力倦。實如天竺霞光襯。何須人世共知名。奇幹靈根君不見。

題畫松

拏空獨立赤鱗鼓。風動垂枝天助舞。草木何心解化龍。溪頭任汝雷兼雨。

畫松兼石榴

天恩雨露一般濃。草木争榮各不同。松樹心凋誰更識。石榴皮裂自相攻。

題畫水仙花

顏色不分江畔雪。精神可并嶺頭梅。世人呼作佳人好。稱作神仙自覺非。

畫芍藥

紫雲紅霧繞朱門。三月東風可斷魂。吹得此花開過後。百花休欲忘春恩。無論秋冬百花。無不春日茁苗。

題畫芍藥

閑爲芍藥脱靈胎。挂向蕭齋壁上開。欲笑春風猶盡力。颼颼時自入窗來。

畫杏花

春風過去地猶香。星斗塘前杏子塘。七品狀元無此夢。杏花花下看鴛鴦。

畫杏花

東鄰屋角酒旗風。五十相離六十逢。歡醉太平無再夢。老年辜負杏花紅。

畫牽牛花

千年七日總荒唐。夢裏神仙事豈忘。扯草牽牛雀橋過。那時霜鬢却無霜。

畫玉簪

輕輕鴉嘴付山姬。栽向墻陰開正宜。莫笑此心終未展。瓊臺甲帳醉曾遺。

門人黄山桃贈栗

通身猬刺難伸指。滿樹霜苞正怒開。一十三梯能上樹。山桃折栗帶枝來。

畫栗

樹高十丈出紅塵。一怒思看犢角痕。窺户小猿三百個。盗桃老賊手難伸。

畫折枝木芙蓉

一夜芙蓉發。折枝北海涯。秋風若相識。來吹手中花。

畫山蘭山蘭較盆蘭尤香。

承長空雨露。茁山野幽花。笑室中盆裏。論香氣參差。

畫蝦

泥水風凉又立秋。黄沙曬日正堪愁。草蟲能識前江闊。早出山溪趁細流。

蝦

春草池塘響水車。餘霞峰外夕陽斜。劫餘水盡魚何在。泥足埋腰捉老蝦。

畫魚戲木芙蓉花下

池上有芙蓉。倒影來水中。水中有雙魚。浪碎芙蓉紅。

題畫菊兼蟹

時味因多過後嗟。門無擔賣似鄉家。欲知螃蟹肥時到。自向籬邊看菊花。

畫蝦

題詩倩樊嘉。蝦曰燕來蝦。北地好風味。持杯却憶家。

題畫蝦

少小閑閑便是仙。年年桑柘正春天。蝦盤座上鄉鄰酒。醉倒忘憂五百年。

題畫蟹蝦

蘆枯有蟹。蘆腐有蝦。新愁無酒。遠慮有家。

題畫蛙

厭聞萬籟聲俱悲。况汝揭揭動地催。何獨無能通變化。田泥風雨發春雷。

畫老農食蟹圖

馬嘶欲食穀。犁牛何苦忙。放下手中犁。且喜蟹螯香。

畫貝葉秋蟬貝葉紋細如蜻蜓翅。 二首

太平年少字情奴。兒女旗亭門唱酬。吟調較高蟬翅咽。詩心細比葉紋粗。余四十以前之詩。樊樊山易實甫稱譽之。五十以後。皆口頭語。不爲詩也。

畫苑前朝勝似麻。多爲利禄出工華。今吾原不因供奉。愧滿衰顔作匠家。余以爲。工細無論今古。皆爲匠家作。

題畫低枝蟬影

薄翼無須盡力飛。居身何必與雲齊。但能飲露長如此。流響何妨掃地低。

畫石頭兼蝴蝶蘭

石頭焉立補天功。誰謂揮毫造化同。草上因風蝴蝶舞。諸君都道可憐蟲。

畫蝴蝶蘭

乍開簾幕氣輕清。寫入溪藤別有情。栩栩風來欲飛去。也應前世是莊生。

題畫菊兼紡織娘

滿地紅雲粲菊英。題詩牽引故鄉情。牛山山外杏子塢。不再青年厭紡聲。余少年厭聞紡車聲。

題畫鷄兼白菜

蟲食菜。鷄食蟲。菜益損。蟲無窮。此詩與家鷄臨菜圃。蟲盡菜俱傷。其意不同。

題畫喜鵲兼菊花

不知哀角動山丘。哪管黄花已暮秋。羡汝安閑人不若。稱名爲喜自無愁。

題畫蕉兼鷄

小窗晨起理鬚梳。空際鷹聲下小廬。但願秋

風休早到。留將蕉葉蓋鷄雛。

畫八哥

衹因食肉養成痴。有翅無心飛去時。一切是非都説得。筠籠身世獨難知。

畫鳴鷄

饑時能自食。渴時能自飲。山川雷鼓人不聞。何能唤醒白晝寢。

畫紅樹兼小鷄

化身鸞鳳却無由。好鬥生成亦勇謀。憐汝一群紅葉下。不知風景已殘秋。

畫鷄雛　二首

能啼誰守信。出殼却精神。菽粟應皆飽。雌雄尚未分。
欲栖還傍母。知鬥漸離群。同在筠籠内。德音亂不聞。

題畫雀（長短句。）

梅耐歲寒。石長年壽。天不願人太寂寥。也有雀兒飛來時候。

爲門人題葫蘆下着鳴鷄

家鷄曾不有饑情。綉頸花冠漆點睛。喔喔一鳴天下曉。葫蘆黄候是秋聲。

題畫鷹　二首

禽類人多食。蒼鷹嘴爪殊。搏鷄民屋側。捕雀樹林疏。
側目愁胡未。攫身懼網無。三秋立拳石。看汝占平蕪。

畫鵪鶉

好鳥好鳥。不識搔擾。不耻百結衣。不羨飽鷹爪。能知不越前横草。

玉蘭花下兼鷄雛

玉蘭開在早春晴。却比桐花香氣清。出殼小鷄能唧唧。（小鷄鳴似蟋蟀。）不知天外鳳雛聲。

籠外八哥

可學鸜哥語。豈學鸜哥苦。莫自入筠籠。飽肉忘飛舉。

小雀

亂塗一片高撑石。恐有饑鷹欲立時。好鳥能飛早飛去。他山還有密低枝。

畫竹鷄

不管世人醒也未。被人呼唤亦爲鷄。魂飛四野無湯火。林下清風竹影低。

畫慈菇草外閑鷗（過九江作。）

潯陽江上有池塘。風過慈菇葉有香。羨汝閑閑鷗兩個。羽毛何必似鴛鴦。

題畫雛鷄

雛子雛子。雌雄誰是。他時得汝屬何人。願

他有天良羞耻。

題畫鵪鶉

庭樹通宵梟有聲。山岩鷹飽縱飛騰。鵪鶉不越前横草。不欲高飛可避矰。

題門人李生畫册

按。共三首。二輯卷七已録二首。

黄筌一輩折枝花。脱略凡流自一家。一技再傳堪一笑。侯芭猶有女侯芭。

爲許情荃作畫隱園圖并題　二首

悠悠水繪勝名垂。地以人傳非譽詞。若向柴灣問陳迹。天邊還有夕陽知。
少時余亦字畫隱。人世不呼呼馬牛。欲把雕鎸遠相贈。附公名下亦千秋。余廿七歲時。自號畫隱。友人王仲言爲刊畫隱二字印。

憶星塘老屋紅梅　二首

蛇形地名。老樹繞紅雲。墻角山腰香有痕。數盡花鬚復尋句。人生幾日作閑人。
不比桃花與杏花。凝香深雪壓枝斜。青天有意憐寒寂。費盡胭脂着老杈。

遊仙

御風昨夜别神仙。羅袂生凉斗酒前。三唱晨鷄天色淡。芙蓉城裏月娟娟。

應門人所求　二首

薔薇近石正開枝。未到秋風花笑時。可羡石頭頑且固。四圍荆棘却無知。
梅蘭俱异香。并之香更溢。着葩霜雪中。非借春風力。

借花笑人

藤蘿花發暖風侵。滿架晴香院落深。欲笑海棠顔色好。受人恩惠乞春陰。

夢遊所見

參差萬樹碧陰閑。寂寞江邊屋數間。安得移家容我住。清平老對隔江山。

懷棠花村羅情園

一官歸去白泉清。先輩餘年尚太平。回憶棠花村裏客。蔬香樓上月三層。

題昆明湖艷泛圖　二首

頤和園裏舊留痕。不見登場打鼓人。前清孝欽太后令小叫天王瑶卿演劇。君王登場打鼓。零亂江山餘福在。扁舟艷泛又逢君。
昆明水淺且澄清。顧影翩鴻是洛神。都道玉華歌舞好。誰憐君是可憐人。

癢處自搔

一生搔癢手。人世固稱稀。晚歲身衰余背癢。搔爬着處自家知。

題畫鼠

鼠腸自飽人肚饑。破壁空倉真煩擾。汝身雖微害不小。

題門人贈畫菜

雨也贈我菜。知我嗜此好。蔬笋勝良肉。何曾同我飽。何况鮫綃上。拈筆纖纖巧。人自命畫師。吾賢休壓倒。吾生一技有替人。誰謂山翁清福小。

孤坐

小窗獨坐欲眠時。忽憶王郎有所思。我老苦思孤僻好。更誰能作雪濤師。

看某生印草。題句兼寄按。二輯卷七有題某生印存印此題。共三首之一。

解耻鎸銅笑鑄鐵。青年二子爲奇絶。生龍活虎馬行空。系電流雲天忽裂。

題一燈樓畫扇册子

一燈寒暑苦辛勤。賢母從來别有恩。聊報母恩在何許。丹青不意并詩文。

題門人李生畫幅又按。門人李生指李苦禪。

一日能買三擔假。長安竟有擔竿者。見隨園答金壽門書。李生學吾能似吾。一錢不值胡爲乎。品卑如病哀人扶。李生耻之真吾徒。

客有買畫求减值者。作此詩書於寄萍堂上

草間一粥尚經營。刻畫論錢爲惜生。安得化身千萬億。家家堂上挂丹青。

題李生畫

誰放籠鵝在此間。惠風天氣幾時還。芙蓉花發秋風起。天下從兹漸漸寒。

老境

心衰把筆更茫然。白字能追落字先。余年來把筆。字多錯誤。惟白字尤多。向後自家難斷句。作書臨發再加圈。

題小鼠傾燈圖

汝輩傾燈我欲愁。寒門能有幾錢油。從今冒黑捫床睡。誰與書田護指頭。

題門人印草

漢璽秦權古趣殊。冶爐門人謂余以權璽冶爲一爐。惟子解從余。蛇神牛鬼看能見。活虎生龍捉欲無。下拜獨憐雙蝶變。謂二金蝶堂印譜。久傳還羡六家俱。工夫深處殘燈識。休欲人逢譽大巫。世人皆罵效余爲。洗盡凡刀做削非。村水細流天欲倒。印草中最佳者。有水竹村人書畫與天無極印。館雲四布雨斜飛。

日本友人著有廣花案索余畫并題句。以補篇幅

憐君不負有情人。描寫娉婷筆有神。頃刻佛龕蓮座上。鉢曇一現衆花身。

題朱虚谷虚齋金石録

晋秦韓趙魏幽燕。廿載搜求豈偶然。銷盡輪蹄三萬里。古今原作吉金。以外别無緣。
集腋成裘太苦勤。徵詩三柬最憐君。紛紛濁世閑情在。不薄今人愛古人。

夢百梅祠木芙蓉

家鷄踏破緑苔叢。十五年來别此翁。且喜兒

孫能繼植。門前一樹木芙蓉。

題畫釣翁

昨日爲人畫釣翁。今朝依樣又求儂。老年最肯如人意。幅幅雷同不厭同。

爲門人于非闇題畫釣蝦圖

衰老耻知煤米價。兒時樂事可重誇。釣魚憐汝曾編記。何若先生舊釣蝦。余小時嘗以棉花爲餌釣大蝦。蝦足鉗其餌。釣絲起。蝦隨釣絲出水。鉗猶不解。忘其登彼岸矣。

種蕉

閉門且喜少人敲。晚歲心情合寂寥。喜聽窗前蕉葉雨。不妨日日響蕭蕭。

題畫鷄雛

昔人化蝶翅翩翩。栩栩蘧蘧未上天。一作問余何事不歸田。偷活長安十五年。何不一作安得。將身化鷄犬。白雲深處作神仙。

題畫枇杷

花開不怕雪霜寒。時命同梅是一班。梅子調羹入珍席。枇杷結子爲誰酸。

録余自食其力。一粥無饑。老當息肩。以詩聞諸舊友黎松安。王仲言。陳茯根。羅醒吾

草裏偷安十五年。家園一擲纍兒肩。畫如官米饑堪煮。硯勝湘田亂可遷。經劫貧寒都是福。得閑風月豈無緣。從今緊把蓬門閉。長對羲皇以上眠。

遊北海公園歸後作

秋風一夜薔薇落。北海荷枯剩草沙。園菊已開霜正冷。滿城寂寞别無花。

九日與黎松安登高於宣武門城上按。共六首。二輯卷八已録二首。 四首

隱隱西山隔暮烟。落霞一角欲燒天。杞人堪笑君休肖。最好長安一醉眠。
揚塵城下大車來。四野蕭條景物衰。漫道霜風太多事。得時黄菊正當開。一作國際有憂民有分。諸君何以好懷開。
偷得今朝半日閑。登城一望總凄然。欲窮一物供衰眼。祇有西山似昔年。
錦衣白晝耀光華。千里遼寧咫尺家。此日若忘身富貴。九原應不悔專車。

天津美術館來函徵詩文。略以古今可師不可師者。以示來者按。共六首。二輯卷八已録四首。又按。天津美術館建於一九三〇年。嚴季聰任館長。 二首

造化天工熟寫真。死拘皴法失形神。齒搖不得皮毛似。山水無言冷笑人。
天下無雙畫苑才。古今搜集費安排。最難君等俱多事。不肯風流并草衰。

畫鷄冠花

菊花占斷東籬下。敗圃荒烟長翠翎。滿地秋風舞若門。五更殘月静無聲。

題陳師曾畫幅按。二輯卷八有松安席上見壁間陳師曾遺畫即此題。共二首之一。

人人誇譽妙徐黄。畫出花枝滿紙香。造物有

才天欲忌。翻教老泪哭槐堂。

熊佛西求畫寫劇圖題二絶句

憐君寫劇正成編。白髮丹青一慨然。正是京華花落候。世間重見李龜年。

不見梨園六品臣。京師諺云。戲子天子。前朝慈禧喜小叫天王瑶卿演劇。君王必登場打鼓。孝欽訓政。叫天瑶卿皆賜六品緋衣。供奉内庭。銀幣之賜無虛日。登場打鼓帝王尊。賜揮銀幣無虛日。淪落瑶卿尚感恩。叫天早死。今日瑶卿白髮淪落矣。

題畫山水

小橋流水清且淺。山外青松一萬株。離亂世間如一作看。此景。斷除幽夢想西湖。連年舊京竊恐變亂。吾亦思遷西湖。

題友人指頭畫

古人最愛高南阜。今日誰知君又逢。二百年來雙妙手。烟雲滿紙筆無功。

携杖圖

穩步從容衣褦襶。一身輕便無冠帶。羡君無事且閑看。杖藜行遍青山外。

畫遊僧

緩步閑遊當飛錫。千愁萬苦奈空何。心安不管風幡動。猶指塵埃作甚麼。

題汪藹士畫梅册

紙上寒葩别有春。删除群艶見天真。着花老幹偏多態。斷角殘笳惜斷魂。

平生三友

詩書寂寞友。草莽患難友。筆硯生死友。

三餘又按。此餘與古人三餘有异。

畫者工之餘。詩者睡之餘。活者劫之餘。

王廣楣女弟子於借山館之字簍。得扯弃之畫半幅。裱褙後。求余補題姓名。得一絶句

最憐拾取已捐材。石醜藤枯信手來。向後是非花不管。無言猶自紙間開。

題畫瓜紀當日事實。

客來索畫語難通。目既矇矓耳又聾。一瞬未終年七十。種瓜猶作是兒童。

瓜

不須雨露費恩賒。頃刻毫尖斗大瓜。造物幸蒙天不忌。行年七十玩京華。

題張篁溪張園春色圖

四千餘里遠遊人。何處能容身外身。深謝篁溪賢父子。此間風月許平分。

天壇看秋海棠

天壇依舊海棠肥。草木何心解是非。秋氣已凉霜未冷。好花紅處百蟲飛。

畫鶴并題。寄金松岑紅鶴山莊

文章聲譽動人寰。著作山莊歲月寬。倩鶴寄書四千里。羡君八月虎丘山。

畫紅梅

御風昨夜逢姑射。乞得丹砂點艷裝。雪後横斜天欲暮。此花以後别無香。

爲張仲葛畫葛園耕隱圖并題

黄犢無欄繫外頭。許由高逸是同儔。因君仍想扶犁去。哪得餘年健似牛。

前題

耕野帝王象萬古。出師丞相表千秋。須知洗耳江濱水。不肯牽牛飲下流。

宗子威李釋堪諸君八人公函云。重陽日午後齊集北海漪瀾堂品茗。瓊華島登高。分韵余得聞字按。另二首見二輯卷八。

异鄉無物不消魂。四顧荒凉一客身。北海荷枯秋又盡。滿城蛩語冷無聞。亂飛高下初歸鳥。一角西南舊夕曛。余家在西南方。此日龍山如憶我。謂龍山社友。故人登望泪沾巾。

秋蟬

吟聲何苦原作無心聲遠。借松原作桐。高。翅薄輕身過柳條。一夜秋風來小院。無情一樹碧陰凋。

(附)詞　録

題伯常翁畫像　雨中花

洗耳瀟湘流水。遊屐衡雲留滯。藥物須良。功名何用。求得長生是。　滄海桑田真一瞬。豈屈官階多事。更抛却殘書。删除痛飲。休抹靈均泪。

前題　青玉案

孤雲無着將何去。但浩嘆。含辛楚。七二峰青今歷遍。受蒼松實。飽青精飯。伯常翁前月遊南岳。七日方返。世味差同否。　好從彌勒同龕住。識字兒孫自呵護。漫笑白頭稱世處。形骸道德。文章著述。也合衣冠古。畫像着古衣冠。

前詞二闋。乃余自生世以來。開張第一回所填也。美惡自不能知。回呈沁師教正。弟子璜上草。仙羲二弟即此就論不另。

憶家山　生查子

少年事遠遊。湘上春光好。异地憶家山。馬上斜陽道。
衰年滯遠遊。湘上兒孫老。争得劫餘身。鬢角秋風早。

哭二弟純松按。純松死於一九二九年。　西江月

牧笛杏花村裏。鈴聲楓樹林中。人生能看幾春風。容易鬢邊霜重。　始信離鄉驛馬。終傷久客雕蟲。死生骨肉不相逢。天下微名何用。

題如兒畫抱葉墜蟬　憑欄人

閑寫西風葉有聲。客裏光陰休看輕。寒蟬無世情。墜來猶曳鳴。

憶家山　生查子

瓜蔬小院天雨。鐵栅三間畫家。二十三年久客。故鄉辜負梨花。

題如兒畫　梧桐影

蟋蟀鳴。輕寒早。容易秋風年復年。休教不覺丹青老。

題畫白菜兼鷄雛　長短句

鷄雛鷄雛。昨非今更非。篘籠木栅被人炊。何處可歸栖。風冷夕陽低。

山月圖　長短句

無情三兩長松樹。不管流光西去。分陰難捨是吾徒。長把月輪留住。

夢還岳麓山　南鄉子

水淺白沙高。曲徑寒霜殺草蒿。顛倒半山紅葉。蕭蕭。又是秋風作怒號。　僧去免狐驕。寺外殘陽射寂寥。何處西天回首。遥遥。寺裏寒鐘手再敲。

重上陶然亭望西山　西江月

四十年來重到。三千里外重遊。髮衰無可白盈頭。朱棹碧欄如舊。　城閣未非鶴語。菰蒲無際烟浮。西山猶在不須愁。自有太平時候。

雲隱樓題詞　西江月

雲隱樓頭高士。身離虎尾春冰。捲簾飛不到紅塵。衹有雁聲能聽。　看慣從前朱紫。不知將老丹青。可容風月許平分。我欲與君鄰近。

友人贈梅花　長短句

南方多者。松竹山茶。雪裏遠天涯。惆悵歲寒朋友。長安衹是梅花。

題枯荷畫幅　長短句

秋天來了。西風裊裊。荷花沼。墜水殘紅多少。静直遠聞香。幾夜新霜。留得一年光景。清露冷蓮房。

丙子春。陳散原先生在左安門内袁崇焕督師故宅補種雙松。篁溪學長屬繪圖卷。并題小詞深院月四闋

憑吊處。泪汍瀾。劍影征袍逝不還。野水凄凄悲落日。一枝北指吊煤山。

三面水。繞蘆灣。歷劫雙松化翠烟。聽雨樓傾荒草蔓。一叢野菊曙光寒。

池上月。逼人寒。龍臂曾聞繫錦鞍。從古孤忠恒死國。掩身難得一朱棺。（袁督師冤死。義僕佘氏負尸藁葬廣渠門内廣東義園中。）

壇畔樹。聽鳴蟬。斷續聲聲總帶酸。（故宅北有袁督師廟。即昔之誓師壇遺址。）玉帳牙旗都已渺。白虹紫電夜深看。（篁溪

藏晉師遺
物甚多。

自嘲 西江月

强作中華風雅。平生幾筆丹青。
浮名何用聞聞。於國於家無分。

第三編 續補詩詞聯語 王振德編注

此編補入詩詞(包括散句)七十七則、聯語五十六則,共計一百三十三則。一部分由《借山吟館詩草》、《白石詩草二集》之佚詩,及已發表的有關齊白石著述和齊白石題跋中補入的。另一部分是由齊佛來先生提供的。爲反映齊白石詩詞藝術全貌,備録於兹,作爲本卷第四輯第三編。

題牡丹 散句

莫羡牡丹稱富貴。却輸梨桔有餘甘。按。此乃齊白石二十七歲在胡沁園藕花吟館集會所作。本爲咏牡丹七絶。現僅剩此二句。

題紅綫盜盒 按。典出《唐人小説》。《太平廣記》等。

潞州迢迢隔烟霧。千里月明御風去。龍文匕首不平鳴。銀光夜逼天河曙。銅雀無人漳水流。一葉臨風下魏州。我今欲覓知何處。漳水月明空悠悠。

題壽翁 按。此壽翁詩當是對唐名將郭子儀之頌揚。

綉服華簪鶴髮仙。安危身繫廿餘年。兩京次第看烽熄。單騎從容服虜旋。點領兒孫朝笏滿。中書門閥帝姻聯。放懷唐室思元老。壽考勛高富貴全。

題東方朔 按。東方朔。字曼倩。漢武帝時大臣。

歲星偶謫碧天高。金馬門前待詔勞。壯歲上書驚漢武。明廷譎諫勝枚皋。來來試卜篋中棗。往往曾偷天上桃。目若懸珠鑿編貝。侏儒端莫笑吾曹。

題諸葛亮

屢顧茅廬感使君。隆中策早定三分。南陽魚出欣逢水。西蜀龍飛便得雲。持己一生惟謹慎。出師兩表見忠勤。何圖永鎮蠻方後。遺恨空屯北伐軍。按。此詩人三十二歲前後題畫之作。

題梅花天竹白頭翁

笑煞錦鴛鴦。浮沉浴大江。不如枝上鳥。頭白也成雙。按。此爲光緒十九年題畫詩。

題白雲紅樹圖

我亦人稱小鄭虔。杏衫淪落感華顛。山林安得太平老。紅樹白雲相對眠。按。此爲詩人四十歲前後題畫之作。鄭虔係唐代文人。詩書畫三絶。爲杜甫詩贊之。詩人心向往之。且以小鄭虔自許。

題楓林亭外圖

楓林亭外夕陽斜。老大逢君更可嗟。記否兒時風雪裏。同騎竹馬看梅花。按。此首係詩人四十歲前後楓林亭逢朱大舊句。

題萬梅家夢圖二絶句

偶騎蝴蝶御風還。初雪輕寒半掩關。繞屋横斜萬梅樹。却從清夢悔塵寰。

安得蒲團便是家。凍梨無己鬢霜華。墜身香雪春如海。天女無須更散花。按。詩人不惑年題畫之作。

八蟲歌

從師少小學雕蟲。弃鑿揮毫學畫蟲。莫道野蟲皆俗陋。蟲入藤溪是雅君。春蟲繞卉添春意。夏日蟲鳴覺夏濃。唧唧秋蟲知多少。冬蟲藏在本草中。按。白石四十七歲前後遠遊歸鄉對山野草蟲熟視細觀之作。

散句按。録自白石爲茶陵譚氏刊金石文字印邊款。

姓名人識鬢髮絲。今日更傷寒酸客。

題紅杏烟雨按。壬戌春日爲寶丞題畫。

前時春色較今濃。紅杏開花烟雨工。清福無聲尋不見。何人知在此山中。

題牡丹雙蝶圖按。壬戌四月爲石安製畫題此絶句。

世間亂離事都非。萬里家園歸復歸。願化此身作蝴蝶。有花開處一雙飛。

題葡萄蝗蟲按。壬戌四月爲門秋題畫。

老夫自笑太痴頑。獨立西風上鬢端。食盡葡萄不歸去。蟲聲斷續在藤間。

題晚霞按。白石居燕京爲翔欣題畫。

斷角悲笳故國思。七年歸去夢遲遲。有人若問湘江事。聞道天霞似舊時。

題叢菊幽香按。壬戌秋八月題叢菊。

西風何物最清幽。叢菊香時正暮秋。花亦如人知世態。腰折無分學低頭。折腰兩字。誤寫顛倒。

題向日葵按。白石居京師第八年畫題。

茅檐矮矮長葵齊。雨打風摇損葉稀。干旱猶思晴暢好。傾心應向日東西。

題佛

無我如來座。休同彌勒龕。解尋寂寥境。到眼即雲曇。

題蘆蟹雛鷄

草莽吞聲。食忘所好。肥蟹嫩鷄。見之尚笑。可惜骨頭丢。因牙摇掉。

題南瓜

長安城外曾遊處。馬上斜陽玩物華。最喜客鄉好豐歲。老藤地上亂堆瓜。

題荔枝

自笑中年不苦思。七言四句謂爲詩。一朝百首多何益。辜負欽州好荔枝。

題石榴海棠圖

石榴子熟葉將落。枝密難能損露華。正好護持開十足。海棠不作可憐花。

食蟹　長短句

有蟹無酒。爲盗不妨。齒亡髪秃爲誰忙。

乞丐（按。白石在困頓中迫於家室之纍。遂生此慨嘆。）

饑來到處有人憐。何用囊中自有錢。剩飯殘湯同一飽。身邊小犬亦神仙。

夢遊重慶（并序。按。王治園即王纘緒。時在蜀任軍長。）

王君治園與余不相識。以書招遊重慶。余諾之。忽因時變未往。遂爲萬里神交。强自食言前約。故夢裏猶見荆州。

百回尺素倦紅鱗。一諾應酬知己恩。昨夜夢中偏識道。布衣長揖見將軍。

王君蒓圃百齡冥壽追悼一絶句

鳥猿猶畏軍聲在。億萬生民尚感恩。天上若聞塵世事。也應一聽一傷神。

有人爲女門生畫花於半臂。余戲作一絶句

捧心誰效冬心怪。衣上爲人畫折枝。七十老人狂態作。就君身上要題詩。（按。要題詩。并未題詩。）

袁世凱墓　二首

項城北上木森森。高冢荒凉秋色新。公在民安渾不識。傷心禍始是何人。（按。袁世凱。河南項城人。故稱袁項城。）

英雄從古人難用。成敗關天事莫論。五載山河塵不動。無情草木亦知恩。

如兒求學戲示（按。齊良琨。號子如。白石第三子。）

刻意精思要掃除。莫將章句苦勞余。願兒口瀉懸河水。得入官場勝讀書。（按。齊子如勤學好問。精於工筆草蟲。日寇侵占湘潭。一度上山打游擊。抗戰勝利。依然作畫至老。）

吾家廷襄以人到中年萬事休句冠首。作七律詩。余亦用其句（按。齊廷襄。名秋薑。湘潭文人。）　二首

人到中年萬事休。絲毫哪有强相求。逐貧足倘快如馬。送老身思健似牛。
父母康强亦壽考。兒孫痴蠢到公侯。青天能必如人意。豈舍塵情一筆鈎。

失題　長短句

汝父八三云老。吾兒七歲猶嬌。等閑莫廢讀

書高。自有光前時到。按。此詩係一九四三年所作。

失題

跪泣王門下。慚顔哭紹之。樊山又先别。流涕到何時。按。樊樊山於一九三一年在北平病逝。王紹之卒於其後。

失題

蔡經與我是同儕。引見麻姑待過佳。臨别叮嚀須保重。此行不負到蓬萊。按。晋葛洪《神仙傳》説麻姑是建昌人。王方平之妹。修道牟州姑餘山。後居蓬萊仙島。曾見東海三爲桑田。有擲米成珠之術。東漢桓帝時應召。降於蔡經家。爲人搔癢。舒服無極。

失題

吾年八十四。七歲耋兒嬌。稻莠同天雨。青青各長苗。按。白石日記云。二十六日寅時。鐘表乃三點二十一分也。生一子。名曰良末。字紀牛。號耋根。此子之八字。戊寅。戊午。丙戌。庚寅。爲炎上格。若生於前清時。宰相命也。又云。字以紀牛者。牛。丑也。記丁丑年懷胎也。號以耋根者。八十爲耋。吾年八十。尚留此根苗也。

題紫藤蜜蜂 散句

草動青蛇驚影。風行紫雪飛香。

題魚鴨 散句

稻穀年豐知鴨賤。桃花時到憶魚肥。

題鷹石圖

久立秋風漸漸凉。石高如柱許多長。千山萬徑鳥飛絶。四野無人天欲霜。

題雛鷄 長短句

前有若呼。後者與俱。蟲粟俱無。雛鷄雛鷄趨何愚。

題旭日江南

欲收蒼莽上詩樓。赤日長天江海流。畫盡岳麓山頭樹。侖崰嫌低祝融休。按。侖崰。即昆侖山。

題畫蘆雁

登高時近倍思鄉。飲酒簪花更斷腸。寄語南飛天下雁。心隨君侣到星塘。

題畫梅花

雪滿山中色更鮮。淡紅淺緑却非妍。因何修得梅花到。猶結人間翰墨緣。

題畫芭蕉

家園曾種兩三株。緑葉垂垂春雨餘。偷活衰翁身萬里。隔年不見寫家書。

題畫雀

清秋霜葉學花紅。人巧無慚造化工。時有山禽來自語。苦他鸚鵡不離籠。

題葡萄老鼠

青青喜垂纍。晴雨促之熟。覬覦兩虎争。忽墮雙珠玉。萍翁偶拾之。貽與雅人掬。

題緑梅

尋常習氣盡删除。誰使聰明到老愚。買盡胭脂三萬餅。長安市上姓名無。按。宋李唐詩云。早知不入時人眼。多買胭脂畫牡丹。

題石榴 散句

碎瑪瑙以盛來。點胭脂而艷絶。

題花香蝶舞 散句

花香墨香。蝶舞墨舞。都不能知。

無題

隻字得來俱是緣。好事諸公誰肯憐。阿吾一言非僞語。不必高官慕尊前。

題荷花 散句

顛倒荷花如佛性。開來自若哪知愁。

題英雄高立按。鷹。音諧英。

拏空獨立雪鱗鼓。風動垂枝天助舞。奇幹靈根君不見。飛向天涯占高處。

題君壽千載

年高身健有斯翁。汾陽仙骨南岳松。傲群不須强昂首。側耳得聽風吟聲。按。汾陽仙骨指唐郭子儀功勛蓋世。富貴福壽雙全。

題長青圖 散句

月長圓。石長壽。樹木長青。

題老藤群雀

葉落見藤亂。天寒入鳥音。老夫詩欲鳴。風急吹衣襟。

失題按。此詩乃日寇侵占北平時所作。

中國山青水亦清。日横沈夢一丸醒。隨人最是蘆溝月。依舊高高照漢宫。

題柿樹

敲門快捷羽書馳。北海荷花正發時。國孽未蒙天早忌。吾儕有壽欲何之。

題菊花 散句

菊花有識應須記。畫自中華國耻時。

題猴子偷桃 長短句

既偷走。又回望。必有畏懼。倘是人血所生。必有道義廉耻。按。斥責日寇侵占中國之行徑。

題螃蟹

横行衹博婦女笑。風味可解壯士顔。編藺束縛十八輩。使我酒興生江山。

無題

連日風雨。開盡黄花。南望家山。不能無泪。

查《六書分類》歌訣

按。齊白石以此歌訣教兒女查閱《六書分類》。

一二子中尋。三畫向丑寅。四歸卯辰巳。五向午中論。六從未申得。七畫入酉門。八九皆在戌。余向亥中尋。

題雁來紅

按。此詩係癸未(一九四三年)題畫之作。　長短句

西風秋景顏色。北雁南飛時節。紅似人民眼中血。

題貝葉草蟲

紅葉題詩圖出嫁。學書柿葉僅留名。世情看透皆多事。不若禪堂貝葉經。按。紅葉題詩典出唐範攄《雲溪友議》卷十盧渥之事。盧渥應舉之歲。偶臨御溝。得流水中題詩之紅葉。後官範陽。獨獲宣宗所退宮女。不想此宮女竟是題詩之人。吁嘆久之。傳頌人間。遂又有梧葉題詩等故事。貝葉經。用鐵筆在貝多羅樹葉上刻寫的佛教經文。公元一至十世紀。古印度佛教徒帶入中國甚多。

題終南進士

按。終南進士即鍾馗。

烏紗破帽大紅袍。舉步安閑扇慢搖。人笑終南鍾進士。鬼符文字價誰高。

題鍾馗搔背圖

長短句

這裏也不是。那裏也不是。縱有麻姑爪。焉知著何處。各自有皮膚。哪能入我腸肚。按。傳說麻姑手指似鳥爪。搔背甚舒適。

失題

按。此白石壬午(一九四二年)爲妻少懷題畫之作。

步履相趨上酒樓。六街燈火夕陽收。歸來未醉閑情在。爲畫妻家補裂圖。

失題

岳麓丹楓雲繞。雨湖絲柳烟圍。豈識頤年歸里。携兒指點湘潭。

失題

長短句

雨後南陂水淺。天開西角雲閑。陶然亭上喚慈安。幸有香山同看。按。釋慈安當時爲陶然亭慈悲禪林的住持。一九四一年經張次溪出面。慈安願將亭東一段空地割贈。以爲齊白石生壙。一九四二年。齊白石親自拜謝慈安。看墓地高敞向陽。葦塘圍繞。十分滿意。

失題

長短句

南望白雲祖冢。北歸紅葉西郊。亂離珍重没蓬蒿。遠道尤難看掃。

題櫻桃

散句

奪得佳人口上脂。畫出櫻桃始入時。

題盜瓮

按。指畢卓盜酒之事。　散句

寧肯爲盜難逃。不肯食民脂膏。

題燭鼠圖

散句

燭火光明如白晝。不愁人見豈爲偷。

題柴筢

似爪不似龍與鷹。搜枯爬爛七戟輕。余小時買柴筢於東鄰。七齒者需錢七文。入山不取絲毫碧。過草如梳鬢髮青。遍地松針衡岳路。半山楓葉麓山亭。兒童相聚常嬉戲。并欲爭騎竹馬行。南岳有松數株。己越七朝興敗。麓山有楓葉亭。

袁隨園更亭名爲愛晚。

無題 散句

漏泄造化秘。奪取鬼神工。

失題 按。此詩係一九五五年冬感念周恩來總理關懷而作。

暮年逢盛世。搭幫好總理。老驥珍伏櫪。報國志千里。

挽朱楚翹老人

借山不負約相尋。扶病下車。是時公已病篤。移尊就坐。既坐艱於起立，余以酒几移就公坐處而飲。長者最多情。吾輩獨推公第一。
僻地難容真樂道。邀清拒濁。見月懷詩。先生便長弃。世人欲殺我何堪。

再挽前人

此翁以詩酒爲名。仙乎白也。醉狂吐出青蓮成錦綉。
吾友正家國所重。傷矣蒼生。霖雨化將紅泪染麻衣。

挽蔬香老人

兒輩冠吾群。效此時權貴殊高。詩篇奇逸一千卷。
人生足自樂。比往日功名尤幸。蔬圃安閑二十年。

代某道士挽和尚

馱經白馬剩哀鳴。翹足在何峰。藥塢琴樽都是夢。
過客青牛愁獨吊。舉頭餘古刹。荷塘烟水總傷情。

代尹啓吾挽伯母 即卓吾之母。澤瑩之祖母。

處鄰爲世範。堅節爲世欽。當時落木晚風。機杼聲哀柏舟寂。
善養讓吾兄。陳情讓吾侄。此日閉門春雨。池塘愁切竹林寒。

挽太先生 即少蕃師之父。

剩杯酒弦琴於人世。復誰飲。復誰彈。何處石室藏身。明月清風高枕卧。
有宏博騷雅之子孫。是吾師。是吾友。此地竹林閉户。哀蛩落葉萬山愁。

代貞兒挽妻大父

貧不事事。予以女孫。期望感深情。辜負陌頭楊柳色。
偏直親親。適來仙使。招魂向何處。無聊山後杜鵑啼。

舊鄰婦挽詞

無夢覓封侯。海角天涯。萬里早歸夫婿願。
斷機爲教子。春花秋月。隔簾猶憶孟家鄰。

代人作 此聯係前清時。直到落花時。言外有意。故用可憐字樣。

約子孫以禮。博子孫以文。直到落花時。投老可憐蝴蝶夢。
先吾父而來。後吾父而去。又聽深樹裏。傷心最是杜鵑聲。

挽畫友朱國欽

廿年消盡輪蹄。人世貴安閑。吾獨輸東歸西往。
此日傾將涕泪。畫家失耆舊。誰復曉北派南宗。

再挽前人

武彝精舍落成初。深愧故人疏。題詩未寄朱元晦。
衡麓道鄉猖亂後。若編賢士傳。排難須知魯仲連。

代人挽其親家

梅花落。兒女婚。桐花殘。我君别。歡聲何少恨何長。今日寢門徒一笑。
亂世時。患難友。治世候。文酒鄰。交誼愈深情愈篤。他年靈石憶三生。

代人挽某

閑散石泉知。客來何足樂。紅塵飛不到君家。定評云。此老高懷合千古。
奔馳山海苦。公去孰加鄰。碧落若能逢吾父。爲説道。男兒壯志未全消。

代人挽鄰翁

舊好易零落。明日知何如。且將老泪哭君去。
相嬉憶太平。此時殊不似。獨剩衰翁望子還。

代鄰人挽鄰人

桑梓皆稱賢。此母之前無此母。
國家俱堪望。佳兒以後有佳兒。

再挽

生長清平老甲兵。與阿翁同病相鄰。既稱治世幽人。不失亂世君子。
節哀順變真賢嗣。知吾友慈親尚在。嘆作江山霖雨。還望家山白雲。

代鄰人挽某

女婿可稱半子。我今當作半孫。若論骨肉應哀泣。
瓊樓正是何年。夜臺即是何日。無奈鄉鄰總慘傷。

挽族侄女

一門叔父愧無才。貧賤少年。黄卷青燈消要命。
三徑鄰人推有德。凄凉今日。朝烟夕霧慘餘痕。

挽某（按。從斷機。剪髮等典故。知某爲婦人無疑。）

天下諸婦人。要知孟母斷機事。
坐中舊賓客。痛感陶家剪髮情。

挽鄧親家（段步雲親家先逝。）

看後輩便思賢能。古往今來。公卿出田舍不少。

數晨星尤嘆寥落。他歸你去。兒女結親家幾何。

挽草治明之母

負米足歡娛。風樹不寧。腸斷黄茅歸州裏。
葬親須舊禮。春暉難報。泪如紅雨合三年。

代子如挽草治明師之母

爲人學賢人。讀書真信擇鄰起。
有子作夫子。問字知從晝獲來。

挽湘綺先生按。王湘綺病逝於丙辰(一九一六年)。

才識信河岳鍾靈。著述等身。千秋合有鬼神護。
詩文本聖賢餘事。蕪篇點定。一喏難忘師弟恩。

挽門人王國珍之祖母

相夫子。教後人。終餘年。賢哉順時以行。似此有爲今已少。
謫塵寰。享清福。七十載。仙乎生日而返。如君更覺古來稀。

代朱子訓挽前人

曾爲閑客。具盤羹鷄黍。正秋凉。風過菊籬三徑晚。
愧與文孫。同席硯書圖。失婺焕。魂歸梅雪萬山寒。

代人挽鄰婦

守柏舟節。斷宿世情。論閨房大義誠心。也應慈舫超衆去。
如松壽年。有好生德。聞鄉里衰翁白骨。多由君手洗兒來。

挽羅衍生之母

我緣景慕卜鄰來。孟母魂不還。梅花隔嶺寂無色。
人生最苦垂老别。莊生盆嘆碎。竹葉滿杯傾更愁。

代子如挽其師劉彩繽先生

三載苦心抛。愧我未能沾他育。
一方君子去。哭公不獨感私恩。

挽陳節母

遠遊誰復念王孫。帶病入關。輿盡出都。湘山回首悔風塵。縱成名。終成短夢。
亂世不失爲君子。未能事君。喜贏奉親。席門讀書笑卿相。非此母。無此後人。

代門人挽李某

客中消得幾黄昏。喜緑酒盈尊。昨夜豈知今夜事。
堂上可憐皆白頭。更紅顔少婦。他生未卜此生休。

挽陳云生

同好尚無多。肯捨著妙手靈心。焚畫白頭爲汝惜。
傷情歸太促。忍抛却衰親幼子。添香紅粉更何依。

挽鄰母

刼病誤刀圭。憶秋風桐葉飛時。畫像竟虛韓幹約。
招魂空剪紙。悵春雨梨花開後。鳴機無復孟家賢。

挽黃山桃之太姑按。黃山桃係白石之女弟子。

餘年福命羡鄰嫗。永壽永康。便是神仙誰可覺。
亂世芬芳播孫婦。多能多藝。若爲男子孰其倫。

代某挽

剪髮爲誰。陶家座上客應感。
斷機有幾。孟母膝前子故賢。

代鄰人挽人夫婦其婦先死數三日。其夫爲築其墓。未及葬。夫亦死。

真盡丈夫情。行重後先經營。齋奠留元稹。
不傷垂老別。歡聯生死歸去。妻兒笑孟光。

代某挽族人

君去何之。斗酒隻鷄。帳中安得少翁術。
侄猶子也。生事死葬。泉下應無伯道憂。

挽滿弟俊

平生兄弟。一病堪憐。往事總傷心。我意欲言猶吝口。
衰老爺娘。八旬忍別。招魂翻泣血。君靈有識應回頭。

挽沁園師按。胡沁園申寅(一九一四年)病逝於湘潭韶塘。

誘我費盡殷勤。衣鉢信真傳。三絶不愁知己少。
負公尤爲期望。功名應無分。一生長笑折腰卑。

挽羅艮生

我宜福壽憶祈天。春山奏絲章。儘教從俗使行。君勞作證。
人豈韶華甘弃世。夜臺見南面。試問既生復天。王是何心。

挽原配陳夫人按。白石夫人陳春君己卯(一九三九年)病逝。

怪赤繩老人。係人婚姻。胡不係人離別。
問黑面閻羅。管我生死。胡不管我團圓。

挽王品丞先生

誰復令人慚。往日課孫。熟讀萍翁詩百首。
我來爲公泣。他年憶舊。愁余屋角樹千株。

贈東鄰人

入厨爲黍放烟出。
出户呼凫帶月還。

餐室聯

一飽難忘友。
平生獨負親。

失題聯

三絶最難能。舉國不多人。今日痛傷君又去。
此生太苦事。到頭逢大難。他生莫帶泪俱來。

失題聯

亂離兒女借樓居。最感太君同患難。
團聚夫妻談世事。爲言白石獨凄凉。

挽繼室胡寶珠按。白石繼室胡寶珠於癸未(一九四三年)病逝。

共扭赤繩來。後死不如卿有福。
獨登西土去。再生應補我同歸。

再挽胡寶珠賢妹夫人

拈珠百零八粒。香細燈昏。佛即心。心即是佛。
舉案二十四年。夫衰妻病。卿憐我。我更憐卿。

自挽聯按。此聯係齊白石八十五歲(一九四七年)三月十一日夢醒之作。

有天下畫名。何若忠臣孝子。
無人間惡相。不怕馬面牛頭。

書聯按。受胡沁園夫子之命。

松陰半榻有山意。
梅影一窗移月來。

書聯按。壬戌(一九二二年)二月二十七日書。

我書意造本無法。
此詩有味君勿傳。

書聯

三思難下筆。
一枝幾成家。

書聯

蛟龍飛舞。
鸞鳳吉祥。

書聯按。己丑(一九四九年)爲吴作人書。

仁者長壽。
君子讓人。

書聯按。丁丑(一九三七年)秋七月書。庚寅(一九五〇年)十月贈毛澤東主席。

海爲龍世界。
雲是鶴家鄉。

書聯按。一九五九年人民美術出版社出版的龍龔《齊白石傳略》第六七頁有記。

城鄉處處人長壽。
風雨時時龍一吟。

書聯按。六十歲前後篆書聯。

詩思夜深無厭苦。
畫名年老不嫌低。

第二部分

齊白石文鈔

第二部分　齊白石文鈔

一、傳記

齊璜生平略自述

齊璜歲齔齡，見狗子猫兒則笑，見生客則哭，呵呵若有所責。祖父祖母愛之，小時多病，病危時，祖母嘗禱於神祈，以頭叩地作聲，傷處墳起。四五歲時，或柴火圍爐，祖父以鉗畫灰教純芝二字，曰：此汝名也。嘗以黑羊皮衣左襟裹於懷睡之。年九歲，以外祖設村學於白石鋪之楓林亭，予走讀，春雨泥濘，祖父負予於背，左手提飯籮，右手把雨傘，口教論語，是日所讀之書，途中早熟記矣。曰：汝用心若是，惜越明年，將欲汝牧牛。一日，祖母使予與二弟純松各佩一鈴，言曰：汝兄弟日夕未歸，吾則倚門而望，聞鈴聲漸近，知汝歸矣，吾始安心為晚炊也。予聞此數語，當即流泪。是時，予年雖小，覺讀書有味，牛放於楓林亭外，仍就外祖父點論語下卷，坐學間讀之；如手欲拾薪，將書挂牛角，歸則寫字。一日，祖母正色曰：汝祇管讀書寫字，生來時走錯了人家。諺云：三日風，四日雨，哪見文章鍋裏煮？明朝無米，吾兒奈何！算命先生謂汝終當別祖離鄉，汝果欲讀書做官，遠離故鄉耶？年十又二，先父令其從事於大匠，作鄉里之木器，粗細皆工。朝為工，夜習畫。二十歲(余)從胡沁園[①]、蕭薌階[②]遊，能寫算，猶不能與人通書簡。客南泉，黎雨民[③]贈箋紙十匣與予，隔壁通函，予不得已，每强答，如是數月，能老實成文。由是與黎松庵[④]互相摹印，與王仲言[⑤]，羅真吾[⑥]、醒吾[⑦]，陳獲根[⑧]，胡石安[⑨]諸人為詩友，借龍山僧寺為詩社，謂為龍山七子，推予為社長，論齒也。三十八歲，人求畫南岳七十二峰圖，酬二百四十金，始佃蓮花峰下百梅祠屋居焉。强出星斗塘時，吾祖母尚存。烏私無補，予之不成人子，乃此一大事也。年四十，時天正寒，忽得友人夏午詒[⑩]、郭葆生[⑪]來電報，聘之長安為畫師。風雪過灞橋，識樊樊山[⑫]。越明年春三月，夏偕予入都，教姚無雙作畫。將行時，樊山約予曰：吾五月亦必到京，薦君見慈禧，并薦繆夫人[⑬]作借山之門客。其年癸卯閏五月，樊山始到京，探問，齊山人前五月，過黑水洋，轉上海還湘矣。夏、樊相語曰：此人志高性僻，真隱逸之一流。伊未出京時，吾欲贈錢若干，勸其就便引見，捐一縣丞，其職雖小，亦朝中命官。現吾父已升江西巡撫，先生相見到印如何？伊不答，竟出京。甲辰，聞湘綺[14]老人遊江西，予亦往晤。衡州之銅匠曾招吉[15]，湘潭之鐵工張仲颺[16]，乃湘綺之門客，凡十三人。七月七日，乘小轎，七十有餘之老師親身約客曰：南昌自曾文正[17]去後，文風寥落。吾今日門客贈來石榴，今夕可共食。是夕，師留小住，與故人之子孫對坐。忽傳來一紙條，十字：地靈勝江匯，星聚及秋期。并云：依年齒聯句。此作詩之盛會，算第一度出京。予如是遊桂林，看陽羡山水，看獨秀山之一燈亂星。越年，再遊桂林，轉廣東之欽州，過東興之鐵橋，看安南[18]之風景。再過黑水洋，至蘇州，看中秋無月之虎丘山。十年之中，五出五歸，世味飽嘗，便思縮足。買山近衡岳，碧紗幮裏讀書十年，著有借山吟館詩草。值丁巳鄉亂，無處逃避，偶與樊山書，答函勸予居京都，可賣畫自食。故友得與樊山、松庵、宗子威[19]、趙幼梅[20]、楊雲史[21]、賀孔才[22]、陳散原[23]常晤談。今樊山死，諸友皆離散。今年晤陳石遺[24]、金松岑[25]、方鶴叟[26]三君於成都，此生之朋友相識最晚者也。湘上有家不容予歸，時年七十又六矣。能活幾何？因營生壙於香山之陽，于右任[27]、汪貽書[28]皆為書墓碑，文曰：處士齊白石之墓。予回思祖母所謂之算命先生之決斷如此，真神乎技矣！

按：本文作於一九三六年。

《齊白石詩文篆刻集》上海書局有限公司，陳凡輯，一九六一年，香港。

白石自狀略

生於湘潭南行百里杏子塢星斗塘老屋。八歲，始從外王父讀書於白石山上之楓林亭。春雨泥濘，王父左提飯籮，右擎雨傘，負予背，朝送暮往負歸。性喜學畫，以習字之紙裁半張畫人物，外王父嘗不見許。秋來因病，讀書中止，在家取帳簿紙仍舊寫字塗畫。一日，王母曰：汝父無兄弟，得長孫愛如掌珠，以為耕種有助力人矣。汝善病，或巫醫無功，吾與汝母同禱於神，叩頭有聲，額腫墳起，嘗忘其痛苦。醫謂食母乳，母當禁油膩，汝母過年節嘗不知肉味。吾播百穀，負汝於背，如影不離身。今既可砍柴為炊，汝祇管寫字。俗語云：三日風，四日雨，哪見文章鍋裏煮？明朝無米。吾孫奈何！惜汝生來時走錯了人家！如是，乃將論語挂於牛角，負薪，以為常事。年十二，王父去世，父教扶犁。因力弱，復令學木工。朝為工，夜燈習畫。年廿七，慕胡沁園、陳少蕃[29]二先生為一方雅正人，事為師，學詩畫；蕭薌陔、文少可[30]皆拜為師畫，如是能寫真於鄉里。借五龍山為詩社，社友王仲言一班凡七人，謂為七子。推白石為社長，黎松庵、薇孫[31]、雨民為詩友。識張仲颺，引為湘綺弟子。壬寅年四十二，識夏午詒、郭葆蓀、李梅庵[32]兄弟叔侄。是歲冬，午詒由西安聘為畫師，教姚無雙。風雪過灞橋，遠看華山，識樊樊山先生，見張仲颺、郭葆蓀。遊碑林雁塔，浴温泉。越歲癸卯春，午詒請盡畫師職，同上京師。樊山曰：吾五月當繼至，太后愛畫，吾當薦君（樊山為題借山圖詩：寧獨蛟螭隱金篋，便當彝鼎登明堂。蓋欲舉薦也）。由西安上京華，道過黄河，望嵩山。到京居宣武門外北半截胡同，識曾農髯[33]，晤李筠庵[34]、張貢吾[35]。五月之初，聞樊山將至，白石平生以見貴人為苦事，辭午詒欲南還。午詒曰：壽田欲贈公，以錢為壽，不如贈公一縣丞，職雖小，亦朝中命官，就此引見不費一文錢。家嚴即升江西巡撫，君到省立即上印，也是一好頑事。白石笑謝之。過黑水洋，到上海，居越月，還湘。甲辰年四十四，侍湘綺師遊南昌，七夕，師賜食石榴，招諸弟子至家，即席曰：南昌自曾文正公去後，文風寂然，今夕不可無詩。座中又有鐵匠張仲颺，銅匠曾招吉及白石，推為王門三匠。登滕王閣，小飲荷花池，遊廬山。越明年，汪頌年為提學使，偕遊桂林看佳山水，遊陽朔。越年節，得父書報四弟從軍已到廣東，令白石追尋，因過蒼梧，至廣東。居祈園寺，探問，移軍欽州矣。到欽州，郭葆蓀留之教姬人畫。遊端溪，謁包公祠。復遊東興，過鐵橋，看安南山水。久客思歸，携四弟由香港海道至上海。一日乘興，思遊虎丘，是日至蘇，天晚宿附馬府堂。虎丘歸，復尋李梅庵於金陵，居三月始還家。造一室曰借山吟館，置碧紗幮其中，蚊蠅無擾，讀古文詩詞；餘閑種果木，繞屋三百株。辛亥，侍湘綺師長沙，求為王母馬孺人撰志銘并書；自刻悔烏堂印。

師方居長沙營盤街，白石往侍。譚三兄弟[36]迎居荷花池上，為先人寫真。先是湘綺師來示云：明日約文人二三，借瞿相[37]超覽樓一飲，汪財官與君善，亦在座，不妨翩然而來。得見超覽樓主人及諸公子。湘綺師曰：瀕生足迹半天下，久未與同鄉作畫。今日可為畫超覽樓禊集圖。飲後，主人引客看櫻花及海棠花，白石因事還家，未報命。此約直至戊寅年，晤瞿公子兑之談及，始補踐焉。所繪景物，依稀當年。至丁巳避鄉亂，竄於京華，平生知白石畫者郭葆蓀，知刻者夏午詒，知詩者樊樊山，幸二三人皆在此地。白石借法源寺居之，賣畫及篆刻為業。識陳師曾[38]、姚茫父[39]、陳半丁[40]、羅癭公兄弟[41]、汪藹士[42]、蕭龍友[43]。因寺壁傾倒一角，恐懼，遷於宣武門内觀音寺。識朱悟園[44]，因識林畏庵[45]。佛號鐘聲在枕側，睡不安眠，再遷石燈庵。老僧又好畜鷄犬，晝夜不斷啼吠聲，再遷三道栅欄。再遷鬼門關外[46]。乙亥夏初，携姬人南還，掃先人墓；哀哀父母，欲養不存。丙子春，蜀人來函聘請遊蜀曰：蜀中之山水勝於桂林，惜東坡[47]未見也！居成都半載，識方鶴叟。回重慶居兩月。年七十七，識張夕圃。秋凉回京華。天日和暢，無過北方，因在此留連廿又三載。竟使全世界知名，皆來購畫。刻借山館詩草一集，刻白石詩草八卷。且喜三千弟子，復嘆故舊晨星，忽忽年八十矣。有家不能歸，派下子女孫曾四十餘人，不相識者居多數。白石小時性頑鈍，王母欲怒欲笑曰：算命先生謂汝成人後必別祖離鄉。今果然矣。雖多男多壽，未有福，對諸世人，徒羞慚耳。

按：本文寫于一九四〇年

《齊白石詩文篆刻集》上海書局有限公司，陳凡輯，一九六一年，香港。

白石老人自傳

齊璜口述　張次溪筆録

關於《白石老人自傳》的説明

白石老人寫自己生平的材料，除了《齊璜生平略自述》、《白石自狀略》等短篇文章外，較詳的是《白石老人自傳》（以下簡稱《自傳》）和幾種不同版本的《白石老人自述》（以下簡稱《自述》）。

《自傳》係齊璜口述、張次溪筆録，一九六二年由人民美術出版社出版，責任編輯是齊白石的學生盧光照。《自述》目前有幾種不同的本子。其一是臺北傳記文學出版社一九六七年出版的《自述》；其二是臺北藝術圖書公司一九七九年出版的《自述》；其三是湖南岳麓書社一九八六年出版的《自述》。這三種《自述》均係齊白石口述、張次溪筆録。

岳麓書社出版的《自述》其前言説"本書主體《白石老人自述》全文原載於臺灣《傳記文學》雜志"。編者没有看到臺灣《傳記文學》雜志刊登《自述》的原文，却借到臺北藝術圖書公司一九七九年出版的《白石老人自述》。所見兩種《自述》有十八處不同，總共不超過五十字。編者又將《自傳》和以上兩種《自述》逐字逐句進行對照，發現除了一處兩種《自述》比《自傳》多四十個字以外，《自傳》與臺北藝術圖書公司出版的《自述》兩書不同之處有一百二十多處，而《自傳》與岳麓書社出版的《自述》的不同之處近一百四十處。兩種《自述》删掉《自傳》均有七千餘字，有兩處每處删掉五百餘字。《自傳》和兩種《自述》均是白石老人口述，張次溪筆録。《自傳》出得最早，出版時張次溪還健在，而兩種《自述》可以説是《自傳》的删改本。這種删改在兩種《自述》書裏并未加以説明。為保存原貌，我們選用了《自傳》，特此説明。

前　言

白石老人是我的世伯，又是我的老師，我和老人交往了將近四十年，一直保持着我們兩代世交的深厚感情。他叫我筆録他的口述自傳材料，原是預備寄給蘇州金松岑文替他撰著傳記用的參考資料。記得一九三三年的春天，老人到我家來，見到金丈寄給我的信，信内附有一篇替我朋友做的傳記體文章。老人把這篇文章讀了一遍，佩服得了不得，説是這樣的好文章，真可算得千古傳作。我把老人説的話，寫信告知金丈，并介紹他們二位締結了文字交。後來，老人還很高興地畫了一幅《紅鶴山莊圖》，托我轉寄金丈，作爲兩人訂交的紀念，同時他還希望金丈也能給他作一篇傳記。從那時起，老人就開始自述他一生的經歷，叫我筆録下來，隨時寄給金丈。

我筆録他的自述材料，大概寫到一半時候，盧溝橋事變突起，在戎馬倉皇之間，我爲了生活，到南方去耽了幾年，就把這事給擱下了。已寫成的稿子，還留在我處，而鈔寄給金丈的，祇不過是這一半成稿中的一小部分而已。我旅居南方的幾年中，也曾回來過幾次，都因匆匆往返，没有時間和老人暢談，把筆録的事擱置下來。等到一九四五年我回到北京，老人又跟我談起這事，希望能繼續筆録下去，早早地寫完全。豈知這時金丈已經逝世，給他撰著傳記的諾言，無法實現，老人覺得很失望，我也替他掃興。有一天，老人對我說："金公雖已不在，這篇稿子，半途而廢有點可惜，我來説，你接着寫下去吧！"説得非常懇切，我祇得一口擔承下來。但我因爲職務羈身，不能常常前去。而每次去時，老人總是滔滔不絕，説得很高興，我就隨時筆録。到一九四八年爲止，把前後斷斷續續所記的，凑合在一起，積稿倒也不少。

那時，老人已屆八十六歲高齡，身體漸漸有點衰弱迹象，坐得時間長了，似乎感覺异常勞累，説話也不能太多，多説就顯得氣促力竭。而我的高血壓症，一度又十分嚴重，遵醫之囑，在家休養，老人那邊，足迹遂疏，此稿衹得暫時告一段落。

我本想等我病愈之後，趁哪一天老人精神好時，再去聽聽他的口述，給他多記録點。想不到隔不多久，老人逝世了。回想往日促膝談心的情景，已是不可再得，叫我怎能不感慨萬分呢！老人生前，爲了這篇稿子，總是念念不忘，對我提起了不知多少次。而經過許多波折，一再停頓，我心裏頭着實有些悵惘。因此，我把歷年筆録老人口述的草稿，加以整理，編次成篇，算是我對於老人最後盡的一點心意，而我自己，也算了却一樁心願。可是没有在老人生前，讓他能親眼看到完篇，真是遺憾萬分！

我所記的，都是老人親口所説，爲了盡量保留老人的口氣，一字一句，我都不敢加以藻飾，衹求老人的意思，能够明明白白地傳達出來。雖説老年人説話，有時不免重復，這一點，我在初步整理時，已注意到了。尤其老人説話時，關涉到我個人和我先父的事情，我更是力求精簡。凡是不必要的，我都删削。這樣整理，恐怕缺點還是難免的，希望親愛的讀者同志們多加指教！

另外有兩件事，需在此順便説明一下：(一)老人原配陳夫人，是一八六二年(同治元年壬戌)生的，比老人大一歲，這自述的材料裏説的是對的。而在一九四〇年(庚辰)老人所撰祭陳夫人文中所説："前清同治十三年正月二十一日，乃吾妻於歸期也，是時吾妻年方十二。"那是老人記錯了，按照舊習慣，那年陳夫人應爲十三歲。(二)老人跟他外祖父周雨若公讀書，是在一八七〇年(同治九年庚午)，是年，老人年八歲，他親口對我説過不止一遍，而《白石詩草》卷六"過星塘老屋題壁"詩注："余九歲，從村塾於楓林亭"，這是老人作詩注時的筆誤。因恐讀者根據老人所作的祭文和詩注，對於自傳裏所記的陳夫人生年和老人上學時的年齡發生懷疑，所以附記於此。

一九六二年夏，東莞張次溪記於北京。

一　出生時的家庭狀況（一八六三）

窮人家的孩子，能够長大成人，在社會上出頭的，真是難若登天。我是窮窩子裏生長大的，到老總算有了一點微名。回想這一生經歷，千言萬語，百感交集，從哪裏說起呢？先説説我出生時的家庭狀况吧！

我們家，窮得很哪！我出生在清朝同治二年（癸亥·一八六三）十一月二十二日，我生肖是屬猪的。那時，我祖父、祖母、父親、母親都在堂，我是我祖父母的長孫，我父母的長子，我出生後，我們家就五口人了。家裏有幾間破屋，住倒不用發愁，衹是不寬敞罷了。此外衹有水田一畝，在大門外曬穀場旁邊，叫做“麻子丘”。這一畝田，比别家的一畝要大得多，好年成可以打上五石六石的稻穀，收益真不算少，不過五口人吃這麽一點糧食，怎麽能够管飽呢？我的祖父同我父親，衹好去找零工活做。我們家鄉的零工，是管飯的，做零工活的人吃了主人的飯，一天才掙二十來個制錢的工資。别看這二十來個製錢為數少，還不是容易掙到手的哩！第一，零工活不是天天有得做。第二，能做零工活的人又挺多。第三，有的人搶着做，情願減少工資去競爭。第四，凡是出錢雇人做零工活的，都是刻薄鬼，不是好相處的。為了這幾種原因，做零工活也就是“一天打魚，三天曬網”，混不飽一家人的肚子。没有法子，衹好上山去打點柴，賣幾個錢，貼補家用。就這樣，一家子對付着活下去了。

我是湖南省湘潭縣人。聽我祖父說，早先我們祖宗，是從江蘇省碭山縣搬到湘潭來的，這大概是明朝永樂年間的事。剛搬到湘潭，住在什麽地方，可不知道了。衹知在清朝乾隆年間，我的高祖添鎰公，從曉霞峰的百步營搬到杏子塢的星斗塘，我就是在星斗塘出生的。杏子塢，鄉里人叫它杏子樹，又名殿子樹。星斗塘是早年有塊隕星，掉在塘内，所以得了此名，在杏子塢的東頭，紫雲山的山脚下。紫雲山在湘潭縣城的南面，離城有一百來里地，風景好得很。離我們家不到十里，有個地方叫烟墩嶺，我們的家祠在那裏，逢年過節，我們姓齊的人，都去上供祭拜，我在家鄉時候，是常常去的。

我高祖以上的事情，祖父在世時，對我說過一些，那時我年紀還小，又因為時間隔得太久，我現在已記不得了，衹知我高祖一輩的墳地，是在星斗塘。現在我要説的，就從我曾祖一輩説起吧！我曾祖潢命公，排行第三，人稱命三爺。我的祖宗，一直到我曾祖命三爺，都是務農為業的莊稼漢，上輩没有做過官，也没有發過財，勤勤懇懇地混上一輩子，把肚子對付飽了，就算挺不錯的。在那個年月，窮人是没有出頭日子的，莊稼漢世世代代是個莊稼漢，窮也就一直窮下去啦！曾祖母的姓，我不該把她忘了。十多年前，我回到過家鄉，問了幾個同族的人，他們比我年長的人，已沒有了，存着的，輩份年紀都比我小，他們都說，出生得晚，誰都答不上來。像我這樣老而糊塗的人，真够豈有此理的了。

我祖父萬秉公，號宋交，大排行是第十，人稱齊十爺。他是一個性情剛直的人，心裏有了點不平之氣，就要發泄出來，所以人家都說他是直性子，走陽面的好漢。他經歷了太平天國的興亡盛衰，晚年看着湘勇（即"湘軍"）搶了南京的天王府，發財回家，置地買屋，美得了不得。這些殺人的劊子手們，自以為有過汗馬功勞，都有戴上紅藍頂子的資格（清制：一二品官戴紅頂子，三四品官戴藍頂子）。他們都說："跟着曾中堂（指曾國藩）打過長毛"，自鳴得意。在家鄉好像京城裏的黄帶子一樣（清朝皇帝的本家，近支的名曰宗室，腰間繫一黄帶，俗稱黄帶子；遠房的名曰覺羅，腰間系一紅帶，俗稱紅帶子。黄帶子犯了法，不判死罪，最重的罪名，發交宗人府圈禁，所以他們胡作非為，人均畏而避之），要比普通老百姓高出一頭，什麽事都得他們占便宜，老百姓要吃一些虧。那時候的官，没有一個不和他們一鼻孔出氣的，老百姓得罪了他們，苦頭就吃得大了。不論官了私休，他們總是從没理中找出理來，任憑你生着多少張嘴，也搞不過他們的强詞奪理來。甚至在風平浪静、各不相擾的時候，他們看見誰家老百姓光景過得去，也想没事找事，弄些油水。我祖父是個窮光蛋，他們打主意，倒還打不到他的頭上去，但他看不慣他們欺壓良民，無惡不作，心裏總是不服氣，忿忿地對人説："長毛并不壞，人都説不好，短毛真厲害，人倒恭維他，天下事還有真是非嗎？"他就是這樣不怕强暴，肯説實話的。他是嘉慶十三年（戊辰·一八〇八）十一月二十二日生的，和我的生日是同一天，他常説："孫兒和我同一天生日，將來長大了，一定忘不了我的。"他活了六十七歲，殁於同治十三年（甲戌·一八七四）的端陽節，那時我十二歲。我祖母姓馬，因為祖父人稱齊十爺，人就稱她為齊十娘。她是温順和平、能耐勞苦的人，我小時候，她常常戴着十八圈的大草帽，揹了我，到田裏去干活。她十歲就没了母親，跟着她父親傳虎公長大的，娘家的光景，跟我們家差不多。道光十一年（辛卯·一八三一）嫁給我祖父，遇到祖父生了氣，總是好好地去勸解，人家都稱贊她賢惠。她比我祖父小五歲，是嘉慶十八年（癸酉·一八一三）十二月二十三日生的，活了八十九歲，殁於光緒二十七年（辛丑·一九〇一）十二月十九日，那時我三十九歲。祖父祖母祇生了我父親一人，有了我這個長孫，疼愛得同寶貝似的，我想起了小時候他們對我的情景，總想到他們墳上去痛哭一場！

我父親貰政公，號以德，性情可不同我祖父啦！他是一個很怕事、肯吃虧的老實人，人家看他像是"窩囊廢"（北京俗語，意謂無用的人），給他取了個外號，叫做"德螺頭"。他逢到一肚子委屈、有冤没處伸的時候，常把眼泪往肚子裏咽,不到人前去哼一聲的,真是懦弱到了極點了。我母親的脾氣却正相反,她是一個既能干又剛强的人,祇要自己有理,總要把理講講明白的。她待人却非常講究禮貌,又能勤儉持家,所以不但人緣不錯,外頭的名聲也挺好。我父親要没有一位像我母親這樣的人幫助他,不知被人欺侮到什麼程度了。我父親是道光十九年(己亥·一八三九)十二月二十八日生的,歿於民國十五年(丙寅·一九二六)七月初五日,活了八十八歲。我母親比他小了六歲,是道光二十五年(乙巳·一八四五)九月初八日生的,歿於民國十五年三月二十日,活了八十二歲。我一年之内,連遭父母兩喪,又因家鄉兵亂,道路不通,我住在北京,没有法子回去,説起了好像刀刺在心一樣!

提起我的母親,話可長啦!我母親姓周,娘家住在周家灣,離我們星斗塘不太遠。外祖父叫周雨若,是個教蒙館的村夫子,家境也是很寒苦的。咸豐十一年(辛酉·一八六一)我母親十七歲那年,跟我父親結了婚。嫁過來的頭一天,我們湘潭鄉間的風俗,婆婆要看看兒媳婦的妝奩的,名目叫做"檢箱"。因為母親的娘家窮,没有什么值錢的東西,自己覺得有些寒酸。我祖母也是個窮出身而能撑起硬骨頭的人,對她説:"好女不著嫁時衣,家道興旺,全靠自己,不是靠娘家陪嫁東西來過日子的。"我母親聽了很激動,嫁後三天,就下厨房做飯,粗細活兒,都幹起來了。她待公公婆婆,是很講規矩的,有了東西,總是先敬翁姑,次及丈夫,最後才輪到自己。我們家鄉,做飯是燒稻草的,我母親看稻草上面,常有没打干净、剩下來的穀粒,覺得燒掉可惜,用搗衣的椎,一椎一椎地椎了下來。一天可以得穀一合,一月三升,一年就三斗六升了,積了差不多的數目,就拿去换棉花。又在我們家裏的空地上,種了些麻。有了棉花和麻,我母親就春天紡棉,夏天織麻。我們家裏,自從母親進門,老老小小穿用的衣服,都是用我母親自織的布做成的,不必再到外邊去買布。我母親織成了布,染好顔色,縫製成衣服,總也是翁姑在先,丈夫在次,自己在後。嫁後不到兩年工夫,衣服和布,足足地滿了一箱。我祖父祖母是過慣窮日子的,看見了這麼多的東西,喜出望外,高興得了不得,説:"兒媳婦的一雙手,真是了不起。"她還養了不少的鷄鴨,也養過幾口猪,鷄鴨下蛋,猪養大了,賣出去,一年也能挣些個零用錢,貼補家用的不足。我母親就是這樣克勤克儉地過日子,因此家境雖然窮得很,日子倒過得挺和美。

我出生的那年,我祖父五十六歲,祖母五十一歲,父親二十五歲,母親十九歲。我出生以後,身體很弱,時常鬧病,鄉間的大夫,説是不能動葷腥油膩,這樣不能吃,那樣不能吃,能吃的東西,就很少的了。吃奶的孩子,怎能够自己去吃東西呢?吃的全是母親的奶,大夫這麼一説,就得由我母親忌口了。可憐她愛子心切,聽了大夫的話,不問可靠不可靠,凡是葷腥油膩的東西，一律忌食，恐怕從奶汁裏過渡，對我不利。逢年過節，家裏多少要買些魚肉，打打牙祭，我母親總是看着别人去吃，自己是一點也不沾唇的，忌口真是忌得干干净净。可恨我長大了，作客在外的時候居多，没有能够常依膝下，時奉甘旨，真可以説：罔極之恩，百身莫贖。

依我們齊家宗派的排法，我這一輩，排起來應該是個“純”字，所以我派名純芝，祖父祖母和父親母親，都叫我阿芝，後來做了木工，主顧們都叫我芝木匠，有的客氣些叫我芝師傅。我的號，本叫渭清，祖父給我取的號，叫做蘭亭。齊璜的“璜”字，是我的老師給我取的名字。老師又給我取了一個瀕生的號。齊白石的“白石”二字，是我後來常用的號，這是根據白石山人而來的。離我們家不到一里地，有個驛站，名叫白石鋪，我的老師給我取了一個白石山人的别號，人家叫起我來，却把山人兩字略去，光叫我齊白石，我就自己也叫齊白石了。其他還有木居士、木人、老木、老木一，這都是説明我是木工出身，所謂不忘本而已。杏子塢老民、星塘老屋後人、湘上老農，是紀念我老家所在的地方。齊大，是戲用“齊大非耦”的成語，而我在本支，恰又排行居首。寄園、寄萍、老萍、萍翁、寄萍堂主人、寄幻仙奴，是因為我頻年旅寄，同萍飄似的，所以取此自慨。當初取此“萍”字做别號，是從瀕生的“瀕”字想起的。借山吟館主者、借山翁，是表示我隨遇而安的意思。三百石印富翁，是我收藏了許多石章的自嘲。這一大堆别號，都是我作畫或刻印時所用的筆名。我在中年以後，人家祇知我叫齊璜，號叫白石，連外國人都這樣稱呼，别的名號，倒并不十分被人注意，尤其齊純芝這個名字，除了家鄉上歲數的老一輩親友，也許提起了還記得是我，别的人却很少知道的了。

二　從識字到上學（一八六四—一八七〇）

同治三年（甲子·一八六四），我兩歲。四年（乙丑·一八六五），我三歲。這兩年，正是我多病的時候，我祖母和我母親，時常急得昏頭暈腦，滿處去請大夫。吃藥没有錢，好在鄉里人都有點認識，就到藥鋪子裏去説好話、求人情，賒了來吃。我們家鄉，迷信的風氣是濃厚的，到處有神廟，燒香磕頭，好像是理所當然。我的祖母和我母親，為了我，幾乎三天兩朝到廟裏去叩禱，希望我的病早早能治好。可憐她婆媳二人，常常把頭磕得鼕鼕地響，額角紅腫突起，像個大柿子似的，回到家來，算是盡了一樁心願。她倆心裏着了急，也就顧不得額角疼痛了。我們鄉里，還有一種巫師，嘴裏胡言亂語，心裏詐欺嚇騙，表面上是看香頭治病，骨子裏是用神鬼來嚇唬人。我祖母和我母親，在急得没有主意的時候，也常常把他們請到家來，給我治病。經過請大夫吃藥，燒香求神，請巫師變把戲，冤枉錢花了真不算少，我的病，還是好好壞壞地拖了不少日子。後來我慢慢地長大了，能走路説話了，不知怎的，病却漸漸地好了起來，這就樂煞了我祖母和我母親了。母親聽了大夫的話，怕我的病重發，不吃葷腥油膩，就忌口忌得干干净净。祖母下地干活，又怕我呆在家裏，悶得難受，把我揹在她背上，形影不離地來回打轉。她倆常説："自己身體委屈點，勞累點，都不要緊，衹要心裏頭的疙瘩解消了，不擔憂，那才是好的哩！"為了我這場病，簡直把她倆鬧得怕極了。

同治五年（丙寅・一八六六），我四歲了。到了冬天，我的病，居然完全好了。這兩年我鬧的病，有的説是犯了什麽煞，有的説是得罪了什麽神，有的説是胎裏熱着了外感，有的説是吃東西不合適，把肚子吃壞了，有的説是吹着了山上的怪風，有的説是出門碰到了邪氣，奇奇怪怪地説了好多名目，哪一樣名目都没有説出個道理來。所以我那時究竟鬧的是什麽病，我至今都没有弄清楚，這就難怪我祖母和我母親，當時聽了這些怪話，會胸無主宰，心亂如麻了。然而我到了四歲，病確是好了，這不但我祖母和我母親，好像心上搬掉了一塊石頭，就連我祖父和我父親，也各長長地舒出了一口氣，都覺得輕松得多了。我祖父有了閑工夫，常常抱了我，逗着我玩。他老人家冬天唯一的好衣服，是一件皮板挺硬、毛又掉了一半的黑山羊皮襖，他一輩子的積蓄，也許就是這件皮襖了。他怕我冷，就把皮襖的大襟敞開，把我裹在他胸前。有時我睡着了，他把皮襖緊緊圍住，他常説抱了孫子在懷裏暖睡，是他生平第一樂事。他那年已五十九歲了，隆冬三九的天氣，確也有些怕冷，常常揀拾些松枝，在爐子裏燒火取暖。他抱着我，蹲在爐邊烤火，拿着通爐子的鐵鉗子，在松柴灰堆上，比劃着寫了個"芝"字，教我認識，説："這是你阿芝的芝字，你記準了筆畫，别把它忘了！"實在説起來，我祖父認得的字，至多也不過三百來個，也許裏頭還有幾個是半認得半不認得的。但是這個"芝"字，確是他很有把握認得的，而且寫出來也不會寫錯的。這個"芝"字，是我開始識字的頭一個。從此以後，我祖父每隔兩三天，教我識一個字，識了一個，天天教我温習。他常對我説："識字要記住，還要懂得這個字的意義，用起來會用得恰當，這才算識得這個字了。假使貪多務博，識了轉身就忘，意義也不明白，這是騙騙自己，跟没有識一樣，怎能算是識字呢！"我小時候，資質還不算太笨，祖父教的字，認一個，識一個，識了以後，也不曾忘記。祖父見我肯用心，稱贊我有出息，我祖母和我母親聽到了，也是挺喜歡的。

同治六年（丁卯・一八六七），我五歲。七年（戊辰・一八六八），我六歲。八年（己巳・一八六九），我七歲。這三年，仍由我祖父教我識字。有時我自己拿着根松樹枝，在地上比劃着寫起字來，居然也像個樣子。有時又畫個人臉兒，圓圓的眼珠，胖胖的臉盤，很像隔壁的胖小子，加上了髯子，又像那個開小鋪的掌櫃了。我五歲那年，我的二弟出生了，取名純松，號叫效林。我六歲那年，黄茅堆子到了一個新上任的巡檢（略似區長），不知為了什麽事，來到了白石鋪。黄茅堆子原名黄茅嶺，也是個驛站，比白石鋪的驛站大得多，離我們家不算太遠，白石鋪更離得近了。巡檢原是知縣屬下的小官兒，論它的品級，剛剛够得上戴個頂子。這類官，流品最雜，不論張三李四，阿猫阿狗，化上幾百兩銀子，買到了手，居然走馬上任，做起“老爺”來了。芝麻緑豆般的起碼官兒，又是花錢捐來的，算得了什麽東西呢？可是“天高皇帝遠”，在外省也能端起了官架子，為所欲為地作威作虐。别看大官兒勢力大，作惡多，外表倒還有個譜兒，壞就壞在它的骨子裏。惟獨這些鷄零狗碎的玩藝兒，頂不是好惹的，它雖没有權力殺人，却有權力打人的屁股，因此，它在鄉里，很能嚇唬人一下。那年黄茅驛的巡檢，也許新上任的緣故，排齊了全副執事，差役們挺起胸脯，吆喝着開道，坐了轎子，耀武揚威地在白石鋪一帶打圈轉。鄉里人向來很少見過官面的，聽説官來了，拖男帶女地去看熱鬧。隔壁的三大娘，來叫我一塊走，母親問我：“去不去？”我回説：“不去！”母親對三大娘説：“你瞧，這孩子挺别扭，不肯去，你就自己走吧！”我以為母親説我别扭，一定是很不高興了，誰知隔壁三大娘走後，却笑着對我説：“好孩子，有志氣！黄茅堆子哪曾來過好樣的官，去看他作甚！我們憑着一雙手吃飯，官不官有什麽了不起！”我一輩子不喜歡跟官場接近，母親的話，我是永遠記得的。

我從四歲的冬天起，跟我祖父識字，到了七歲那年，祖父認為他自己識得的字，已經全部教完了，再有别的字，他老人家自己也不認得，没法再往下教。的確，我祖父肚子裏的學問，已抖得光光净净的了，祇好翻來覆去地教我温習已識的字。這三百來個字，我實在都識得滚瓜爛熟的了，連每個字的意義，都能講解得清清楚楚。那年臘月初旬，祖父説：“提前放了年學吧！”一面誇獎我識的字，已和他一般多，一面却唉聲嘆氣，好像有什麽心事似的。我母親是個聰明伶俐的人，知道公公的嘆氣，是為了没有力量供給孫子上學讀書的緣故，就對我祖父説：“兒媳今年椎草椎下來的稻穀，積了四斗，存在隔嶺的一個銀匠家裏，原先打算再積多一些，跟他换副銀釵戴的。現在可以把四斗稻穀的錢取回來，買些紙筆書本，預備阿芝上學。阿爺明年要在楓林亭坐個蒙館，阿芝跟外公讀書，束修是一定免了的。我想，阿芝朝去夜回，這點錢雖不多，也許够他讀一年的書。讓他多識幾個眼門前的字，會記記帳，寫寫字條兒，有了這麽一點挂數書的書底子，將來扶犁掌耙，也就算個好的掌作了。”我祖父聽了很樂意，就决定我明年去上學了。

同治九年（庚午・一八七〇），我八歲。外祖父周雨若公，果然在楓林亭附近的王爺殿，設了一所蒙館。楓林亭在白石鋪的北邊山坳上，離我們家有三里來地。過了正月十五燈節，母親給我縫了一件藍布新大褂，包在黑布舊棉襖外面，衣冠楚楚的，由我祖父領着，到了外祖父的蒙館。照例先在孔夫子的神牌那裏，磕了幾個頭，再向外祖父面前拜了三拜，說是先拜至聖先師，再拜受業老師，經過這樣的隆重大禮，將來才能當上相公。我從那天起，就正式地讀起書來，外祖父給我發蒙，當然不收我束修。每天清早，祖父送我去上學，傍晚又接我回家。別看這三里來地的路程，不算太遠，走的却盡是些黄泥路，平常日子并不覺得什麽，逢到雨季，可難走得很哪！黄泥是挺滑的，滿地是泥濘，一不小心，就得跌倒下去。祖父總是右手撑着雨傘，左手提着飯籮，一步一拐，仔細地看準了脚步，扶着我走。有時泥塘深了，就把我揹了起來，手裏還拿着東西，低了頭直往前走，往往一走就走了不少的路，累得他氣都喘不過來。他老人家已是六十開外的人，真是難為他的。我上學之後，外祖父教我先讀了一本《四言雜字》，隨後又讀了《三字經》、《百家姓》，我在家裏，本已識得三百來個字了，讀起這些書來，一點不覺得費力，就讀得爛熟了。在許多同學中間，我算是讀得最好的一個。外祖父挺喜歡我，常對我祖父說："這孩子，真不錯！"祖父也翹起了花白鬍子，張開着嘴，笑嘻嘻地樂了。外祖父又教我讀《千家詩》，我一上口，就覺得讀起來很順溜，音調也挺好聽，越讀越起勁。我們家鄉，把祇讀不寫、也不講解的書，叫做"白口子"書。我在家裏識字的時候，知道一些字的意義，進了蒙館，雖然讀的都是白口子書，我用一知半解的見識，琢磨了書裏頭的意思，大致可以懂得一半。尤其是《千家詩》，因為讀着順口，就津津有味地咀嚼起來，有幾首我認為最好的詩，更是常在嘴裏哼着，簡直地成了個小詩迷了。後來我到了二十多歲時候，讀《唐詩三百首》，一讀就熟，自己學做幾句詩，也一學就會，都是小時候讀《千家詩》打好的根基。

那時，讀書是拿着書本，拚命地死讀，讀熟了要背書。背的時候，要順流而出，嘴裏不許打咕嘟。讀書之外，寫字也算一門功課。外祖父教我寫的，是那時通行的描紅紙，紙上用木版印好了紅色的字，寫時依着它的筆姿，一竪一畫地描着去寫，這是我拿毛筆蘸墨寫字的第一次，比用松樹枝在地面上劃着，有意思得多了。為了我寫字，祖父把他珍藏的一塊斷墨，一方裂了縫的硯臺，鄭重地給了我。這是他唯一的"文房四寶"中的兩件寶貝，原是預備他自己記帳所用，平日輕易不往外露的。他"文房四寶"的另一寶——毛筆，因為筆頭上的毛，快掉光了，所以給我買了一枝新筆。描紅紙家裏没有舊存的，也是買了新的。我的書包裏，筆墨紙硯，樣樣齊全，這們子的高興，可不用提哪！有了這整套的工具，手邊真覺方便。寫字原是應做的功課，無須回避，天天在描紅紙上，描呀，描呀，描個没完，有時描得也有些膩煩了,私下我就畫起畫來。

恰巧,住在我隔壁的同學,他嬸娘生了個孩子。我們家鄉的風俗,新產婦家的房門上,照例挂一幅雷公神像,據説是鎮壓妖魔鬼怪用的。這種神像,畫得筆意很粗糙,是鄉里的畫匠,用硃筆在黄表紙上畫的。我在五歲時,母親生我二弟,我家房門上也挂過這種畫,是早已見過的,覺得很好玩。這一次在鄰居家又見到了,越看越有趣,很想摹仿着畫它幾張。我跟同學商量好,放了晚學,取出我的筆墨硯臺,對着他們家的房門,在寫字本的描紅紙上,畫了起來。可是畫了半天,畫得總不太好。雷公的嘴臉,怪模怪樣,誰都不知雷公究竟在哪兒,他長得究竟是怎樣的相貌,我衹依着神像上面的尖嘴薄腮,畫來畫去,畫成了一隻鸚鵡似的怪鳥臉了。自己看着,也不滿意,改又改不合適。雷公像挂得挺高,取不下來,我想了一個方法,搬了一隻高脚木凳,蹬了上去。衹因描紅紙質地太厚,在同學那邊找到了一張包過東西的薄竹紙,覆在畫像上面,用筆勾影了出來。畫好了一看,這回畫得真不錯,和原像簡直是一般無二,同學叫我另畫一張給他,我也照畫了。從此我對於畫畫,感覺着莫大的興趣。

同學到蒙館裏一宣傳,别的同學也都來請我畫了。我就常常撕了寫字本,裁開了,半張紙半張紙地畫,最先畫的是星斗塘常見到的一位釣魚老頭,畫了多少遍,把他面貌身形,都畫得很像。接着又畫了花卉、草木、飛禽、走獸、蟲魚等等,凡是眼睛裏看見過的東西,都把它們畫了出來。尤其是牛、馬、猪、羊、鷄、鴨、魚、蝦、螃蟹、青蛙、麻雀、喜鵲、蝴蝶、蜻蜓這一類眼前常見的東西,我最愛畫,畫得也最多。雷公像那一類從來没人見過真的,我覺得有點靠不住。那年,我母親生了我三弟,取名純藻,號叫曉林,我家房門上,又挂起了雷公神像,我就不再去畫了。我專給同學們畫眼門前的東西,越畫越多,寫字本的描紅紙,却越撕越少。往往剛換上新的一本,不到幾天,就撕完了。外祖父是熟讀朱柏廬[48]《治家格言》的,嘴裏常念着:"一粥一飯,當思來處不易;半絲半縷,恒念物力維艱。"他看我寫字本用得這麽多,留心考查,把我畫畫的事情,查了出來,大不謂然,以為小孩子東塗西抹,是鬧着玩的,白費了紙,把寫字的正事,却耽誤了。屢次呵斥我:"衹顧着玩的,不幹正事,你看看! 描紅紙白費了多少?"蒙館的學生,都是怕老師的,老師的法寶,是戒尺,常常晃動着嚇唬人,真要把他弄急了,也會用戒尺來打人手心的。我平日倒不十分淘氣,没有挨過戒尺,衹是為了撕寫字本,好幾次惹得外祖父生了氣。幸而他向來是疼我的,我讀書又比較用功,他光是嘴裏嚷嚷要打,戒尺始終没曾落到我手心上。我的畫癮,已是很深,戒掉是辦不到的,衹有滿處去找包皮紙一類的,偷偷地畫,却也不敢像以前那樣,盡量去撕寫字本了。

到秋天,我正讀着《論語》,田裏的稻子,

快要收割了，鄉間的蒙館和“子曰店”都得放“扮禾學”，這是照例的規矩。我小時候身體不健壯，恰巧又病了幾天。那年的年景，不十分好，田裏的收成很歉薄。我們家，平常過日子，本已是窮對付，一遇到田裏收不多，日子就更不好過，在青黄不接的時候，窮得連糧食都没得吃了，我母親從早到晚地發愁。等我病好了，母親對我説：“年頭兒這么緊，糊住了嘴再説吧！”家裏人手不够用，我留在家，幫着做點事，讀了不到一年的書，就此停止了。田裏有點芋頭，母親教我去刨，拿回家，用牛糞煨着吃。後來我每逢畫着芋頭，總會想起當年的情景，曾經題過一首詩：“一丘香芋暮秋凉，當得貧家穀一倉。到老莫嫌風味薄，自煨牛糞火爐香。”芋頭刨完了，又去掘野菜吃，後來我題畫菜詩，也有兩句説：“充肚者勝半年糧，得志者勿忘其香。”窮人家的苦滋味，衹有窮人自己明白，不是豪門貴族能知道的。

三　從砍柴牧牛到學做木匠（一八七一—一八七七）

同治十年（辛未·一八七一），我九歲。十一年（壬申·一八七二），我十歲。十二年（癸酉·一八七三），我十一歲。這三年，我在家幫着挑水、種菜、掃地、打雜，閑着就帶看我兩個兄弟。最主要的是上山砍柴，砍了柴，自己家裏有得燒了，還可以賣了錢，補助家用。我那時，不是一個光會吃飯不會做事的閑漢了，但最喜歡做的，却是砍柴。鄰居的孩子們，和我歲數差不多的，一起去上山的有的是，我們就成了很好的朋友。上了山，砍滿了一擔柴，我們在休息時候，常常集合三個人，做“打柴叉”的玩兒。打柴叉是用砍得的柴，每人取出一捆，一頭着地，一頭靠在一起，這就算是“叉”了。用柴鈀遠遠地輪流擲過去，誰能擲倒了叉，就赢得别人的一捆柴，擲不倒的算是輸，也就輸掉自己的一捆柴。三人都擲倒了，或是都没曾擲倒，那是没有輸赢。兩人擲倒，就平分輸的那一捆，每人赢到半捆。最好當然是獨自一人赢了，可以得到兩捆柴。因為三捆柴并在一起，柴鈀又不是很重的，擲倒那個柴叉，并不太容易，一捆柴的輸赢，總要玩上好大半天。這是窮孩子們不用花錢的娱樂，我小時候也挺高興玩的。後來我作客在外，有一年回到家鄉，路過山上，看見一群砍柴的孩子，裏頭有幾個相識的鄰居，他們的上輩，早年和我一起砍過柴，玩過打柴叉的，我禁不住感傷起來，做了三首詩，末一首道：“來時歧路遍天涯，獨到星塘認是家。我亦君年無累及，群兒歡跳打柴叉。”這詩我收在《白石詩草》卷一裏頭，詩後我又注道：“余生長於星塘老屋，兒時架柴為叉，相離數伍，以柴鈀擲擊之，叉倒者為赢，可得薪。”大概小時候做的事情，到老總是會回憶的。

我在家裏幫着做事，又要上山砍柴，一天到晚，也够忙的。偶或有了閑工夫，我總忘不了讀書，把外祖父教過我的幾本書，從頭到尾，重復地温習。描紅紙寫完了，祖父給我買了幾本黄表紙釘成的寫字本子，又買了一本木版印的大楷字帖，教我臨摹，我每天總要寫上一頁半頁。衹是畫畫，仍是背着人的，寫字本上的紙，不敢去撕了，找到了一本祖父記帳的舊帳簿，把帳簿拆開，頁數倒是挺多，足够我畫一氣的。就這樣，一晃，兩年多過去了。我十一歲那年，家裏因為糧食不够吃，租了人家十幾畝田，種上了，人力不够，祖父出的主意，養了一頭牛。祖父叫我每天上山，一邊牧牛，一邊砍柴，順便撿點糞，還要帶着我二弟純松一塊兒去，由我照看，免得他在家礙手礙脚耽誤母親做事。祖母擔憂我身體不太好，聽了算命瞎子的話，説："水星照命，孩子多灾，防防水星，就能逢凶化吉。"買了一個小銅鈴，用紅頭繩繫在我脖子上，對我説："阿芝！帶着你二弟上山去，好好兒地牧牛砍柴，到晚晌，我在門口等着，聽到鈴聲由遠而近，知道你們回來了，煮好了飯，跟你們一塊兒吃。"我母親又取來一塊小銅牌，牌上刻着"南無阿彌陀佛"六個字，和銅鈴繫在一起，説："有了這塊牌，山上的豺狼虎豹，妖魔鬼怪，都不敢近身的。"可惜這個銅鈴和這塊銅牌，在民國初年，家鄉兵亂時丢失了。後來我特地另做了一份小型的，繫在褲帶上，我還刻過一方印章，自稱"佩鈴人"。又題過一首畫牛的詩道："星塘一帶杏花風，黄犢出欄東復東。身上鈴聲慈母意，如今亦作聽鈴翁。"這都是紀念我祖母和母親當初待我的一番苦心的。

我每回上山，總是帶着書本的，除了看牛和照顧我二弟以外，砍柴撿糞，是應做的事，温習舊讀的幾本書，也成了日常的功課。有一天，儘顧着讀書，忘了砍柴，到天黑回家，柴没砍滿一擔，糞也撿得很少，吃完晚飯，我又取筆寫字。祖母憋不住了，對我説："阿芝！你父親是我的獨生子，没有哥哥弟弟，你母親生了你，我有了長孫了，真把你看作夜明珠、無價寶似的。以為我們家，從此田裏地裏，添了個好掌作，你父親有了個好幫手哪！你小時候多病，我和你母親，急成個什麽樣子！求神拜佛，燒香磕頭，哪一種辛苦没有受過！現在你能砍柴了，家裏等着燒用，你却天天衹管寫字，俗語説得好：三日風，四日雨，哪見文章鍋裏煮？明天要是没有了米吃，阿芝，你看怎麽辦呢？難道説，你捧了一本書，或是拿着一枝筆，就能飽了肚子嗎！唉！可惜你生下來的時候，走錯了人家！"我聽了祖母的話，知道她老人家是為了家裏貧窮，盼望我多費些力氣，多幫助些家用，怕我儘顧着讀書寫字，把家務耽誤了。從此，我上山雖仍帶着書去，總把書挂在牛犄角上，等撿足了糞和滿滿地砍足了一擔柴之後，再取下書來讀。我在蒙館的時候，《論語》没有讀完，有不認識的字和不明白的地方，常常趁放牛之便，繞道到外祖父那邊，去請問他。這樣，居然把一部《論語》，對付着讀完了。

同治十三年（甲戌·一八七四），我十二歲。我們家鄉的風俗，為了家裏做事的人手少,男孩子很小就娶親,把兒媳婦接過門來,交拜天地、祖宗、家長,名目叫做“拜堂”。兒媳婦的歲數,總要比自己的孩子略微大些,為的是能够幫着做點事。等到男女雙方,都長大成人了,再揀選一個“好日子”,合巹同居,名目叫做“圓房”。在已經拜堂還没曾圓房之時,這位先進門的兒媳婦,名目叫做“童養媳”,鄉里人也有叫做“養媳婦”的。在女孩子的娘家,因為人口多,家景不好,吃喝穿著,負擔不起,又想到女大當嫁,早晚是夫家的人,早些嫁過去,倒省掉一條心,所以也就很小讓她過門。不過這都是小門小户人家的窮打算,豪門世族是不多見的。聽説,這種風俗,時無分古今,地無分南北,從古如此,遍地皆然,那麽,不光是我們湘潭一地所獨有的了。那年正月二十一日,由我祖父祖母和我父親母親作主,我也娶了親啦！我妻娘家姓陳,名叫春君,她是同治元年(壬戌·一八六二)十二月二十六日生的,比我大一歲。她是我的同鄉,娘家的光景,當然不會好的,從小就在家裏操作慣了,嫁到我家當童養媳,幫助我母親煮飯洗衣,照看小孩,既勤懇,又耐心。有了閑暇,手裏不是一把剪子,就是一把鏟子,從早到晚,手不休脚不停的,裏裏外外,跑出跑進。别看她年紀還小,衹有十三歲,倒是料理家務的一把好手。祖父祖母和父親母親,都誇她能幹,非常喜歡她。我也覺得她好得很,心裏樂滋滋的。衹因那時候不比現在開通,心裏的事,不肯露在臉上,萬一給人家閑話閑語,説是“疼媳婦”,那就怪難為情的了。所以我和她,常常我看看她,她看看我,嘴裏不説,心裏明白而已。

我娶了親,雖説還是小孩子脾氣,倒也覺得挺高興。不料端陽節那天,我祖父故去了,這真是一個晴天霹靂！想起了祖父用爐鉗子劃着爐灰教我識字,用黑羊皮襖圍抱了我在他懷裏暖睡,早送晚接地陪我去上學,這一切情景,都在眼前晃漾。心裏頭的難過,到了極點,幾乎把這顆心,在胸膛子裏,要往外蹦出來了。越想越傷心,眼睛鼻子,一陣一陣地酸痛,眼泪止不住了,像泉水似地直往下流。足足地哭了三天三宵,什麽東西,都没有下肚。祖母原也是一把眼泪、一把鼻涕地天天在哭泣,看見我這個樣子,抽抽噎噎的,反而來勸我:“别這麽哭了！你身體單薄,哭壞了,怎對得起你祖父呢!”父親母親也各含着兩泡眼泪,對我説:“三天不吃東西,怎么能頂得下去？祖父疼你,你是知道的,你這樣糟蹋自己身體,祖父也不會心安的。”他們的話,都有理,衹是我克制不了我自己,仍是哭個不停。後來哭得累極了,才呼呼地睡着。這是我出生以來第一次遭遇到的不幸之事。當時我們家,東凑西挪,能够張羅得出的錢,僅僅不過六十千文,合那時的銀圓價,也就是六十來塊錢。没有法子,窮人不敢往好處想,衹能盡着這六十千文錢,把我祖父身後的大事,從棺殮到埋葬,總算對付過去了。

光緒元年(乙亥·一八七五),我十三歲。

二年(丙子·一八七六),我十四歲。這兩年,在我祖父故去之後,經過這回喪事,家裏的光景,更顯得窘迫异常。田裏的事情,祇有我父親一人操作,也顯得勞累不堪。母親常對我說:"阿芝呀,我恨不得你們哥兒幾個,快快長大了,身長七尺,能够幫助你父親,糊得住一家人的嘴啊!"我們家鄉,煮飯是燒柴竈的,我十三歲那年,春夏之交,雨水特多,我不能上山砍柴,家裏米又吃完了,祇好掘些野菜,用積存的干牛糞煨着吃,柴竈好久没用,雨水灌進竈内,生了許多青蛙,竈内生蛙,可算得一樁奇聞了。我母親支撑這樣一個門庭,實在不是容易的事。我十四歲那年,母親又生了我四弟純培,號叫雲林。我妻春君幫着料理家務,侍奉我祖母和我父親母親,煮飯洗衣和照看我弟弟,都由她獨自擔當起來。我小時候身體很不好,祖父在世之時,我不過砍砍柴,牧牧牛,撿撿糞,在家裏打打雜,田裏的事,一概没有動手過。此刻父親對我說:"你歲數不小了,學學田裏的事吧!"他就教我扶犁。我學了幾天,顧得了犁,却顧不了牛,顧着牛,又顧不着犁了,來回地折磨,弄得滿身是汗,也没有把犁扶好。父親又叫我跟着他下田,插秧耘稻,整天地彎着腰,在水田裏泡,比扶犁更難受。有一次,幹了一天,够我累的,傍晚時候,我坐在星斗塘岸邊洗脚,忽然間,脚上痛得像小鉗子亂鋏,急忙從水裏拔起脚來一看,脚趾頭上已出了不少的血。父親說:"這是草蝦欺侮了我兒啦!"星斗塘裏草蝦很多,以後我就不敢在塘裏洗脚了。

光緒三年(丁丑·一八七七),我十五歲。父親看我身體弱,力氣小,田裏的事,實在累不了,就想叫我去學一門手藝,預備將來可以糊口養家。但是,究竟學哪一門手藝呢?父親跟我祖母和我母親商量過好幾次,都没曾决定出一個準主意來。那年年初,有一個鄉里人都稱他為"齊滿木匠"的,是我的本家叔祖,他的名字叫齊仙佑,我的祖母,是他的堂嫂,他到我家來,向我祖母拜年。我父親請他喝酒。在喝酒的時候,父親跟他說妥,我去拜他為師,跟他學做木匠手藝。隔了幾天,揀了個好日子,父親領我到仙佑叔祖的家裏,行了拜師禮,吃了進師酒,我就算他的正式徒弟了。仙佑叔祖的手藝,是個粗木作,又名大器作,蓋房子立木架是本行,粗糙的桌椅床凳和種田用的犁耙之類,也能做得出來。我就天天拿了斧子鋸子這些東西,跟着他學。剛過了清明節,逢到人家蓋房子,仙佑叔祖帶了我去給他們立木架,我力氣不够,一根大檩子,我不但扛不動,扶也扶不起,仙佑叔祖說我太不中用了,就把我送回家來。父親跟他說了許多好話,千懇萬托地求他收留,他執意不肯,祇得罷了。

我在家裏,耽了不到一個月,父親托了人情,又找到了一位粗木作的木匠,名叫齊長齡,領我去拜師。這位齊師傅,也是我們遠房的本家,倒能體恤我,看我力氣差得很,就說:"你好好地練罷!什麽事都是練出來的,常練練,就能把力氣練出來了。”記得那年秋天,我跟着齊師傅做完工回來,在鄉里的田塍上,遠遠地看見對面過來三個人,肩上有的掮了木箱,有的掮着很堅實的粗布大口袋,箱裏袋裏裝的,也都是些斧鋸鑽鑿這一類的家伙,一看就知道是木匠,當然是我們的同行了,我并不在意。想不到走到近身,我的齊師傅垂下了雙手,側着身體,站在旁邊,滿面堆着笑意,問他們好。他們三個人,却倨傲得很,略微地點了一點頭,愛理不理地搭訕着:“從哪裏來?”齊師傅很恭敬地答道:“剛給人家做了幾件粗糙家具回來。”交談了不多幾句話,他們頭也不回地走了。齊師傅等他們走遠,才拉着我往前走。我覺得很詫异,問道:“我們是木匠,他們也是木匠,師傅為什么要這樣恭敬?”齊師傅拉長了臉說:“小孩子不懂得規矩!我們是大器作,做的是粗活,他們是小器作,做的是細活。他們能做精緻小巧的東西,還會雕花,這種手藝,不是聰明人,一輩子也學不成的,我們大器作的人,怎敢和他們并起并坐呢?”我聽了,心裏很不服氣,我想:他們能學,難道我就學不成!因此,我就决心要去學小器作了。

四　從雕花匠到畫匠(一八七八——一八八九)

光緒四年(戊寅·一八七八),我十六歲。祖母因為大器作木匠,非但要用很大力氣,有時還要爬高上房,怕我幹不了。母親也顧慮到,萬一手藝没曾學成,先弄出了一身的病來。她們跟父親商量,想叫我換一行别的手藝,照顧我的身體,能够輕松點的才好。我把願意去學小器作的意思,說了出來,他們都認為可以。就由父親打聽得有位雕花木匠,名叫周之美的,要領個徒弟。這是好機會,托人去説,一説就成功了。我辭了齊師傅,到周師傅那邊去學手藝。這位周師傅,住在周家洞,離我們家,也不太遠,那年他三十八歲。他的雕花手藝,在白石鋪一帶,是很出名的,他用平刀法雕刻人物,尤其是他的絶技。我跟着他學,他肯耐心地教。説也奇怪,我們師徒二人,真是有緣,處得非常之好。我很佩服他的本領,又喜歡這門手藝,學得很有興味。他説我聰明,肯用心鑽研,覺得我這個徒弟,比任何人都可愛。他是没有兒子,簡直地把我當作親生兒子一樣地看待。他又常常對人説:“我這個徒弟,學成了手藝,一定是我們這一行的能手,我做了一輩子的工,將來面子上沾着些光彩,就靠在他的身上啦!”人家聽了他的話,都説周師傅名下有個有出息的好徒弟,後來我出師後,人家都很看得起,這是我師傅提拔我的一番好意,我一輩子都忘不了他的。

光緒五年(己卯·一八七九),我十七歲。六年(庚辰·一八八〇),我十八歲。七年(辛巳·一八八一),我十九歲。照我們小器作的行規,學徒期是三年零一節,我因為在學徒期中,生了一場大病,耽誤了不少日子,所以到十九歲的下半年，才滿期出師。我生這場大病，是在十七歲那年的秋天，病得非常危險，又吐過幾口血，衹剩得一口氣了。祖母和我父親，急得没了主意直打轉。我母親恰巧生了我五弟純隽，號叫佑五，正在産期，也急得東西都咽不下口。我妻陳春君，嘴裏不好意思說，背地裏淌了不少的眼泪。後來請到了一位姓張的大夫，一劑“以寒伏火”的藥，吃下肚去，立刻就見了效，連服幾劑調理的藥，病就好了。病好之後，仍到周師傅處學手藝，經過一段較長的時間，學會了師傅的平刀法，又琢磨着改進了圓刀法，師傅看我手藝學得很不錯，許我出師了。出師是一樁喜事，家裏的人都很高興，祖母跟我父親母親商量好，揀了一個好日子，請了幾桌客，我和陳春君“圓房”了，從此，我和她才是正式的夫妻。那年我是十九歲，春君是二十歲。

我出師後，仍是跟着周師傅出外做活。雕花工是計件論工的，必須完成了這一件才能去做那一件。周師傅的好手藝，白石鋪附近一百來里地的範圍内，是没有人不知道的，因此，我的名字，也跟着他，人人都知道了。人家都稱我“芝木匠”，當着面，客氣些，叫我“芝師傅”。我因家裏光景不好，掙到的錢，一個都不敢用掉，完工回了家，就全部交給我母親。母親常常笑着說：“阿芝能掙錢了，錢雖不多，總比空手好得多。”那時，我們師徒常去的地方，是陳家壠胡家和竹冲黎家。胡、黎兩姓，都是有錢的財主人家，他們家裏有了婚嫁的事情，男家做床橱，女家做妝奩，件數做得很多，都是由我們師徒去做的。有時師傅不去，就由我一人單獨去了，還有我的本家齊伯常的家裏，我也是常去的。伯常名叫敦元，是湘潭的一位紳士，我到他家，總在他們稻穀倉前做活，和伯常的兒子公甫相識。論歲數，公甫比我小得多，可是我們很談得來，成了知己朋友。後來我給他畫了一張秋薑館填詞圖，題了三首詩，其中一首道：“稻粱倉外見君小，草莽聲中并我衰。放下斧斤作知己，前身應作蠹魚來。”就是記的這件事。

那時雕花匠所雕的花樣，差不多都是千篇一律。祖師傳下來的一種花籃形式，更是陳陳相因，人家看得很熟。雕的人物，也無非是些麒麟送子、狀元及第等一類東西。我以為這些老一套的玩藝兒，雕來雕去，雕個没完，終究人要看得膩煩的。我就想法换個樣子，在花籃上面，加些葡萄、石榴、桃、梅、李、杏等果子，或牡丹、芍藥、梅、蘭、竹、菊等花木。人物從綉像小説的插圖裏，勾摹出來，都是些歷史故事。還搬用我平日常畫的飛禽走獸，草木蟲魚，加些布景，構成圖稿。我運用腦子裏所想得到的，造出許多新的花樣，雕成之後，果然人都誇獎説好。我高興極了，益發地大膽創造起來。那時，我剛出師不久，跟着師傅東跑西轉，倒也一天没有閑過。衹因年紀還輕，名聲不大，掙的錢也就不會太多。家裏的光景，比較頭二年，略微好些，但因歷年積纍的虧空，短時間還彌補不上，仍顯得很不寬裕。我妻陳春君一面在家料理家務，一面又在屋邊空地，親手種了許多蔬菜，天天提了木桶，到井邊汲水。有時肚子餓得難受，没有東西可吃，就喝點水，算是搪搪饑腸。娘家來人問她："生活得怎樣？"她總是說："很好！"不肯露出絲毫窮相。她真是一個挺得起脊梁顧得住面子的人！可是我們家裏的實情，瞞不過隔壁的鄰居們，有一個慣於挑撥是非的鄰居女人，曾對春君說過："何必在此吃辛吃苦，憑你這樣一個人，還找不到有錢的丈夫！"春君笑着說："有錢的人，會要有夫之婦？我衹知命該如此，你也不必為我妄想！"春君就是這樣甘心熬窮受苦，没有一點怨言的。

光緒八年(壬午·一八八二)，我二十歲。仍是肩上掮了個木箱，箱裏裝着雕花匠應用的全套工具，跟着師傅，出去做活。在一個主顧家中，無意間見到一部乾隆年間翻刻的《芥子園畫譜》，五彩套印，初二三集，可惜中間短了一本。雖是殘缺不全，但從第一筆畫起，直到畫成全幅，逐步指説，非常切合實用。我仔細看了一遍，才覺着我以前畫的東西，實在要不得。畫人物，不是頭大了，就是脚長了；畫花卉，不是花肥了，就是葉瘦了，較起真來，似乎都有點小毛病。有了這部畫譜，好像是撿到一件寶貝，就想從頭學起，臨它個幾十遍。轉念又想：書是别人的，不能久借不還，買新的，湘潭没處買，長沙也許有，價碼可不知道，怕有也買不起。衹有先借到手，用早年勾影雷公像的方法，先勾影下來，再仔細琢磨。想準了主意，就向主顧家借了來，跟母親商量，在我挣來的工資裏，匀出些錢，買了點薄竹紙和顔料毛筆，在晚上收工回家的時候，用松油柴火為燈，一幅一幅地勾影。足足畫了半年，把一部《芥子園畫譜》，除了殘缺的一本以外，都勾影完了，釘成了十六本。從此，我做雕花木活，就用《芥子園畫譜》做根據，花樣既推陳出新，不是死板板的老一套，畫也合乎規格，没有不相匀稱的毛病了。

我雕花得來的工資，貼補家用，還是微薄得很。家裏缺米少柴的，時常鬧着窮。我母親為了開門七件事，竟天地愁眉不展。祖母寧可自己餓着肚子，留了東西給我吃。我是個長子，又是出了師學過手藝的人，不另想想辦法，實在看不下去。衹得在晚上閑暇之時，匀出功夫，憑我一雙手，做些小巧玲瓏的玩藝兒，第二天一清早，送到白石鋪街上的雜貨店裏，許了他們一點利益，托他們替我代賣。我常做的，是一種能裝旱烟也能裝水烟的烟盒子，用牛角磨得光光的，配着能活動開關的蓋子，用起來很方便，買的人倒也不少。大概兩三個晚上，我能做成一個，除了給雜貨店掌櫃二成的經手費以外，每個我還能得到一斗多米的錢。那時，鄉里流行的，旱烟吸葉子烟，水烟吸條絲烟。我旱烟水烟，都學會吸了，而且吸得有了癮。我賣掉了自己做的牛角烟盒子，吸烟的錢，就有了着落啦，連燒料烟嘴的旱烟管和吸水烟用的銅烟袋，都賺了出來。剩餘的錢，給了我母親，多少濟一些急，但是還救不了根本的窮，不過聊勝於無而已。

光緒九年(癸未·一八八三)，我二十一歲。那年，春君懷了孕，懷的是頭一胎。恰巧家裏缺柴燒，我們星斗塘老屋，後面是靠着紫雲山，她拿了把厨刀，跑到山上去砍松枝。她這時，快要生産了，拖着笨重的身子，上山很費力，就用兩手在地上爬着走，總算把柴砍得了，拿回來燒。到了九月，生了個女孩，就是我們的長女，取名菊如，後來嫁給了姓鄧的女婿。我在早先上山砍柴的時候，交上一個朋友，名叫左仁滿，是白石鋪胡家冲的人，離我們家很近。他歲數跟我差不多，我學做木匠那年，他也從師學做篾匠手藝，他出師比我早幾個月。現在我們都長大了，他也娶了老婆，有了孩子，我們歇工回來，仍是常常見面，交情倒越交越深。他學成了一手編製竹器的好手藝，家庭負擔比較輕，生活上比我略微好一些。他是喜歡吹吹彈彈的，能拉胡琴，能吹笛子，能彈琵琶，能打板鼓。還會唱幾句花鼓戲，幾段小曲兒。我們常在一起玩，他吹彈拉唱，我就畫畫寫字。有時他叫我教他畫畫，他也教我彈唱。鄉里有錢的人，常往城裏跑，去找玩兒的，我們是窮孩子出身，閑暇時候，衹能做這樣不花錢的消遣。我後來喜歡聽戲，也會唱幾支小曲，都是那時受了左仁滿的影響。

光緒十年(甲申·一八八四年)，我二十二歲。十一年(乙酉·一八八五)，我二十三歲。十二年(丙戌·一八八六)，我二十四歲。十三年(丁亥·一八八七)，我二十五歲。十四年(戊子·一八八八)，我二十六歲。這五年，我仍是做着雕花活為生，有時也還做些烟盒子一類的東西。我自從有了一部自己勾影出來的《芥子園畫譜》，翻來覆去地臨摹了好幾遍，畫稿積存了不少。鄉里熟識的人知道我會畫，常常拿了紙，到我家來請我畫。在雕花的主顧家裏，雕花活做完以後，也有留着我不放我走，請我畫的。凡是請我畫的，多少都有點報酬，送錢的也有，送禮物的也有。我畫畫的名聲，跟做雕花活的名聲一樣地在白石鋪一帶傳開了去。人家提到了芝木匠，都説是畫得挺不錯。我平日常説："説話要説人家聽得懂的話，畫畫要畫人家看見過的東西。"我早先畫過雷公像，那是小孩子淘氣，鬧着玩的。知道了雷公是虚造出來的，就此不再去畫了。但是我畫人物，却喜歡畫古裝，這是《芥子園畫譜》裏有的，古人確是穿着過這樣的衣服，看了戲臺上唱戲的打扮，我就照它畫了出來。我的畫在鄉里出了點名，來請我畫的，大部分是神像功對，每一堂功對，少則四幅，多的有到二十幅的。畫的是玉皇、老君、財神、火神、竈君、閻王、龍王、靈官、雷公、電母、雨師、風伯、牛頭、馬面和四大金剛、哼哈二將之類。這些位神仙聖佛，誰都没見過他們的本來面目，我原是不喜歡畫的，因為畫成了一幅，他們送我一千來個錢，合銀圓塊把錢，在那時的價碼，不算少了，我為了挣錢吃飯，又却不過鄉親們的面子，衹好答應下來，以意為之。有的畫成一團和氣,有的畫成滿臉煞氣。和氣好畫,可以采用《芥子園》的筆法;煞氣可麻煩了,决不能都畫成雷公似的,衹得在熟識的人中間,挑選幾位生有异相的人,作為藍本,畫成以後,自己看着,也覺可笑。我在楓林亭上學的時候,有幾個同學,生得怪頭怪腦的,現在雖説都已長大了,面貌究竟改變不了多少,我就不問他們同意不同意,偷偷地都把他們畫上去了。

我二十六歲那年的正月,我母親生了我六弟純楚,號叫寶林。我們家鄉,把最小的叫做"滿",純楚是我最小的兄弟,我就叫他滿弟。我母親一共生了我弟兄六人,又生了我三個妹妹,我們家,連同我祖母、我父親母親和春君、我的長女菊如,老老小小,十四口人了。父親同我二弟純松下田耕作,我在外邊做工,三弟純藻在一所道士觀裏給人家燒煮茶飯,别的弟妹,大一些的,也牧牛的牧牛,砍柴的砍柴,倒是没有一個閑着的。祖母已是七十七歲的人,衹能在家裏看看孩子,做些輕微的事情。春君整天忙着家務,忙裏偷閑,養了一群鷄鴨,又種了許多瓜豆蔬菜,有時還幫着我母親紡紗織布。她夏天紡紗,總是在葡萄架下陰凉的地方,我有時回家,也喜歡在那裏寫字畫畫,聽了她紡紗的聲音,覺得聒耳可厭。後來我常常遠遊他鄉,老來回憶,想聽這種聲音,已是不可再得。因此我前幾年寫過一首詩道:"山妻笑我負平生,世亂身衰重遠行。年少厭聞難再得,葡萄陰下紡紗聲。"我母親紡紗織布,向來是一刻不閑。尤其使她為難的,是全家的生活重擔,都由她雙肩挑着,天天移東補西,調排用度,把這點微薄的收入,糊住十四個嗷嗷待哺的嘴,真够她累心累力的。

三弟純藻,也是為了糊住自己的嘴,多少還想掙些錢來,貼補家用,急於出外做工。他托了一位遠房本家,名叫齊鐵珊的,薦到一所道士觀中,給他們煮飯打雜。齊鐵珊是齊伯常的弟弟,我的好朋友齊公甫的叔叔,他那時正同幾個朋友,在道士觀内讀書。我因三弟的緣故,常到道士觀去閑聊,和鐵珊談得很投機。我畫神像功對,鐵珊是知道的,每次見了我面,總是先問我:"最近又畫了多少?畫的是什麽?"我做雕花活,他倒不十分關心,他好像專門關心我的畫。有一次,他對我説:"蕭薌陔快到我哥哥伯常家裏來畫像了,我看你,何不拜他為師!畫人像,總比畫神像好一些。"我也素知這位蕭薌陔的大名,衹是没有會見過,聽了鐵珊這么一説,我倒動了心啦。不多幾天,蕭薌陔果然到齊伯常家裏來了,我畫了一幅李鐵拐像,送給他看,并托鐵珊、公甫叔侄倆,代我去説,願意拜他為師。居然一説就合,等他完工回去,我就到他家去,正式拜師。這位蕭師傅,名叫傳鑫,薌陔是他的號,住在朱亭花鈿,離我們家有一百來里地,相當地遠。他是紙扎匠出身,自己發奮用功,經書讀得爛熟,也會做詩,畫像是湘潭第一名手,又會畫山水人物。他把拿手本領,都教給了我，我得他的益處不少。他又介紹他的朋友文少可和我相識，也是個畫像名手，家住在小花石。這位文少可也很熱心，他的得意手法，都端給我看，指點得很明白。我對於文少可，也很佩服，衹是没有拜他為師。我認識了他們二位，畫像這一項，就算有了門徑了。

那年冬天，我到賴家壠衙里去做雕花活。賴家壠離我們家，有四十多里地，路程不算近，晚上就住在主顧家裏。賴家壠在佛祖嶺的山脚下，那邊住的人家，都是姓賴的，衙里是我們家鄉的土話，就是聚族而居的意思。我每到晚上，照例要畫畫的，賴家的燈火，比我家裏的松油柴火，光亮得多，我就着燈盞，畫了幾幅花鳥，給賴家的人看見了，都説："芝師傅不是光會畫神像功對的，花鳥也畫得生動得很。"於是就有人來請我給他女人畫鞋頭上的花樣，預備畫好了去綉的。又有人説："我們請壽三爺畫個帳檐，往往等了一年半載，還没曾畫出來，何不把我們的竹布取回來，就請芝師傅畫畫呢？"我光知道我們杏子塢有個紳士，名叫馬迪軒，號叫少開，他的連襟姓胡，人家都稱他壽三爺，聽説是竹冲韶塘的人，離賴家壠不過兩里多地，他們所説的，大概就是此人。我聽了他們的話，當時却并未在意。到了年底，雕花活没有做完，留着明年再做，我就辭别了賴家，回家過年。

光緒十五年（己丑·一八八九），我二十七歲。過了年，我仍到賴家壠去做活。有一天，我正在雕花，賴家的人來叫我，説："壽三爺來了，要見見你！"我想："這有什么事呢？"但又不能不去。見了壽三爺，我照家鄉規矩，叫了他一聲"三相公"。壽三爺倒也挺客氣，對我説："我是常到你們杏子塢去的，你的鄰居馬家，是我的親戚，常説起你：人很聰明，又能用功。衹因你常在外邊做活，從没有見到過，今天在這裏遇上了，我也看到你的畫了，很可以造就！"又問我："家裏有什麽人？讀過書没有？"還問我："願不願再讀讀書，學學畫？"我一一地回答，最後説："讀書學畫，我是很願意，衹是家裏窮，書也讀不起，畫也學不起。"壽三爺説："那怕什麽？你要有志氣，可以一面讀書學畫，一面靠賣畫養家，也能對付得過去。你如願意的話，等這裏的活做完了，就到我家來談談！"我看他對我很誠懇，也就答應了。

這位壽三爺，名叫胡自倬，號叫沁園，又號漢槎。性情很慷慨，喜歡交朋友，收藏了不少名人字畫，他自己能寫漢隸，會畫工筆花鳥草蟲，做詩也做得很清麗。他家附近，有個藕花池，他的書房就取名為"藕花吟館"，時常邀集朋友，在内舉行詩會，人家把他比作孔北海，説是："座上客常滿，樽中酒不空。"他們韶塘胡姓，原是有名的財主，但是壽三爺這一房，因為他提倡風雅，素廣交遊，景况并不太富裕，可是他的人品，確是很高的。我在賴家壠完工之後，回家説了情形，就到韶塘胡家。那天，正是他們詩會的日子，到的人很多。壽三爺聽説我到了，很高興，當天就留我同詩會的朋友們一起吃午飯，并介紹我見了他家延聘的教讀老夫子。這位老夫子，名叫陳作塤，號叫少蕃，是上田冲的人，學問很好，湘潭的名士。吃飯的時候，壽三爺又問我："你如願意讀書的話，就拜陳老夫子的門吧！不過你父母知道不知道？"我說："父母倒也願意叫我聽三相公的話，就是窮……"話還没說完，壽三爺攔住了我，說："我不是跟你說過，你就賣畫養家！你的畫，可以賣出錢來，别擔憂！"我說："衹怕我歲數大了，來不及。"壽三爺又說："你是讀過《三字經》的！蘇老泉，二十七，始發憤，讀書籍。你今年二十七歲，何不學學蘇老泉呢？"陳老夫子也接着說："你如果願意讀書，我不收你的學俸錢。"同席的人都說："讀書拜陳老夫子，學畫拜壽三爺，拜了這兩位老師，還怕不能成名！"我說："三相公栽培我的厚意，我是感激不盡。"壽三爺說："别三相公了！以後就叫我老師吧！"當下，就决定了。吃過午飯，按照老規矩，先拜了孔夫子，我就拜了胡陳二位，做我的老師。

我拜師之後，就在胡家住下。兩位老師商量了一下，給我取了一個名字，單名叫作"璜"，又取了一個號，叫作"瀕生"，因為我住家與白石鋪相近，又取了個别號，叫作"白石山人"，預備題畫所用。少蕃師對我說："你來讀書，不比小孩子上蒙館了，也不是考秀才趕科舉的，畫畫總要會題詩才好，你就去讀《唐詩三百首》吧！這部書，雅俗共賞，從淺的說，入門很容易；從深的說，也可以鑽研下去。俗語常說，熟讀唐詩三百首，不會吟詩也會吟。這話不是完全没有道理的。詩的一道，本是易學難工，你能專心用功，一定很有成就。常言道，有志者，事竟成。又道，天下無難事，衹怕有心人，天下事的難不難，就看你有心没心了！"從那天起，我就讀《唐詩三百首》了。我小時候讀過《千家詩》，幾乎全部都能背出來，讀了《唐詩三百首》，上口就好像見到了老朋友，讀得很有味。衹是我識字不多，有很多生字，不容易記熟，我想起一個笨法子，用同音的字，注在書頁下端的後面，温習時候，一看就認得了。這種法子，我們家鄉叫作"白眼字"，初上學的人，常有這麽用的。過了兩個來月，少蕃師問我："讀熟幾首了？"我說："差不多都讀熟了。"他有些不信，隨意抽問了幾首，我都一字不遺地背了出來。他說："你的天分，真了不起！"實在說來，是他的教法好，講了讀，讀了背，背了寫，循序而進，所以讀熟一首，就明白一首的意思，這樣既不會忘掉，又懂得好處在哪裏。《唐詩三百首》讀完之後，接着讀了《孟子》。少蕃師又叫我在閑暇時，看看《聊齋志异》一類的小說，還時常給我講講唐宋八家的古文。我覺得這樣的讀書，真是人生最大的樂趣了。

我跟陳少蕃老師讀書的同時，又跟胡沁園老師學畫，學的是工筆花鳥草蟲。沁園師常對我說："石要瘦，樹要曲，鳥要活，手要熟。立意、布局、用筆、設色，式式要有法度，處處要合規矩，才能畫成一幅好畫。"他把珍藏的古今名人字畫，叫我仔細觀摩。又介紹了一位譚荔生，叫我跟他學畫山水。這位譚先生，單名一個“溥”字，别號瓮塘居士，是他的朋友。我常常畫了畫，拿給沁園師看，他都給我題上了詩。他還對我說：“你學學做詩吧！光會畫，不會做詩，總是美中不足。”那時正是三月天氣，藕花吟館前面，牡丹盛開，沁園師約集詩會同仁，賞花賦詩，他也叫我加入。我放大了膽子，做了一首七絶，交了上去，恐怕做得太不像様，給人笑話，心裏有些跳動。沁園師看了，却面帶笑容，點着頭說：“做得還不錯！有寄托。”說着，又念道：“莫羡牡丹稱富貴，却輸梨橘有餘甘。這兩句不但意思好，十三覃的甘字韵，也押得很穩。”説得很多詩友都圍攏上來，大家看了，都説：“瀕生是有聰明筆路的，别看他根基差，却有性靈。詩有别才，一點兒不錯！”這一炮，居然放響，是我料想不到的。從此，我摸索得了做詩的訣竅，常常做了，向兩位老師請教。當時常在一起的，除了姓胡的幾個人，其餘都是胡家的親戚，一共有十幾個人，衹有我一人，不是胡家的親故，他們倒都跟我處得很好。他們大部分是財主人家的子弟，至不濟的也是小康之家，比我的家景，總要强上十倍，他們并不嫌我出身寒微，一點也没有看不起我的意思，後來都成了我的好朋友。

那年七月十一日，春君生了個男孩，這是我們的長子，取名良元，號叫伯邦，又號子貞。我在胡家，讀書學畫，有吃有住，心境安適得很，眼界也廣闊多了。衹是想起了家裏的光景，决不能像在胡家認識的一般朋友們的胸無牽挂。幹雕花手藝，本是很費事的，每一件總得雕上好多日子，把身子困住了，别的事就不能再做。畫畫却不一定有什么限制，可以自由自在的，有閑暇就畫，没閑暇就罷，畫起來，也比雕花省事得多。就覺得沁園師所説的“賣畫養家”這句話，確實是既方便，又實惠。那時照相還没盛行，畫像這一行手藝，生意是很好的。畫像，我們家鄉叫做描容，是描畫人的容貌的意思。有錢的人，在生前總要畫幾幅小照玩玩，死了也要畫一幅遺容，留作紀念。我從蕭薌陔師傅和文少可那裏，學會了這行手藝，還没有給人畫過，聽説畫像的收入，比畫别的來得多，就想開始幹這一行了。沁園師知道我這個意思，到處給我吹噓，韶塘附近一帶的人，都來請我去畫，一開始，生意就很不錯。每畫一個像，他們送我二兩銀子，價碼不算太少，但是有些愛貪小便宜的人，往往在畫像之外，叫我給他們女眷畫些帳檐、袖套、鞋様之類，甚至叫我畫幅中堂，畫堂屏條，算是白饒。好在這些東西，我隨便畫上幾筆，倒也并不十分費事。我們湘潭風俗，新喪之家，婦女們穿的孝衣，都把袖頭翻起，畫上些花様，算做裝飾。這種零碎玩藝兒，更是畫遺容時必須附帶着畫的，我也總是照辦了。後來我又琢磨出一種精細畫法，能够在畫像的紗衣裏面，透現出袍褂上的團龍花紋，人家都説，這是我的一項絶技。人家叫我畫細的，送我四兩銀子，從此就作為定例。我覺得畫像挣的錢，比雕花多，而且還省事，因此，我就扔掉了斧鋸鑽鑿一類家伙，改了行，專做畫匠了。

五　詩畫篆刻漸漸成名（一八九〇—一九〇一）

光緒十六年（庚寅·一八九〇），我二十八歲。十七年（辛卯·一八九一），我二十九歲。十八年（壬辰·一八九二），我三十歲。十九年（癸巳·一八九三），我三十一歲。二十年（甲午·一八九四），我三十二歲。這五年，我仍靠着賣畫為生，來往於杏子塢韶塘周圍一帶。在我剛開始畫像的時候，家景還是不很寬裕，常常為了燈盞缺油，一家子摸黑上床。有位朋友黎丹，號叫雨民，是沁園師的外甥，到我家來看我，留他住下，夜無油燈，燒了松枝，和他談詩。另一位朋友王訓，也是沁園師的親戚，號叫仲言，他的家裏有一部白香山《長慶集》，我借了來，白天没有閑暇，衹有晚上回了家，才能閱讀，也因家裏没有燈油，燒了松柴，借着柴火的光亮，對付着把它讀完。後來我到了七十歲時，想起了這件事，做過一首《往事示兒輩》的詩，説："村書無角宿緣遲，廿七年華始有師。燈盞無油何害事，自燒松火讀唐詩。"没有讀書的環境，偏有讀書的嗜好，你説，窮人讀一點書，容易不容易？

我三十歲以後，畫像畫了幾年，附近百來里地的範圍以内，我差不多跑遍了東西南北。鄉里的人，都知道芝木匠改行做了畫匠，説我畫的畫，比雕的花還好。生意越做越多，收入也越來越豐，家裏靠我這門手藝，光景就有了轉機。母親緊皺了半輩子的眉毛，到這時才慢慢地放開了。祖母也笑着對我説："阿芝！你倒没有虧負了這枝筆，從前我説過，哪見文章鍋裏煮，現在我看見你的畫，却在鍋裏煮了！"我知道祖母是説的高興話，就畫了幾幅畫，挂在屋裏，又寫了一張横幅，題了"甑屋"兩個大字，意思是："可以吃得飽啦，不至於像以前鍋裏空空的了。"那時我已并不專搞畫像，山水人物、花鳥草蟲，人家叫我畫的很多，送我的錢，也不比畫像少。尤其是仕女，幾乎三天兩朝有人要我畫的，我常給他們畫些西施、洛神之類。也有人點景要畫細緻的，像文姬歸漢、木蘭從軍等等。他們都説我畫得很美，開玩笑似地叫我"齊美人"。老實説，我那時畫的美人，論筆法，并不十分高明，不過鄉里人光知道表面好看，家鄉又没有比我畫得好的人，我就算獨步一時了。常言道："蜀中無大將，廖化作先鋒"，他們這樣抬舉我，説起來，真是慚愧得很。但是，也有一批勢利鬼，看不起我是木匠出身，畫是要我畫了，却不要我題款。好像是畫是風雅的東西，我是算不得斯文中人，不是斯文人，不配題風雅畫。我明白他們的意思，覺得很可笑，本來不願意跟他們打交道，衹是為了挣錢吃飯，也就不去計較這些。他們既不少給我錢，題不題款，我倒并不在意。

我們家鄉,向來是没有裱畫鋪的,衹有幾個會裱畫的人,在四鄉各處,來來往往,應活做工,蕭薌陔師傅就是其中的一人。我在沁園師家讀書的時候,沁園師曾把蕭師傅請到家來,一方面叫他裱畫,一方面叫大公子仙甫跟他學做這門手藝。特地勾出了三間大廳,屋内中間,放着一張尺碼很長很大的紅漆桌子,四壁牆上,釘着平整干净的木板格子,所有軸杆、軸頭、别子、綾絹、絲縧、宣紙,以及排筆、漿糊之類,置備得齊齊備備,應有盡有。沁園師對我説:"瀕生,你也可以學學!你是一個畫家,學會了,裝裱自己的東西,就透着方便些。給人家做做活,也可以作為副業謀生。"沁園師處處為我打算,真是無微不至。我也覺得他的話,很有道理,就同仙甫,跟着蕭師傅,從托紙到上軸,一層一層的手續,都學會了。鄉里裱畫,全綾挖嵌的很少,講究的,也不過"綾欄圈"、"綾鑲邊"而已,普通的都是紙裱。我反覆琢磨,認為不論綾裱紙裱,裱得好壞,關鍵全在托紙,托得匀整平貼,挂起來,才不會有卷邊抽縮、彎腰駝背等毛病。比較難的,是舊畫揭裱。揭要揭得原件不傷分毫,裱要裱得清新悦目,遇有殘破的地方,更要補得天衣無縫。一般裱畫,衹會裱新的,不會揭裱舊畫,蕭師傅是個全才,裱新畫是小試其技,揭裱舊畫是他的拿手本領。我跟他學了不少日子,把揭裱舊畫的手藝也學會了。

我三十二歲那年,二月二十一日,春君又生了個男孩,這是我們的次子,取名良黼,號叫子仁。我自從在沁園師家讀書以後,由於沁園師的吹嘘,朋友們的介紹,認識的人,漸漸地多了。住在長塘的黎松安,名培鑾,又名德恂,是黎雨民的本家。那年春天,松安請我去畫他父親的遺像,他父親是上年故去的。王仲言在他們家教家館,彼此都是熟人,我就在松安家住了好多時候。長塘在羅山的山脚下,杉溪的後面,溪水從白竹坳來,風景很優美。那時,松安的祖父還在世,他老先生是會畫幾筆山水的,也收藏了些名人字畫,都拿了出來給我看,我就臨摹了幾幅。朋友們知道我和王仲言都在黎松安家,他們常來相叙。仲言發起組織了一個詩會,約定集會地點,在白泉棠花村羅真吾、醒吾弟兄家裏。真吾名天用,他的弟弟醒吾,名天覺,是沁園師的侄婿,我們時常在一起,都是很相好的。講實在的話,他們的書底子,都比我强得多,做詩的功夫,也比我深得多。不過那時是科舉時代,他們多少有點弋取功名的心理,試場裏用得着的是試帖詩,他們為了應試起見,都對試帖詩有相當研究,而且都曾下了苦功揣摩過的。試帖詩雖是工穩妥貼,又要圓轉得體,做起來確是不很容易,但過於拘泥板滯,一點兒不見生氣。我是反對死板板無生氣的東西的,做詩講究性靈,不願意像小脚女人似的扭捏作態。因此,各有所長,也就各做一派。他們能用典故,講究聲律,這是我比不上的,若説做些陶寫性情、歌咏自然的句子,他們也不一定比我好了。

我們的詩會，起初本是四五個人，隨時集在一起，談詩論文，兼及字畫篆刻、音樂歌唱，倒也興趣很濃。衹是没有一定日期，也没有一定規程。到了夏天，經過大家討論，正式組成了一個詩社，借了五龍山的大杰寺内幾間房子，作為社址，就取名為龍山詩社。五龍山在中路鋪白泉的北邊，離羅真吾、醒吾弟兄所住的棠花村很近。大杰寺是明朝就有的，裏面有很多棵銀杏樹，地方清静幽雅，是最適宜避暑的地方。詩社的主幹，除了我和王仲言，羅真吾、醒吾弟兄，還有陳茯根、譚子荃、胡立三，一共是七個人，人家稱我們為龍山七子。陳茯根名節，板橋人，譚子荃是羅真吾的内兄，胡立三是沁園師的侄子，都是常常見面的好朋友。他們推舉我做社長，我怎么敢當呢？他們是世家子弟，學問又比我强，叫我去當頭兒，好像是存心跟我開玩笑，我是堅辭不幹。王仲言對我説："瀕生，你太固執了！我們是論齒，七人中，年紀是你最大，你不當，是誰當了好呢？我們都是熟人，社長不過應個名而已，你還客氣什麽？"他們都附和王仲言的話，説我客氣得無此必要。我没法推辭，衹得答允了。社外的詩友，却也很多，常常來的，有黎松安、黎薇蓀、黎雨民、黄伯魁、胡石庵、史剛存等諸人，也都是我們向來極相熟的。衹有一個名叫張登壽、號叫仲颺的，是我新認識的。這位張仲颺，出身跟我一樣寒微，年輕時學過鐵匠，也因自己發憤用功，讀書讀得很有一點成就，拜了我們湘潭的大名士王湘綺先生做老師，經學根柢很深，詩也做得非常工穩。鄉里的一批勢利鬼，背地裏仍有叫他張鐵匠的。這和他們在我改行以後，依舊叫我芝木匠是一樣輕視的意思。我跟他，都是學過手藝的人，一見面就很親熱，交成了知己朋友。

光緒二十一年（乙未·一八九五），我三十三歲。黎松安家裏，也組成了一個詩社。松安住在長塘，對面一里來地，有座羅山，俗稱羅網山，因此，取名為"羅山詩社"。我們龍山詩社的主幹七人，和其他社外詩友，也都加入，時常去做詩應課。兩山相隔，有五十來里地，我們跑來跑去，并不嫌着路遠。那年，我們家鄉，遭逢了很嚴重的旱災，田裏的莊稼，都枯焦得不成樣子，秋收是没有把握的了，鄉里的饑民，就一群一群地到有錢人家去吃飯。我們家鄉的富裕人家，家裏都有穀倉，存着許多稻穀，年年吃掉了舊的，再存新的，永遠是滿滿的一倉，這是古人所説積穀防饑的意思。可是富裕人家，究屬是少數，大多數的人們，平日糊得上嘴，已不容易，哪有力量積存稻穀？逢到灾荒，就没有飯吃，為了活命，衹有去吃富户一法。他們去的時候，排着隊伍，魚貫而進，倒也很守秩序，不是亂搶亂撞的。到了富户家裏，自己動手開倉取穀，打米煮飯，但也并不是把富户的存穀完全吃光，吃了幾頓飽飯，又往别的地方，换個人家去吃。鄉里人稱他們為"吃排飯"。但是他們一群去了，另一群又來，川流不息地來來去去，富户存的稻穀，歸根結底，雖没吃光，也就吃得所剩無幾了。我們這些詩友，恰巧此時陸續地來到黎松安家，本是為了羅山詩社來的，附近的人，不知底細，却造了許多謠言，説是長塘黎家，存穀太多，連一批破靴黨(意指不安本分的讀書人)都來吃排飯了。

那時，龍山詩社從五龍山的大杰寺内遷出，遷到南泉冲黎雨民的家裏。我往來於龍山、羅山兩詩社，他們都十分歡迎。這其間另有一個原因，原因是什麼呢？他們要我造花箋。我們家鄉，是買不到花箋的，花箋是家鄉土話，就是寫詩的詩箋。兩個詩社的社友，都是少年愛漂亮，認為做成了詩，寫的是白紙，或是普通的信箋，没有寫在花箋上，覺得是一件憾事，有了我這個能畫的人，他們就跟我商量了。我當然是義不容辭，立刻就動手去做，用單宣和官堆一類的紙，裁成八行信箋大小，在晚上燈光之下，一張一張地畫上幾筆，有山水，也有花鳥，也有草蟲，也有魚蝦之類，着上了淡淡的顔色，倒也雅致得很。我一晚上能够畫出幾十張，一個月衹要畫上幾個晚上，分給社友們寫用，就足够的了。王仲言常常對社友們説：“這些花箋，是瀕生辛辛苦苦造成的，我們寫詩的時候，一定要仔細地用，不要寫錯。隨便糟蹋了，非但是怪可惜的，也對不起瀕生熬夜的辛苦！”説起這花箋，另有一段故事：在前幾年，我自知文理還不甚通順，不敢和朋友們通信，黎雨民要我跟他書信往來，特意送了我一些信箋，逼着我給他寫信，我就從此開始寫起信來，這確是算得我生平的一個紀念。不過雨民送我的，是寫信用的信箋，不是寫詩用的花箋。為了談起造花箋的事，我就想起黎雨民送我信箋的事來了。

光緒二十二年(丙申·一八九六)，我三十四歲。我起初寫字，學的是館閣體，到了韶塘胡家讀書以後，看了沁園、少蕃兩位老師，寫的都是道光年間，我們湖南道州何紹基一體的字，我也跟着他們學了。又因詩友們，有幾位會寫鐘鼎篆隸、兼會刻印章的，我想學刻印章，必須先會寫字，因之，我在閑暇時候，也常常寫些鐘鼎篆隸了。前二年，我在别人家畫像，遇上了一個從長沙來的人，號稱篆刻名家，求他刻印的人很多，我也拿了一方壽山石，請他給我刻個名章。隔了幾天，我去問他刻好了没有，他把石頭還給了我，説：“磨磨平，再拿來刻！”我看這塊壽山石，光滑平整，并没有什麼該磨的地方，他既是這麽説，我衹好磨了再拿去。他看也没看，隨手擱在一邊。又過了幾天，再去問他，仍舊把石頭扔還給我，説：“没有平，拿回去再磨磨！”我看他倨傲得厲害，好像看不起我這塊壽山石，也許連我這個人，也不在他的眼中。我想：何必為了一方印章，自討没趣。我氣忿之下，把石頭拿回來，當夜用修脚刀，自己把它刻了。第二天一早，給那家主人看見，很誇獎地説：“比了這位長沙來的客人刻的，大有雅俗之分。”我雖覺得高興，但也自知，我何嘗懂得篆法刀法呢！

我那時刻印，還是一個門外漢，不敢在人前賣弄。朋友中間，王仲言、黎松庵、黎薇蓀等，却都喜歡刻印，拉我在一起，教我一些初步的方法，我參用了雕花的手藝，順着筆畫，一刀一刀地削去，簡直是跟了他們，鬧着玩兒。

沁園師的本家胡輔臣，竹冲的一位紳士，是我朋友胡石庵的父親，介紹我到皋山黎桂塢家去畫像。胡黎兩家，是世代姻親，他們兩家的人，我本也認識幾位。皋山黎家，是清朝黎文肅公培敬的後人，黎培敬號叫簡堂，是咸豐年的進士，做過貴州的學臺、藩臺，光緒初年，做過江蘇撫臺，死了没有多年。他家和長塘黎松安家是同族，我朋友黎雨民，就是文肅公的長孫，黎薇蓀是文肅公的第三子，黎戩齋是薇蓀之子，這三位我是熟識的。黎桂塢是文肅公的次子，薇蓀的哥哥，我却是初次會見。還認識了文肅公的第四子鐵安，是桂塢、薇蓀的弟弟，雨民的叔叔。鐵安不常刻印，但寫的小篆功力非常精深，我慕名已久，此次見面，我就向他請教："我總是刻不好，有什麽方法辦呢？"鐵安笑着説："南泉冲的楚石，有的是！你挑一擔回家去，隨刻隨磨，你要刻滿三四個點心盒，都成了石漿，那就刻得好了。"這雖是一句玩笑話，却也很有至理。從前少蕃師對我説的"天下無難事，衹怕有心人"，就是這個意思。我於是打定主意，發憤學刻印章，從多磨多刻這句話上着想，去下功夫了。

黎松安是我最早的印友，我常到他家去，跟他切磋，一去就在他家住上幾天。我刻着印章，刻了再磨，磨了又刻，弄得我住的他家客室裏，四面八方，滿都是泥漿，移東移西，無處插脚，幾乎一屋子都變成了池底。松安很鼓勵我，還送給我丁龍泓、黄小松兩家刻印的拓片，我很想學他們兩人的刀法，衹因拓片不多，還摸不到門徑。那時，青田、壽山等石章，在我們家鄉，不十分容易買到，價格也不便宜，像鷄血、田黄等等，更是貴重得了不得。我在一處人家畫像，無意間買到了那家舊存的幾塊印章，都是些青田、壽山石的，松安知道了，冒着大風雨，到我家，説是分我的石章來的，他真可以算是一個印迷了。我做過《憶羅山往事》的詩，説："石潭舊事等心孩，磨石書堂水亦災。風雨一天拖兩屐，傘扶飛到赤泥來。"石潭、赤泥都是地名。石潭離羅山不過一里來地，在杉溪的下游。赤泥冲離羅山西北，也衹有一里來地。這兩處，都是離松安家很近。那年秋天，我們幾個人，都在杉溪附近散步，溪上有一獨木橋，橋身很窄，人都不敢在上面走，松安取出一塊青田石章，説："誰能倒退走過此橋，我把這塊石章奉送。"我説："我來試試。"我真的倒退走過了橋，又倒退走了回來，松安也真的把石章送了給我。我後來有過一首詩，送給松安，説："三十年前溪上路，與君顔色未曾凋。丹楓亂落黄花瘦，人影水光獨木橋。"就是指的這回事。當時我和松安的興致，都是很高的。松安比我小八歲，天資比我高得多，刻的印章也比我好得多，他是摹仿鄧石如的，功夫很深。他中年以後，因為刻印易傷眼力，不願再刻，所以他的本領，沒有大顯於世，這是很可惜的。我記得：我初次正式刻成的一方閑章，刻的是三個字："金石癖"，就是在松安家裏刻的，留在他家做紀念，聽説保存了好幾十年，直到抗日戰事勝利的前一年，在兵亂中失去了。

光緒二十三年（丁酉·一八九七），我三十五歲。二十四年（戊戌·一八九八），我三十六歲。我在三十五歲以前，始終没曾離開家鄉，足迹所到之處，衹限於杏子塢附近百里之內，連湘潭縣城都没有去過。直到三十五歲那年，才由朋友介紹，到縣城裏去給人家畫像。城裏的人，看我畫得不錯，把我的姓名，傳開了去，請我畫像的人漸多，我就常常地進城去了。祖母看我城鄉奔波，在家閑着的時候很少，笑着對我說："你小時候，算命先生説你長大了，一定要離別故鄉，看來，這句話倒要應驗的了。"我在湘潭城內，認識了郭葆生，名叫人漳，是個道臺班子（有了道臺資格還未補到實缺的人）的大少爺。又認識了一位桂陽州的名士夏壽田，號叫午詒，也是一位貴公子。回家後，仍和一般老朋友們在一起，做詩刻印章。黎松安知道我小時候多病，又曾吐過血，此刻見我跑東跑西，很够忙的，屢次勸我戒除吸水烟的習慣。説："吸烟對於身體，大有妨害，尤其你這個早年吐過血的人，更要小心！"我敷衍他的面子，口頭上是答應不吸了，背了他還是照樣地吸。有一天，給他發覺了，他氣惱到了極點，綳起着臉，大聲地說了我一頓，又逼着我到孔夫子的神牌面前，叫我行禮宣誓。朋友這樣地愛惜我，真是出於一番誠意，我怎能辜負了他呢？從此我把吸水烟的習慣，完全戒掉了。這時松安家新造了一所書樓，名叫誦芬樓，羅山詩社的詩友們，就在那裏集會，我們龍山詩社的人，也常去參加。次年，我三十六歲，春君生了個女孩，小名叫做阿梅。黎薇蓀的兒子戩齋，交給我丁龍泓、黄小松兩家的印譜，説是他父親從四川寄回來送給我的。薇蓀是甲午科的翰林，外放在四川做官，他們父子倆跟我都是十分相好的。前年，黎松安給過我丁黄刻印的拓片，現在薇蓀又送我丁黄印譜，我對於丁黄兩家精密的刀法，就有了途軌可循了。

光緒二十五年（己亥·一八九九），我三十七歲。正月，張仲颺介紹我去拜見王湘綺先生，我拿了我做的詩文，寫的字，畫的畫，刻的印章，請他評閱。湘公説："你畫的畫，刻的印章，又是一個寄禪黄先生哪！"湘公説的寄禪，是我們湘潭有名的一個和尚，俗家姓黄，原名讀山，是宋朝黄山谷的後裔，出家後，法名敬安，寄禪是他的法號，他又自號為八指頭陀。他也是少年寒苦，自己發憤成名，湘公把他來比我，真是抬舉我了。那時湘公的名聲很大，一般趨勢好名的人，都想列入門牆，遞上一個門生帖子，就算作王門弟子，在人前賣弄賣弄，覺得很有光彩了。張仲颺屢次勸我拜湘公的門，我怕人家説我標榜，遲遲没有答應。湘公見我這人很奇怪，説高傲不像高傲，説趨附又不肯趨附，簡直莫名其所以然。曾對吴邵之説："各人有各人的脾氣，我門下有銅匠衡陽人曾招吉，鐵匠我同縣烏石寨人張仲颺，還有一個同縣的木匠，也是非常好學的，却始終不肯做我的門生。"這話給張仲颺聽到了，特來告訴我，并説："王老師這樣地看重你，還不去拜門？人家求都求不到，你難道是招也招不來嗎？"我本也感激湘公的一番厚意，不敢再固執，到了十月十八日，就同了仲颺，到湘公那裏，正式拜門。但我終覺得自己學問太淺，老怕人家説我拜入王門，是想抬高身分，所以在人面前，不敢把湘綺師挂在嘴邊。不過我心裏頭，對湘綺師是感佩得五體投地的。仲颺又對我説："湘綺師評你的文，倒還像個樣子，詩却成了《紅樓夢》裏呆霸王薛蟠的一體了。"這句話真是説着我的毛病了。我做的詩，完全寫我心裏頭要説的話，没有在字面上修飾過，自己看來，也有點呆霸王那樣的味兒哪！

那時，黎鐵安又介紹我到長沙省城裏，給茶陵州的著名紳士譚氏三兄弟，刻他們的收藏印記。這三位都是譚鐘麟的公子。譚鐘麟做過閩浙總督和兩廣總督，是赫赫有名的一品大員。他們三兄弟，大的叫譚延闓，號組安；次的叫譚恩闓，號組庚；小的叫譚澤闓，號組同，又號瓶齋。我一共給他們刻了十多方印章，自己看着，倒還過得去，没有什麽不對的地方。却有一個丁拔貢，名叫可鈞的，自稱是個金石家，指斥我的刀法太懶，説了不少壞話。譚氏兄弟那時對於刻印，還不十分内行，聽了丁拔貢的話，以耳代目，就把我刻的字，統都磨掉，另請這位丁拔貢去刻了。我聽到這個消息，心想：我和丁可鈞，都是摹仿丁龍泓、黄小松兩家的，走的是同一條路，難道説，他刻得對，我就不對了麽？究竟誰對誰不對，懂得此道的人自有公論，我又何必跟他計較，也就付之一笑而已。

光緒二十六年（庚子·一九〇〇），我三十八歲。湘潭縣城内，住着一位江西鹽商，是個大財主。他逛了一次衡山七十二峰，以為這是天下第一勝景，想請人畫個南岳全圖，作為他遊山的紀念。朋友介紹我去應徵，我很經意地畫成六尺中堂十二幅。我為了湊合鹽商的意思，着色特别濃重；十二幅畫，光是石緑一色，足足地用了二斤，這真是一個笑柄。鹽商看了，却是十分滿意，送了我三百二十兩銀子。這三百二十兩，在那時是一個了不起的數目，人家聽了，吐吐舌頭説："這還了得，畫畫真可以發財啦！"因為這一次畫，我得了這樣的高價，傳遍了湘潭附近各縣，從此我賣畫的聲名，就大了起來，生意也就愈發地多了。

我住的星斗塘老屋，房子本來很小，這幾年，家裏添了好多人口，顯得更狹窄了。我拿回了三百二十兩銀子，就想另外找一所住房，住得寬敞一些。恰巧離白石鋪不遠的獅子口，在蓮花砦下面，有所梅公祠，附近還有幾十畝祠堂的祭田，正在招人典租，索價八百兩銀子。我很想把它承典過來，衹是没有這些銀子。我有一個朋友,是種田的,他願意典祠堂的祭田,於是我出三百二十兩,典住祠堂房屋,他出四百八十兩,典種祠堂祭田。事情辦妥,我祖母和我父母,都不很贊成,但也并不反對,我就同了我妻陳春君,帶着我們兩個兒子,兩個女兒,搬到梅公祠去住了。蓮花砦離餘霞嶺,有二十來里地,一望都是梅花,我把住的梅花祠,取名為百梅書屋。我做過一首詩,說:"最關情是舊移家,屋角寒風香徑斜。二十里中三尺雪,餘霞雙屐到蓮花。"梅公祠邊,梅花之外,還有很多木芙蓉,花開時好像鋪着一大片錦綉,好看得很。我定居北京以後,回想那時的故居,也曾題過一首詩:"廿年不到蓮花洞,草木餘情有夢通。晨露替人垂別泪,百梅祠外木芙蓉。"梅公祠內,有一點空地,我添蓋了一間書房,取名借山吟館。房前屋後,種了幾株芭蕉,到了夏天,綠蔭鋪階,涼生几榻,尤其是秋風夜雨,瀟瀟簌簌,助人詩思。我有句云:"蓮花山下窗前綠,猶有挑燈雨後思。"這一年我在借山吟館裏,讀書學詩,做的詩,竟有幾百首之多。

梅公祠離星斗塘,不過五里來地,并不太遠。我和春君,常常回到星斗塘去看望祖母和我父親母親,他們也常到梅公祠來玩兒。從梅公祠到星斗塘,沿路水塘內,種的都是荷花,到花盛開之時,在塘邊行走,一路香風,沁人心胸。我有兩句詩說:"五里新荷田上路,百梅祠到杏花村。"我在梅公祠門前的水塘內,也種了不少荷花,夏末秋初,結的蓮蓬很多,在塘邊用稻草搭蓋了一個棚子,囑咐我兩個兒子,輪流看守。那年,我大兒子良元,年十二歲,次兒良黼,年六歲。他們兄弟倆,平常日子,到山上去砍柴,砍得挺賣力氣,我見了心裏很喜歡。窮人家的孩子,總是手脚勤些的好。有一天,中午剛過,我到門前塘邊閑步,衹見良黼躺在草棚之下,睡得正香。草棚是很小的,遮不了他整個身體,棚子頂上蓋的稻草,又極稀薄,他穿了一件破舊的短衣,汗出得像流水一樣。我看看地上的草,都給太陽曬得枯了。心想,他小小年紀,在這毒烈的太陽底下,怎麼能受得了呢? 就叫他道:"良黼,你睡着了嗎?"他從睡夢中霍地坐了起來,怕我責備,擦了擦眼睛,對我看看,喘着氣,咳了一聲嗽。我看他怪可憐的,就叫他跟我進屋去,這孩子真是老實極了。

光緒二十七年(辛丑·一九〇一),我三十九歲。朋友問我:"你的借山吟館,取了借山兩字,是什麼意思。"我說:"意思很明白,山不是我所有,我不過借來娛目而已!"我就畫了一幅《借山吟館圖》,留作紀念。有人介紹我到湘潭縣城裏,給內閣中書李家畫像。這位李中書,名叫鎮藩,號翰屏,是個傲慢自大的人,向來是誰都看不起的,不料他一見我面,却談得非常之好,而且還彬彬有禮。我倒有點奇怪了,以為這樣一個有名的狂士,怎麼能够跟我交上朋友了呢? 經過打聽,原來他有個內閣中書的同事,是湘綺師的內弟蔡枚功,名毓春,曾經對他說過:"國有顏子而不知，深以為耻。”蔡公這樣地抬舉我，李翰屏也就對我另眼相看了。那年十二月十九日，我遭逢了一件大不幸的事情，我祖母馬孺人故去了。我小時候，她揹了我下地做活，在窮苦無奈之時，她寧可自己餓着肚子，留了東西給我吃，想起了以前種種情景，心裏頭真是痛如刀割。

六　五出五歸(一九〇二—一九一六)

光緒二十八年(壬寅·一九〇二)，我四十歲。四月初四日，春君又生了個男孩，這是我們的第三子，取名良琨，號子如。我在四十歲以前，没有出過遠門，來來往往，都在湘潭附近各地。而且到了一地，也不過稍稍勾留，少則十天半月，至多三五個月。得到一點潤筆的錢，就拿回家去，奉養老親，撫育妻子。我不希望發什麽財，衹圖糊住了一家老小的嘴，於願已足；并不作遠遊之想。那年秋天，夏午詒由翰林改官陝西，從西安來信，叫我去教他的如夫人姚無雙學畫，知道我是靠作畫刻印的潤資度日的，就把束修和旅費，都匯寄給我。郭葆生也在西安，怕我不肯去，寄了一封長信來，説：“無論作詩作文，或作畫刻印，均須於遊歷中求進境。作畫尤應多遊歷，實地觀察，方能得其中之真諦。古人云，得江山之助，即此意也。作畫但知臨摹前人名作或畫册畫譜之類，已落下乘，倘復僅憑耳食，隨意點綴，則隔靴搔癢，更見其百無一是矣。兄能常作遠遊，眼界既廣闊，心境亦舒展，輔以穎敏之天資，深邃之學力，其所造就，將無涯涘，較之株守家園，故步自封者，誠不可以道里計也。關中夙號天險，山川雄奇，收之筆底，定多杰作。兄仰事俯蓄，固知憚於旅寄，然為畫境進益起見，西安之行，殊不可少，尚望早日命駕，毋勞躊躇！”我經他們這樣督促，就和父母商量好了，於十月初，别了春君，動身北上。有一個十三歲的姑娘，天資很聰明，想跟我學畫，我因為要遠遊，没有答允她。她來信説：“俟為白石門生後，方為人婦，恐早嫁有管束，不成一技也。”我看她很有志氣，在動身到西安之前，特地去跟她話别。想不到她不久就死了，這一别竟不能再見，真是遺憾得很。十多年後，我想起了她，曾經做過兩首詩：“最堪思處在停針，一藝無緣泪滿襟。放下綉針伸一指，憑空不語寫傷心。”“一别家山十載餘，紅鱗空費往來書。傷心未了門生願，憐汝羅敷未有夫。”我生平念念不忘的文字藝術知己，這位小姑娘，乃是其中的一個。

那時，水陸交通，很不方便，長途跋涉，走得非常之慢，我却趁此機會，添了不少畫料。每逢看到奇妙景物，我就畫上一幅。到此境界，才明白前人的畫譜，造意布局，和山的皴法，都不是没有根據的。我在中途，畫了很多，最得意的有兩幅：一幅是路過洞庭湖，畫的是《洞庭看日圖》；我六十歲後，補題過一首詩：“往余過洞庭，鯽魚下江嚇。浪高舟欲埋，霧重湖光没。霧中東望一帆輕,帆腰日出如銅鉦。舉篙敲鉦復住手,竊恐蛟龍聞欲驚。湘君駛雲來,笑我清狂客。請博今宵歡,同看長圓月。回首二十年,烟霞在胸膈。君山初識余,頭還未全白。”一幅是快到西安之時,畫的是《灞橋風雪圖》,我也題過一首詩“名利無心到二毛,故人一簡遠相招。蹇驢背上長安道,雪冷風寒過灞橋。”這兩幅圖,我都列入借山吟館圖卷之内。

我到西安,已是十二月中旬了,見着午詒,又會到了葆生,張仲颺也在西安,還認識了長沙人徐崇立。無雙跟我學畫,倒也聞一知十,進步很快,我門下有這樣一個聰明的女弟子,覺得很高興,就刻了一方印章:“無雙從遊”,作為紀念。我同幾位朋友,暇時常去遊覽西安附近名勝,所有碑林、雁塔坡、牛首山、華清池等許多名迹,都遊遍了。在快要過年的時候,午詒介紹我去見陝西臬臺樊樊山,樊山名增祥,號雲門,湖北恩施人,是當時的名士,又是南北聞名的大詩人。我刻了幾方印章,帶了去,想送給他。到了臬臺衙門,因為没有遞“門包”,門上不給我通報,白跑了一趟。午詒跟樊山説了,才見着了面。樊山送了我五十兩銀子,作為刻印的潤資,又替我訂了一張刻印的潤例:“常用名印,每字三金,石廣以漢尺為度,石大照加。石小二分,字若黍粒,每字十金。”是他親筆寫好了交給我的。在西安的許多湖南同鄉,看見臬臺這樣地看得起我,就認為是大好的進身之階。張仲颺也對我説,機會不可錯過,勸我直接去走臬臺門路,不難弄到一個很好的差事。我以為一個人要是利欲熏心,見縫就鑽,就算鑽出了名堂,這個人的人品,也可想而知了。因此,仲颺勸我積極營謀,我反而勸他懸崖勒馬。仲颺這樣一個熱衷功名的人,當然不會受我勸的,但是像我這樣一個淡於名利的人,當然也不會聽他話的。我和他,從此就有點小小隔閡,他的心裏話,也就不跟我説了。

光緒二十九年(癸卯·一九〇三),我四十一歲。在西安住了三個來月,夏午詒要進京謀求差事,調省江西,邀我同行。樊樊山告訴我,他五月中也要進京,慈禧太后喜歡繪畫,宫内有位雲南籍的寡婦繆素筠,給太后代筆,吃的是六品俸,他可以在太后面前推薦我,也許能够弄個六七品的官銜。我笑着説:“我是没見過世面的人,叫我去當内廷供奉,怎麽能行呢?我没有别的打算,祇想賣賣畫,刻刻印章,憑着這一雙勞苦的手,積蓄得三二千兩銀子,帶回家去,够我一生吃喝,也就心滿意足了。”夏午詒説:“京城裏遍地是銀子,有本領的人,俯拾即是,三二千兩銀子,算得了什麽!瀕生當了内廷供奉,在外頭照常可以賣畫刻印,還怕不够你一生吃喝嗎?”我聽他們都是官場口吻,不便接口,祇好相對無言了。我在西安,住得雖不甚久,却有些留戀之意,在離開之前,又去遊了一次雁塔,題了一首詩:“長安城外柳絲絲,雁塔曾經春社時。無意姓名題上塔,至今人不識阿芝。”我不喜歡出風頭的意思，在這首詩裏，説得很明白的了。

三月初，我隨同午詒一家，動身進京。路過華陰縣，登上了萬歲樓，面對華山，看個盡興。一路桃花，長達數十里，風景之美，真是生平所僅見。到晚晌，我點上了燈，在燈下畫了一幅《華山圖》。華山山勢陡立，看去真像刀削一樣。渡了黄河，在弘農澗地方，遠看嵩山，另是一種奇景。我向旅店中借了一張小桌子，在澗邊畫了一幅《嵩山圖》。這圖同《華山圖》，我都收在借山圖卷内了。在漳河岸邊，看見水裏有一塊長方形的石頭，好像是很光滑的，我想取了來，磨磨刻字刀，倒是十分相宜。拾起來仔細一看，却是塊漢磚，銅雀臺的遺物，無意間得到了稀見的珍品，真是喜出望外。可惜十多年後，在家鄉的兵亂中，給土匪搶去了。

我進了京城，住在宣武門外北半截胡同夏午詒家。每天教無雙學畫以外，應了朋友的介紹，賣畫刻印章。閑暇時候，當去逛琉璃廠，看看古玩字畫。也到大栅欄一帶去聽聽戲。認識了湘潭同鄉張翊六，號貢吾；衡陽人曾熙，號農髯；江西人李瑞荃，號筠庵。其餘還有不少的新知舊友，常在一起遊宴。但是一般勢利的官場中人，我是不願和他們接近的。記得我初認識曾農髯時，誤會他是個勢利人，囑咐午詒家的門房，待他來時，説我有病，不能會客。他來過幾次，都没見着。一次他又來了，不待通報，直闖進來，連聲説："我已經進來，你還能不見我嗎？"我無法再躲，祇得延見。農髯是個風雅的飽學之士，後來跟我交得很好，當初是我錯看了他，實在抱歉之極。三月三十日那天，午詒同楊度等發起，在陶然亭餞春，到了不少的詩人，我畫了一幅《陶然亭餞春圖》。楊度，號晳子，湘潭同鄉，也是湘綺師的門生。我做過一首詩，寄給樊樊山，中有四句説："陶然亭上餞春早，晚鐘初動夕陽收。揮毫無計留春住，落霞横抹胭脂愁。"就是説的那年我畫餞春圖這回事。

到了五月，聽説樊山已從西安啟程，我怕他來京以後，推薦我去當内廷供奉，少不得要添出許多麻煩。我向午詒説："離家半年多，想念得很，打算出京回家去了。"午詒留着我，我堅決要走。他説："既然留你不得，我也衹好隨你的便！我想，給你捐個縣丞，指省江西，你到南昌去候補，好不好呢？縣丞雖是微秩，究屬是朝廷的命官，慢慢地磨上了資格，將來署個縣缺，是并不難的。况且我是要到江西去的，替你打點打點，多少總有點照應。"我説："我哪裏會做官，你的盛意，我衹好心領而已。我如果真的到官場裏去混，那我簡直是受罪了！"午詒看我意志并無猶豫，知道我是决不會幹的，也就不再勉强，把捐縣丞的錢送了給我。我拿了這些錢，連同在西安北京賣畫刻印章的潤資，一共有了二千多兩銀子，可算是不虚此行了。我在北京臨行之時，買了點京裏的土産，預備回家後送送親友，又在李玉田筆鋪，定製了畫筆六十枝，每枝上面，挨次刻着號碼，自第一號起，至第六十號止，刻的字是:"白石先生畫筆第幾號"。當時有人説,不該自稱先生,這樣的刻筆,未免狂妄。實則從前金冬心就自己稱過先生,我摹仿着他,有何不可呢? 樊樊山在我出京後不久,也到了京城,聽説我已走了,對夏午詒説:"齊山人志行很高,性情却有點孤僻啊!"

我出京後,從天津坐海輪,過黑水洋,到上海,再坐江輪,轉漢口,回到家鄉,已是六月炎天了。我從壬寅年四十歲起至己酉年四十七歲止,這八年中,出過遠門五次,是我生平可紀念的五出五歸。這次遠遊西安、北京,繞道天津、上海回家,是我五出五歸中的一出一歸,也就是我出門遠遊的第一次。那時,同我合資典租梅公祠祭田的那位朋友想要退田,和我商量,我在帶回家的二千多兩銀子中,提出四百八十兩給了他,以後梅公祠的房子和祭田,統都歸我承典了。我回鄉以後,仍和舊日師友常相晤叙,作畫吟詩刻印章,是每天的日課。胡沁園師見了我畫的《華山圖》,很為賞識,贊不絶口,拿來一把團扇,叫我縮寫在他的扇面上,我就很經意地給他畫了。沁園師很高興,笑着對我説:"讀萬卷書,行萬里路,都是人生快意之事,第二句你做到了,慢慢地再做到第一句,那就更好了。"沁園師總是很誠懇地這樣期許我。

光緒三十年(甲辰·一九〇四),我四十二歲。春間,王湘綺師約我和張仲颺同遊南昌。過九江,遊了廬山。到了南昌,住在湘綺師的寓中,我們常去遊滕王閣、百花洲等名勝。銅匠出身的曾招吉,那時在南昌製造空運大氣球,聽説他試驗了幾次,都掉到水裏去了,人都作為笑談,他仍是專心壹志地研究。他也是湘綺師的門生,和鐵匠出身的張仲颺,木匠出身的我,同稱"王門三匠"。他們二人的學問,也許比我高明些,但是性情可不與我一樣。仲颺也是新從陝西回來,他是一個熱心做官的人,喜歡高談闊論,説些不着邊際的大話,表示他的抱負不凡。招吉平常日子都穿着官靴,走起路來,邁着鴨子似的八字方步,表示他是一個會做文章的讀書人。南昌是江西省城,大官兒不算很少,欽慕湘綺師的盛名,時常來登門拜訪。仲颺和招吉,依傍老師的面子,周旋其間,倒也認識了很多闊人。我却怕和他們打着交道,看見他們來了,就躲在一邊,避不見面,并不出去招呼,所以他們認識我的很少。仲颺、招吉常常笑我是個迂夫子,我也衹能甘心做我的迂夫子而已。

七夕那天,湘綺師在寓所,招集我們一起飲酒,并賜食石榴。席間,湘綺師説:"南昌自從曾文正公去後,文風停頓了好久,今天是七夕良辰,不可無詩,我們來聯句吧!"他就自己首唱了兩句:"地靈勝江匯,星聚及秋期。"我們三個人聽了,都没有聯上,大家互相看看,覺得很不體面。好在湘綺師是知道我們底細的,看我們誰都聯不上,也就罷了。我在夏間,曾把我所刻的印章拓本,呈給湘綺師評閲,并請他做篇序文。就在那天晚上,湘綺師把做成的序文給了我。文内有幾句話,説:

"白石草衣,起於造士,畫品琴德,俱入名域,尤精刀筆,非知交不妄應。朋座密談時,有生客至,輒逡巡避去,有高世之志,而恂恂如不能言。"這雖是他老人家溢美之言,太誇獎了我,但所說我的脾氣,確是一點不假,真可以算是我的知音了。到了八月十五中秋節,我才回到家鄉。這是我五出五歸中的二出二歸。想起七夕在南昌聯句之事,覺得做詩這一門,倘不多讀點書,打好根基,實在不是容易的事。雖說我也會哼幾句平平仄仄,怎麼能够自稱為詩人了呢?因此,就把借山吟館的"吟"字删去,我的書室,衹名為借山館了。

光緒三十一年(乙巳·一九〇五),我四十三歲。在黎薇蓀家裏,見到趙之謙的《二金蝶堂印譜》,借了來,用硃筆勾出,倒和原本一點没有走樣。從此,我刻印章,就摹仿趙撝叔的一體了。我作畫,本是畫工筆的,到了西安以後,漸漸改用大寫意筆法。以前我寫字,是學何子貞的,在北京遇到了李筠庵,跟他學寫魏碑,他叫我臨爨龍顔碑,我一直寫到現在。人家説我出了兩次遠門,作畫寫字刻印章,都變了樣啦,這確是我改變作風的一個大樞紐。七月中旬,汪頌年約我遊桂林。頌年名詒書,長沙人,翰林出身,現任廣西提學使。廣西的山水,是天下著名的,我就欣然而往。進了廣西境内,果然奇峰峻嶺,目不暇接。畫山水,到了廣西,才算開了眼界啦!衹是桂林的氣候,倏忽多變,炎凉冷暖,捉摸不定,出去遊覽,必須把棉夾單三類衣服,帶個齊全,才能應付天氣的變化。我做過一首詩:"廣西時候不相侔,自打衣包作小遊。一日扁舟過陽朔,南風輕葛北風裘。"并不是過甚其辭。

我在桂林,賣畫刻印為生。樊樊山在西安給我定的刻印潤格,我借重他的大名,把潤格挂了出去,生意居然很好。我做了一首紀事詩:"眼昏隔霧尚雕鎸,好事諸公肯出錢。死後問心何值得,尋常一字價三千。"那時,寶慶人蔡鍔,號松坡,新從日本回國,在桂林創辦巡警學堂。看我賦閑無事,托人來説,巡警學堂的學生,每逢星期日放假,常到外邊去鬧事,想請我在星期那天,去教學生們作畫,每月送我薪資三十兩銀子。我説:"學生在外邊會鬧事,在裏頭也會鬧事,萬一鬧出轟教員的事,把我轟了出來,顔面何存,還是不去的好。"三十兩銀子請個教員,在那時是很豐厚的薪資,何况一個月衹教四天的課,這是再優惠没有的了。我堅辭不就,人都以為我是個怪人。松坡又有意自己跟我學畫,我也婉辭謝絶。

有一天在朋友那裏,遇到一位和尚,自稱姓張,名中正,人都稱他為張和尚。我看他行動不甚正常,説話也多可疑,問他從哪裏來,往何處去,他都閃爍其辭,没曾説出一個準地方,衹是吞吞吐吐地"唔"了幾聲,我也不便多問了。他還托我畫過四條屏,送了我二十塊銀圓。我打算回家的時候,他知道了,特地跑來對我説:"你哪天走?我預備騎着馬,送你出城去!"這位和尚,待友倒是很殷勤的。到了民國初年，報紙上常有黄克强的名字，是人人知道的。朋友問我："你認識黄克强先生嗎？"我説："不認識。"又問我："你總見過他？"我説："素昧平生。"朋友笑着説："你在桂林遇到的張和尚，既不姓張，又不是和尚，就是黄先生。"我才恍然大悟，但是我和黄先生始終没曾再見過。

光緒三十二年（丙午·一九〇六），我四十四歲。在桂林過了年，打算要回家，畫了一幅《獨秀山圖》，作為此遊的紀念，我把這圖也收入借山圖卷裏去。許多朋友知道我要走了，都留着我不放，我説回家去看看再來。正想動身的時候，忽接我父親來信，説是四弟純培，和我的長子良元，從軍到了廣東，因為他們叔侄兩人，年輕没曾出過遠門，家裏很不放心，叫我趕快去追尋。我也覺得事出突然，就辭别衆友，取道梧州，到了廣州，住在祈園寺廟内。探得他們跟了郭葆生，到欽州去了。原來現任兩廣總督袁海觀，也是湘潭人，跟葆生是親戚。葆生是個候補道，指省廣東不久，就放了欽廉兵備道。欽廉是欽州廉州兩個地方，道臺是駐在欽州的。純培和良元，是葆生叫去的，他們怕家裏不放遠行，瞞了人，偷偷地到了廣東。我打聽到確訊，匆匆忙忙地趕了一千多里的水陸路程，到了欽州。葆生笑着説："我叫他們叔侄來到這裏，連你這位齊山人也請到了！"我説："我是找他們來的，既已見到，家裏也就放心了。"葆生本也會畫幾筆花鳥，留我住了幾個月，叫他的如夫人跟我學畫。他是一個好名的人，自己畫得雖不太好，却很喜歡揮毫，官場中本没有真正的是非，因為他官銜不小，求他畫的人倒也不少。我到了以後，葆生好像有了一個得力的幫手，應酬畫件，就叫我代為捉刀。我在他那裏，代他畫了很多，他知道我是靠賣畫為生的，送了我一筆潤資。他收羅的許多名畫，像八大山人、徐青藤、金冬心等真迹，都給我臨摹了一遍，我也得益不淺。到了秋天，我跟葆生訂了後約，獨自回到家鄉，這是我五出五歸中的三出三歸。

我回家後不久，周之美師傅於九月二十一日死了。我聽得這個消息，心裏難受得很。回想當初跟我師傅學藝的時候，師傅視我如子，把他雕花的絶技，全套教給了我。出師後，我雖常去看他，衹因連年在外奔波，相見的日子，并不甚多。不料此次遠遊歸來，竟成長别。師傅又没有後嗣，身後凄凉，令人酸鼻。我到他家去哭奠了一場，又做了一篇《大匠墓志》去追悼他。憑我這一點微薄的意思，怎能報答我師傅當初待我的恩情呢？

那時，我因梅公祠的房屋和祠堂的祭田，典期届滿，另在餘霞峰山脚下、茶恩寺茹家冲地方，買了一所破舊房屋和二十畝水田。茹家冲在白石鋪的南面，相隔二十來里。西北到曉霞山，也不過三十來里。東面是楓樹坳，坳上有大楓樹百十來棵，都是幾百年前遺留下來的。西北是老壩，又名老溪，是條小河，岸的兩邊，古松很多。我們房屋的前面和旁邊，各有一口水井，井邊種了不少的竹子，房前的井，名叫墨井。這一帶在四山圍抱之中，風景很是優美。我把破舊的房屋，翻蓋一新，取名為寄萍堂。堂内造一書室，取名為八硯樓，名雖為樓，并非樓房，我遠遊時得來的八塊硯石，置在室中，所以題了此名。這座房子，是我畫了圖樣蓋的，前後窗户，安上了從上海帶回來的細鐵絲紗，我把它稱作“碧紗橱”。朋友們都説：軒暢爽朗，樣式既别緻，又合乎實用。布置妥當，於十一月二十日，我同春君帶着兒女們，從梅公祠舊居，搬到了茹家冲新宅。我以前住的，祇能説是借山，此刻置地蓋房，才可算是買山了。十二月初七日，大兒媳生了個男孩，這是我的長孫，取名秉靈，號叫近衡。因他生在搬進新宅不到一月，故又取號移孫。鄰居們看我新修了住宅，又添了一個孫子，都來祝賀説：“人興財旺！”我的心境，確比前幾年舒展得多了。

光緒三十三年（丁未·一九〇七），我四十五歲。上年在欽州，與郭葆生話别，訂約今年再去。過了年，我就動身了。坐轎到廣西梧州，再坐輪船，轉海道而往。到了欽州，葆生仍舊叫我教他如夫人學畫，兼給葆生代筆。住不多久，隨同葆生到了肇慶。遊鼎湖山，觀飛泉潭。泉水像潑天河似的，傾瀉而下，聲音像打雷一樣震人耳膜。我在潭的底下，站立了好久，一陣陣清秀之氣，令人神爽。又往高要縣，遊端溪，謁包公祠。端溪是出産硯石著名的，但市上出賣的都是新貨，反不如北京琉璃廠古玩鋪内，常有老坑珍品出售。俗諺所謂：“出處不如聚處”，這話是不錯的。欽州轄界，跟越南接壤，那年邊疆不靖，兵備道是要派兵去巡邏的。我趁此機會，隨軍到達東興。這東興在北侖河北岸，對面是越南的芒街，過了鐵橋，到了北侖河南岸，遊覽越南山水。野蕉數百株，映得滿天都成碧色。我畫了一張《緑天過客圖》，收入借山圖卷之内。那邊的山水，倒是另有一種景色。

回到欽州，正值荔枝上市，沿路我看了田裏的荔枝樹，結着纍纍的荔枝，倒也非常好看，從此我把荔枝也入了我的畫了。曾有人拿了許多荔枝來，换了我的畫去，這倒可算是一樁風雅的事。還有一位歌女，我捧過她的場，她常常剥了荔枝肉給我吃。我做了一首紀事詩：“客裏欽州舊夢痴，南門河上雨絲絲。此生再過應無分，纖手教儂剥荔枝。”欽州城外，有所天涯亭，我每次登亭遊眺，總不免有點遊子之思。記得上年二月間，初到此地，曾做一首詩：“看山曾作天涯客，記得歸家二月期。遊遍鼎湖山下路，木棉十里子規啼。”當初本想略住幾天，就回家去，為葆生留下，直到秋天，才回家鄉，今年春天到此，轉瞬之間，又到了冬月，我就向葆生告辭，動身回鄉，到家已是臘鼓頻催的時節了。這是五出五歸中的四出四歸。

光緒三十四年（戊申·一九〇八），我四十六歲。羅醒吾在廣東提學使衙門任事，叫我到廣州去玩玩。我於二月間到了廣州，本想小住幾天，轉道往欽州，醒吾勸我多留些時，我就在廣州住下，仍以賣畫刻印為生。那時廣州人看畫，喜的是“四王”一派，我的畫法，他們不很了解，求我畫的人很少。惟獨刻印，他們却非常誇獎我的刀法，我的潤格挂了出去，求我刻印的人，每天總有十來起。因此賣藝生涯，亦不落寞。醒吾參加了孫中山先生領導的同盟會，在廣州做秘密革命工作。他跟我同是龍山詩社七子之一，平日處得很好，彼此無話不談。此番在廣州見面，他悄悄地把革命黨的內容和他工作的狀況，詳細無遺地告訴了我，并要我幫他做點事，替他們傳遞文件。我想，這倒不是難辦的事，祇須機警地不露破綻，不會發生什麽問題，當下也就答允了。從此，革命黨的秘密文件，需要傳遞，醒吾都交我去辦理。我是假借賣畫的名義，把文件夾雜在畫件之內，傳遞得十分穩妥。好在這樣的傳遞，每月并没有多少次，所以始終没露痕迹。秋間，我父親來信叫我回去，我在家住了没有多久，父親叫我往欽州接我四弟和我長子回家，又動身到了廣東。

宣統元年(己酉·一九〇九)，我四十七歲。在廣州過了年，正月到欽州，葆生留我住過了夏天，我才帶着我四弟和我長子，經廣州往香港。在欽州到廣州的路上，看見人家住的樓房，多在山坳林木深處，别有一種景趣。我回想起來，曾經做過一首詩：“好山行過屢回頭，戊己連年憶粤遊。佳景至今忘不得，萬山深處著高樓。”到了香港，换乘海輪，直達上海。住了幾天，正值中秋佳節，我想遊山賞月，倒是很有意思，就携同純培和良元，坐火車往蘇州，天快黑了，乘夜去遊虎丘。恰巧那天晚上，天空陰沉沉的，一點月光都没有，大為掃興。那時蘇州街頭，專有人牽着馬待雇的，我們雇了三匹馬，騎着去。我騎的是一匹瘦馬，走到山塘橋，不知怎的，馬忽然受了驚，幸而收繮得快，没有出亂子。第二天，我們到了南京。我想去見李梅庵，他往上海去了，没有見着。梅庵名瑞清，是筠庵的哥哥，是當時的一位有名書法家。我刻了幾方印章，留在他家，預備他回來送給他。在南京，匆匆逛了幾處名勝，就坐江輪西行。路過江西小姑山，在輪中畫了一幅《小姑山圖》，收入我的借山圖卷之內。直到民國十五年，從湘潭回北京，又路過那裏，我才題了一首詩：“往日青山識我無？廿年心與迹都殊。扁舟隔浪丹青手，雙鬢無霜畫小姑。”九月，回到了家。這是我五出五歸末一次回來。我從壬寅年四十歲起，到己酉年四十七歲，八年之間，走遍了半個中國，遊覽了陝西、北京、江西、廣東、廣西、江蘇等六處有名的山水，沿路經過的省份，還不算在內。這是我平生最可紀念的事，老來回想，也還很有餘味。

宣統二年(庚戌·一九一〇)，我四十八歲。沁園師早先曾説過：“行萬里路，讀萬卷書”，我這幾年，路雖走了不少，書却讀得不多。回家以後，自覺書底子太差，天天讀些古文詩詞，想從根基方面，用點苦功。有時和舊日詩友，分韵鬥詩，刻燭聯吟，往往一字未妥，刪改再三，不肯苟且。還把遊歷得來的山水畫稿，重畫了一遍，編成借山圖卷，一共畫了五十二幅。其中三十幅，為友人借去未還，現在祇存了二十二幅。餘暇的時候，在山坳屋角之間和房外菜圃的四邊，種了各種果樹，又在附近池塘之內，養了些魚蝦。當我植樹蒔花，挑菜掘笋和養魚之時，兒孫輩都隨我一起操作，倒也心曠神怡。朋友胡廉石把他自己住在石門附近的景色，請王仲言擬了二十四個題目，叫我畫《石門二十四景圖》。我精心構思，換了幾次稿，費了三個多月的時間，才把它畫成。廉石和仲言，都說我遠遊歸來，畫的境界，比以前擴展得多了。

黎薇蓀自從四川辭官歸來，在家鄉當上了紳士，很是逍遥自在。去年九月，我剛回到家鄉，他就訂約邀我去遊天衢山，送我一首詩，有句說："探梅莫負衢山約。"天衢山在湘潭城南五十二里，是我們家鄉著名的風景區。我和他的韵，回了他一首詩："瀼西歸後得清娱，小費經營酒一壺。宦後交遊翻似夢，劫餘身世豈嫌迂。梅花未著先招客，桃葉添香不負吾。醉後欲眠詩思在，憐君閑與老農俱。"薇蓀新近納了一妾，故有桃葉添香的話。我嘗自號白石老農，末句所說的老農，指的是我自己。本年他在岳麓山下，新造了一所别墅，取名聽葉庵，叫我去玩。我到了長沙，住在通泰街胡石庵的家裏。王仲言在石庵家坐館，沁園師的長公子仙甫，也在省城。薇蓀那時是湖南高等學堂的監督，高等學堂是湖南全省最高的學府，在岳麓書院的舊址，張仲颺在裏頭當教務長，都是熟人。我同薇蓀、仲颺和胡石庵、王仲言、胡仙甫等，遊山吟詩，有時又刻印作畫，非常歡暢。我刻印的刀法，有了變化，把漢印的格局，融會到趙撝叔一體之内，薇蓀說我古樸耐人尋味。茶陵州的譚氏兄弟，十年前聽了丁拔貢的話，把我刻的印章都磨平了，當時我的面子，真有點下不去。現在他們懂得些刻印的門徑，知道了丁拔貢的話并不可靠，因此，把從前要刻的收藏印記，又請我去補刻了。同時，湘綺師也叫我刻了幾方印章。省城裏的人，頓時哄傳起來，求我刻印的人，接連不斷，我曾經有過一句詩："姓名人識鬢成絲"。人情世態，就是這樣地勢利啊！

宣統三年（辛亥·一九一一），我四十九歲。春二月，聽說湘綺師來到長沙，住營盤街。我進省去訪他，并面懇給我祖母做墓志銘。這篇銘文，後來由我自己動手刻石。譚組安約我到荷花池上，給他們先人畫像。他的四弟組庚，於前年八月故去，也叫我畫了一幅遺像。我用細筆在紗衣裏面，畫出袍褂的團龍花紋，并在地毯的右角，畫上一方"湘潭齊璜瀕生畫像記"小印，這是我近年來給人畫像的記識。清明後二日，湘綺師借瞿子玖家裏的超覽樓，招集友人飲宴，看櫻花海棠。寫信給我說："借瞿協揆樓，約文人二三同集，請翩然一到！"我接信後就去了。到的人，除了瞿氏父子,尚有嘉興人金甸臣,茶陵人譚祖同等。瞿子玖名鴻禨,當過協辦大學士、軍機大臣。他的小兒子宣穎,號兑之,也是湘綺師的門生,那時還不到二十歲。瞿子玖做了一首櫻花歌七古,湘綺師做了四首七律,金、譚也都做了詩。我不便推辭,衹好獻醜,過了好多日子,才補做了一首看海棠的七言絶句。詩道:"往事平泉夢一場,師恩深處最難忘。三公樓上文人酒,帶醉扶欄看海棠。"當日湘綺師在席間對我説:"瀕生這幾年,足迹半天下,好久没給同鄉人作畫了,今天的集會,可以畫一幅超覽樓禊集圖啦!"我説:"老師的吩咐,一定遵辦!"可是我口頭雖答允了,因為不久就回了家,這圖却没有畫成。

民國元年(壬子·一九一二),我五十歲。二年(癸丑·一九一三),我五十一歲。我自五出五歸以後,希望終老家鄉,不再作遠遊之想。住的茹家冲新宅,經我連年布置,略有可觀。我學取了崇德橋附近一位老農的經驗,鑿竹成筧,引導山泉從後院進來,客到燒茶,不必往外挑水,很為方便。寄萍堂内的一切陳設,連我作畫刻印的几案,都由我自出心裁,加工製成,一大半還是我自己動手做的。我奔波了半輩子,總算有了一個比較安逸的容身之所了。在五十一歲那年的九月,我把一點微薄的積蓄,分給三個兒子,讓他們自謀生活。那時,長子良元年二十五歲,次子良黼年二十歲,三子良琨年十二歲。良琨年歲尚小,由春君留在身邊,跟隨我們夫婦度日。長次兩子,雖仍住在一起,但各自分炊,獨立門户。良元在外邊做工,收入比較多些,糊口并不為難,良黼衹靠打獵為生,天天愁窮。十月初一日得了病,初三日曳了一雙破鞋,手裏拿着火籠,還踱到我這邊來,坐在柴竈前面,烤着松柴小火,向他母親訴説窘况。當時我和春君,以為他是在父母面前撒嬌,并不在意。不料才隔五天,到初八日死了,這真是意外的不幸。春君哭之甚慟,我也深悔不該急於分炊,致他憂愁而死。這孩子平日沈静少言,没有任何嗜好,常侍我側,也已學會了刻印。他死後,我做了一篇祭文,叙述他一生經歷,留給後人作紀念。

民國三年(甲寅·一九一四),我五十二歲。雨水節前四天,我在寄萍堂旁邊,親手種了三十多株梨樹。蘇東坡致程全父的信説:"太大則難活,小則老人不能待。"我讀了這篇文章,心想:我已五十二歲的人了,種這梨樹,也怕等不到吃果子,人已没了。但我後來,還幸見它結實,每隻重達一斤,而且味甜如蜜,總算及吾之生,吃到自種的梨了。夏四月,我的六弟純楚死了,享年二十七歲。純楚一向在外邊做工,當戊申年他二十一歲時,我曾戲為他畫了一幅小像。前年冬,他因病回家,病了一年多而死。父親母親,老年喪子,非常傷心,我也十分難過,做了兩首詩悼他。純楚死後没幾天,正是端陽節,我派人送信到韶塘給胡沁園師,送信人匆匆回報説:他老人家故去已七天了。我聽了,心裏頭頓時像小刀子亂扎似的，説不出有多大痛苦。他老人家不但是我的恩師，也可以説是我生平第一知己，我今日略有成就，飲水思源，都是出於他老人家的栽培。一别千古，我怎能抑制得住滿腔的悲思呢？我參酌舊稿，畫了二十多幅畫，都是他老人家生前賞識過的，我親自動手裱好，裝在親自糊扎的紙箱内，在他靈前焚化。同時又做了七言絶詩十四首，又做了一篇祭文，一副挽聯，聯道："衣鉢信真傳，三絶不愁知己少；功名應無分，一生長笑折腰卑。"這幅聯語，雖説挽的是沁園師，實在是我的自況。

民國四年(乙卯·一九一五)，我五十三歲。五年(丙辰·一九一六)，我五十四歲。乙卯冬天，胡廉石把我前幾年給他畫的《石門二十四景圖》送來，叫我題詩。我看黎薇蓀已有詩題在前面，也技癢起來，每景補題了一詩。我們湖南，有一位先輩的畫家張叔平，名準，也會刻印章，是永綏廳人，道光己酉科的舉人。我在黎薇蓀家裏，見到他的真迹不少，曾經臨摹過一遍。丙辰九月，在茹家冲鄰居那裏，見着他家藏畫四幅，畫得筆法很蒼健，却衹有題字，没有題款，蓋的印章，也是閑章，不是名印。我借來臨了一遍，仔細查看，見其筆法、題字和印章，斷定是張叔平的手迹，就在我臨摹的畫幅上面，題了幾句。薇蓀的兒子戬齋，是我的好朋友，常來我家，見了心愛，向我索取。我素知叔平和黎文肅公是鄉榜同年，戬齋是文肅公後裔，就把我臨摹的畫，送給了他。正在那時，忽得消息，湘綺師故去了，享年八十五歲。這又是一個意外的刺激！湘綺師在世時，負文壇重望，人多以拜門為榮。我雖列入他的門牆，却始終不願以此為標榜。至好如郭葆生，起初也不知我是王門弟子，後來在北京，聽湘綺師説起，才知道的。湘綺師死後，我專誠去哭奠了一場。回憶往日師門的恩遇，我至今銘感不忘。那年，還有一樁掃興的事，談起來也是很可氣的。我作詩，向來是不求藻飾，自主性靈，尤其反對摹仿他人，學這學那，搔首弄姿。但這十年來，喜讀宋人的詩，愛他們輕朗閑淡，和我的性情相近，有時偶用他們的格調，隨便哼上幾句。衹因不是去摹仿，就没有去做全首的詩，所哼的不過是斷句殘聯。日子多了，積得有三百多句，不意在秋天，被人偷了去。我有詩道："料汝他年誇好句，老夫已死是非無。"做詩原是雅事，到了偷襲掠美的地步，也就未免雅得太俗了。

七　定居北京(一九一七——一九三六)

民國六年(丁巳·一九一七)，我五十五歲。我自五出五歸之後，這八九年來，足迹僅在湘潭附近，偶或去到長沙省城，始終没有離開湖南省境。我本不打算再作遠遊。不料連年兵亂，常有軍隊過境，南北交哄，互相混戰，附近土匪，乘機蜂起。官逼税捐，匪逼錢穀，稍有違拒，巨禍立至。弄得食不安席，寢不安枕，没有一天不是提心吊膽地苟全性命。那年春夏間，又發生了兵事，家鄉謠言四起，有碗飯吃的人，紛紛別謀避地之所。我正在進退兩難、一籌莫展的時候，接到樊樊山來信，勸我到京居住，賣畫足可自給。我迫不得已，辭別了父母妻子，携着簡單行李，獨自動身北上。

陰曆五月十二日到京，這是我第二次來到北京，住在前門外西河沿排子胡同阜豐米局後院郭葆生家。住了不到十天，恰逢復闢之變，北京城内，風聲鶴唳，一夕數驚。葆生説："民國元年正月，亂兵到處搶劫，鬧得很凶，此番變起，不可不加小心。"遂於五月二十日，帶着眷屬，到天津租界去避難，我也隨着去了。龍陽人易實甫，名順鼎，我因樊樊山的介紹，和他相識，他也常到葆生家來閑談，和我雖是初交，却很投機。他聽説我們要赴津避難，力勸不必多此一舉。我走的那天，他還派人約我到煤市街文明園聽坤伶鮮靈芝的戲，我衹好辜負他的厚意，回了一張便條辭謝了。我們坐上火車，路過黄村萬莊一帶，正值段祺瑞部將李長泰的軍隊，和張勛的辮子兵，打得非常激烈，火車到站，不敢停留，冒着炮火，直衝過去，僥幸没出危險，平安到津。到六月底，又隨同葆生一家，返回北京，住在延壽寺街炭兒胡同，也是郭葆生家。那裏同住的，有一個無賴，專想騙葆生的錢，因我在旁，礙了他的手脚，就處處跟我為難。我想，對付小人，還是遠而避之，不去惹他的好，遂搬到西磚胡同法源寺廟内，和楊潜庵同住。潜庵名昭雋，本是同鄉熟友，寫得一筆好字，送我的字真不少，我刻了兩方印章，送他為報。張仲颺也在北京，住在閻王廟街，常來法源寺，和我叙談。

我在琉璃廠南紙鋪，挂了賣畫刻印的潤格，陳師曾見着我刻的印章，特到法源寺來訪我，晤談之下，即成莫逆。師曾名衡恪，江西義寧人，現任教育部編審員。他祖父寶箴，號右銘，做過我們湖南撫臺，官聲很好。他父親三立，號伯嚴，又號散原，是當代的大詩人。師曾能畫大寫意花卉，筆致矯健，氣魄雄偉，在京裏很負盛名。我在行篋中，取出借山圖卷，請他鑒定。他説我的畫格是高的，但還有不到精湛的地方。題了一首詩給我，説："曩於刻印知齊君，今復見畫如篆文。束紙叢蠶寫行脚，脚底山川生亂雲。齊君印工而畫拙，皆有妙處難區分。但恐世人不識畫，能似不能非所聞。正如論書喜姿媚，無怪退之譏右軍。畫吾自畫自合古，何必低首求同群？"他是勸我自創風格，不必求媚世俗，這話正合我意。我常到他家去，他的書室，取名"槐堂"，我在他那裏，和他談畫論世，我們所見相同，交誼就愈來愈深。我出京時，做了一首詩："槐堂六月爽如秋，四壁嘉陵可卧遊。塵世幾能逢此地，出京焉得不回頭。"我此次到京，得交陳師曾做朋友，也是我一生可紀念的事。

樊樊山是看得起我的詩的，我把詩稿請他評閲，他做了一篇序文給我，説："瀕生書畫，皆力追冬心，今讀其詩，遠在花之寺僧之上，真壽門嫡派也。冬心自敘其詩云，所好常在玉溪天隨之間，不玉溪，不天隨，即玉溪，即天隨。又曰，俊僧隱流鉢單瓢笠之往還，饒苦硬清峭之思。今欲序瀕生之詩，亦卒無以易此言也。冬心自道云，隻字也從辛苦得，恒河沙裏覓銅金。凡此等詩，看似尋常，皆從劌心鉥肝而出，意中有意，味外有味，斷非冠進賢冠，騎金絡馬，食中書省新煮餘頭者所能知。惟當與苦行頭陀，在長明燈下讀，與空谷佳人，在梅花下讀，與南宋前明諸遺老，在西湖靈隱昭慶諸寺中，相與尋摘而品定之，斯為雅稱耳。"樊山這樣地恭維我，我真是受寵若驚。他并勸我把詩稿付印。隔了十年，我才印出了《借山吟館詩草》，樊山這篇序文，就印在卷首。

我這次到京，除了易實甫、陳師曾二人以外，又認識了江蘇泰州凌直支（文淵）、廣東順德羅癭公（惇曧）、敷庵（惇㬊）兄弟，江蘇丹徒汪藹士（吉麟）、江西豐城王夢白（雲）、四川三臺蕭龍友（方駿）、浙江紹興陳半丁（年）、貴州息烽姚茫父（華）等人。凌、汪、王、陳、姚都是畫家，羅氏兄弟是詩人兼書法家，蕭為名醫，也是詩人。尊公（次溪按：這是指我的父親，下同）滄海先生，跟我同是受業於湘綺師的，神交已久，在易實甫家晤見，真是如逢故人，歡若平生（次溪按：先君篁溪公，諱伯楨，嘗刊滄海叢書，別署滄海）。還認識了兩位和尚，一是法源寺的道階，一是阜成門外衍法寺的瑞光。瑞光是會畫的，後來拜我為師。舊友在京的，有郭葆生、夏午詒、樊樊山、楊潛庵、張仲颺等。新知舊雨，常在一起聚談，客中并不寂寞。不過新交之中，有一個自命科榜的名士，能詩能畫，以為我是木匠出身，好像生來就比他低下一等，常在朋友家遇到，表面雖也虛與我周旋，眉目之間，終不免流露出倨傲的樣子。他不僅看不起我的出身，尤其看不起我的作品，背地裏罵我畫得粗野，詩也不通，簡直是一無可取，一錢不值。他還常說："畫要有書卷氣，肚子裏没有一點書底子，畫出來的東西，俗氣熏人，怎麽能登大雅之堂呢！講到詩的一道，又豈是易事，有人說，自鳴天籟，這天籟兩字，是不讀書人裝門面的話，試問自古至今，究竟誰是天籟的詩家呢？"我明知他的話是針對着我說的。文人相輕，是古今通例，這位自稱有書卷氣的人，畫得本極平常，祇靠他的科名，賣弄身分。我認識的科甲中人，也很不少，像他這樣的人，并不覺得物稀為貴。況且畫好不好，詩通不通，誰比誰高明，百年後世，自有公評，何必争此一日短長，顯得氣度不廣。當時我做的《題棕樹》詩，有兩句說："任君無厭千回剥，轉覺臨風遍體輕。"我對於此公，總是逆來順受，絲毫不與他計較，毁譽聽之而已。到了九月底，聽說家鄉亂事稍定，我遂出京南下。十月初十日到家，家裏人避兵在外，尚未回來，茹家冲宅内，已被搶劫一空。

民國七年（戊午·一九一八），我五十六

歲。家鄉兵亂，比上年更加嚴重得多，土匪明目張膽，横行無忌，搶劫綁架，嚇詐錢財，幾乎天天耳有所聞，稍有餘資的人，没有一個不是栗栗危懼。我本不是富裕人家，衹因這幾年來，生活比較好些，一家人糊得上嘴，吃得飽肚子，附近的壞人歹徒，看着不免眼紅，遂有人散布谣言，說是："芝木匠發了財啦！去綁他的票！"一般心存忌嫉、幸灾樂禍的人，也跟着起哄，說："芝木匠這幾年，確有被綁票的資格啦！"我聽了這些威嚇的話，家裏怎敢再住下去呢？趁着鄰居不注意的時候，悄悄地帶着家人，匿居在紫荆山下的親戚家裏。那邊地勢偏僻，衹有幾間矮小的茅屋，倒是個避亂的好地方。我住下以後，隱姓埋名，時刻提防，惟恐給人知道了發生麻煩。那時的苦况，真是一言難盡。我在詩草的自叙中，說過幾句話："吞聲草莽之中，夜宿於露草之上，朝餐於蒼松之陰。時值炎夏，浹背汗流，绿蟻蒼蠅共食，野狐穴鼠為鄰。殆及一年，骨如柴瘦，所稍勝於枯柴者，尚多兩目而能四顧，目睛瑩瑩然而能動也。"到此地步，才知道家鄉雖好，不是安居之所。我答朋友的詩，有兩句說："借山亦好時多難，欲乞燕臺葬畫師。"打算從明年起，往北京定居，到老死也不再回家鄉來住了。

民國八年(己未·一九一九)，我五十七歲。三月初，我第三次來到北京。那時，我乘軍隊打着清鄉旗號，土匪暫時斂迹的機會，離開了家鄉。離家之時，我父親年已八十一歲，母親七十五歲。兩位老人知道我這一次出門，不同以前的幾次遠遊，定居北京，以後回來，把家鄉反倒變為作客了。因此再三叮嚀，希望時局安定些，常常回家看看。春君捨不得扔掉家鄉一點薄產，情願帶着兒女，株守家園，說她是個女人，留在鄉間，見機行事，諒無妨害，等我在京謀生，站穩脚跟，她就往來京湘，也能時時見面。并說我衹身在外，一定感覺不很方便，勸我置一副室，免得客中無人照料。春君處處為我設想，體貼入微，我真有說不盡的感激。當時正值春雨連綿，借山館前的梨花，開得正盛，我的一腔别離之情，好像雨中梨花，也在替人落泪。登上了火車，沿途風景，我無心觀看，心潮起伏不定，說不出是怎樣滋味。我在詩草的自叙中說："過黄河時，乃幻想曰，安得手有嬴氏趕山鞭，將一家草木，過此橋耶！"我留戀着家鄉，而又不得不避禍遠離，心裏頭真是難受得很哪！

到了北京，仍住法源寺廟内，賣畫刻印，生涯并不太好，那時物價低廉，勉强還可以維持生計。每到夜晚，想起父母妻子，親戚朋友，遠隔千里，不能聚首一處，輾側枕上，往往通宵睡不着覺，憂憤之餘，衹有做些小詩，解解心頭的悶氣。曾記在家臨别，藤蘿正開，小園景色，常在腦海裏盤旋，一刻都忘它不掉。我補做了一詩："春園初暖鬧蜂衙，天半垂藤散紫霞。雷電不行笳鼓震，好花時節上京華。"到了中秋節邊，春君來信說，她為了我在京成家之事，即將來京布置，囑我預備住宅。

我托人在右安門内，陶然亭附近，龍泉寺隔壁，租到幾間房，搬了進去，這是我在北京正式租房的第一次。不久，春君來京，給我聘到副室胡寶珠，她是光緒二十八年壬寅八月十五中秋節生的，小名叫作桂子，時年十八歲。原籍四川酆都縣轉斗橋胡家冲，父親名以茂，是個篾匠，有一個胞姊，嫁給朱氏，還有一個胞弟，名叫海生。冬間，聽説湖南又有戰事，春君挂念家園，急欲回去，我遂陪她同行。起程之時，我做了一首詩，中有句云："愁似草生删又長，盗如山密鏟難平。"那時，我們家鄉，兵匪不分，群盗如毛，我的詩，雖是志感，也是紀實。

民國九年（庚申·一九二〇），我五十八歲。春二月，我帶着三子良琨、長孫秉靈，來京就學。那年，良琨十九歲，秉靈十五歲。剛出家門，走到蓮花山下，逢着大雨，附近有一人家，是我們從前的鄰居，三人到他家去避雨，雨停了再走。我是出門慣的，向來不覺旅行之苦，此次帶了兒孫，不免有些累贅了。我有詩紀事："不解吞聲小阿長，携家北上太倉皇。回頭有泪親還在，咬定蓮花是故鄉。"到北京後，因龍泉寺僻處城南，交通很不方便，又搬到宣武門内石燈庵去住。我從法源寺搬到龍泉寺，又從龍泉寺搬到石燈庵，連搬三處，都是住的廟産，可謂與佛有緣了。戲題一詩："法源寺徙龍泉寺，佛號鐘聲寄一龕。誰識畫師成活佛，槐花風雨石燈庵。"剛搬去不久，直皖戰事突起，北京城内，人心惶惶，郭葆生在帥府園六號租到幾間房子，邀我同去避難，我帶着良琨、秉靈，祖孫父子三人，一同去住。帥府園離東交民巷不遠，東交民巷有各國公使館，附近一帶，號稱保衛界。我當時做了一首詩："石燈庵裏膽惶惶，帥府園間竹葉香。不有郭家同患難，亂離誰念寄萍堂。"戰事没有幾天就停了，我搬回西城。衹因石燈庵的老和尚，養着許多鷄犬，從早到晚，鷄啼犬吠之聲，不絶於耳，我早想另遷他處。恰好寶珠托人找到了新址，戰事停止後，我們全家就搬到象坊橋觀音寺内。不料觀音寺的佛事很忙，佛號鐘聲，晝夜不斷，比石燈庵更加嘈雜得多。住了不到一個月，又遷到西四牌樓迤南三道栅欄六號，才算住得安定些。從此我的住所，與廟絶緣了。記得你我相識，是我住在石燈庵的時候。在此以前，我訪尊公閑談，去過你家多次，那時你上學去了，總没見着，直到你來石燈庵，我們才會了面。年月過得好快，一晃已是幾十年哪！（次溪按：那年初夏，我隨先君同到石燈庵去的，時年十二歲。）

我那時的畫，學的是八大山人冷逸的一路，不為北京人所喜愛，除了陳師曾以外，懂得我畫的人，簡直是絶無僅有。我的潤格，一個扇面，定價銀幣兩圓，比同時一般畫家的價碼，便宜一半，尚且很少人來問津，生涯落寞得很。我自題花果畫册的詩，有句説："冷逸如雪个，遊燕不值錢。"雪个是八大山人的别號，我的畫，雖是追步八大山人，自謂頗得神似，但在北京，確是不很值錢的哩。師曾勸我自出新意，變通畫法，我聽了他話，自創紅花墨葉的一派。我畫梅花，本是取法宋朝楊補之(無咎)。同鄉尹和伯(金陽)在湖南畫梅是最有名的，他就是學的楊補之，我也參酌他的筆意。師曾說：工筆畫梅，費力不好看。我又聽了他的話，改換畫法。同鄉易蔚儒(宗夔)，是衆議院的議員，請我畫了一把團扇，給林琴南看見了，大為贊賞，說："南吴北齊，可以媲美。"他把吴昌碩跟我相比，我們的筆路，倒是有些相同的。經易蔚儒介紹，我和林琴南交成了朋友。同時我又認識了徐悲鴻、賀履之、朱悟園等人。我的同鄉老友黎松安，因他兒子劭西在教育部任職，也來到北京，和我時常見面。

我跟梅蘭芳認識，就在那一年的下半年。記得是在九月初的一天，齊如山來約我同去的。蘭芳性情温和，禮貌周到，可以說是恂恂儒雅。那時他住在前門外北蘆草園，他的書齋名"綴玉軒"，布置得很講究，聽說外國人也常去訪他的。他家裏種了不少的花木，有許多是外間不經見的。光是牽牛花就有百來種樣式，有的開着碗般大的花朵，真是見所未見，從此我也畫上了此花。當時蘭芳叫我畫草蟲給他看，親自給我磨墨理紙，畫完了，他唱了一段貴妃醉酒，非常動聽。同時在座的，還有兩人：一是教他畫梅花的汪藹士，跟我也是熟人。一是福建人李釋堪(宣倜)，是教他做詩詞的，釋堪從此也成了我的朋友。有一次，我到一個大官家去應酬，滿座都是闊人，他們看我衣服穿得平常，又無熟友周旋，誰都不來理睬。我窘了半天，自悔不該貿然而來，討此没趣。想不到蘭芳來了，對我很恭敬地寒暄了一陣，座客大為驚訝，才有人來和我敷衍，我的面子，總算圓了回來。事後，我很經意地畫了一幅《雪中送炭圖》，送給蘭芳，題了一詩，有句說："而今淪落長安市，幸有梅郎識姓名。"勢利場中的炎凉世態，是既可笑又可恨的。

民國十年(辛酉·一九二一)，我五十九歲。夏午詒在保定，來信約我去過端陽節，同遊蓮花池，是清末蓮池書院舊址，内有朱藤，十分茂盛。我對花寫照，畫了一張長幅，住了三天回京。秋返湘潭，重陽到家，父母雙親都健康，心頗安慰。九月二十五日得良琨從北京發來電報，說秉靈病重，我同春君立刻動身北行。路過長沙，得良琨信，說秉靈病已輕減，到漢口，又接到信說，病已脱離險境，可以無礙。我才放寬了心，復信給良琨，稱贊他辦事周密。回到北京，秉靈的病，果然好了。臘月二十日，寶珠生了個男孩，取名良遲，號子長，這是寶珠的頭一胎，我的第四個兒子。那年寶珠才二十歲，春君因她年歲尚輕，生了孩子，怕她不善撫育，就接了過來，親自照料。夜間專心護理，不辭辛勞，孩子餓了，抱到寶珠身邊喂乳，喂飽了又領去同睡。冬令夜長，一宵之間，冒着寒威，起身好多次。這樣的費盡心力，愛如己出，真是世間少有，不但寶珠知恩,我也感激不盡。

民國十一年(壬戌·一九二二),我六十歲。春,陳師曾來談:日本有兩位著名畫家,荒木十畝和渡邊晨畝,來信邀他帶着作品,參加東京府廳工藝館的中日聯合繪畫展覽會,他叫我預備幾幅畫,交他帶到日本去展覽出售。我在北京,賣畫生涯,本不甚好,難得師曾這樣熱心,有此機會,當然樂於遵從,就畫了幾幅花卉山水,交他帶去。師曾行後,我送春君回到家鄉,住了幾天,我到長沙,已是四月初夏之時了。初八那天,在同族遜園家裏,見到我的次女阿梅,可憐四年不見,她憔悴得不成樣子。她自嫁到賓氏,同夫婿不很和睦,逃避打罵,時常住在娘家,有時住在娘家的同族或親戚處。聽說她的夫婿,竟發了瘋,拿着刀想殺害她,幸而跑得快,躲在鄰居家,才保住了性命。她屢次望我回到家鄉來住,我始終没有答允她。此番相見,説不出有許多愁悶,我做了兩首詩,有句説:"赤繩勿太堅,休誤此華年!"我是婉勸她另謀出路,除此别無他法。那時張仲颺已先在省城,尚有舊友胡石庵、黎戩齋等人,楊皙子的胞弟重子,名鈞,能寫隸書,也在一起。我給他們作畫刻印,盤桓了十來天,就回到北京。

陳師曾從日本回來,帶去的畫,統都賣了出去,而且賣價特别豐厚。我的畫,每幅就賣了一百圓銀幣,山水畫更貴,二尺長的紙,賣到二百五十圓銀幣。這樣的善價,在國内是想也不敢想的。還聽説法國人在東京,選了師曾和我兩人的畫,加入巴黎藝術展覽會。日本人又想把我們兩人的作品和生活狀況,拍攝電影,在東京藝術院放映。這都是意想不到的事。我做了一首詩,作為紀念:"曾點胭脂作杏花,百金尺紙衆争誇。平生羞殺傳名姓,海國都知老畫家。"經過日本展覽以後,外國人來北京買我畫的很多。琉璃廠的古董鬼,知道我的畫,在外國人面前,賣得出大價,就紛紛求我的畫,預備去做投機生意。一般附庸風雅的人,聽説我的畫,能值錢,也都來請我畫了。從此以後,我賣畫生涯,一天比一天興盛起來。這都是師曾提拔我的一番厚意,我是永遠忘不了他的。長孫秉靈,肄業北京法政專門學校,成績常列優等,去年病後,本年五月又得了病,於十一月初一日死了,年十七歲。回想在家鄉時,他才十歲左右,我在借山館前後,移花接木,他拿着刀鑿,跟在我身後,很高興地幫着我,當初種的梨樹,他尤出力不少。我悼他的詩,有云:"梨花若是多情種,應憶相隨種樹人。"秉靈的死,使我傷感得很。

民國十二年(癸亥·一九二三),我六十一歲。從本年起,我開始作日記,取名《三百石印齋紀事》。衹因性懶善忘,隔着好幾天,才記上一回。因此,日子不能連貫,自己看來,聊勝於無而已。中秋節後,我從三道柵欄遷至太平橋高岔拉一號,在闢才胡同西口迤南,溝沿的東邊(次溪按:高岔拉現稱高華里,溝沿早已填平,現稱趙登禹路)。搬進去後,我把早先湘綺師給我寫的"寄萍堂"横額,挂在屋内。附近有條胡同,名叫鬼門闕(次溪按:鬼門闕現稱貴門闕),聽説明朝時候,那裏是刑人的地方。我做的寄萍堂詩,有兩句:"馬面牛頭都見慣,寄萍堂外鬼門闕。"當我在三道栅欄遷出之先,記得是七月二十四日那天,陳師曾來,説他要到大連去。不料我搬到高岔拉後不久,得到消息:師曾在大連接家信,奔繼母喪,到南京去,八月初七日得痢疾死了。我失掉一個知己,心裏頭感覺得异常空虛,眼泪也就止不住地流了下來。我做了幾首悼他的詩,有句説:"哭君歸去太匆忙,朋友寥寥心益傷。""君我有才招世忌,誰知天亦厄君年。""此後苦心誰識得,黄泥嶺上數株松。"北京舊有一種風氣,附庸風雅的人,常常招集畫家若干人,在家小飲,預先備好了紙筆畫碟,請求合作畫一手卷或一條幅,先動筆的,算是這幅畫的領袖,在報紙上發表姓名,照例是寫在第一名。師曾逢到這種場面,并不謙遜,往往拿起筆來,首先一揮。有的人對他很不滿意,他却旁若無人,依然談笑風生。自他死後,我懷念他生前的豪情逸致,不可再見,實覺悵惘之至,曾有"樽前奪筆失斯人"的詩句。他對於我的畫,指正的地方很不少,我都聽從他的話,逐步地改變了。他也很虛心地采納了我的淺見,并不厭惡我的忠告。我有"君無我不進,我無君則退"的兩句詩,可以概見我們兩人的交誼。可惜他祇活了四十八歲,這是多麽痛心的事啊! 那年十一月十一日,寶珠又生了一個男孩,取名良已,號子瀧,小名遲遲。這是我第五個兒子,寶珠生的次子。

民國十三年(甲子·一九二四),我六十二歲。十四年(乙丑·一九二五),我六十三歲。良琨這幾年跟我學畫,在南紙鋪裏也挂上了筆單,賣畫收入的潤資,倒也不少,足可自立謀生。兒媳張紫環能畫梅花,倒也很有點筆力。因爲高岔拉房子不够寬敞,他在象坊橋租到了幾間房,於甲子年八月初,分居到那邊,我給了他一百圓的遷居費。到了冬天,他又搬到南闊市口,離我住的高岔拉,并不太遠,他和我常相來往。乙丑年的正月,同鄉賓愷南先生從湘潭到北京,我在家裏請他吃飯,邀了幾位同鄉作陪。愷南名玉瓚,是癸卯科的解元,近年來喜歡研究佛學。席間,有位同鄉對我説:"你的畫名,已是傳遍國外,日本是你發祥之地,離我們中國又近,你何不去遊歷一趟,順便賣畫刻印,保管名利雙收,飽載而歸。"我説:"我定居北京,快過九個年頭啦!近年在國内賣畫所得,足够我過活,不比初到京時的門可羅雀了。我現在餓了,有米可吃,冷了,有煤可燒,人生貴知足,糊上嘴,就得了,何必要那麽多錢,反而自受其累呢!"愷南聽了,笑着對我説:"瀕生這幾句話,大可以學佛了!"他就跟我談了許多禪理。他住在西四牌樓廣濟寺,我去回訪,他送了我好幾部佛經,勸我學佛。二月底,我生了一場大病,七天七夜,人事不知,等到蘇醒回來,滿身無力,痛苦萬分。足足病了一個來月，才能起坐。當我病亟時，自己忽發痴想："六十三歲的火坑，從此就算過去了嗎？"幸而没有死，又活到了現在。那年，梅蘭芳正式跟我學畫草蟲，學了不久，他已畫得非常生動。

民國十五年(丙寅·一九二六)，我六十四歲。春初，回湖南探視雙親，到了長沙，聽説家鄉一帶，正有戰事，道路阻不得通。耽了幾天，無法可想，衹得折回，從漢口坐江輪到南京，乘津浦車經天津回到北京，已是二月底了。隔不了十幾天，三月十五日，忽接我長子良元來信，説我母親病重，恐不易治，要我匯款濟急。我打算立刻南行，到家去看看，聽得湘鄂一帶，戰火彌漫，比了上月，形勢更緊，我不能插翅飛去，心裏焦急如焚，不得已於十六日匯了一百圓給良元。我定居北京以來，天天作畫刻印，從未間斷，這次因匯款之後，一直没有再接良元來信，心亂如麻，不耐伏案，任何事都停頓下了。到四月十九日，才接良元信，説我母親於三月初得病，延至二十三日巳時故去，享年八十二歲。彌留時還再三地問："純芝回來了没有？我不能再等他了！我没有看見純芝，死了還懸懸於心的啊！"我看了此信，眼睛都要哭瞎了。既是無法奔喪，衹可立即設了靈位，在京成服。這樣痛心的事，豈是幾句話説得盡的。總而言之，我飄流在外，不能回去親視含殮，簡直不成為人子，不孝至極了。

我母親一生，憂患之日多，歡樂之日少。年輕時，家境困苦，天天為着柴米油鹽發愁，裏裏外外，熬盡辛勞。年將老，我才得成立，畫名傳播，生活略見寬裕，母親心裏高興了些，體氣漸漸轉强。本來她時常鬧病，那時倒可以起床，不經醫治，病也自然地好了。後因我祖母逝世，接着我六弟純俊，我長妹和我長孫，先後夭亡，母親連年哭泣，哭得兩眼眶裏，都流出了血，從此身體又見衰弱了。七十歲後，家鄉兵匪作亂，幾乎没有一天過的安静日子。我因有了一口飯吃，地痞流氓，逼得我不敢在家鄉安居，飄流在北京，不能在旁侍奉，又不能迎養到京，心懸兩地，望眼欲穿。今年春初，我到了長沙，離家衹有百里，又因道阻，不能到家一見父母，痛心之極。我做了一篇《齊璜母親周太君身世》一文，也没有説得詳盡。

七夕那天，又接良元來信，説我父親六月初得了寒火症，隔不多久，病漸好轉，已能進飯，忽然病又翻復，病得非常危險，任何東西，都咽不進去。我得信後，心想父親已是八十八歲了，母親又已故去，雖有春君照顧着他，我總得回家去看看，才能放心。衹因湘鄂兩省正是國民革命軍和北洋軍閥激戰的地方，一層一層的戰綫，無論如何是通不過去的。要想繞道廣東，再進湖南，探聽得廣東方面，大舉北伐，沿途兵車擁擠，亦難通行。株守北京，一點辦法都没有，心裏頭同油煎似的，干巴巴地着急。八月初三夜間，良元又寄來快信，我猜想消息不一定是好的，眼泪就止不住地直淌下來。急忙拆信細看。我的父親已於七月初五日申時逝世。當時腦袋一陣發暈，耳朵嗡嗡地直響，幾乎暈了過去。也就在京布置靈堂，成服守制。在這一年之內，連遭父母兩次大故，孤兒哀子的滋味，真覺得活着也無甚興趣。我親到樊樊山那裏，求他給我父母，各寫墓碑一紙，又各做像贊一篇，按照他的賣文潤格，送了他一百二十多圓的筆資。我這為子的，對於父母，衹盡了這麼一點心力，還能算得是個人嗎？想起來，心頭非但慘痛，而且也慚愧得很哪！那年冬天，我在跨車胡同十五號，買了一所住房，離高岔拉很近，相差不到一百來步，就在年底，搬了進去。

民國十六年(丁卯·一九二七)，我六十五歲。北京有所專教作畫和雕塑的學堂，是國立的，名稱是藝術專門學校，校長林風眠，請我去教中國畫。我自問是個鄉巴佬出身，到洋學堂去當教習，一定不容易搞好的。起初，我竭力推辭，不敢答允，林校長和許多朋友，再三勸駕，無可奈何，衹好答允去了，心裏總多少有些別扭。想不到校長和同事們，都很看得起我，有一個法國籍的教師，名叫克利多，還對我說過：他到了東方以後，接觸過的畫家，不計其數，無論中國、日本、印度、南洋，畫得使他滿意的，我是頭一個。他把我恭維得了不得，我真是受寵若驚了。學生們也都佩服我，逢到我上課，都是很專心地聽我講，看我畫，一點沒有洋學堂的學生，動不動就鬧脾氣的怪事，我也就很高興地教下去了。

民國十七年(戊辰·一九二八)，我六十六歲。北京官僚，暮氣沉沉，比着前清末年，更是變本加厲。每天午後才能起床，匆匆到署坐一會兒，謂之上衙門，没有多大功夫，就紛紛散了。晚間，酒食徵逐之外，繼以嫖賭，不到天明不歸，最早亦須過了午夜，方能興盡。我看他們白天不辦正事，竟睡懶覺，畫了兩幅鷄，題有詩句："天下鷄聲君聽否？長鳴過午快黄昏。""佳禽最好三緘口，啼醒諸君日又西。"像這樣的腐敗習氣，豈能有持久不敗的道理，所以那年初夏，北洋軍閥，整個兒垮了臺，這般懶蟲似的舊官僚，也就跟着樹倒猴兒散了。廣東搞出來的北伐軍事，大獲勝利，統一了中國，國民革命軍到了北京，因為國都定在南京，把北京稱作北平。藝術專門學校改稱藝術學院，我的名義，也改稱為教授。木匠當上了大學教授，跟十九年以前，鐵匠張仲颺當上了湖南高等學堂的教務長，總算都是我們手藝人出身的一種佳話了。九月初一日，寶珠生了個女孩，取名良歡，乳名小乖。我長子良元，從家鄉來到北京，探問我起居，并報告了許多家鄉消息，我五弟純雋，在這次匪亂中死去，年五十歲，聽了很覺凄然。我作了幅畫，紀念我五弟，題了一首詩，開首兩句說："驚聞故鄉慘，客裏倍傷神。"作客在外，又是老年暮景，懷鄉之念，當然是很深的。聽到家鄉亂事，而況骨肉凋零，更不會不加倍傷神的了。我的《借山吟館詩草》，是那年秋天印行的。

民國十八年(己巳·一九二九),我六十七歲。十九年(庚午·一九三〇),我六十八歲。二十年(辛未·一九三一),我六十九歲。在我六十八歲時,二弟純松在家鄉死了,他比我小四歲,享年六十四歲。老年弟兄,又去了一個。同胞弟兄六人,現存三弟純藻四弟純培兩人,連我僅剩半數了,傷哉!辛未正月二十六日,樊樊山逝世於北平,我又少了一位談詩的知己,悲悼之懷,也是難以形容。三月十一日,寶珠又生了個女孩,取名良止,乳名小小乖。她的姊姊良歡,原來乳名小乖,添了良止,就叫做大小乖了。

那年九月十八日,是陰曆八月初七日,日本軍閥,偷襲瀋陽,大規模地發動侵略,我在第二天的早晨,看了報載,氣憤萬分。心想,東北軍的領袖張學良,現駐北平,一定會率領他的部隊,打回關外,收復失土的。誰知他并不抵抗。後來報紙登載的東北消息,一天壞似一天,亡國之禍,迫在眉睫。人家都說,華北處在國防最前綫,平津一帶,岌岌可危,很多人勸我避地南行。但是大好河山,萬方一概,究竟哪裏是樂土呢?我這個七十老翁,草間偷活,還有什麽辦法可想!祇好得過且過,苟延殘喘了。重陽那天,黎松安來,邀我去登高。我們在此時候,本没有這種閑情逸興,却因古人登高,原是為了避災,我們盼望國難早日解除,倒也可以牽綴上登高的意義。那時宣武門拆除瓮城,我們登上了宣武門城樓,東望炊烟四起,好像遍地是烽火,兩人都有説不出的感慨。遊覽了一會,算是應了重陽登高的節景。我做了兩首詩,有句説:“莫愁天倒無撑着,猶峙西山在眼前。”因為有許多人,妄想倚賴國聯調查團的力量,抑制日本軍閥的侵略,我知道這是與虎謀皮,怎麽能靠得住呢,所以做了這兩句詩,去諷刺他們的。

那年,我長子良元,得了孫子,是他次子次生所生的孩子,取名耕夫,那是我的曾孫,我的家庭,已是四代同堂的了。我自擔任藝術學院教授,除了藝院學生之外,以個人名義拜我為師的也很不少。門人瑞光和尚,從阜城門外衍法寺住持,調進城内,在廣安門内爛漫胡同蓮花寺當住持,已有數年,常到我處閑談。他畫的山水,學大滌子很得神髓,在我門弟子中,確是一個杰出人才,人都説他是我的高足,我也認他是我最得意的門人。有一年重陽,北平的許多名流,在德勝門内積水潭匯通祠登高雅集,瑞光也被邀參加,當場畫了一幅《寒碧登高圖》,諸名流都有題咏,他的畫名,就遠近都知了。我的學生邱石冥,任京華美術專門學校校長,請我去兼課,我已兼任了不少日子。曾向石冥推薦瑞光去任教,石冥深知瑞光的人品和他的畫格,表示十分歡迎。京華美專原是一所私立學校,權力操在校董會手裏,有一個姓周的校董,是個官僚,不知跟瑞光為了什麽原因,竭力地反對,石冥不能作主,祇得作罷。為了這件事,我心裏很不高興,本想我也辭職不幹,石冥苦苦挽留,不便掃他的面子,就仍勉强地兼課下去。同時,尚有兩人拜我為師：一是趙羨漁，名銘箴，山西太穀人，是個詩家，書底子深得很。一是方問溪，名俊章，安徽合肥人，他的祖父方星樵，名秉忠，和我是朋友，是個很著名的昆曲家。問溪家學淵源，也是個戲曲家兼音樂家，年紀不過二十來歲。他的姑丈是京劇名伶楊隆壽之子長喜，梅蘭芳的母親，是楊長喜的胞妹，問溪和蘭芳是同輩的姻親，可算得是梨園世家（次溪按：問溪死得很早，大概不到十年，就故去了）。

你（次溪按：老人說的“你”，指的是我）家的張園，在左安門内新西里三號，原是明朝袁督師崇焕的故居，有聽雨樓古迹。尊公篁溪學長在世時，屢次約我去玩，我很喜歡那個地方，雖在城市，大有山林的意趣。西望天壇的森森古柏，一片蒼翠欲滴，好像近在咫尺。天氣晴和的時候，還能看到翠微山峰，高聳雲際。遠山近林，簡直是天開畫屏，百觀不厭。有時雨過天晴，落照殘虹，映得天半朱霞，絢爛成綺。這樣的景色，不是空曠幽静的地方，是不能見到的。附近小溪環繞，點綴着幾個池塘，緑水漣漪，游魚可數。溪上阡陌縱横，稻粱蔬果之外，豆棚瓜架，觸目皆是。叱犢呼耕，戽水耘田，儼然江南水鄉風景，北地實所少見，何況在這萬人如海的大都市裏呢？我到了夏天，常去避暑。記得辛未那年，你同尊公特把後跨院西屋三間，讓給我住，又劃了幾丈空地，讓我蒔花種菜，我寫了一張《借山居》横額，挂在屋内。我在那裏繪畫消夏，得氣之清，大可以洗滌身心，神思自然就健旺了。那時令弟仲葛、仲麥，還不到二十歲，暑期放假，常常陪伴着我，活潑可喜。我看他們撲蝴蝶，捉蜻蜓，撲捉到了，都給我做了繪畫的標本。清晨和傍晚，又同他們觀察草叢裏蟲豸跳躍，池塘裏魚蝦游動，種種姿態，也都成我筆下的資料。我當時畫了十多幅草蟲魚蝦，都是在那裏實地取材的。還畫過一幅多蝦圖，挂在借山居的牆壁上面，這是我生平畫蝦最得意的一幅。（次溪按：袁督師故宅，清末廢為民居，牆垣欹側，屋宇毁敗，蕭條之景，不堪寓目。民國初元，先君出資購置，修治整理，添種許多花木，附近的人，稱之為張園。先君逝世後，時局多故，庭園又漸見荒蕪。一九五八年，我為保存古迹起見，徵得舍弟同意，把這房地捐獻給政府，今歸龍潭公園管理。）

袁督師故居内，有他一幅遺像，畫得很好，我曾臨摹了一幅。離故居的北面不遠，有袁督師廟，聽説也是尊公出資修建的，廟址相傳是督師當年駐兵之所。東面是池塘，池邊有篁溪釣臺，是尊公守廟時遊息的地方，我和尊公在那裏釣過魚。廟的鄰近，原有一座法塔寺，寺已廢圮，塔尚存在。再北為太陽宫，内祀太陽星君，據説三月十九為太陽生日，早先到了那天，用糕祭他，名為太陽糕。我所知道的：三月十九是明朝崇禎皇帝殉國的日子，明朝的遺老，在清朝初年，身處异族統治之下，懷念故國舊君，不敢明言，祇好托名太陽，太陽是暗切明朝的“明”字意思。相沿了二百多年,到民初才能祀,最近連太陽糕也很少有人知道的了。太陽宫的東北,是袁督師墓,每年春秋兩祭,廣東同鄉照例去掃墓,尊公每届必到,也曾邀我去參拜過的。我在張園住的時候,不但袁督師的遺迹,都已瞻仰過了,就連附近萬柳堂、夕照寺、卧佛寺等許多名勝,也都遊覽無遺。萬柳堂在清初是著名的,現在柳樹已無一存,它鄰近的拈花寺,地方倒很清静。夕照寺地址很小,内有陳松畫的松樹,在廟裏的右壁上面,畫得蒼老挺拔,確是一幅名畫。卧佛寺在袁督師墓的西邊,相距很近,聽説作《紅樓夢》的曹雪芹,晚年家道中落,曾在那裏住過一時,我根據你作的《過雪芹故居》的詩句"紅樓夢斷寺門寒",畫了一幅《紅樓夢斷圖》(次溪按:這幅圖,我後來不慎遺失了)。我連日遊覽,賢父子招待殷勤,我是很感謝的。我在張園春色圖和後來畫的葛園耕隱圖上題的詩句,都是我由衷之言,不是説着空話,隨便恭維的。我還把照像留在張園借山居牆上,示後裔的詩説:"後裔倘賢尋舊迹,張園留像葬西山。"這首詩,也可算作我的預囑哪!(次溪按:張園春色圖和釣蝦圖,今存中央歷史博物館,葛園耕隱圖今存廣東省博物館。)

民國二十一年(壬申·一九三二),我七十歲。正月初五日,驚悉我的得意門人瑞光和尚死了,他是光緒四年戊寅正月初八日生的,享年五十五歲。他的畫,一生專摹大滌子,拜我為師後,常來和我談畫,自稱學我的筆法,才能畫出大滌子的精意。我題他的畫,有句説:"畫水勾山用意同,老僧自道學萍翁。"我對於大滌子,本也生平最所欽服的,曾有詩説:"下筆誰教泣鬼神,二千餘載祇斯僧。焚香願下師生拜,昨夜揮毫夢見君。"我們兩人的見解,原是并不相背的。他死了,我覺得可惜得很,到蓮花寺裏去哭了他一場,回來仍是鬱鬱不樂。我想,人是早晚要死的,我已是七十歲的人了,還有多少日子可活!這幾年,賣畫教書,刻印寫字,進款却也不少,風燭殘年,很可以不必再為衣食勞累了,就自己畫了一幅《息肩圖》,題詩説:"眼看朋儕歸去拳,哪曾把去一文錢。先生自笑年七十,挑盡銅山應息肩。"可是畫了此圖,始終没曾息肩,我勞累了一生,靠着雙手,糊上了嘴,看來,我是要勞累到死的啦!

自遼瀋淪陷後,錦州又告失守,戰火迫近了榆關、平津一帶,人心浮動,富有之家,紛紛南遷。北平市上,敵方人員,往來不絶,他們慕我的名,時常登門來訪,有的送我些禮物,有的約我去吃飯,還有請我去照相,目的是想白使唤我,替他們拚命去畫,好讓他們帶回國去賺錢發財。我不勝其煩,明知他們詭計多端,内中是有骯髒作用的。況且我雖是一個毫無能力的人,多少總還有一點愛國心,假使願意去聽從他們的使唤,那我簡直對不起我這七十歲的年紀了。因此在無辦法中想出一個辦法:把大門緊緊地關上,門裏頭加上一把大鎖,有人來叫門,我先在門縫中看清是誰,能見的開門請進，不願見的，命我的女僕，回說“主人不在家”，不去開門，他們也就無法進來，祇好掃興地走了。這是不拒而拒的妙法，在他們没有見着我之時，先給他們一個閉門羹，否則，他們見着了我，當面不便下逐客令，那就脱不掉許多麻煩了。冬，因謠言甚熾，門人紀友梅在東交民巷租有房子，邀我去住，我住了幾天，聽得局勢略見緩和，才又回了家。

我早年跟胡沁園師學的是工筆畫，從西安歸來，因工筆畫不能暢機，改畫大寫意。所畫的東西，以日常能見到的為多，不常見的，我覺得虚無縹緲，畫得雖好，總是不切實際。我題畫葫蘆詩説：“幾欲變更終縮手，捨真作怪此生難。”不畫常見的而去畫不常見的，那就是捨真作怪了。我畫實物，并不一味地刻意求似，能在不求似中得似，方得顯出神韵。我有句説：“寫生我懶求形似，不厭聲名到老低。”所以我的畫，不為俗人所喜，我亦不願强合人意，有詩説：“我亦人間雙妙手，搔人癢處最為難。”我向來反對宗派拘束，曾云：“逢人耻聽説荆關，宗派誇能却汗顔。”也反對死臨死摹，又曾説過：“山外樓臺雲外峰，匠家千古此雷同。”“一笑前朝諸巨手，平鋪細抹死工夫。”因之，我就常説：“胸中山水奇天下，删去臨摹手一雙。”贊同我這見解的人，陳師曾是頭一個，其餘就算瑞光和尚和徐悲鴻了。我畫山水，布局立意，總是反復構思，不願落入前人窠臼。五十歲後，懶於多費神思，曾在潤格中訂明不再為人畫山水，在這二十年中，畫了不過寥寥幾幅。本年因你給我編印詩稿，代求名家題詞，我答允各作一圖為報，破例畫了幾幅，如給吴北江（闓生）畫的《蓮池講學圖》，給楊雲史（圻）畫的《江山萬里樓圖》，給趙幼梅（元禮）畫的《明燈夜雨樓圖》，給宗子威畫的《遼東吟館談詩圖》，給李釋堪（宣倜）畫的《握蘭簃填詞圖》，這幾幅圖，我自信都是别出心裁經意之作。

民國二十二年（癸酉·一九三三），我七十一歲。你給我編的《白石詩草》八卷，元宵節印成，這件事，你很替我費了些心，我很感謝你的。我在戊辰年印出的《借山吟館詩草》，是用石版影印我的手稿，從光緒壬寅到民國甲寅十二年間所作，收詩很少。這次的《白石詩草》，是壬寅以前和甲寅以後作的，曾經樊樊山選定，又經王仲言重選，收的詩比較多。我題詞説：“誹譽百年誰曉得，黄泥堆上草蕭蕭。”我的詩，寫我心裹頭想説的話，本不求工，更無意學唐學宋，罵我的人固然很多，誇我的人却也不少。從來毁譽是非，并時難下定論，等到百年以後，評好評壞，也許有個公道，可是我在黄土壠中，已聽不見、看不着的了。談到文字知己，倒也常常遇着，就説住在蘇州的吴江金松岑（天翮）吧，經你介紹，我開始和他通訊。最近你受人之托，求他作傳，他回信拒絶，并説：像齊白石這樣的人，才不辱没他的文字。他這樣地看重我，我讀了他給你的信，真是感激之餘，喜極欲涕。我把一生經歷，説給你聽，請你筆録下來，寄給他替我做傳記的資料。

我的刻印,最早是走的丁龍泓、黃小松一路,繼得《二金蝶堂印譜》,乃專攻趙撝叔的筆意。後見天發神讖碑,刀法一變,又見三公山碑,篆法也為之一變。最後喜秦權,縱橫平直,一任自然,又一大變。光緒三十年(甲辰)以前,摹丁、黃時所刻之印,曾經拓存,湘綺師給我作過一篇序。民國六年(丁巳),家鄉兵亂,把印拓全部失落,湘綺師的序文原稿,藏在牆壁內,幸得保存。十七年(戊辰),我把丁巳後在北京所刻的,拓存四册,仍用湘綺師序文,刊在卷前,這是我定居北京後第一次拓存的印譜。本年我把丁巳以後所刻三千多方印中,選出二百三十四印,用硃砂泥親自重行拓存。內有因求刻的人促迫取去,衹拓得一二頁,製成鋅版充數的。此次統都剔出,另選我最近所刻自用的印加入,湊足原數,仍用湘綺師原序列於卷首,這是我在北京第二次所拓的印譜。又因戊辰年第一次印譜出書後,外國人購去印拓二百方,按此二百方,我已無權再行復製,衹得把庚午、辛未兩年所刻的拓本,裝成六册,去年今年刻的較少,拓本裝成四册,合計十册,這是我第三次拓的印譜。

三月,見報載,日軍攻占熱河,平津一帶深受威脅,人心很感恐慌。五月,塘沽協定成立,華北主權,喪失殆盡。春夏間,北平謠諑繁興,我承門人紀友梅的關切,邀我到他的東交民巷寓所去避居,我在他那裏,住了二十來天,聽説風聲鬆了一點,承尊公厚意見招,又到你家張園小住。前年我畫的那幅《多蝦圖》,仍在借山居的牆上挂着,我補題了幾句:“星塘,予之生長處也。春水漲時,多大蝦,予少小時,以棉花為餌,戲釣之。今越六十餘年,故予喜畫蝦,未除兒時嬉弄氣耳。今次溪仁弟於燕京江擦門內買一園,名曰張園,園西有房數間,分借與予,為借山居。予畫此,倩吾賢置之借山居之素壁。”八月十三日你的佳期,是我同吴北江兩人證婚。你的夫人徐肇瓊,畫蝴蝶很有點功力,你慫恿她拜在我門下,“人之患好為人師”,既然賢伉儷出於一片至誠,我也就受之不辭了。

冬十二月二十三日,是我祖母馬孺人一百二十歲冥誕之期。我祖母於光緒二十七年辛丑十二月十九日逝世,至今已過了三十二個周年了。她生前,我没有多大力量好好地侍奉,至今覺得遺憾得很。現在逢到她的冥誕,又是百二十歲的大典,理應竭我綿薄,稍盡寸心。那天在家,延僧誦經,敬謹設祭。到了夜晚,焚化冥鏹時,我另寫了一張文啟,附在冥鏹上面,一起焚掉。文啟説:“祖母齊母馬太君,今一百二十歲,冥中受用,外神不得强得。今長孫年七十一矣,避匪難,居燕京,有家不能歸,將至死不能掃祖母之墓,傷心哉!”想起千里遊子,遠别故鄉廬墓,望眼天涯,黯然魂銷。况我垂暮之年,來日苦短,旅懷如織,更是夢魂難安。

民國二十三年(甲戌·一九三四),我七十二歲。我在光緒二十年(甲午)三十二歲時,所刻的印章,都是自己的姓名,用在詩畫方面的而已。刻的雖不多,收藏的印石,却有三百來方,我遂自名為"三百石印齋"。至民國十一年(壬戌)我六十歲時,自刻自用的印章多了,其中十分之二三,都是名貴的佳石。可惜這些印石,留在家鄉,在丁卯、戊辰兩年兵亂中,完全給兵匪搶走,這是我生平莫大的恨事。民國十六年(丁卯)以後,我没曾回到家鄉去過,在北平陸續收購的印石,又積滿了三百方,三百石印齋倒也仍是名副其實,衹是石質却没有先前在家鄉失掉的好了。上年羅祥止來,向我請教刻印的技法,求我當場奏刀。我把所藏的印石,一邊刻給他看,一邊講給他聽。祥止説:聽我的話,如聞霹靂;看我揮刀,好像呼呼有風聲。佩服得了不得,非要拜我為師不可,我就衹好答允,收他為門人了。本年又有一個四川籍的友人,也像祥止那樣,屢次求我刻給他看,我把指示祥止的技法,照樣地指示他。因此,從去年至今,不滿一年的時間,把所藏的印石,全數刻完,所刻的印章,連以前所刻,又超過了三百之數,就再拓存下來,留示我子孫。

我刻印,同寫字一樣。寫字,下筆不重描,刻印,一刀下去,决不回刀。我的刻法,縱横各一刀,衹有兩個方向,不同一般人所刻的,去一刀,回一刀,縱横來回各一刀,要有四個方向。篆法高雅不高雅,刀法健全不健全,懂得刻印的人,自能看得明白。我刻時,隨着字的筆勢,順刻下去,并不需要先在石上描好字形,才去下刀。我的刻印,比較有勁,等於寫字有筆力,就在這一點。而且寫字可以對客揮毫,我刻印也可以對客奏刀。常見他人刻石,來回盤旋,費了很多時間,就算學得這一家那一家的,但衹學到了形似,把神韵都弄没了,貌合神離,僅能欺騙外行而已。他們這種刀法,衹能説是蝕削,何嘗是刻印。老實説,真正懂得是刻的,能有多少人?不過刻與削,决不相同,明眼人也可一望而知,正如魚目不可混珠,是一樣的道理。我常説:世間事,貴痛快,何况篆刻是風雅事,豈是拖泥帶水,做得好的呢?本年四月二十一日,寶珠又生了個男孩,取名良年,號壽翁,乳名小翁子,這是我的第六子,寶珠生的第三子。

民國二十四年(乙亥·一九三五),我七十三歲。本年起,我衰敗之像叠出,右半身從臂膀到腿部,時時覺得痠痛,尤其可怕的,是一陣陣的頭暈,請大夫診治了幾次,略略似乎好些。陽曆四月一日,即陰曆二月二十八日,携同寶珠南行。三日午刻到家,我的孫輩外孫輩和外甥等,有的已二十往外的人了,見着我面,都不認識。我離家快二十年了,住的房子,没有損壞,還添蓋了幾間,種的果木花卉,也還照舊,山上的樹林,益發地茂盛。我長子良元,時年四十七歲,三子良琨,時年三十四歲,兄弟倆帶頭,率領着一家子大大小小,把家務整理得有條有理,這都是我的好子孫哪!衹有我妻陳春君,瘦得可憐,她今年已七十四歲啦。我在茹家冲家裏,住了三天,就同寶珠動身北上。我别家時，不忍和春君相見。還有幾個相好的親友，在家坐待相送，我也不使他們知道，悄悄地離家走了。十四日回到了北平。這一次回家，祭掃了先人的墳墓，我日記上寫道："烏烏私情，未供一飽；哀哀父母，欲養不存。"我自己刻了一顆"悔烏堂"的印章，懷鄉追遠之念，真是與日俱增的啊！

我因連年時局不靖，防備宵小覬覦，對於門户特别加以小心。我的跨車胡同住宅，東面臨街，我住在裏院北屋，廊子前面，置有鐵製的栅欄，晚上拉開，加上了鎖，嚴密得多了。陰曆六月初四日上午寅刻，我聽得犬吠之聲，聒耳可厭，親自起床驅逐。走得匆忙了些，脚骨誤觸鐵栅欄的斜撑，一跤栽了下去，整個身體都落了地，聲音很大，我覺着痛得難忍。寶珠母子，聽見我呼痛之聲，急忙出來，抬我上床，請來正骨大夫，仔細診治，推拿敷藥，疼痛稍減。但是腿骨的筋，已長出一寸有零，腿骨脱了骱，公母骨錯開了不相交，幾乎成了殘疾。我跌倒的地方，原有鐵凳一隻，幸而在前幾天，給寶珠搬到别處去了，否則這一跤栽了下去，不知重傷到什麽程度，説不定還有生命危險。我病中，起初躺在床上，動彈不得，慢慢地可以活動些了，但穿衣着鞋，仍得有人扶持，寶珠殷勤照料，日夜不懈，真是難得。我養了一百多天，才漸漸地好了。

民國二十五年（丙子·一九三六），我七十四歲。陰曆三月初七日，清明節的前七天，尊公邀我到張園，參拜袁督師崇焕遺像。那天到的人很多，記得有陳散原、楊雲史、吴北江諸位。吃飯的時候，我談起："我想在西郊香山附近，覓一塊地，預備個生壙。前幾年，托我同鄉汪頌年（詒書），寫過'處士齊白石之墓'七個大字的碑記。墓碑有了，墓地尚無着落，擬懇諸位大作家，俯賜題詞，留待他日，俾光泉壤。"當時諸位都允承了，没隔幾天，詩詞都寄了來，這件事，也得感謝你賢父子的。

四川有個姓王的軍人，托他住在北平的同鄉，常來請我刻印，因此和他通過幾回信，成了千里神交。春初，寄來快信，説：蜀中風景秀麗，物産豐富，不可不去玩玩。接着又來電報，歡迎我去。寶珠原是出生在四川的，很想回娘家去看看，遂於陽曆四月二十七日，即陰曆閏三月初七日，同寶珠帶着良止、良年兩個孩子，離平南下。二十九夜，從漢口搭乘太古公司萬通輪船，開往川江。五月一日黄昏，過沙市。沙市形勢，很有些像湘潭，沿江有山嘴攔擋，水從江中流出，江岸成彎形，便於泊船。四日未刻，過萬縣，泊武陵。我心病發作，在船内很不舒適，到夜半病才好了。五日酉刻，抵嘉州。寶珠的娘家，在轉斗橋胡家冲，原是酆都縣屬，但從嘉州登岸，反較近便。我們到了寶珠的娘家，住了三天，我陪她祭掃她母親的墳墓，算是了却一樁心願。我有詩説："為君骨肉暫收帆，三月鄉村問社壇。難得老夫情意合，携樽同上草堆寒。"

十一日到重慶。十五日宿内江。十六日到成都，住南門文廟後街。認識了方鶴叟旭。

那時,金松岑、陳石遺都在成都,本是神交多年,此次見面,倍加親熱。松岑面許給我撰作傳記,叫我回平後跟你商量,繼續筆録我一生經歷,寄給他作參考。(次溪按:金松岑丈是年有信寄給我,也曾談及此事。)我在國立藝院和私立京華美專教過的學生,在成都的,都來招待我,有的請我吃飯,有的陪我去玩。安徽人開的胡開文筆墨莊,有一個跑外伙友,名叫陳懷卿,跟着我的學生,也稱我作老師。七月二十七日,我牙痛甚劇。我當口的兩牙,左邊的一個,早已自落,右邊的一個,摇摇欲墜,亦已三年。因為想起幼齡初長牙時,我祖父祖母和我父親母親,喜歡得了不得,説:"阿芝長牙了!"我小的時候,母親常常説起這句話,我至今還没忘掉。當初他們這樣地喜見其生,我老來怎忍輕易地把它拔去呢?所以我忍着疼痛,一直至今。此次這隻作痛的病牙,横斜活動,進食很不方便,不吃東西時,亦痛得難忍,迫不得已,祇可拔落,感念幼年,不禁流泪。

川中山水之佳,較桂林更勝一籌,我遊過了青城、峨嵋等山,就辭别諸友,預備東返。門生們都來相送。我記得俗諺有"老不入川"這句話,預料此番出川,終我之生,未必會再來的了。我留别門生的詩,有句云:"蜀道九千年八十,知君不勸再來遊",就是這個意思。八月二十五日離成都,經重慶、萬縣、宜昌,三十一日到漢口。住在朋友家,因腹瀉耽了幾天。九月四日,乘平漢車北行,五日到北平,回家。有人問我:"你這次川遊,既没有做多少詩,也没有作什麽畫,是不是心裏有了不快之事,所以興趣毫無了呢?"我告訴他説:"并非如此!我們去時是四個人,回來也是四個人,心裏有什麽不快呢?不過四川的天氣,時常濃霧蔽天,看山是掃興的。"我背了一首《過巫峽》的詩給他聽:"怒濤相擊作春雷,江霧連天掃不開。欲乞赤烏收拾盡,老夫原為看山來。"俗諺説:"天無三日晴,地無三里平。"四川的天時地理,確有這樣的情形。

八　避世時期(一九三七—一九四八)

民國二十六年(丁丑·一九三七),我七十七歲。早先我在長沙,舒貽上之鑾給我算八字,説:"在丁丑年,脱丙運,交辰運。辰運是丁丑年三月十二日交,壬午三月十二日脱。丁丑年下半年即算辰運,辰與八字中之戌相衝,衝開富貴寶藏,小康自有可期,惟丑辰戌相刑,美中不足。"又説:"交運時,可先念佛三遍,然後默念辰與酉合若干遍,在立夏以前,隨時均宜念之。"又説:"十二日戌時,是交辰運之時,屬龍屬狗之小孩宜暫避,屬牛羊者亦不可近。本人可佩一金器,如金戒指之類。"念佛,帶金器,避見屬龍屬狗屬牛羊的人,我聽了他話,都照辦了。我還在他批的命書封面,寫了九個大字:"十二日戌刻交運大吉"。又在裏頁,寫了幾行字道:"宜用瞞天過海法,今年七十五，可口稱七十七，作為逃過七十五一關矣。”從丁丑年起，我就加了兩歲，本年就算七十七歲了。

二月二十七日，即陰曆正月十七日，寶珠又生了一個女孩，取名良尾，生了没有幾天，就得病死了。這個孩子，生得倒還秀麗，看樣子不是笨的，可惜是曇花一現，像泡沫似地一會兒就幻滅了。七月七日，即陰曆五月二十九日，那天正交小暑節，天氣已是熱得很。後半夜，日本軍閥在北平廣安門外蘆溝橋地方，發動了大規模的戰爭。蘆溝橋在當時，是宛平縣的縣城，城雖很小，却是一個用兵要地，儼然是北平的屏障，失掉了它，北平就無險可守了。第二天，是陰曆六月初一日，早晨見報，方知日軍蓄意挑釁，事態有擴大可能。果然聽到西邊“嘭、嘭、嘭”的好幾回巨大的聲音，乃是日軍轟炸了西苑。接着南苑又炸了，情勢十分緊張。過了兩天，忽然傳來講和的消息。但是，有一夜，廣安門那邊，又有“啪、啪、啪”的機槍聲，鬧了大半宵。如此停停打打，打打停停，鬧了好多天。到了七月二十八日，即陰曆六月二十一日，北平天津相繼都淪陷了。前幾天所説的講和，原來是日軍調兵遣將、準備大舉進攻的一種詭計。我們的軍隊，終於放弃了平津，轉向内地而去。這從來没曾遭遇過的事情，一旦身臨其境，使我膽戰心驚，坐立不寧。怕的是：淪陷之後，不知要經受怎樣的折磨，國土也不知哪天才能光復，那時所受的刺激，簡直是無法形容。我下定决心，從此閉門家居，不與外界接觸，藝術學院和京華美術專門學校兩處的教課，都辭去不幹了。亡友陳師曾的尊人散原先生於九月間逝世，我做了一幅挽聯送了去，聯道：“為大臣嗣，畫家爺，一輩作詩人，消受清閑原有命；由南浦來，西山去，九天入仙境，乍經離亂豈無愁。”下聯的末句，我有説不盡的苦處，含蓄在内。我因感念師曾生前對我的交誼，親自到他尊人的靈前行了個禮，這是我在淪陷後第一次出大門。

民國二十七年(戊寅·一九三八)，我七十八歲。瞿兑之來請我畫《超覽樓禊集圖》，我記起這件事來了！前清宣統三年三月初十日，是清明後兩天，我在長沙，王湘綺師約我到瞿子玖家超覽樓去看櫻花海棠，命我畫圖，我答允了没有踐諾。兑之是子玖的小兒子，會畫幾筆梅花，曾拜尹和伯為師，畫筆倒也不俗。他請我補畫當年的禊集圖，我就畫了給他，了却一樁心願。六月二十三日，即陰曆五月二十六日，寶珠生了個男孩，這是我的第七子，寶珠生的第四子。我的日記上寫道：“二十六日寅時，鐘表乃三點二十一分也。生一子，名曰良末，字紀牛，號耋根。此子之八字：戊寅，戊午，丙戌，庚寅，為炎上格，若生於前清時，宰相命也。”我在他的命册上批道：“字以紀牛者，牛，丑也，記丁丑年懷胎也。號以耋根者，八十為耋，吾年八十，尚留此根苗也。”十二月十四日，孫秉聲生，是良遲的長子。良遲是我的第四子，寶珠所生的第一子，今年十八歲，娶的是獻縣紀文達公後裔紀彭年的次女。寶珠今年三十七歲，已經有了孫子啦，我們家，人丁可算興旺哪！美中不足的是：秉聲生時，我的第六子良年，乳名叫作小翁子的，病得很重，隔不到十天，十二月二十三日死了，年才五歲。這孩子很有點夙根，當他三歲時，知識漸開，已能懂得人事，見到愛吃的東西，從不爭多論少，也不爭先恐後，父母喚他才來，分得的還要留點給父母。我常說："孔融讓梨，不能專美於前。我家的小翁子，將來一定是有出息的。"不料我有後望的孩子，偏偏不能長壽，真叫我傷心！又因國難步步加深，不但上海、南京，早已陷落，聽說我們家鄉湖南，也已淪入敵手，在此兵荒馬亂的年月，心緒惡劣萬分，我的日記《三百石印齋紀事》，無意再記下去，就此停筆了。

民國二十八年（己卯·一九三九），我七十九歲。二十九年（庚辰·一九四〇），我八十歲。自己丑年北平淪陷後，這三年間，我深居簡出，很少與人往還，但是登我門求見的人，非常之多。敵僞的大小頭子，也有不少來找我的，請我吃飯，送我東西，跟我拉交情，圖接近，甚至要求我跟他們一起照相，或是叫我去參加什麽盛典，我總是婉辭拒絕，不出大門一步。他們的任何圈套，都是枉費心機。我怕他們糾纏不休，懶得跟他們多說廢話，幹脆在大門上貼一張條，寫了十二個大字："白石老人心病復作，停止見客。"我原來是確實有點心臟病的，并不嚴重，就借此為名，避免與他們接近。"心病"兩字，另有含義，我自謂用得很是恰當。衹因物價上漲，開支增加，不靠賣畫刻印，無法維持生活，不得不在紙條上，補寫了幾句："若關作畫刻印，請由南紙店接辦。"那時，囤積倒把的奸商，非常之多，他們發了財，都想弄點字畫，挂在家裏，裝裝門面，我的生意，簡直是忙不過來。二十八年己卯年底，想趁過年的時候，多休息幾天，我又貼出聲明："二十八年十二月初一起，先來之憑單退，後來之憑單不接。"過了年，二十九年庚辰正月，我為了生計，衹得仍操舊業，不過在大門上，加貼了一張"畫不賣與官家，竊恐不祥"的告白，說："中外官長，要買白石之畫者，用代表人可矣，不必親駕到門。從來官不入民家，官入民家，主人不利。謹此告知，恕不接見。"這裏頭所說的"官入民家，主人不利"的話，是有雙關意義的。我還聲明："絶止減畫價，絶止吃飯館，絶止照像。"在絶止減畫價的下面，加了小注："吾年八十矣，尺紙六圓，每圓加二角。"另又聲明："賣畫不論交情，君子自重，請照潤格出錢。"我是想用這種方法，拒絶他們來麻煩的。還有給敵人當翻譯的，常來訛詐，有的要畫，有的要錢，有的軟騙，有的硬索，我在牆上，又貼了告白，說："切莫代人介紹，心病復作，斷難報答也。"又說："與外人翻譯者，恕不酬謝，求諸君莫介紹，吾亦苦難報答也。"這些字條，日軍投降後，我的看門人尹春如，從大門上揭了下來，歸他保存。春如原是清朝宮裏的太監，分配到肅王府，清末，侍候過肅親王善耆的。

二月初，得良元從家鄉寄來快信，得知我妻陳春君，不幸於正月十四日逝世，壽七十九歲。春君自十三歲來我家，熬窮受苦，從無怨言。二十歲上跟我圓了房，這漫長歲月之間，重堂侍奉，兒女養育，家務撑持，避亂遷移，都是由她擔負，使我免去内顧之憂。我定居北平，恐我客中寂寞，為我聘了寶珠，隨侍照料。寶珠初生孩子，恐其年輕不善撫育，親自接了過去，晝則携抱，夜則同睡，噓拂愛護，如同己出。我在北平，賣畫為活，北來探視，三往三返，不辭跋涉。相處六十多年，我雖有恒河沙數的話，也難説盡貧賤夫妻之事，一朝死别，悲痛刻骨，泪哭欲干，心摧欲碎，做了一副挽聯："怪赤繩老人，繫人夫妻，何必使人離別；問黑面閻王，主我生死，胡不管我團圓。"又做了一篇祭文，叙説我妻一生賢德，留備後世子孫，觀覽勿忘。良元信上還説，春君垂危之時，口囑兒孫輩，慎侍衰翁，善承色笑，切莫使我生氣。我想：遠隔千里，不能當面訣别，這是她一生最後的缺恨，叫我用什麽方法去報答她呢？我在北平，住了二十多年，雕蟲小技，天下知名，所教的門人弟子，遍布南北各省，論理，應該可以自慰的了，但因親友故舊，在世的已無多人，賢妻又先我而去，有家也歸不得，想起來，就不免黯然銷魂了。我派下男子六人，女子六人，兒媳五人，孫曾男女共四十多人，見面不相識的很多。人家都恭維我多壽多男，活到八十歲，不能説不多壽；兒女孫曾一大群，不能説不多男；衹是福薄，説來真覺慚愧。

民國三十年(辛巳·一九四一)，我八十一歲。寶珠隨侍我二十多年，勤儉柔順，始終不倦，春君逝世後，很多親友，勸我扶正，遂於五月四日，邀請在北平的親友二十餘人，到場作證。先把我一生勞苦省儉，積存下來的一點薄産，分為六股，春君所生三子，分得湖南家鄉的田地房屋，寶珠所生三子，分得北平的房屋現款，春君所生的次子良黼，已不在人世，由次兒媳同其子繼承。立有分關産業字據，六人各執一份，以資信守。分産竣事後，隨即舉行扶正典禮，我首先鄭重聲明："胡氏寶珠立為繼室！"到場的二十多位親友，都簽名蓋印。我當着親友和兒孫等，在族譜上批明："日後齊氏續譜，照稱繼室。"寶珠身體瘦弱，那天十分高興，招待親友，直到深夜，毫無倦累神色。隔不多天，忽有幾個日本憲兵，來到我家，看門人尹春如攔阻不及，他們已直闖進來，嘴裏説着不甚清楚的中國話，説是"要找齊老頭兒"。我坐在正間的藤椅子上，一聲不響，看他們究竟要干些什麽，他們問我話，我裝聾好像一點都聽不見，他近我身，我衹裝没有看見，他們嘰哩咕嚕，説了一些我聽不懂的話，也就没精打采地走了。事後，有人説："這是日軍特務，派來嚇唬人的。"也有人説："是幾個喝醉的酒鬼，存心來搗亂的。"我也不問其究竟如何，衹囑咐尹春如，以後門户要加倍小心，不可再疏忽，吃此虛驚。

民國三十一年(壬午·一九四二),我八十二歲。在七八年前,就已想到:我的歲數,過了古稀之年,桑榆暮景,為日無多,家鄉遼遠,白雲在望,生既難還,死亦難歸。北平西郊香山附近,有萬安公墓,頗思預置生壙,備作他日葬骨之所,曾請同鄉老友汪頌年寫了墓碑,又請陳散原、吴北江、楊雲史諸位題詞做紀念。祇是歲月逡巡,因循坐誤,香山生壙之事,未曾舉辦。二十五年丙子冬,我又想到埋骨在陶然亭旁邊,風景既幽美,地點又近便,復有香冢、鸚鵡冢等著名勝迹,後人憑吊,倒也算得佳話。知道你曾替人成全過,就也托你代辦一穴,可惜你不久離平南行,這事停頓至今。上年年底,你回平省親,我跟你談起舊事,承你厚意,和陶然亭慈悲禪林的住持慈安和尚商妥,慈安願把亭東空地一段割贈,這真是所謂"高誼如雲"的了。正月十三日,同了寶珠,帶着幼子,由你陪去,介紹和慈安相晤,談得非常滿意。看了看墓地,高敞向陽,葦塘圍繞,確是一塊佳域。當下定議。我填了一闋《西江月》的詞,後邊附有跋語,説:"壬午春正月十又三日,余來陶然亭,住 持僧慈安贈妥墳地事,次溪侄,引薦人也,書於詞後,以記其事。"但因我的兒孫,大部分都在湖南家鄉,萬一我死之後,他們不聽我話,也許運柩回湘,或是改葬他處,豈不有負初衷,我寫一張委托書交你收存,免得他日别生枝節。這樣,不僅我百年骸骨,有了歸宿,也可算是你我的一段生死交情了。(次溪按:老人當時寫的委托書説:"百年後埋骨於此,慮家人不能遵,以此為證。")

那年,我給你畫的《蕭寺拜陳圖》,自信畫得很不錯。你請人題的詩詞,據我看:傅治薌岳芬題的那首七絶,應該説是壓卷。我同陳師曾的交誼,你是知道的,我如没有師曾的提携,我的畫名,不會有今天。師曾的尊人散原先生在世時,記得是二十四年乙亥的端午節左右,你陪我到姚家胡同去訪問他,請他給我做詩集的序文,他知道了我和師曾的關係,慨然應允。没隔幾天,序文就由你交來。我打算以後如再刊印詩稿,陳、樊二位的序文,一起刊在卷前,我的詩稿,更可增光得多了。我自二十六年丁丑六月以後,不出家門一步。祇在丁丑九月,得知散原先生逝世的消息,破例出了一次門,親自去拜奠。他靈柩寄存在長椿寺,我也聽人説起過,這次你我同到寺裏去憑吊,我又破例出門了。(次溪按:散原太世丈逝世時,我遠客江南,壬午春,我回平,偶與老人談及,擬往長椿寺祭拜,老人願偕往,歸後,特作蕭寺拜陳圖給我,我徵集題詞很多。傅治薌丈詩云:"槃槃蓋世一棺存,歲瓣心香款寺門。彼似滄洲陳太守,重封馬鬣祭茶村。"老人謂著墨無多,而意味深長,此圖此詩,足可并垂不朽。)

民國三十二年(癸未·一九四三),我八十三歲。自從蘆溝橋事變至今,已過了六個年頭,天天提心吊膽,在憂悶中過着苦難日子。雖還没有大禍臨身,但小小的騷擾,三頭兩天總是不免。最難應付的，就是假借買畫的名義，常來搗亂。我這個八十開外的老翁，哪有許多精力，同他們去作無謂周旋。萬不得已，從癸未年起，我在大門上，貼了四個大字："停止賣畫"。從此以後，無論是南紙店經手，或朋友們介紹，一概謝絶不畫。家鄉方面的老朋友，知道我停止賣畫，關心我的生活，來信問我近況。我回答他們一首詩，有句云："壽高不死羞為賊，不醜長安作餓饕。"我是寧可挨凍受餓，决不甘心去取媚那般人的。我心裏正在愁悶難遣的時候，偏偏又遭了一場失意之事：十二月十二日，繼室胡寶珠病故，年四十二歲。寶珠自十八歲進我家門，二十多年來，善事我的起居，寒暖饑飽，刻刻關懷。我作畫之時，給我理紙磨墨，見得我的作品多了，也能指出我筆法的巧拙，市上冒我名的假畫，一望就能辨出。我偶或有些小病，她衣不解帶地晝夜在我身邊，悉心侍候。春君在世時，對她很是看重，她也處處不忘禮節，所以妻妾之間，從未發生齟齬。我本想風燭之年，仗她護持，身後之事，亦必待她料理，不料她方中年，竟先衰翁而去，怎不叫我灑盡老泪，猶難抑住悲懷哩！

民國三十三年(甲申·一九四四)，我八十四歲。我滿懷積忿，無可發泄，祇有在文字中，略吐不幸之氣。前年朋友拿他所畫的山水卷子，叫我題詩，我信筆寫了一首七絶，説："對君斯册感當年，撞破金甌國可憐。燈下再三揮泪看，中華無此整山川。"我這詩很有感慨。我雖停止賣畫，但作畫仍是天天并不間斷，所作之畫，分給兒女們保存。我畫的《鸕鷀舟》，題詩道："大好江山破碎時，鸕鷀一飽别無知。漁人不識興亡事，醉把扁舟繫柳枝。"我題門生李苦禪畫的《鸕鷀鳥》，寫過一段短文道："此食魚鳥也，不食五穀鸕鷀之類。有時河涸江干，或有餓死者，漁人以肉飼其餓者，餓者不食。故舊有諺云：鸕鷀不食鸕鷀肉。"這是説漢奸們同鸕鷀一樣的"一飽别無知"，但"鸕鷀不食鸕鷀肉"，并不自戕同類，漢奸們對之還有愧色哩。我題《群鼠圖》詩："群鼠群鼠，何多如許！何鬧如許！既嚙我果，又剥我黍。燭炧燈殘天欲曙，嚴冬已换五更鼓。"又題畫《螃蟹》詩："處處草泥鄉，行到何方好！昨歲見君多，今年見君少。"我見敵人的泥死何足惜，拚脚愈陷愈深，日暮途窮，就在眼前，所以拿老鼠和螃蟹來諷刺它的。有人勸我明哲保身，不必這樣露骨地諷刺。我想：殘年遭亂，着一條老命，還有什麽可怕的呢？六月七日，忽然接到藝術專科學校的通知，叫我去領配給煤。藝專本已升格為學院，淪陷後又降為專科學校。那時各學校的大權，都操在日籍顧問之手，各學校裏，又都聘有日文教員，也是很有權威，人多側目而視。我脱離藝校，已有七年，為什麽憑空給我這份配給煤呢？其中必有原因，我立即把通知條退了回去，并附了一封信道："頃接藝術專科學校通知條，言配給門頭溝煤事。白石非貴校之教職員，貴校之通知錯矣。先生可查明作罷論為是。”煤在當時，固然不易買到，我齊白石又豈是没有骨頭、愛貪小便宜的人，他們真是錯看了人哪！朋友因我老年無人照料，介紹一位夏文珠女士來任看護，那是九月間事。

民國三十四年（乙酉·一九四五），我八十五歲。三月十一日，即陰曆正月二十七日，我天明復睡，得了一夢：立在餘霞峰借山館的曬坪邊，看見對面小路上有抬殯的過來，好像是要走到借山館的後面去。殯後隨着一口没有上蓋的空棺，急急地走到殯前面，直向我家走來。我夢中自想，這是我的棺，為什麽走得這樣快？看來我是不久人世了。心裏頭一納悶，就驚醒了。醒後，愈想愈覺離奇，就做了一副自挽聯道：“有天下畫名，何若忠臣孝子；無人間惡相，不怕馬面牛頭。”這不過無聊之極，聊以解嘲而已。到了八月十四日，傳來莫大的喜訊：抗戰勝利，日軍無條件投降。我聽了，胸中一口悶氣，長長地鬆了出來，心裏頭頓時覺得舒暢多了。這一樂，樂得我一宵都没睡着，常言道，心花怒放，也許有點相像。十月十日是華北軍區受降的日子，熬了八年的苦，受了八年的罪，一朝撥開雲霧，重見天日，北平城裏，人人面有喜色。雖説不久内戰又起，物價飛漲，兼之貪污風行，一團稀糟，人人又大失所望，但在那時，老百姓們確是振奮得很。那天，侯且齋、董秋崖、余倜等來看我，留他們在家小酌，我做了一首七言律詩，結聯云：“莫道長年亦多難，太平看到眼中來。”我和一般的人，一樣的看法，以為太平日子，已經到來，誰知并不是真正的太平年月啊！

民國三十五年（丙戌·一九四六），我八十六歲。抗戰結束，國土光復，我恢復了賣畫刻印生涯，琉璃廠一帶的南紙鋪，把我的潤格，照舊地挂了出來。我的第五子良已，在輔仁大學美術系讀書學畫，頗肯用功，平日看我作畫，我指點筆法，也能專心領會，近來的作品，人家都説青出於藍，求他畫的人，也很不少。十月，南京方面來人，請我南下一遊，是坐飛機去的，我的第四子良遲和夏文珠同行。先到南京，中華全國美術會舉行了我的作品展覽；後到上海，也舉行了一次展覽。我帶去的二百多張畫，全部賣出，回到北平，帶回來的“法幣”，一捆一捆的數目倒也大有可觀，等到拿出去買東西，連十袋面粉都買不到，這玩笑開得多麽大啊！我真悔此一行。十二月十九日，女兒良歡死了，年十九歲。良歡幼時，乖巧得很，剛滿周歲，牙牙學語，我教她認字，居然識了不忘，所以乳名小乖。有了她妹妹良止，乳名小小乖，她就叫作大小乖了。可憐這個大小乖，自她母親故去後，鬱鬱不樂，三年之間，時常鬧些小病，日積月累，遂致不起，我既痛她短命，又想起了她的母親，衰年傷心，灑了不少老泪。

民國三十六年（丁亥·一九四七），我八十七歲。三十七年（戊子·一九四八），我八十八歲。這兩年，常有人勸我遷往南京、上海等地，我想起前年有人從杭州來信，叫我去主持西湖美術院,我回答他一詩,句云:“北房南屋少安居,何處清平著老夫?”我在勝利初期,一片歡欣的希望,早已烟消雲散,還有什麽心緒,去奔走天涯呢? 那時,“法幣”已到末路,幾乎成了廢紙,一個燒餅,賣十萬圓,一個最次的小面包,賣二十萬圓,吃一頓飯館,總得千萬圓以上,真是駭人聽聞。接着改换了“金圓券”,一圓折合“法幣 ”三百萬圓。剛出現時,好像重病的人,打了嗎啡針,緩過一口氣,但一霎眼間,物價的漲風,一日千變,波動得大,崩潰得快,比了“法幣”,更是有加無已。這種爛紙,信用既已掃地,人們紛紛搶購實物,票子到手,立刻就去换上東西,價錢貴賤,倒也并不計較,物價因之益發上跳。囤積倒把的人,街頭巷尾,觸目皆是。他們异想天開,把我的畫,也當作貨物一樣,囤積起來。拿着一堆廢紙似的“金圓券”,訂我的畫件,一訂就是幾十張幾百張。我案頭積紙如山,看着不免心驚肉跳。朋友跟我開玩笑,説:“看這樣子,真是‘生意興隆通四海,財源茂盛達三江’了。”實則我耗了不少心血,費了不少腕力,换得的票子,有時一張畫還買不到幾個燒餅,望九之年,哪有許多精神,弄來許多廢紙,欺騙自己呢? 衹得嘆一口氣,挂出“暫停收件”的告白了。

(《白石老人自傳》,人民美術出版社,一九六二年,北京)

注:

① 胡沁園(一八四七——一九一四年),又名自倬、慶龍,字漢槎,號鈍叟,人稱壽三爺,自號書齋“藕花吟館”。湘潭韶塘人。善工筆花鳥蟲魚,能寫漢隸,會篆刻詩文,家藏有名人字畫。喜交往,獎掖後進,是白石老人最尊敬的老師。

② 蕭薌陔,亦寫蕭薌陔,名傳鑫,號一拙子,湘潭朱亭(今株洲)人。善畫人像,亦能畫山水花卉,會做詩、裱畫,後至江西賣藝,客死南昌。齊白石跟從其學畫人像和裱畫。

③ 黎雨民,湘潭人,名丹,會詩文。

④ 黎松庵,(一八七〇——一九五三年),名培鑾,又名德恂,會詩印書畫。

⑤ 王仲言(一八六五——一九三七年),名訓,號退園,湘潭人。當地名儒,對經史子集均有研究,擅長詩文,有《退園詩文集》。後為齊白石删定詩集并結為親家。

⑥ 羅真吾,湘潭人。名天用,會詩文。

⑦ 羅醒吾,湘潭人。名天覺,會詩文。

⑧ 陳茯根,湘潭人。名節,會詩文。

⑨ 胡石庵,湘潭人,又名石安,字復初,會詩文。

⑩ 夏午詒(一八七〇——一九三五年),桂陽人。名壽田,字耕父,號午詒,又號直心居士。清季榜眼。袁世凱叛國稱帝,制詔多其草擬。書工篆、真,并善篆刻。

⑪ 郭葆生(? ——一九二二年),名人漳。湘潭人。排行五,又叫郭五。清末大臣郭松林之子,以世蔭得道員。歷任山西道臺、江西和兩廣巡防營統領,最後任新軍協統等職。

⑫ 樊樊山(一八四六——一九三一年),名增祥,原名嘉,一字天琴,别號雲門,晚號樊山老人。湖北恩施人。為同光派的重要詩人,有《樊山全集》。

⑬ 繆夫人,即繆嘉蕙,字素筠。昆明人。工翎毛花卉,秀逸清雅,為慈禧太后的代筆畫師。人稱繆姑太。

⑭ 王湘綺(一八三三——一九一六年),湖南湘潭人。名闓運,字壬秋,號湘綺。書齋為“湘綺樓”。是清末今文學派的重要領袖,有《湘綺樓全集》等。

⑮ 曾招吉,湖南衡陽人。原是銅匠。拜王湘綺為師。後試製空運大氣球。

⑯ 張仲颺,湖南湘潭人。名登壽,一號正陽。早年為鐵匠。後為王湘綺弟子,傳其經學,亦能詩。後為齊白石親家。

⑰ 曾文正即曾國藩(一八一一——一八七二年),湖南湘鄉(今

雙峰)人。原名子城,字伯涵,號滌生。為晚清大臣,建湘軍打太平軍。謚文正。有《曾文正公全集》。

⑱ 安南,即今越南。

⑲ 宗子威:三十年代居北平,有詩名。為齊白石《白石詩草》八卷題詞。後齊白石畫《遼東吟館談詩圖》答謝。

⑳ 趙幼梅:名元禮。三十年代居北平,為齊白石詩友,為《白石詩草》八卷題過詩。

㉑ 楊雲史(一八七五——一八四一年),江蘇常熟人。名圻。曾為晚清郵傳部郎中,出使英國和新加坡。清帝退位後返國。後入吴佩孚幕。抗日戰爭爆發後,任國民政府行政參議。著有《江山萬里樓詩鈔》、《打開天窗説亮話》等。

㉒ 賀孔才(一九〇三——一九五二年),原名培新,河北故城縣人。齊白石弟子,齊派篆刻的佼佼者,有《孔才印草》。

㉓ 陳散原,即陳三立(一八五三——一九三七年),江西義寧(今修水)人。字伯嚴。光緒進士。參加過戊戌變法運動。"九·一八"事變後主張抗日,并拒任偽職。一九三七年盧溝橋事變後憂憤國事而逝。所作詩,為同光體的重要代表。著有《散原精舍文集》等。

㉔ 陳石遺,為齊白石一九三六年遊四川成都時結交的詩畫朋友。

㉕ 金松岑(一八七三——一九四一年),江蘇吴江人。原名天翮,後改天羽,筆名愛自由者、金一,自署天放樓主人、鶴望等。曾創辦同里自治學社,組織雪耻學會,介紹孫中山革命活動。後任過中文系教授。著有《女界鐘》、《孽海花》等。

㉖ 方鶴叟即方旭(?——一九三六年),字鶴齋。安徽桐城人。清末為四川督學,民國後隱居成都。善書工畫。有《鶴齋詩存》等。

㉗ 于右任(一八七九——一九六四年),陝西三原人。原名伯循,字騷心,號髯翁,晚號太平老人。早年從事革命,主上海民呼報。工書法,所作行草,别具韵味。榜書寸楷揮灑自如,對草書尤有研究。并善詩。著作頗多。

㉘ 汪貽書,字頌年,湖南長沙人。翰林出身,善詩文。

㉙ 陳少蕃(一八五四——一九〇九年),湖南湘潭人。名咸清,字作塤,號少蕃,清太學生。一生以教學為生。善詩文,有《補石庵詩草》。

㉚ 文少可,湖南湘潭人。善畫像。齊白石曾向其學畫牛。

㉛ 黎薇蓀,湖南湘潭人。名承禮,號鯨庵,又號盟鷗,後自呼鳬衣,居室叫聽葉庵。會治印。

㉜ 李梅庵(一八六七——一九二〇年),江西臨川人。名瑞清,字仲麟,後改字阿梅等,號梅花庵主,又號梅痴,晚號清道人。光緒進士。後出家為道。其詩書畫皆精,一九一九年張大千拜其為師。著有《清道人遺集》等。

㉝ 曾熙(一八六一——一九三〇年),初字嗣元,更字子緝,晚號農髯,湖南衡陽人。光緒進士。嘗主講石鼓書院。書畫皆精。與李瑞清齊名,稱"曾李"。

㉞ 李筠庵,江西臨川人。名瑞荃,李瑞清弟。善詩書畫。

㉟ 張貢吾,湖南湘潭人,名翊六,善詩文。

㊱ 譚三兄弟,指清一品大員譚鍾麟的三個兒子,長為譚延闓,次為譚恩闓,幼為譚澤闓。

㊲ 瞿相即瞿鴻機(一八五〇——一九一八年),湖南長沙人。字子玖、子久、子九,號止庵,晚號西岩巷人。清同治進士,為晚清大臣之一。著有《止庵詩文集》等。

㊳ 陳師曾(一八七六——一九二三年),名衡恪,號朽者、朽道人,號所居曰槐堂,曰唐石簃,曰染倉室,江西義寧(今修水)人。詩書畫印皆精。多年從事美術教育,齊白石得其助甚多。

㊴ 姚華(一八七六——一九三〇年),字重光,號茫父,貴州貴築人。於詩文詞曲,碑版古器及考據音韵等皆精。書、畫則山水、花卉,篆隸真行亦有高深造詣。久居北京蓮花寺,因别署蓮花龕主。著有《弗堂類稿》等。

㊵ 陳半丁(一八七六——一九六九年),浙江紹興人。原名年,字静山,號半丁,後以號行。作品多畫山水花卉,亦偶作人物。書法工四體。治印繼承了吴昌碩鈍刀法,但篆法章法别具一格。

㊶ 羅癭公兄弟,指羅惇曧和羅惇㬊。

羅惇曧(一八七二——一九二四年),廣東順德人。字掞東,號癭公,人號癭庵。能詩,工書法。楷行草皆擅長。尤其在章草方面更是馳名。有《藏事紀略》等。

羅惇㬊(一八七四——一九五四年),字照岩、季孺,號敷堪,别號羯蒙老人、風嶺詩人。師承康有為。擅長書法,愛好詩話。有《晚晦堂帖見》等。

㊷ 汪靄士(一八七一—? 年),名吉麟,江蘇丹陽人。工畫,善畫蘭。

㊸ 蕭友龍(一八七〇——一九六〇年),四川三臺人。原名方駿,晚號不息翁。後弃官行醫,為北京"四大名醫"之一。

并善寫詩。

㊹ 朱悟園，湖南湘潭人。字義胄，善詩文。有《悟園詩存》。

㊺ 林畏庵即林紓（一八五二——一九二四年），初名群玉，字琴南，號畏廬，閩縣（今福州）人。工詩文古辭，以意譯外國名家小説見稱於時。善畫山水花鳥。著有《畏廬文集》等。

㊻ 鬼門鬮，原北平的一個舊地名，大約離現跨車胡同五十米，現已改為二龍路。

㊼ 東坡，即宋朝書畫家、文學家蘇軾。

㊽ 朱柏廬（一六一七——一六八八年），清初江南昆山（今屬江蘇）人。名用純，字致一，自號柏廬。明生員。初居鄉教授學生。專治程、朱理學。康熙時堅持不應博學鴻詞科。提倡知行并進。其"治家格言"，世稱《朱子家訓》。

二、墓志

祖母墓志

先大母姓馬氏。考諱傳虎。邑處士也。十歲即喪母。時二弟幼弱。大母皆撫之成立。事父能盡其力。尤鍾愛之。常呼曰九姑。蓋以在室行九故也。年十九歸先大父萬秉公。三日即入厨執炊。姒娣有弱不能任其勞者。大母皆為代之。事舅姑孝敬不衰。相萬秉公有禮。萬秉公性剛直。負氣不平。常與人争論。大母聞之。輒以言解之。初生一女不育。二十八歲吾父貰政公始生。六十一歲先大父歿。泣而不食者三日。終身勤於紡織。冬夜紡聲并鷄聲達旦。其愛孫尤篤。璜童時善病。嘗累母亦病。大母抱之。經月。終日夜不離懷。至忘寢食。有時病危。則泣禱於神。以頭叩地至有聲。秋日。播穀常戴破笠背璜而行。刻不可離如影之於身。璜十歲牧牛。日夕未歸。則倚而望。一日取銅鈴二。令璜及弟純松佩之。曰。爾等一出。吾常懸念。今各佩此。則聞鈴聲。即知爾未離遠也。晚歲家益貧。日食苦不給。常私自忍饑。留其食以待孫子。享年八十有九。以光緒辛丑年十二月十九日歿。越明年壬寅正月。葬於本邑烟墩嶺蓼葉園之陽。未首丑趾。子一人。孫男六人。長孫璜謹述。

按:齊白石的祖母於一九〇二年一月二十八日逝世。

引自《我的祖父白石老人》,齊佛來著,西北大學出版社,一九八八年,西安。

大匠墓志

周君之美大匠也。以光緒丙午九月廿有一日死。越二日葬君於馬鞍山之陽。君於木工為最著。雕琢尤精。余事師時。君年三十有八。嘗語人曰。此子他日必為班門之巧匠。吾將來垂光有所依矣。君無子。故視余猶子也。越十年。余改業於畫。遂弃斧斤。余已哀君勢失。又越十四年。余身行萬八千里。三出三返。余又哀君之憔悴。又越五年。君年益老。無有活日。哀哉。君死矣。余哀痛之。回憶自余從事以來。忽忽廿有九年。與余絶無間言。對人言必揚余之善。余竟未能報君之情愛。且負君之言望。是可愧也。君性孤僻。人言反學於余。逢人無多言。君子知其不諂。惟小人有言外之謗。謗其自大。夫處貧賤者。能達觀萬物之衰盛。以安其命。知富不可求。固布衣可傲侯王。於小人何心自卑耳。而君之寡合。其小人亦莫奈君何。君常與人通假金票。或經年。人自忘其索。君囊底稍有所獲。不留吃著。即盡將還人。然小人猶不解敬之者。君雖孤苦不堪。終不失為君子。乃貧病至如此。是可哀也。

按:本文作於一九〇六年。

引自齊佛來提供的手鈔本《白石文鈔》。

次男子仁墓志

子仁字也。諱良黼。一字天錫。前清光緒十年甲午歲。二月二十一日巳時生。中華民國二年癸丑歲十一月初八未時死。越二十六日。葬於杏子樹三角園乙山辛向。仁兒業農喜獵。亦能刻印。雖逢亂世。正不失為君子。孝順父母。克和兄弟。仁愛妻女。誠信親友。年十八始娶王氏。生一女。將待兄子生承祧焉。余預為名曰秉亨。字曰通生。情也。痛哉心傷。事父母而不卒。藥物之非良耶。命數之於此耶。可哀也。

按:齊子仁病亡為一九一四年一月五日。

引自《我的祖父白石老人》,齊佛來著,西北大學出版社,一九八八年,西安。

祖父萬秉公墓志

公諱萬秉。字宋郊。湘潭人也。生性正直。年五十後。始蓋茅成屋於星斗塘下。暮年弄孫自樂。嘗天寒圍爐。純芝已六歲。公猶以羊裘襟裹於懷。夜則以爐鉗畫灰。朝則以指頭畫膝。教之識字。復從村塾於楓林亭。去家二里。或天行雷雨。公左手提飯籮。右執雨蓋。負雛往返。沿路泥濘。口誦論語。教和其聲。如是者經年。同治十三年甲戌春二月一日。忽呼純芝及弟純松立膝前曰。阿芝年十二矣。前庚午歲。尚不解聞鄉事。是歲秋九月。蓮花寨哥弟會作亂。官兵剿而敗之。數十里中皆搜捕。獲斬者如雞。逃竄者如鼠。殃及口族難堪。正亂熾之時。田丘滿地。獨汝父收拾稻草。其清白。鄰里嘆服。故搜捕不過吾門。汝兄弟得成人。必欲光前。不偏黨。不盜賊。不為官吏。遺訓此言。賢順至矣。公年六十有七。甲戌五月五日卒於正寢。葬於杏子樹三角園之陽。甲戌後五十八年。辛未秋九月。純芝述德。

按:此文作於一九三一年。

引自齊良遲提供的《白石文鈔》。

小翁子葬志

小翁子。湖南湘潭孝童也。其父齊璜。中華民國六年丁巳避鄉亂竄於古燕京。至二十三年甲戌。小翁子生。年三歲。時諸兄姊常争分甘。獨翁子待父母呼。方近膝下。得所分者。必欲返哺。二十七年戊寅小年日。葬於古燕京湖南公墓。吾所後望。偏不永年。傷心哉。

按:本文作於一九三九年。

引自齊良遲提供的《白石文鈔》。

三、紀念文章

門人馬傅輝七月家奠。余亦祭之。

玉階仁弟靈鑒。同客天涯。弟病勢正篤。璜歸未久。弟之後人來借山取物。聞弟已弃璜去矣。越明年。弟骨未歸。璜與廉欽道郭人漳上書有五。專言弟去後事。又越明年馬革始還。哀哉。同客欽州時。弟扶病陳鮮荔枝。沈郎腰瘦[1]。我見猶憐。流涕思家。欲歸不得。病蓋危矣。璜將歸。諄諄見托。寄物有言。璜臨行。弟先臨道署衙聽事為別。著淺藍布衫。手把蒲扇。似有話説。忽眼眶内泪盈盈而口不能言矣。璜於馬上回顧。弟面色死灰。唇色干白。心知此時與弟即為永别。再回顧已不復見。思之心傷。哀哉。今天逢辛亥七月中元。從俗謹具箱一。内寒暑衣裳及大洋圓諸物。倘有鬼神。弟之靈認。應須鑒納。黄泉碧落。臨風泪流。

按:此文作於一九一一年。
引自齊佛來提供的手鈔本《白石文鈔》。

祭次男子仁文

維癸丑年。乙丑月。甲申日。以鷄酒遣三男祭於亡男子仁之靈。痛哉。吾居星塘老屋。竈内生蛙。始事如晝。為家口忙於鄉里。仁兒弟雖有父。有若孤兒。前清光緒二十六年春。借山獅子口居焉。仁兒年六歲。其兄十二歲。相携砍柴於洞口。柴把末大如碗。貧人願子以勤。心竊喜之。一夏。命以稻棚於塘頭守蓮。一日吾入自外。於窗外獨立。不見吾兒。往視之。棚小不及身。薄且篩日。吾兒仰卧地上。身着短破衣。汗透欲流。四旁野草為日灼枯。余呼之曰。子仁睡耶。兒驚起坐。抹眼視吾。泪盈盈。氣喘且咳。似恐加責。是時吾之不慈。尚未覺也。

三十二年冬。買山於此處。至中華民國二年秋。八閲寒暑。八年之間。吾嘗遊桂林及廣州。吾出。則有吾兒省祖家裏。以及竹木無害。吾歸。造寄萍堂。修八硯樓。春耕小園。冬暖圍爐。牧豖呼牛。以及飯豆芋魁。諸為兒輩力助。摘蔬挑笋。種樹養魚。庋書理印。琢石磨刀。無事不呼吾兒。此吾平生樂事也。兒事父母能盡孝道。於兄弟以和讓。於妻女以仁愛。於親友以義誠。閑静少言。不思事人。夜不客宿。絶無所嗜。年來吾歸。嘗得事側。故能刻印。因連年世事多變。急於防害。始習槍擊。遂致好獵。世變日極。無奈何。九月初六日忍令兒輩分爨。十一月初一日。吾兒病作。初八日死矣。越二十六日。將葬杏子樹三角園。痛哉。初三日坐吾厨下。手携火籠。足曳破布鞋。松柴小火與母語。尚愁其貧。不意人隨烟散。悲痛之極任足所之。幽栖虚堂。不見兒坐。撫棺號呼。不聞兒應。兒未病。芙蓉花殘。兒已死。殘紅猶在。痛哉心傷。膝下依依二十年。一藥非良。至於如此。汝父母未死。將何以至之也。吾兒之靈其鑒之。哀哉。

按:本文作於一九一四年。

引自《我的祖父白石老人》,齊佛來著,西北大學出版社,一九八八年,西安。

祭妻弟陳春華文

維年月日,甥□以隻鷄斗酒。遣男□祭於□君□妻弟之靈柩前而言曰。君隨阿姊於歸時。年齡俱幼。余年十二。君年九歲。初相見。亦能效新姻之客氣。各自能作羞人態度。越明日。漸與之語。再明日。相與嬉戲於中堂。堂上從前有龕。立家神。置金磬。君躍舞使磬落地。疾轉如輪。君追而持之於掌上。以指敲之。錚錚然。且大笑曰。無妨無妨。尚未破也。相歡逾月。今追思往事。無不感傷。其理固然。然君即今九歲。吾儕亦不能有此樂也。後三十六年。余以曹邱[②]書薦君去廣州。越明年。轉京師。再明年。轉漢口。再明年。還湘潭。再明年。重之京師。余亦同客。朝夕相見。雖言笑間。殊不如當年之有天趣耳。居京師者。有詩文家稱予詩。余雖抱愧而竊自欲喜。君知之亦為之喜。有流氓畏余肝膽照人。恐露賊機。與余作難。余雖無愧而不能無憂。君知之亦為之憂。余豈無兄弟。殊不如也。其年丁巳八月二十日。南北交兵。戰於熊家橋。相去借山館咫尺。余又有兵灾之慘。前六月。恨洪水鏟斷車道。欲歸不能。君又知余多愁。每見余歸自外。或啖余以葡萄苹果。或蜜橘花紅。醉翁之意原不在酒。實以慰其寂寞耳。車通。急余先歸。今年戊午六月初八。得君漢上五月十六日書。其時鄉里正亂。行路人多以死傷。即郵資亦不能少帶。至七月十二日始答。八月初三日。君弟永年來借山。言七月十八日君弃余去矣。哀哉。君居於漢上之租界。可保無虞。尚如斯。先余得計。余雖長君五年。其憔悴倍之。生此無此擾亂之湖南。居此無此毒害之鄰里。六年以來。所欠一死。無以父母妻子為念。君其知之乎。哀哉尚饗。

按:此文作於一九一八年。

引自齊良遲提供的《白石文鈔》。

祭陳夫人文

維年月日。夫婿齊璜函令兒孫等奉鷄豚代父奠於吾妻齊陳春君之靈柩前。嗚呼。前清同治十三年正月二十一日。乃吾妻於歸期也。是時吾妻年方十二。是年五月五日。吾祖父萬秉公病塞噎壽終。家財僅六十千文。盡其安葬焉。如是吾父一人耕。兒女多數。無計為活。令吾學於木工。吾妻事祖母翁姑之余。執炊爨。和小姑小叔。家雖貧苦。能得重堂生歡。二十歲時。長女菊如再(在)孕。

一日無柴為炊。手把厨刀。於星斗塘老屋後山右自砍松枝。時孕將產生。身重難於上山。兼以手行。以及提桶汲井。携鋤種蔬。辛酸歷盡。饑時飲水。不使娘家得聞。有鄰婦勸其求去。吾妻笑曰。命祗如斯。不必為我妄想。有家財者。不要有夫之妻。至丁亥。良元生。是年吾弃斧斤。學於詩畫。又生良黼。又生次女阿梅。光緒庚子春。吾一家遷於蓮花峰下百梅祠堂。壬寅夏。良崑生。是冬吾為友人聘。始遊西安。十年之中。五出五返。仗有吾妻理家事。故鄉鹽米價吾不知矣。重堂顧奉。兒女養育。家務撑持。避亂遷移。概係吾妻擔負。丙午春。買山餘霞峰下安居。民國六年乙卯。因鄉亂。吾避難竄於京華。賣畫為活。吾妻不辭跋涉。萬里團圓。三往三返。為吾求寶珠以執箕帚。寶珠初生良遲。吾妻恐不善育。夜則抱之慎睡。饑則送與母室乳之。寒夜往返。已經數月。能盡劬勞。第三次來親視良遲。因年老多病。子貞迎母先父還家。寶珠待吾不怠。吾年七十五時。一夜犬吠聒耳。觸吾怒。欲逐之去。行走太急。足觸鐵栅欄之斜撑。身倒於地。作伐木倒地聲。是以竟成殘疾。着衣納履。寶珠能盡殷勤。得此侍奉之人。乃吾妻之恩所賜。寶珠共生三男三女。亦吾妻之德報也。吾居京華二十三年。得詩畫篆刻名於天下。實吾妻所佐也。吾與賢妻相處六十八年。雖有恒河沙數[3]之言。難盡吾貧賤夫妻之事。今年庚辰二月之初。得家書知吾妻正月十四别吾去矣。傷心哉。惟去時叮囑兒輩。慎侍衰翁。吾知賢妻之缺恨夫婿天涯。尚饗。

按:此文作於一九四〇年。

引自齊良遲提供的《白石文鈔》

祭夫人胡寶珠文

夫婿璜涕泣。謹以不腆之酒肴。致祭於寶珠賢妹夫人之靈位前曰。夫人嘗與璜戲言曰。寶珠若死君後。不畏道路艱難。必携一家扶君櫬還鄉。若死君先。停棺不葬。君若生還。帶寶珠之柩葬於齊氏祖山。倘九泉有知。亦涕泣感戴。今朝事到眼前。豈食言於我夫人。故將我夫人之柩。暫寄宣武門外法源寺。俟時亂稍平。决不負我夫人也。嗚呼。尚饗。

按:本文作於一九四三年。

引自《父親齊白石和我的藝術生涯》,齊良遲著,海潮出版社出版,一九九三年,北京。

齊璜母親周太君身世

太君湘潭周雨若女。年十七。歸同邑齊貫政。兩家皆良民。故清貧。於歸日。檢箱。太君有愧容。姑曰。好女不着嫁時衣。太君微笑之。三日即躬井臼。入厨炊爨。田家供竈。常燒稻草。草中有未盡之穀粒。太君愛惜。以搗衣椎椎之。一日可得穀約一合。積少成多。能換棉花。家園有麻。春紡夏織。不歇機聲。機織成。必先奉翁姑。餘則夫婦自著。年餘。布衣盈箱。翁姑喜之。敬順翁姑有禮。年十九。生純芝。名璜。小時多病。每累母忌食膻膩。恐從乳過。太君嘗過新年不知肉味。純芝八歲。祖父以指畫字樣於膝上。教之解識。一日或數十字。終能不忘。祖父嘆之。太君知翁憂其無能從學。曰。兒媳往年有椎草之穀四斗。隔嶺某鄰家借去。可取回。買紙筆及書本。阿爺明歲邀村學於楓林亭。可免束修。純芝朝去暮歸。能得讀書一年。翁姑益感其賢。純芝及弟純松。嘗牧牛。歸來遲暮。姑媳懸望。祖母令純芝佩以鈴。太君加銅牌一方。上有南無阿彌陀佛六字。與鈴合佩。鄉傳可以拔除不祥。亦日夕聞鈴聲漸近。知牧兒將歸。倚門人方入厨晚炊。太君年三十後。翁弃世。夫子泣血。太君亦然。從此家見奇窮。恨不純芝兄弟一日長成。身長七尺。立能反哺。生六男三女。提携保抱。就濕移干。補破縫新。寸紗寸綫未假人手。勞苦神傷。故中年已成殘疾。純芝幾以�籮擔藥。百草不靈。年將老。純芝方成立。以畫重於中外。太君心中喜樂。精氣自强。漸能下床。不治病能自愈。五十歲後。姑亦逝。第六子純俊及長女先後夭亡。太君連年泣之。喪明。兩眶見血。心神恍惚。語言無緒。皆為衰翁姑哭子女所過。年七十。湘潭匪盜如鱗。純芝有隔宿糧。為匪所不能容。遠別父母北上。偷活京華。太君二老。年共百六。衰老不能從遊。從諸兒居於星斗塘老屋。民國十五年夏曆三月之初。太君病篤。醫藥無功。是時正值南北皆大亂。道路險阻。鄉匪更狂。延息至二十三日巳時。問曰。純芝歸否。我不能再候。不見純芝。心雖死猶懸懸。卒於内寢。享年八十又二。距生前清道光□□年乙巳九月初八日巳時。男純藻亦有家。懼匪害。母卒未歸。純松。純培。純桃。孫良元等。親視含殮。殯於老屋之堂上。願兵匪稍息。純芝匍匐還鄉。買山下穴。扶櫬安葬。男六人。女三人。孫十四人。孫女五人。曾孫七人。曾孫女三人。

按:此文作於一九二六年。

引自齊良遲提供的《白石文鈔》。

憶先父

予少時隨父耕於星塘老屋前之田。向晚濯足星塘。足痛如小鉗亂鋏。視之。見血。先父曰。此草蝦欺我兒也。忽忽七十餘年矣。碧落黄泉。吾父何在。吾將不能歸我星塘老屋也。癸未五月十一日。

按:本文作於一九四三年。

注:

① 沈腰,《梁書·沈約傳·與徐勉書》:“……百日數旬,革帶常應移孔;以手握臂,率計月小半分。以此推算,豈能支久?”言以多病而腰圍減損。後因以沈腰作身體瘦損的通稱。

② 曹丘,復姓。漢代有曹丘生,到處贊揚季布,季布因之享有盛名。後因以“曹丘”為薦引、稱揚或者介紹者的代稱。

③ 恒河沙數,佛經中語。恒河乃南亞有名大河。“恒河沙數”,形容數量多到無法計算。《金剛經·無為福勝分第十一》:“但諸恒河尚多無數,何況其沙……以七室滿爾所恒河沙數三千大千世界,以用布施。”

四、序

序雙勾本二金蝶堂印譜

前朝庚戌冬小住長沙。於茶陵譚大武家中獲觀《二金蝶堂印譜》。余以墨勾其最心佩者。越明年。此原譜黎薇蓀借來皋山。余轉借歸借山館。以朱勾之，觀者莫辨原拓勾填也。且刊一印。其文曰。撝叔[①]印譜瀕生雙勾填朱之記。迄今九年以來。重遊京師。於廠肆所見撝叔印譜皆偽本。今夏六月。瀘江吕習恒以《二金蝶堂印譜》與觀。亦係真本。其印之增減與譚大武所藏之本各不同衹二三印而已。余令侍余遊者楚仲華以填朱法勾之。又借入《二金蝶堂印譜》。擇其圓折筆畫者亦勾之。合為一本。其印之篆畫之精微失之全無矣。白石後人欲師其法。祇可於章法篆法摹仿。不可以筆畫求之。善學者不待余言。時己未六月二十六日。白石老人記於北京法源寺羯磨寮。

按：本文寫於一九一九年。

引自《齊白石談篆刻藝術》，楊廣泰編，書目文獻出版社，一九八九年，北京。

借山吟館詩草自序

余年四十至五十。多感傷。故喜放翁詩。[②]所作之詩。感傷而已。雖嬉笑怒罵。幸未傷風雅。十年得一千二百餘首。為兒輩背携出而失。余於友朋處搜還之詩箋。計詩四百二十餘首。親手寫為四本。以二本寄湘綺師删改。不數日。師没。其稿又失。搜還之詩箋。已成秦灰。僅留此二本。求樊鰈翁删定。賜以譽言歸之。束之高閣。又十年矣。今衰老多病。憐余苦吟者。促余付石印。余細心再看。可更定者十之二三。當删弃者十之五六。何能成集也。姑印之。戊辰明日重陽。齊璜自記。

按：本序作於一九二八年。

引自齊良遲提供的《白石文鈔》。

白石印草自序

余之刻印。始於二十歲以前。最初自刻名字印。友人黎松庵借以丁黄[③]印譜原拓本。得其門徑。後數年。得二金蝶堂印譜。方知老實為正。疏密自然。乃一變。再後喜天發神讖碑。刀法一變。再後喜三公山碑。篆法一變。最後喜秦權縱横平直。一任自然。又一大變。憶自甲辰前摹丁黄時所刻之印。曾經拓存。湘綺師賜以序。至丁巳鄉亂。余欲避難離家。因弃印草。僅取序文藏之破壁。得免劫灰。然序文雖存。印拓全没。余不忍辜負師文。乃取丁巳後所刻諸印實之。是等諸印。乃余偷活燕京。自食其力。無論何人求刻之印拓存之。共得四本。成為印草。仍冠湘綺師序於前。戊辰冬十月。齊璜白石山翁自序。時居燕京。

按：本序作於一九二八年。

引自齊良遲提供的《白石文鈔》。

淑度[4]印草序

從來技藝之精神。本屬士夫。未聞女子而能及。即馬湘蘭[5]之畫蘭。管夫人之畫竹。一見知是女子所為。想見閨閣欲駕士夫未易耳。門人劉淑度之刻印。初學古人。得漢法。常以印拓呈余。篆法刀工無兒女氣。取古人之長。捨師法之短。殊為閨閣特出也。余為點定此拓本後。因記數語歸之。辛未十二月。齊璜白石。時居舊京。越明日乃壬申之日也。時年七十又二矣。

按：辛未十二月為公元一九三二年二月。

引自《我與篆刻》，劉淑度著，北京市政協文史資料研究委員會編《文史資料選編》第二十四期，北京出版社，一九八五年。

白石詩草八卷自序

此集呈樊樊山老人選定。其句有牢騷者。或未平定者。痛删之。復請王仲言社弟重選。其句雖淡雅。而詩境未高者。或字樣奇險者。又删之。再後請劭西[6]君校訂鈔詩者之錯誤。竟於樊王删弃者。選回一百餘首。題畫寄樊樊山先生京師及洞庭觀日之短古。即黎選也。

按：序文作於一九三二年。

引自《齊白石研究大全》，劉振濤等編，湖南師範大學出版社，一九九四年，長沙。

白石詩草二集自序

前清光緒壬寅。予年四十。友人相招。始遠遊。至宣統己酉。五出五歸。行半天下。遊興盡矣。乃造借山吟館於南岳山下。藉補少小時曠廢之功。青燈玉案。味似兒時。晝夜讀書。刻不離手。如渴不離飲。饑不離食。民國丁巳。湘中軍亂。草木疑兵。復遊京華。以避其亂。是冬兵退。乃復歸來。明年戊午。民亂較兵尤甚。四圍烟氛。無路逃竄。幸有戚人[7]居邑之紫荆山下。其地稍僻。招予分居。然風聲鶴唳。魂夢時驚。遂吞聲草莽之中。夜宿於露草之上。朝餐於蒼松之陰。時值嚴夏。浹背汗流。緑蟻蒼蠅共食。野狐穴鼠為鄰。殆及一年。骨如柴瘦。所稍勝於枯柴者。尚多兩目而能四顧。目睛瑩瑩然而能動也。越己未。亂風稍息。仍竄京華。臨行時。家人外。為予垂泪者。尚有春雨梨花。過黄河時。乃幻想曰。安得手有嬴氏趕山鞭。將一家草木過此橋耶。及至都門。重居法源寺僧舍。以賣畫刻印為活計。朝則握筆把刀。日不暇給。惟夜不安眠。百感交集。誰使垂暮之年。父母妻子别離。戚友不得相見。枕上愁予。或則絶句數首。覺憂憤之氣。一時都隨舌端涌出矣。平時題畫。亦多類斯。故集中所存。大半直抒胸臆。何暇下筆千言。苦心錘煉。翻書搜典。學作獺祭魚也。庚午國難。幾欲遷移。豈知草間偷活。不獨家山。萬方一概。吾道何之。詩興從此挫矣。然結習難除。復將丁巳前後之詩。付之鋟木。非矜風雅。不過同寒鳥哀蛩。亦各自鳴其所不容已云爾。癸酉買燈日。時居西城鬼門關外。

按:黎錦熙等所編齊白石年譜癸酉條下云。是年三月。日本軍閥侵占熱河。戰事到了長城。五月以後。在塘沽協定之下。北平天津都成了前綫了。白石有戒心。是年春夏。他曾一度遷居東交民巷。借居門人紀友梅樓房。見挽紀友梅聯自注。白石詩草自序誤記為庚午國難。癸酉為一九三三年。

引自齊良遲提供的《白石文鈔》。

白石印草自序之二

余五十五歲後居京華。所刻之石。約三千餘方。當刻時。擇其對古今人而無愧者。計二百三十四印。每印拓存三百頁。有求刻者促迫取去。不能拓存三百頁者。拓存一二方製成鉡印。合手拓僅成白石印草八十册。一散而盡。此册重製。有七十歲以後所刻自家用印六十餘方加入。換出以前鉡印勿拓。再成八十册。仍用湘綺師原序冠之。癸酉夏六月。時居京華之西城。齊璜白石自序。

按:本序作於一九三三年。

引自齊良遲提供的《白石文鈔》。

三百石印齋自序

余三十歲後。以三百石印名其齋。蓋言印石之數。所刻者名字印數方。適詩畫之印而已。至六十歲。集印石愈多。其中有佳石十之二三。丁戊連年已化秦灰矣。丁戊後避亂居京華。得印石又能滿三百之數。惜丁戊所失之佳者。年七十一。門人羅祥止[8]欲窮刻印之絶法。願見當面下刀。余隨取自藏之印石。且刻且言。祥止驚。謂如聞霹靂。揮刀有風聲。遂北面執弟子禮。越明年。余中英繼至。亦有祥止之願。余一時之興致。不一年。將所有之石已刻完。實三百之數過矣。其刻成之功。實羅余二生。故序及之。今暫拓數册。分給家藏。使兒孫輩知昔人有平泉莊。一木一石。子孫不得與人。亦必知先人三百石印齋之石印三百。亦願子孫不得一印與人也。甲戌冬。白石山翁齊璜自序。

按:本文作於一九三四年。

引自《我與篆刻》,劉淑度著,北京政協文史資料研究委員會《文史資料選編》第二十四輯,北京出版社,一九八五年。

三友合集序

夫畫者。本寂寞之道。其人要心境清逸。不慕官禄。方可從事於畫。見古今人之所長。摹而肖之。能不誇。師法有所短。捨之而不誹。然後再觀天地之造化。來腕底之鬼神。對人方無羞愧。不求人知而天下自知。猶不矜狂。此畫界有人品之真君子也。今謝炳琨。雒達。盧光照[9]二三同學。心無妄想。互相研究。其畫故能脱略凡格。即大葉粗枝。皆從苦心得來。三年有成。予勸其試印成集以問人。

按:本文作於一九三七年。

引自《回憶齊白石》,盧光照著,《美術》一九八四年第三期。

半聾樓印草序

刻印者能變化而成大家。得天趣之渾成。别開蹊徑而不失古碑之刻法。從來惟有趙撝叔一人。予年已至四十五歲時尚師《二金蝶堂印譜》。趙之朱文近娟秀。與白文之篆法异。故予稍稍變為剛健超縱。入刀不削不作。絶摹仿。惡整理。再觀古名碑刻法。皆如是。苦工十年。自以為刻印能矣。鐵衡[10]弟由奉天寄呈手刻拓本二。求批其短長。予見之大异。何其進之猛也。其粗拙蒼勁。不獨有過於予。已能超出無悶矣。凡虚心人不以自滿。工夫深處而自未能知。故題數語於印拓之前。亦倣為前引可矣。戊寅春二月。時居北京。齊璜。

按:該序作於一九三八年。

引自《齊白石手批師生印集》五集四册,北京圖書館主編,書目文獻出版社,一九八七年,北京。

爲梅花草堂白石印存序

六十白石印翁姓朱。字屺瞻[11]。海上畫家也。喜篆刻。不為偽古鑄印所愚。前二十年來。至甲申得予所刻印六十石。自呼六十白石印富翁為號。至今丙戌已越三年。從亂離中繞道五萬里外尚寄石來京華。所添印又將二十餘石。共拓之成書。名《白石印存》。寄來請予序。予不能辭。又不能將朱君作魏稼孫看為多事。因朱君工畫。畫幅上加閑話印以助雅觀。其意趣正與余同。聊記數語。非為序。丙戌。八十六歲白石老人。

按:本序作於一九四六年。

引自《齊白石談篆刻藝術》,楊廣泰著,書目文獻出版社,一九八九年,北京。

齊白石作品選集自序

予少貧。為牧童及木工。一飽無時。而酷好文藝。為之八十餘年。今將百歲矣。作畫凡數千幅。詩數千首。治印亦千餘。國内外競言齊白石畫。予不知其究何所取也。印與詩則知者稍稀。予不知知之者之為真知否。不知者之有可知者否。將以問天下後世。然老且無力。吾兒良已裒印老人自喜之作罕示人者。友人黎劭西先生并為審訂。以待衆評。予之技止此。予之願亦止此。世欲真知齊白石者。其在斯。其在斯。請事斯。一九五六年。湘潭齊璜白石時年九十有六。

引自齊良遲提供的《白石文鈔》。

注：

① 趙撝叔，即趙之謙(一八二九——一八八四年)，會稽(今紹興)人。字益甫，號撝叔，鐵三、冷君、憨寮、悲庵、無悶、梅庵皆其别字。詩書畫均有名，尤工刻印。有《二金蝶堂印譜》等。

② 放翁，指宋朝愛國詩人陸游。

③ 丁黄，即丁敬、黄易。丁敬(一六九五——一七六五年)，錢塘(今杭州)人，名龍泓，號龍泓山人，又號鈍丁、硯林、孤雲、石叟、勝怠老人。工分隸，善篆印，并善詩。其印譜冠西泠八大家之首。有《龍泓山館集》。黄易(一七四〇——一八〇二年)，仁和(今杭州)人。字大易，號小松，又號秋庵。詩書畫印皆工，尤善製印，與丁敬齊名。有《小蓬萊閣詩鈔》。

④ 劉淑度(一八九九——一九八？年)，名師儀，山東德縣人。齊白石女弟子，將其收藏品捐獻給北京圖書館。有《淑度印集》。

⑤ 馬湘蘭，即馬守真(一五四八——一六〇四年)，一作守貞，小字玄兒，又號月嬌，一署馬湘，善畫蘭，故湘蘭之名獨著。書法亦工。

⑥ 黎錦熙(一八八九——一九七八年)，湖南湘潭縣人。又名劭西。語言學家。為齊白石世交。

⑦ 戚人：親戚。

⑧ 羅祥止：四川人。一九三三年拜齊白石為師學篆刻，有《祥止印草》。

⑨ 盧光照(一九一四—　)，河南汲縣人，齊白石弟子。從事美術教育和美術編輯工作。擅寫意花鳥，亦工篆刻書法，有《盧光照畫輯》等。

⑩ 周鐵衡(一九〇三——一九六八年)，河北冀縣人。職業醫生，有專門著述。古錢收藏家，有《清錢軼録》。篆刻師從齊白石，有《半聾樓印草》。

⑪ 朱屺瞻(一八九二——一九九五年)，江蘇太倉人。乳名增均，號起哉、二瞻老民，齋稱梅花草堂、癖斯居、養菖蒲室、修竹吾廬。從事美術教育。青年時攻油畫，後主攻中國畫，擅長山水和花卉蔬果。有《朱屺瞻畫集》等。

五、記

借山館記

余少工木工。蛙竈無著處。恨不讀書。工餘喜讀古詩。盡數十卷。光緒庚子二月始借山居焉。造一室。額曰借山吟館。學為詩數百首。壬寅冬。以篆刊應友人聘之長安。癸卯春。相將入都為畫師。身行萬里。烏倦知還。古迹名山絶少題咏。固知詩之難。雖泥上爪痕。亦非偶然耳。客來談詩輒笑不答。甲辰春。薄遊豫章。吾縣湘綺先生七夕設宴南昌邸舍。招諸弟子聯句。强余與焉。余不得有佳句。然索然者正不獨余也。始知非具宿根劬學。蓋未易言矣。中秋歸里。删館額吟字。曰借山館。青燈有味。事與願違。越明年。將欲仍為舊業。感生平之遭遇。信執鞭之非我。老冉冉其將至。恣吾意之所之。蒼海横流。靡有既極。得盡天成。以樂余年。復何求哉。

按:作於一九〇四年。

引自齊佛來提供的《白石文鈔》。

李莘夫刊印記

宣統己酉四月。余為天涯過客。應廉州太守莘夫先生篆刻刊古之二千石也。及管領珠官等印。太守以團扇自書春寒詩報之。余喜之。復感平生自以草衣閱人多矣。能工詩工書者。遇王湘綺先生及王蜕公。樊蝶翁。夏天畸。余去非。汪無咎。李筠庵。曾子輯。獨與李梅痴咫尺神交未能相識。正與太守同。皆為恨事。因刊春寒詩於此印側。以志欽佩。且欲附公。壽俱金石也。齊璜并記。

按:本文作於一九〇九年。

引自《寄園日記》,齊璜著,河北美術出版社,一九八五年,石家莊。

與譚三兄弟刊收藏印記

庚子前。黎鐵安代無畏兄弟索篆刻於余十有餘印。丁拔貢[1]者。以為刀法太懶。譚子遂磨去之。是時余心摹龍泓。秋庵。與丁同宗匠。未知孰是非也。黎鯨公亦師丁黄。刀法秀雅。余始師之。終未能到。然鯨公未嘗見誹薄。蓋深知余之純用自然。不敢妄作高古。今人知鯨公者亦稀。正以不假漢人窠臼耳。

庚戌冬。余來長沙。譚子皆能刻印。無想入趙撝叔之室矣。復喜余篆刻。為刻此石。以酬知己。湘綺近用印。亦余舊刻。余舊句云。姓名人識鬢成絲。今日更傷老眼昏耗。不復能工刻矣。弟璜并記。

按:此記寫於一九一〇年。

引自《我的祖父白石老人》,齊佛來著,西北大學出版社,一九八八年,西安。

作畫記

山桃[2]畫筆古雅。大葉粗枝。學於余也。人見其畫怪之。余為山桃憐。因勸其仿里某者。人復見其畫。大加稱許。以為得勝於余也。余又為山桃憎。昌黎[3]所謂下筆令人慚。人即以為好矣。故此幅先求畫於山桃。桃因病辭。余幸得此愛照。因亦從俗畫之。所謂大慚者。人即以為大好矣。

引自《我的祖父白石老人》,齊佛來著,西北大學出版社,一九八八年,西安。

作畫記

畫中要常有古人之微妙在胸中。不要古人之皮毛在筆端。欲使來者祇能摹其皮毛。不能知其微妙也。立足如此。縱無能空前。亦足絕後。學古人。要學到恨古人不見我。不要恨時人不知我耳。

引自《我的祖父白石老人》,齊佛來著,西北大學出版社,一九八八年,西安。

爲陳仲甫刻印記

辛亥秋。白水山樵求刻印。云石側多識罵人語。余回憶及有友人嘗索馮鈍翁書。鈍翁罵曰。以十六文錢之紙索八十歲老人作字。殊非情也。今山樵出此醜石。不畏余罵。且欲余罵人。是可罵也。余三十年前不悔雕蟲小技。四十年後目既昏耗。神益疲倦。始知黃金虛牝。正不自謂。然山樵既愛余畫。已多私淑之稱。又愛余篆刻。欲為白石流亞歟。何其自負也。因與山樵交有年。敢是進耳。世人清濁各秉天性。何須罵為。

按:作於一九一一年。

引自齊佛來提供的《白石文鈔》。

姚石倩拓白石之印記

昔趙無悶嘗居京華。喜刻印。魏稼孫為集二金蝶堂印譜。無悶題為稼孫多事。無悶集古之大成。為後來刻印家立一門户。趣絕往古。不負魏君雅意矣。余三過都門。行篋所有之印。皆戊午年避兵故鄉紫荊山之大松下所作。故篆畫有毛髮冲冠之勢。余憤至今猶可見於篆刻間。友人短余劍拔弩張。余不怪也。石倩兄亦喜余刻印。倒篋盡拓之。大好大慚。不憐作者。且屬余為記之。君亦稼孫之流亞與。何其生之太遲。非無悶在京華時耳。己未七月十有七日。湘潭齊璜時寄萍法源寺。

按:本文寫於一九一九年。

引自齊良遲提供的《白石文鈔》。

題張伯任所集白石印集

伯任集余刊石。不雜他人印。必各為一册。切勿編印人傳。妄加評定。此余不願也。余有私淑。嘗語余曰。近代刻印家。公為第一。此言余心知為騙辭而不忌。授以刀法之三昧。伊行諸筆墨。余次之。自不符所言耳。余雖無言。人皆耻之。伯任弟自言以此人為鑒。不得邪心媚人。亦不矜誇譽己。乃余所信。少年人其誠静如我伯任者寡。況居心正直。且虚心求學。縱不成名之如余。終必無人作賤看也。

按:本文作於一九一九年。

引自齊良遲提供的《白石文鈔》。

悟園詩存記

前清庚子前。余喜讀乾嘉間人之詩。友人笑其非古。庚子後。喜讀古人之詩。世人笑其非時。偶遇痴頑如余者。竊誦且吟。而有著短衣者。忽然參入。吾輩自以為耻。即閉其口。風俗之移人有如是也。己未三過都門。獲觀悟園[4]文存。林畏廬[5]奇稱之。余亦以為怪事。今年與悟園同居象坊橋觀音寺。榻隔垂簾。常聞吟聲。余笑曰。悟園雖有絶唱。衹有侯蛩赓酬。猶不以為寂寞。欲與余同趣耶。少頃。悟園出悟園詩存見示。其詩之格調屬王摩詰[6]陶淵明[7]之一派。余更以為大怪矣。欣誦再三。記而歸之。時庚申十月初一。越今夕移節保定。湘潭齊白石。

按:該文作於一九二〇年。

引自齊良遲提供的《白石文鈔》。

乙丑詩草雜記題跋

凡大家作畫。要胸中先有所見之物。然後下筆有神。故與可以燭光取竹影。大滌子嘗居清湘。方可空絶千古。畫家作畫。留心前人偽本。開口便言宋元。所畫非所見。形似未真。何能傳神。為吾輩以為大慚。

按:本文作於一九二五年。

引自《白石老人逸話》,渺之著,香港上海書局,一九七三年。

畫蟋蟀記

余嘗見兒輩養蟲。小者為蟋蟀。各有賦性。有善鬥者。而無人使。終不見其能。有未鬥之先。張牙鼓翅。交口不敢再來者。有一味衹能鳴者。有或緣其雌一怒而鬥者。有鬥後觸鬚即捨命而跳逃者。大者乃蟋蟀之類。非蟋蟀種族。既不善鳴。又不能鬥。頭面可憎。有生於庖厨之下者。終身飽食。不出庖厨之門。此大略也。若盡述。非丈二之紙不能畢。

按:此文作於一九二一年。

引自《白石老人逸話》,渺之著,香港上海書局,一九七三年。

癸酉秋自記印草

予戊辰年出印書後。所刻之印為外人購去。印拓二百。此二百印。自無制書權矣。庚午辛未二年刻印。每印僅拓存六份。成書六册。計十本。每本計□十□印。壬申癸未二年。世變致極。舊京僑民皆南竄。予雖不移。竊恐市亂。有剥啄叩吾門者。不識其聲。閉門拒之。故刻石甚少。衹成書四本。計十册。每本□印。以上皆七十衰翁以原砂泥親手拓存。四年精力。人生幾何。餓殍長安。不易斗米。如能帶去。各撿一册。置之手側。勝人入陵珠寶滿棺。是吾子孫毋背斯囑。

按:此記作於一九三三年。

齊白石畫集樣本題記

從來畫山水者惟大滌子能變。吾亦變。時人不加稱許。正與大滌同。獨悲鴻心折。此册乃悲鴻為辦印。故山水特多。安得悲鴻化身萬億。吾之山水畫傳矣。普天下人不獨衹知石濤也。又在扉頁加題記。此中華書局代理寄來之樣。初印最精。良遲兄弟如有變化。可師也。乃翁記。壬申秋。時居燕京第十六年。

按:一九三二年秋,上海中華書局印行徐悲鴻選編的《齊白石畫集》樣本,現由齊良遲藏

引自《齊白石研究大全》,劉振濤等著,湖南師範大學出版社,一九九四年,長沙。

寫意畫用色

此余用丹青之己見也。未假古人欺世。造墨無分别。皆烟煤。佳者膠輕。搗約三萬杵。加以麝。故曰麝煤。尋常者。膠多搗少。亦能用。總之。墨宜稍陳。過於陳。磨時則滿硯渣滓。新造者。磨後如凍。用之則光浮而不黑。黄河以南多潮濕。收藏五六年。膠性純。頗可用。以北多干燥。不過十年。亦能用。凡言宋明及清初陳墨為寶物。皆好事者。

靛青膏膠重。天寒以火力化之。傷火則枯。便成渣滓。天暖雖易化。膠重容易成涎沫。或加石青。或加青黛。使膠分輕。用時却方便而無煩惱。况靛青草産。年久易消滅。石青壙産。可垂年遠。

硃砂以薄片色紫且透亮者為上。陳年者色尤紫。更佳。(置之瓷鉢内)用白水加入。以瓷椎輕輕旋轉壓細。或一兩之多。衹可壓一刻時之久。壓時過多。手力過重。全成黄磦。無紫紅砂矣。壓後用輕膠水加入。以椎輕輕擂動數十轉。停一刻時之久。倒於他碗。曬干。即為硃磦。再加輕膠水擂動。停一分時之久。又倒於他碗。即為硃砂。鉢底之渣稍粗。不用再壓。其色深紫。作印泥為第一。西泠印社及漳州之印泥。其色如洋紅。知者無不嘆賞耳。

昔時之胭脂。作畫薄施。其色嬌嫩。厚施。色厚且静。惜屬草産。年久色易消滅。外邦顔色有西洋紅。其色奪胭脂。余最寶之。曾於友人處見吴缶廬所畫紅梅。古艷絶倫。越歲復見之。變為黄土色。始知洋紅非正産。

未足貴也。藤黄未窮何産。年久易消滅。與胭脂同。幸可摻入石黄。石黄壙石也。可垂久遠。不用加膠。

石青製法與硃砂同。頭磦為三青。二磦為二青。鉢底為頭青也。石緑同。

盧干石一名鷺羽。一名鷺絲毛。南北皆購於藥店。佳者成片。以片打斷。斷口之紋。一絲一絲如羽毛。壓細和以輕膠。永不變。鉛粉本鉛所化。無論是何製法。鉛不能盡。日久變黑。

按:該文發表於一九三〇年。

引自齊良遲提供的《白石文鈔》。

注:

① 丁拔貢,即丁可鈞,湖南沅陵人。光緒二十三年拔貢。工篆隸,兼長摹印。有《饋食齋印譜》。

② 黄山桃,女,湖南湘潭縣人,齊白石早年的弟子。擅畫仕女畫。

③ 昌黎,即韓愈(七六八—八二四),唐昌黎(今北京通州)人。字退之。唐代大文學家,亦工書。有《昌黎先生文集》。

④ 朱悟園,湖南湘潭縣人。字義胄,工詩文,有《悟園詩存》。

⑤ 林紓(一八五二—一九二四),原名群玉,字琴南,號畏廬,别署冷紅生。光緒舉人。雖不懂外語却借助他人口譯,用古文翻譯歐國小説一百七十多種。能詩工畫。有《畏廬文集》等。

⑥ 王維(七〇一? 一七六一年),唐詩人、畫家。字摩詰,先世為太原祁(今山西祁縣)人。其作主要的為山水詩。有《王右丞集》。

⑦ 陶淵明(三六五或三七二或三七六—四二七年),東晋詩人。一名潛,字元亮,私謚靖節,潯陽柴桑(今江西九江)人。當過縣令等職。長於詩文辭賦,詩多描寫自然景色及其在農村生活的情景。有《陶淵明集》。

六、留言、講話

觀徐悲鴻小型畫展後留言

余畫友之最可欽佩者。惟我悲鴻。君所見作物甚多。今日所展尤勝當年。故外人不惜數千金購求一幅老柏樹合矣。白石山翁白石扶病。乙亥第六日。

《齊白石研究大全》劉振濤、禹尚良、舒俊杰主編，湖南師範大學出版社，一九九四年，長沙。

遇邱生石冥畫會

畫家不要能誦古人姓名多為學識。不要善道今人短處多為己長。總而言之。要我行我道。下筆要我有我法。雖不得人歡譽。亦可得人詬駡。自不凡庸。借山之門客邱生之為人與畫。皆合予論。因書之。

按：該文寫於一九四三年。

《齊白石研究大全》劉振濤等編，湖南師範大學出版社，一九九四年，長沙。

爲東北博物館舉辦齊白石畫展題詞

東北博物館舉辦白石畫展。集余往昔及近年所作數十幅於一堂。與我東北全相見。幸何如之。白石老人身逢盛世。國内外人士對余畫之愛戴。應感謝毛主席與中國共産黨對此道之倡導與關懷。余老矣。不能遠道北上。共與其事。特寄尺紙。以表向往之忱。甲午春。

按：題於一九五四年。

《齊白石研究大全》劉振濤等編，湖南師範大學出版社，一九九四年，長沙。

在告全世界人民書上簽名前的講話。簽上我的名字

早幾年就聽説美國有原子彈。還吹牛説。一分鐘就能炸毁一座城市。我就覺得很奇怪。要是發明一個什麽彈能在一分鐘内造好一座城市。那才值得恭維哩。美國為了侵略。才喪盡天良。做這種大壞事。自從盤古開天地。還找不出類此的罪惡。他還吹牛唬人。真是恬不知耻。

如今過了幾年。美國還是用原子彈威脅和平。可是我又聽説蘇聯把原子能用在和平建設上。我今年九十五歲。幸喜能活到解放。看見毛主席。看見中國人過好年頭。看見國家開始太平。我想有了原子能。將來一定還要發明許多好東西。供我們子孫萬代享用不盡。

我畫了六七十年畫。我畫好看的東西。畫有生氣的東西。我畫一個草蟲都願它生機活潑。誰又能容忍美好世界遭到破壞。

五年以來。許多從世界各地到北京來的外國

朋友都來看望我。我記不得這許多好人的名字。但是我知道他們是為和平為藝術而來的。

我想全世界的老年人都愛和平。愛安靜。愛自己的家園和子孫。愛和平就要保衛和平。保衛和平就要反對使用不祥之物——原子彈。所以我要響應世界和平理事會的號召。在告全世界人民書上簽上我的名字。齊白石。

按：一九五五年二月十八日《人民日報》

在舉行授予齊白石世界和平理事會國際和平獎金儀式上答詞

世界和平理事會把國際和平獎金獲得者的名義加在齊白石的名字上。這是我一生至高無上的光榮。我認為這也是給予中國人民的無上光榮。我以九十六歲的高年。能借這個機會對國家。社會。對文藝界有些小貢獻以獲得這樣榮譽。這是我永遠不能忘的一件事。正因為愛我的家鄉。愛我的祖國美麗富饒的山河土地。愛大地上的一切活生生的生命。因而花費了我的畢生精力。把一個普通中國人民的感情畫在畫裏。寫在詩裏。直到近幾年。我才體會到。原來我所追求的就是和平。

按：一九五六年九月一日由郁風代讀。

《齊白石研究大全》劉振濤等編，湖南師範大學出版社，一九九四年，長沙。

七、書信

與胡沁園書

夫子大人座下。璜昨到家。因俗務萬不能撥開。故暫未能奉謁門牆。公知我者。想不叱責。劉君來。風塵愁苦。一問便欲加憐。九弟[①]如暇。請來寄園一會。十三弟及立三[②]可偕同來望望。老少萬福。受業。璜書。

《齊白石研究大全》劉振濤等編，湖南師範大學出版社，一九九四年，長沙。

與郭人漳書

楚生來。自言見公後無由再謁。復索余書。以當蹇修[③]耳。年來慕公之賢豪。欲往事之無門以入者。或苦求余書以作薦。故連日以來。所奉之書。皆以曹邱自命。實非多事。余且能盡其心。猶恐力之不及。以為愧。為人謀。至於如此者。亦如公之為余謀也。幸不罪其煩聒。余猶不拒絶鄰友者。亦正為公之不能拒絶於余。楚生之來。見而憐之否。亦在公命耳。

按：本文作於一九〇九年。

《我的祖父白石老人》齊佛來著，西北大學出版社，一九八八年，西安。

與郭葆蓀爲王鎮榜乞情書

葆弟左右。王鎮榜錯打士兵。復違命令。聞伊此時已自深悔。弟欲將伊革其隊官。替送回湘。此其軍法也。聞弟部下皆無敢與説人情者。鎮榜之錯可想。縱有求情者。弟皆未酬。璜已所求。因弟亦未答。故不敢再行面説。再三思之。不得不破除客氣懇求。求其勿替送者。有故也。鎮榜八都人。璜亦八都人也。替伊回八都。合都之人必嘖嘖。責璜無鄉里人情。況伊先有無禮。辱罵吾之兄弟，各有意氣。璜此時不能不忘其私嫌。行其大義。故不能不向弟求。所求與衆有所不同耳。弟須諒之。伏願能如此。願伊所虧之餉。自當理處。且放出營。交巡捕看守。交餉放歸可矣。

按：本文作於一九〇九年。

《寄園日記》齊璜著，河北美術出版社，一九八五年，石家莊。

答郭葆蓀索畫書

郭星旺出門見即呼人磨墨。為弟作大幅。其筆墨稍放縱。覺苦未十分。弟之命難却耳。此後如有所委。除畫梅外。或他畫欲求工緻者。無不應命。余昔日與弟戲言云。保五爺為我倘獲千金。我當為君作畫一世。余年來齒雖没盡。尚未忘此言。但願再求畫梅。此約。

按：本文作於一九一九年。

引自齊良遲提供的《白石文鈔》。

與楊皞春書

欽州萬里。聞杜宇。已傷情。是時四月中矣。忽辱手書。喜極生恨。湘城白石，咫尺天涯。況復迢迢邊地也。羡君紅粉。嫁得其人。愧我青衫。老猶作客。十年毛髮。對鏡全衰。孤夜夢魂。還鄉無計。未知何日。可使皞君見而憐之也。

按：本文作於一九〇九年。

《寄園日記》齊璜著，河北美術出版社，一九八五年，石家莊。

與黎松庵書

齊璜頓首。松庵社友先生。璜自遊廣州歸。幾擬進謁。因以事卒未果。愧甚。一日獨坐。回憶二十年前。與公頻相晤時。退園雲溪多同在座。坐必為十日飲。或造花箋。或摹金石。興之所至。則作畫數十幅。日將夕。與二三子遊於杉溪之上。仰觀羅山蒼翠。幽鳥歸巢。俯瞰溪水澄清。見螃蜞横行自若。少焉。月出於竹嶼之外。歸誦芬樓促坐清談。璜不工於詩。頗能道詩中之三昧。有時公或弄笛。璜亦姑妄和之。月已西斜。尚不欲眠。當是時。人竊笑其狂怪。璜不以為意焉。

璜本恨不讀書。以友兼師事公。恒聞近朱者赤。近墨者黑。又聞聖人云。朝聞道。夕死可矣。竊以為物各有儔。得與有道君子遊。安知其不造君子之域。故嘗以得從公友為自幸焉。

近年以來。奔走半天下。輪蹄銷盡。回首舊遊。宛如夢寐。尤可嘆者。買山僻地。去白石愈遠。平生之知舊艱於來。璜亦艱於往。獨坐杜門。頗似枯衲。間欲遣悶。則徘徊於門前流水之隈。欲畏射工。含沙中影。登屋後之嶺。則多荆刺。又有伏虺。見人昂首吐舌。作意不避。臨風則有大蜂繞人群飛。舉步多恐。安得化身為蝸牛。負其廬置之於羅山之側而不可得。然一復知前二十年歡聚之盛。朋友之良。嬉遊太平之日。此景此情。不可再得。竊自悼也。

璜十年長於公。聰明不及。有時好學之日灰。年愈老。神愈倦。有舊時有道君子其相遠無疑矣。公其何以教之。

按：此文寫於一九〇九年。

《我的祖父白石老人》齊佛來著，西北大學出版社，一九八八年，西安。

與林畏盧書

今天下如公者。無多人。昨得相見。以為平生快事。承自許賜跋潤格。今將樊吴二老為定者。呈公觀覽。惟老樊所定。衹言每幅價若干。未分别條幅整紙。老吴所重定册頁紈折扇價過高。璜擬少為變動。另紙書呈。技藝固低。知者不易。居於京華者。惟公能决非是。故敢遵命請教之。

按：本文作於一九二一年

《我的祖父白石老人》齊佛來著，西北大學出版社，一九八八年，西安。

與齊子貞④書

翁少時之氣骨聞於遠近。真知余。謂為真高士。今為汝輩求人。或求而不答。何以對人。汝等不能光前。本未讀書。翁不加怪。勿使翁晚年無氣骨也。

按：該文寫於一九二一年。

《我的祖父白石老人》齊佛來著，西北大學出版社，一九八八年，西安。

與楊泊廬⑤書

一

泊廬仁弟鑒。久不相見為念。璜欲來弟處亦無刻暇。曾已面許欲贈吾弟山水畫册。先以為今年可成。無奈年將殘。俗務愈多。至今日未能畫一頁。殊覺歉然。越明年正月內。當撥冗為之奉上也。專此謹聞。即頌年禧。小兄製。璜揖白。廿八日。

二

箋悉。明早八時。天日尚未酷熱。予待弟駕而臨也。

前與住房人之事。承關切排解。相見面謝。其熱异當年。不一一。

小兄璜頓首。即日。

三

泊廬仁弟鑒。别後望來函不得。倩瑞光⑥和尚代為探定。始知吾弟之居址。特此先問平安。弟來借山作别後。本欲來尊處贈行。因與兒輩分給事。大生煩惱。以至忘却。一日事清。忽記憶之。弟已行矣。余固耿耿於懷。加以在燕京以詩畫相往還者。三四數人而已。弟忽遠别。若有所失。願吾弟向後。不時通問。以慰相懷。勿相忘也。此後余得有頗可觀之小幅畫。亦當不時寄贈。不盡萬一。即頌□安。小兄璜揖白。十月七日。

四

來函收到。吾弟新遷。當以畫為贈。俟弟來借山館時。徵其雅意欲畫何物。吾弟以為可。吾心即可矣。此放翁晚年名齋。曰可。并句云。祇向君心可處行。吾日來久未出門。因夜來稍咳。吾弟可來借山。初十日。即外人所謂星期日。上午如何。此上泊廬仁弟。兄璜頓首。初八日。

五

泊廬仁弟鑒。撿得所刻之印拓數方與吾弟。將所粘之印存補其未足也。如不敷。容遲再寄。心閑宜多作畫為佳。兄璜頓首。四月十三日。

六

今日有友人需錢應用。欲與白石借新買房屋之老契六紙。與他人作抵押品。吾弟歸時。此契想已交出投登記。若未交去。請今夜帶來借山館為幸。泊廬仁弟。兄製璜揖。本日。

七

昨有紅蓼花一幅長四者。誤撿入尊畫內否?此幅忽不見。如未在尊處。作罷。老年人易忘也。泊廬仁弟。兄璜頓首。二月八日。

八

泊廬仁弟鑒。承索為畫師可齋圖。已畫成。可隨時来取去。予日來禁風寒。不敢出也。小兄璜頓首。二月廿日。

與雪庵信

雪庵禪師錫下。昨復函想收到。尊寺椿香如海。可否令人送贈我輩。如可。并求多贈為善。禪師怪之越數日始聞。禪師放戒事。久未能歸。今日得之放戒乃在賢良寺也。即問。法安。心出家僧齊璜復。

與李苦禪[7]書

一

承代寄來潘君[8]一幅。不獨書法入古。詩亦大佳。予常言書畫工在南。不在北方也。遲當作畫奉答潘君耳。弟代為一言。未另作謝。炎威珍重。兄璜復。

按:該文寫於一九三〇年。

《苦禪宗師藝緣録》李燕著,國際文化出版公司,一九九一年,北京。

二

苦禪仁弟。二函悉。璜自弟别後。中心若有所失。知弟亦然。南方風景氣候與北地懸殊。遊歷一處可增一處之畫境。又有風眠[9]先生及李潘諸君子日可相携。雖遠客他鄉。不至苦寂。平漢車通。年假回平一親師友可矣。宣紙有最佳者帶少許一看。若全刀可佳。必欲多購。若無純棉者。可作罷。願弟珍重。不一一。小兄璜復白。十二月一日。

按:該信寫於一九三一年。

《苦禪宗師藝緣録》李燕著,國際文化出版公司,一九九一年,北京。

與黎錦熙書

拙詩集日來文嵐簃已送印頁來校閲。始知先生費精神不少。可謂字字留心看過。甚感。甚感。過洞庭觀日短古一首樊王皆不取者。因君稱之似太白[10]。吾自細看。此時不能為。作此短古時。吾正在家。或讀太白之詩時。是學太白。未可知也。吾非無詩才。所作又無佳句。因畫刻占我光陰。吾之所學。君能全知。慚愧對諸故人言。己酉後。世不變亂。讀十年書。行數萬里路。閉户做詩。或有可觀者。吾印此集。非不自知未工。加此一色絶句。何能名集。言之汗流。總而言之。吾應知足。既畫刻已有虚名。又欲做詩。近於好事。然性之所好。不得不為也。

按:本文作於一九三二年。

《齊白石研究大全》劉振濤等編,湖南師範大學出版社,一九九四年,長沙。

與黎錦熙書

尊大人與璜别後。三上書。衹得一答。老書生膽小避亂之滬。滬如此。尊大人處能無槍聲否。璜甚念之。新年以來有家書否?如常通音問。乞轉示我為幸。先請尊太夫人福安。

《齊白石研究大全》劉振濤等編,湖南師範大學,一九九四年,長沙。

與李立[11]信

石庵賢世兄鑒。來函始知兄臺為卧龍[12]侄戚人。兼以從事刻印。承拓來摹予所刻之印數方。刀法足與予亂真。予嘆之白石刻石之替人二三子。皆在四川。不料家山又有卧龍石庵能傾心學於予。予心雖喜。又可畏可慚也。竊意好學者無論詩文書畫刻。始先必學於古人或近代時賢。大入其室。然後必須自造門户。另具自家派别。是謂名家。願賢兄察予言之是非為幸。白石行年八十又三矣。十指養上下廿又三人。日費百圓。北京通用紙幣百圓可换上海紙幣六百圓。苦極愁極。倘天見憐。使長途通行。予决還鄉。與二三子長相往還。未卜有此緣數否。不一一。白石老人拜。三十二年七月廿五日。八月二十五日。再者。白石之印存。四册一本者。已寄卧龍一册。王鐵夫一册。仙譜兄一册。請代問三處收到否。候答我。再者。白石自刻之古潭州人四字印。甚工。此時不見。想是自己磨去。昨想再刻。恐不能有舊刻之工。湖南若有人來北京。願世兄將古潭州人四字石印贈我為望。

前年菊影欲與予為妾。予刻此印[13]。印于箋上以慰之。一笑。

按:本文作於一九四三年。

由李立先生提供。

答北平藝術專科學校書

頃接藝術專科學校通知條。言配給門頭溝煤事。白石非貴校教職員。貴校之通知誤矣。先生可查明作罷論為是。

按:本文作於一九四四年。

《白石老人自傳》齊璜口述、張次溪筆録,人民美術出版社,一九六二年,北京。

與張篁溪[14]、張次溪[15]父子書

一

次溪賢世兄函悉。鄙人之詩。言俗意淺。前樊山先生贈叙刊者。乃中年作句。頗安逸。今將刊者。十六年以來作也。傷老多憂。托於題畫。任筆所之。殊無雅趣。幸能自知。故居舊京十又六年。未使知詩者見笑也。今承世兄雅意。欲吾附諸詩人。使世人知有齊璜能詩。代求題詞於宗君[16]。欲諳吾詩内容。請代呈中年作一本。傷老多憂之作。尚未刊出也。即頌著富。不一一。齊璜頓首。中秋後二日。

按：本文作於一九三二年。

信原件由張次溪家屬提供。

二

拙詩承少君雅意慫恿付印。并代為求以題詞。此地詩文家獨無君家父子贈題。何足增色。如不弃。乞數言足矣。不勝欣盼之至。即請篁溪同學先生著安。弟璜頓首。昨日九日。

按：本文作於一九三二年。

三

篁溪學長鑒。示悉。文稿已燈前三復矣。甚佩甚佩。學長貴恙。秋風不宜。春來不須藥物自愈。天寒時雖有苦狀與長年無礙也。吾有戚人。少年即喘。今年八十八矣。尚健。承憐愛。不欲次溪世兄代人求畫。甚感。璜平生所不願為者。惟畫圖。十六年中。僅為雪庵和尚畫一不二草堂圖。非無求者。實未應也。寄萍舊京十又六年。曾為幾人畫圖哉。吾之潤格已載有不畫圖數語。古人有圖者不過數人。獨次溪世兄邀求之。吾見其年少多才。偶爾應之。其後世兄代璜求人題跋拙詩草。凡題者亦代許以畫圖為報。即此債主有四。未識何時可報答耳。次溪世兄欲求此種畫。請遲遲何如。吾壽必長。伊年尚少。欲報學兄之代索有期矣。貴恙秋冬不宜離室。請勿出。欲來談。且待來年春暖未遲也。述安此頌。弟齊璜上復。重陽後四日。

按：本文作於一九三二年。

四

篁溪道兄先生。承贈題拙集。增光多矣。詩之律何其嚴且細也。遲遲當以拙畫報之。前後二函收到。勿念。即頌痊安。璜頓首。十月十五日。

按：本文作於一九三二年。

五

次溪先生鑒。不相見又數日矣。子威君之畫已交去。雲史君之江山萬里樓圖已畫成。先生能代交否。如無此暇。請告我楊君住址。吾雖去過一次。早忘之矣。即頌著述興清。齊璜頓首。二十三日

按：本文作於一九三二年。

六

次溪世兄先生鑒。來示悉。璜年來多病。苦

於作詩。有索詩而未答者衆。實老年人不能强為也。今承先生雅意委畫雙肇樓圖。較之作詩則易。當欣然報命。願勿促迫能事為幸。畫成時當送來貴宅不誤也。即訊。述安。齊璜揖復。六月一日。

按：本文作於一九三三年

七

昨日王揖唐君[17]來借山館。求畫贈人婚嫁。并言請吾代白弟處。無暇過話云云。吾弟所作甑屋記之文中有湘綺師一節。其事過于虛無。人必不信。假使王氏後人得見。或登報罵之。吾又何辭。弟又何以辭其咎。吾與弟言湘綺對吾事。乃郭葆生口出。未必真。即令萬一有之。吾所與弟言。何曾有弟之文章虛謊。吾將登報聲明。以免王家罪我。況弟作甑屋之文章。未必佳妙也。昨與直言其勿存此稿。弟似不肯捨却。吾有意登報聲明。不一一。此上。次溪仁弟諒鑒。璜頓首。六月十一日

八

承索畫雙肇樓圖。以布置少。能見廣大。覺勝人萬壑千丘也。貴樓題詞甚多。不必寫於圖上。使拙圖地廣天空。若嫌空白太多。加書題句。其圖有妨礙也。先生高明。想不責老懶吝於筆墨耳。請使人携尊筆書數字取去可矣。次溪世兄仁先生大鑒。璜揖。二十五。

九

讀書要曉偷閑暇。雨後風前共遠觀。觀得添香人識字。笑君應不羨神仙。曾為畫雙肇樓圖。又索題句。寄此二十八字。次溪世兄先生一笑。齊璜草。

十

雙肇樓圖昨題一絶句。未盡其意。昨夜為雷雨而醒。枕上又湊二十八字。殊不成句。姑寄上。另箋。昨寄之箋請作廢。次溪世兄先生齊璜白。八月一日。

十一

次溪賢契。函悉。余昨答之函。吾賢竟寄金君[18]。是全函寄去否。吾欲明年自憶事略寄去。方求金君下筆作文。不用吾賢所擬之事略也。并不要作生壙銘也。吾賢如曾函求金君作生壙銘。請再去函暫止之。璜頓首。

十二

光奎[19]乃兒輩之門客也。年少多才。以詩稿寄燕索和。次韵答之。

多病多憂涕泪横。危時患難想兵精。諸君收泣籌戈戟。大事難為負絡纓。遺禍戰争兹片土。坐觀成敗古長城。秦始皇萬里長城在榆關外。古迹猶存。榆關咫尺千餘里。痛苦人民滿舊京。時榆關失守。偷活偷安老不然。魚蝦誤我負龍泉。還家短計愁春雨。得米晨炊亂晚

烟。日來料理遷居。忘其無米。使兒輩上市購歸。日已夕矣。方食早餐。世可埋憂無净土。身能成佛隔西天。中虚李中虚。古之知命者。知命為吾道。苦獨還期二十年。知命者謂吾命無子。不知何以言之矣。再活二十年。謂余當活至九十餘歲。

壬申小年日齊璜初草。此箋忘其寄去。癸酉夏。次溪弟見之索。即與之。

按：本文作於一九三三年。

十三

承代鬘雲[20]索題畫册。昨夜枕上得二絶句。寄與先睹為快。次溪仁弟。白石山翁頓首。三月二十二日。

喜教張敞[21]畫眉初。不醜吾窮女丈夫。能把閑情寄蟲草。鬘雲精室讀書餘。精神費盡太痴愚。何用乳名與衆俱。老想此身化蝴蝶。任憑門客寫蘧蘧。題鬘雲畫册。先寄次溪弟一見為快。白石草草。

十四

登高日吾分得聞字。恐不能應。因自來平以來。作畫用心過多。未曾作過律詩。非不能作。實不願作也。況近來有心病。尤宜静養。前數年雖有題畫之詩。故皆絶句。詩者乃余畫之餘事也。因余亦有三餘。畫者工之餘。詩者睡之餘。絶句詩可枕上作。壽者劫之餘。一笑。重九弟得用字。另條。今日與子威君痛談將半日。此公可佩可佩。璜頓首。昨日重陽。

十五

函悉。日來因拙妾膾病已成。醫者三四人。皆言不可治。余憂之甚切。小孩子五六人。誰為携抱以及布製衣服也。萬事心灰。金先生作文事。請作罷論。不必再勞雅意問及耳。此上復次溪賢侄。璜頓首。即日。華鬘室已書好

十六

次溪賢侄。來函悉。許畫隱君之索畫畫隱園圖。先擬為贈畫。吾自去年拙姬病危後。吾之心病又作。不能思想。廠肆之紙店求畫山水人物者。皆拒絶之。此生不復再為。畫隱先生來函并詩箋今日收到。亦言及畫圖。吾賢如答畫隱君。請代為言謝。并告吾之病狀。趙君又梅相念甚篤。吾賢所轉來之詩。情見於詞。甚可感也。亦請代為致謝。恕不奉和。不一一。即訊。侍福百宜。齊璜頓首。正月廿日。三月五日也。

十七

次溪賢世侄鑒。吾賢昨日之來借山館。是否因吾有電話請來者。電話乃馬生代發。若是得吾電話而來。是吾約來。何得不接見。即未得吾電話。吾賢之來必有詩文事件相商。吾亦不至拒絶也。從來忘年交未必拘於形迹。嬉笑怒駡。皆有同情。是謂交也。一訪不遇。疑為不納。吾賢非也。一函不復。猜作絶交。吾賢尤非。雖往還有年。尚不見諒

老年人之心。猜疑之心長存。直諒之心不足。吾賢三思。要知吾之無望之小兒。信口答話。與應門之村婦。兩不相符。不足怪也。是非何有也。璜白。三月九日。

十八

次溪世侄鑒。久不通音問。各無稍暇也。予與宗子威兄亦久不通音問。前二年伊在岳麓山寄來古詩一首。予因年來不苦思索。故未和答。予此時無事。加以一跌。左腿已成殘疾。思與故人函談。伊此時尚在岳麓否。請詳細告我。再者。予與趙君幼梅一函。郵寄退還。想是遷移。請弟加封寄去為幸。想趙君互相思念。必有同情也。尊大人平安。白石頓首。九月十日。

按:本文作於一九三五年。

十九

王君逸塘[22]由天津寄來國聞周刊[23]。其間有今傳是樓詩話收入白石拙詩。欲作函為道愧。不識王君居天津之住址。請吾弟告我。尊大人處均此請安。小兄璜。七月一日。

二十

門人邱生[24]求題畫幅。請君欲作避秦人。大袖寬衫言畫中人物之態度也。且緩行。萬物盡非雲水是。山雲飛去水雲生。次溪仁弟一笑。癸酉六月。小兄齊璜草。

二十一

次溪世兄。惠函悉。去年別後。少冒寒。鼻涕不止。表散之。而後又傷寒。不可治矣。祇稍咳。不用藥。延至小年方肉食。至廿七日。忽又牙痛。舊節元旦就醫。至今日尚約往治也。去年所約。且遲遲俟病去。將荷池書院圖及明燈夜雨樓圖及握蘭簃填詞圖一一畫去後。天日漸暖。有函通知尊處。同往張園一遊也。請致意尊大人。未另函。即此問安。不一一。齊璜上言。

二十二

次溪賢世兄。昨日細心將同鄉周君[25]之詩集數來。每頁共二十四行。一行二十八字。恰好絶句詩一首。并題目一首詩祇占兩行。一頁可印詩十二首。余曾在黄懷英印刷局估價。八十頁需四百八十圓。若到百頁照加。又數夢還集。一頁恰好寫七絶詩六首。若論頁數。恰多一半。若印石印。近兩百頁。印費需千餘圓。然李蘧公之字。我欽佩至極。字法古極。筆情秀雅。生龍活虎。捉拿不住。今以扇面一。求蘧公一書。以作紀念物。敬奉潤金六圓。并奉贈畫一幅。并題記。請一并轉去。扇面之字。一折一行可矣。不必工細。不一一。璜頓首。初四。

二十三

次溪世兄先生。承盡心力得晤李君。伊既肯許鈔寫。其格式樣如寄來尊處。求君代覓刻格式之人刻之。即為刻北平研究院用箋之人可刻。并請代購紙張。作成格本。其格本頁數宜多。寫竟後有剩餘無妨也。格本亦不妨多印。或作十二本。或廿本。格色宜烏絲。深黑色更好。本子面紙用厚牛皮紙最佳。拙詩集之面紙。即厚牛皮單紙一層。共費若干請代付。吾一并奉上也。諺云。賢者多勞。此之謂也。將來求費心力之事尤多。總之。以多刻多畫報之。請預喜之。不一一。璜頓首。九月一日。

二十四

次溪仁世兄先生鑒。前來函未復者。因俟李邃廬復兄之函後。方奉答也。先本請孫誦昭女士介紹。孫見李後。來借山。謂李君雅意承寫。且云寫價從廉。每百字銀三角。是時拙集尚未請人校字。請孫將詩稿暫行取回。校後再請鈔寫也。絕無他意。其詩稿請黎紹熙校。尚未取歸。李君答兄。謂此中情節非面談不可。九字中。似有所說耳。請兄面晤李君說明。能寫為好。李君如能承寫。潤金外可贈以畫一幅。其價請兄代妥定便是。璜最愛南湖老人詩稿之書法佳。想照印。覺與詩句增色也。兄欲索璜畫。請容遲。當應雅意。若久不奉報。請再函告。恐老年人善忘也。訊。文安。齊璜頓首。八月十八日。

二十五

次溪仁弟。文嵐簃又送書本樣式來。絲綫不粗。先以言定最粗絲綫。照周人詩本樣。其紙亦不如周大烈詩集之佳。紙不佳。此時無須言矣。絲綫不符定字。該號開來定書之條。吾弟可為以直言與論。可免成書後有無謂之謂 也。并令早早裝訂。若遲遲不交書。或北平多故。不與著作者相干。自當該號負責。侍福百宜。兄璜頓首。十八。

二十六

白石詩集。文嵐簃又送樣本來。添改之字頗雅。較之刊誤表好多也。不一一。尊大人恕不另復。小兄璜頓首。四月十六日。

二十七

日來為李釋堪[26]畫握蘭簃裁曲圖。甚佳。已取去。今日又為吴北江[27]畫蓮池書院圖。似不惡。請吾賢代交為幸。趙幼梅是明燈夜雨樓圖否。將欲動筆也。次溪仁世侄。齊璜白。

二十八

連日以來畫明燈夜雨圖。三復始成。吾賢暇時可來一看。并請代交寄去也。次溪世侄。璜頓首。三月四日。

二十九

聞靈飛[28]葬事已完畢。贈畫一言已作罷。此上次溪仁弟。白石頓首。十二日。

三十

耕隱圖債已欠三年。今已畫成。紅鶴亦了事。此後代人求我。復代我求人。不必為也。吾能作詩。乞人贈詩。人必竊罵好出色。吾願吾賢自多作詩。勿專收他人所作也。何如。二畫可來取去。璜白。

三十一

次溪仁弟。連日以來未通音問。予將被炎威逼死矣。前三四日見華北晚報詩欄内有一詩。題向次溪索白石翁詩集。作者為林二爺。林二爺為誰。予欲問伊之住址。想弟能知。請告我。可寄去詩集一本也。尊大人不另上問。璜。

三十二

次溪弟來舍。值予出矣。三石及潤金收到。潤例每字本四圓八角。弟之友人所托。每字祇收四圓可矣。予再贈刻傍邊之上款。以報弟往來之心力耳。請遲四三日來取。白石。

三十三

次溪仁世侄。來函知清吉。甚喜。前來數函謂未復。予在恍彿間。答否亦如是。記憶不能清白。因老矣。尊大人來函。謂舊時曾許贈畫。請予踐約。予已畫成將兩月。未送往。承索畫價格。另紙。金玉自重。愚叔齊璜復上。

三十四

示悉。文楷齋刻工樣頁真工。月來小兒嬉於市街。忽有犬向前作咬狀。幸未咬破皮膚。我疑為瘋犬。心中不樂。有無傳染犬瘋。本市如有人能看識。能決有無傳瘋。請介紹其人。不詳答。次溪賢世兄先生。齊璜頓首。二十六。

三十五

幼梅尊先人欲畫扇面。請以素面來。余欲贈之。恐折多折少不合求畫者之意也。幼梅君之箋發還來。不一一。次溪仁弟。齊璜白。

三十六

次溪仁世弟。承送來藏齋居士臨觀海堂帖一部。三復之。其味真與蘇家亂真。可謂得其神矣。璜久欲上趙先生書。未果。弟如見面時。乞代為一述其意為幸。趙公[29]常惠詩箋。未一答。甚愧。然可炎威慎重。齊璜白。五月初十日。

三十七

次溪仁兄鑒。承索余題江堂侍學圖已得二絶句。請親臨借山取去。齊璜白。十二月十六日。

三十八

吾既為次溪世兄先生畫雙肇樓圖又索題句。補寄七絶二首。讀書要曉偷閑暇。雨後風前小惕天。難得添香人識字。笑君應不羨神仙。多事齊璜為寫真。元龍百尺著雙星。目明不必窮千里。幸有西山生白雲。壬申季夏璜草。

三十九

次溪弟悉。賽金花之墓碑已為書好。可來取去。且有一畫為贈。作為奠資也。欲請轉交去。聞靈飛得葬陶然亭側。乃弟等為辦到。吾久欲營生壙。弟可為代辦一穴否。如辦到。則感甚。有友人説死鄰香冢。恐人笑罵。予曰。予願衹在此。惟恐辦不到。説長論短吾不聞也。即頌。侍福百宜。白石璜頓首。十日。

與趙幼梅書

幼梅仁兄有道鑒。予與道兄身衰年老。同病相憐。未知近來安否。想彼此懸懸也。不一一。弟前初九日早起開鐵栅欄。忘記鐵門之鐵撑。阻其足。其身一倒。鄰家聞有伐木倒地聲。幾乎年將八十之老命死矣。今日始坐起作此數字。其足已成殘廢也。又及。弟齊璜頓首。八月十六。

與馬璧書

一

光奎世兄鑒。去歲來函并詩稿。即次韵并答箋。今又得函。始知前寄未收到。再將次韵詩另紙鈔來衹可博一嘆耳。白石稍負微名。中外知其姓字。非雙掛號不能到。凡中國郵局見有白石二字無論字畫詩稿不能達到。白石詩集畫册容遲寄上也。詩出書在夏曆三月間。特復。尊大人處未另函。齊璜頓首。夏曆二月十一日夜。

連同以下六信均轉引自《齊白石父子軼事·書畫》馬璧編著,新文豐出版公司,一九七九年,臺北。

二

光奎吾賢。如見。函悉。吾賢年少志高殊足令人羡愛。吾鄉曾有某秀才。某秀才大有一鄉之名自負不凡之器。未必果享。吾賢遠勝若輩自可信矣。此語不可與作秀才者言。來函語氣及字樣純是古文。自謂文學韓子。不虛也。處此時代不易得見耳。吾喜家鄉食物。菌面之皮淡集色者是。皮白色者為石灰菌及紅皮者皆味苦極不可食。尤有緑皮菌夏日始生。以柴火熏干。炒鷄鴨遠勝鷄鴨湯煮白菜也。吾賢如能易辦願不時寄來。當另圖報。如不易得勿强也。尊大人不另。齊璜白復。

三

光奎仁弟鑒。承贈食物。謝謝。吾賢之畫。摹活了。有生氣。可喜也。總宜多畫為佳。吾終日忙。無謂也。不一一。齊璜頓首。十二月十七日。

四

光奎仁弟。承問王君[30]之更勝。人多財。故為海上商務總會之會長。畫名在日本最高名高於畫。於詩之道。吾未聞也。弟之詩文既學唐宋人。且所作甚佳。何苦趨名時流。從此君研究畫理可矣。承問。故直言之。尊大人不另。璜復。十月卅日。

五

光奎仁弟。頃撿夏秋以來之函件。始見弟前四月之函及畫。已忘却。尚未答復也。吾他日還鄉必帶歸。弟可重見。吾賢之天分殊絶於人。稻秧工極。吾甚愛之。願以贈吾為是。畫蝦賤妾能知其佳。亦强奪去。吾所畫人物山水翎毛花卉草蟲無不為。人獨謂余衹能畫蝦蟹。學吾者衆。未有如弟頃刻工夫工至此。桑麻一幅。發還。紙短麻長。局似促蹐。麻頂上如有餘紙四五寸。桑下有餘紙二三寸。畫局成矣。命意及下筆皆大方。衹是畫局未必妥恰。不成格局。故將此幅還來。用筆用墨不用更换。如是畫去。一定成家。吾所希望者。可以照吾所言再畫一幅。往後如寄來有畫當批墨發還。弟寄此畫來。已經八個月之久。老翁善忘。汝何以無函問及。少年人求指南針示出路。不必高傲。謙受益。吾賢須知。吾之近刻之石印。拓寄十印。願細玩其味。汝自刻之印馬璧可用。光奎未工。齊璜白復。

六

光奎吾賢。寄來與郵局一箋已為交去。想有支吾之語復吾賢。予居故都所煩惱者寄書畫。因予畫不易得。偷竊常有事。譬如寄畫兩三幅偷去一幅。此事無可奈何。又承寄來豬雜干肉。烟火力純。味美香清。無燒烤氣。丙子除夕即食之。諺語所謂過了一個好年。甚心感。復為太息。多情者不在親人。容遲遲。無論何時。有偶得不醜之畫。再寄贈也。與湯人水注事。吾有老契叠叠。接余水注蔭。亦有老額流傳。湯人强塞來水口。是有湯家之餘惡。今承吾賢排解。兩家書有遵依甘願字樣否。若無筆墨。湯人必有反覆之舉。吾有一意。請官臨看。此數畝已為兒輩所有。予有意辦清分給。不得與外人有争論。承吾賢從場。想湯人不敢違中。再行無理多事也。予總之一言。諸事感激。畫與刻工近復何如。并訊。尊大人多吉。老畫師璜上言。丁丑元旦。

與郭秀儀書

秀儀夫人女弟子鑒。老身無恙。勿勞懸懸。得汝函知琪翔弟吉祥。汝來函三兩次未答。甚歉。每由高尚謙處得見汝函。無不問及老翁也。汝五月一日與函。收到。為賣畫之事。日間汝來京時帶來奉上云云。甚感。老人舊有少年時所作工筆蟲子册頁及大小諸幅。多數幅頗精。亦候汝來京時交贈吾女弟也。并有畫贈琪翔弟。承汝代裱畫十三幅。裱錢不用琪翔弟管理。老人自宜。謝謝勞神足矣。老人一家窮。忌言多錢。願弟慎之慎之。

按:本文作於五十年代初。

此信由郭秀儀提供。

注:

① 九弟指胡沁園之子胡仙譜。

② 立三指胡立三,號幽園,係龍山七子之一。

③ 蹇修,屈原《離騷》"解佩纕以結言兮,吾令蹇修以為理。"王逸注:"蹇修,伏羲氏之臣也。"按《文選》劉良注:"令蹇修為媒以通辭理也。"舊時因稱媒人為"蹇修"。

④ 齊子貞(一八八九——一九五一年),名良元,係齊白石長子,一九二一年一天,齊子貞想求白石老人介紹到湖北某處工作,齊白石作此書勸阻。

⑤ 楊泊廬為齊白石弟子,當時住北平西四後毛家灣十三號。

⑥ 瑞光(一八七七——一九三二年),號雪庵,自言削髮時原名續曇。齊白石弟子。一生專摹大滌子畫。能畫山水。為方外畫家。

⑦ 李苦禪(一八九八——一九八三年),山東高塘縣人。原名英。一九二三年拜齊白石為師。長期任教,擅長水墨,自成一家。有《李苦禪畫集》。

⑧ 潘天壽(一八八六——一九七一年),浙江寧海人。原名天授,字大頤,號阿壽,别署朽居士。長期任教。精花鳥山水,又擅指畫。

⑨ 林風眠(一九〇〇——一九九一年),廣東梅縣人,原名林風鳴。早年留學法國學畫,後來將中西畫結合創作,形成其藝術特色。有《林風眠畫集》等。

⑩ 太白指唐朝大詩人李白。

⑪ 李立(一九二五—　),字石庵,號立翁。湘潭人。乃胡沁園孫胡臥龍的表舅。早年曾就學於國立杭州藝專,四十年代始向齊白石請教篆刻。現任中國書協湖南分會副主席,西泠印社社員。

⑫ 臥龍即胡文效,名龍襲,白石師胡沁園之孫。善書法篆刻,五十至六十年代在遼寧省博物館工作。著有《齊白石傳略》,七十年代初逝世。

⑬ 印文是"最憐君想入非非"。

⑭ 張篁溪,廣東人,字伯楨。因刊滄海叢刊,别號滄海先生。王湘綺弟子。

⑮ 張次溪,廣東人。一九二〇年結識齊白石,一九三二年齊白石與張次溪一塊着手編印《白石詩草》八卷。《白石老人自傳》由齊白石口述由張次溪記録而成書。另有《回憶白石老人》等文。

⑯ 宗君即宗子威。

⑰ 王揖唐(一八七七——一九四八年),安徽合肥人。原名志祥,後改名為賡,字一堂,號揖堂。光緒甲辰科進士,曾留學日本。曾在汪精衛偽政府充任偽考試院院長。一九四八年以漢奸罪判處死刑。

⑱ 金君為金松岑(一八七四——一九四七年),江蘇吴江人。清末明初的文學家。齊白石寫此信時,正擬托金代寫自傳。

⑲ 馬璧(一九一五——一九八五年),湖南湘潭縣人。字光奎,號默廬。為白石弟子。著有《齊白石父子軼事·書畫》等。

⑳ 徐肇瓊,字鬘雲,為白石女弟子,張次溪之妻。

㉑ 張敞,漢河東平陽人。字子高。當過京兆尹刺史等。嘗為妻畫眉,後為夫妻恩愛的典故。

㉒ 王逸塘,王揖唐之兄弟。善詩。

㉓ 應是《國聞周報》,齊白石誤寫為《國聞周刊》。

㉔ 邱生為邱石冥。

㉕ 周君,為周大烈(一八六二——一九三四年),湖南湘潭人。字印昆,行六,别號夕紅樓。又號十嚴居,名其居為樂三堂。為陳師曾老師。善詩文。有《夕紅樓詩集》。

㉖ 李釋堪是梅蘭芳先生的朋友,常為梅編曲填詞。

㉗ 吴北江,安徽桐城人。字闓生。善詩文。張次溪的老師。

㉘ 賽金花(約一八七二——一九三六年),江蘇鹽城人。原名傅彩雲,號靈飛。天津、北京、上海名妓。

㉙ 趙公指齊白石的朋友趙幼梅。

㉚ 王君,指王震(一八六七——一九三八年),浙江吴興縣人。字一亭,號梅花館主,别號梅雲樓主。後自署白龍山人。拜吴昌碩為師。當過中國佛教會會長、上海商務主席。長於寫意,善人物、佛像、花鳥、山水、書法。

八、日記

光緒二十九年(一九〇三年)四月十八日遊前門所見。

洋人來往,各持以鞭坐車上,清國人車馬及買賣小商讓他車路,稍慢,洋人以鞭亂施之,官員車馬見洋人來,早則快讓,庶不受打。大清門(即前門)側立清國人凡數人,手持馬棒,余問之雨濤,知為保護洋人者,馬棒,亦打清國人者也。余倦欲返……未刻始歸,尚疑是夢,問之雨濤,答:白日與之同去,非夢也,君太勞耳。

《白石老人逸話》澍之著,香港中華書局一九七三年版。

一九〇三年四月廿四日。辰刻,為午詒畫山水中幅,非他人故意造奇之作,别有天然之趣,造化之秘,泄之盡矣。午詒極稱之。余恨八大山人[①]及青藤[②]、苦瓜僧[③]不能見我,自當留稿還湘,再畫遺我故人。

《白石老人逸話》澍之著,香港中華書局一九七三年版。

同年四月廿七日:遊廠肆,得觀大滌子(石濤)真迹,畫超凡絶倫。又金冬心畫佛,即贋本亦佳。筠庵有冬心先生墨竹偽本,局格用筆,無妙不臻,令人見之便發奇想。

《白石老人逸話》澍之著,香港中華書局一九七三年版。

同年有則日記云:晨興畫借山館圖與午詒,既數百年前有李營邱[④]先生之梅花書屋圖,又有高房山[⑤]先生白雲紅樹圖,徐文長先生青藤老屋圖,不可不存,數百年後,有齊頻先生借山吟館圖之心。

《白石老人逸話》澍之著,香港中華書局一九七三年版。

同年六月十九日記有:天津一帶皆洋房,舉目所視,輪船鐵路洋房外,無不寂寞。不畏洋人者,唯白日清風。

《齊白石研究大全》劉振濤等編,湖南師範大學出版社,一九九四年,長沙。

寄園日記

此己酉(一九〇九年)東粤舊遊日記,多半書於舟中、或郵亭、或驛行席地而書者,皆匆匆所為。其中必有言不通亨者,亦有心中擬成一語,其筆失落一二字者,其語即不通矣。亦有慣書白(别)字者,自心所記,不欲人知,以存遊子大略,過客光陰。他日自家偶閲,當感浮生真若夢幻也。

己酉重遊廣州日記

戊申十二月初十日,得郭觀察初六日電書,招遊欽州,未即電復,即由郵復矣。

己酉正月,友人以詩見贈,答詩録於後:

次韵羅秋老贈詩

四年足迹往來頻，未見琳琅筆底春。今日始知書律細，更誰若此性靈真。行空天馬疾如矢，積阜輕珠吹似塵。老去偶吟春社飲，子孫安得孟家鄰。

贈秋老

携觴兼杖石橋邊，日撫孤松醉欲眠。僻地山高雲活活，清溪雨過水涓涓。檢書常盡三條燭，為鶴毋謀二頃田。（亦作課兒文刻深宵燭，佐友詩裁晚歲箋。）猶有濟時心力在，相逢誰似此公賢？

次韵王品丞先生見贈

好與衡雲并影閑，一丘一壑外無關。喜人過看多栽竹，到眼忘情不展顔。沽酒倒囊緣客飲，倚松招鶴待書還。願花長好公尤健，歲歲茱萸共看山。

老將騷壇勝步遲，窮人不信為工詩。天衣無縫非人力，鴻爪留痕偶到時。雪夜新橋誰過訪？梅花明月有懷思。雲鬟捧硯吟應罷，雛鳳聲清出故枝。

次韵品老見贈有補癸卯還家復登

竹霞洞岩（竹霞洞在邑城西南一百里曉霞山下。余癸卯還家，尚借山於洞口周人祠堂屋居焉。）

故國西風菊影閑，鬢絲禪榻夢須還。兒童相見稱生客，明鏡高堂非舊顔。萬里離情衣上泪，十年遭遇畫中山（余有紀遊三十二圖）。不移一室熏香坐，蛩語柴扉晝自關。

岩石登臨接翠枝，欲鎸心記惜無詩。坑余斷簡疏同學，溪上飛花有所思。白社（龍山詩社在邑城西南八十里五龍山借僧寺之清静為吟社也。）鐘聲僧佛在，莫（暮）雲天遠簡書遲。（社友羅三義、陳二節皆出日遊學。王二訓客山東，黎松庵培鑾客上海，余由長安轉京師始歸。）勿因敗興吟情盡，自過和戎庚子時。

紅豆有所寄

獨憐紅豆最多情，用意天工處處生。曾着白衣庵外雨，乍開元武廟邊晴。佳人低唱痴俱絶，故我相思灰未成。欲寄離愁多采擷，教君復憶舊稱名。（余少時自號紅豆生。）

應郭觀察人漳相招東粤舊遊口占

嫁人針綫誤平生，又賦閑遊萬里行。庾嶺荔枝懷母别，瀟湘春雨憶兒耕。非關為國輪蹄愧,無望於家詩畫名。到老難勝飄泊感,人生最好不聰明。

東粵舊遊將行,時諸友以詩送別口占

卜居四載綠盈階,寂寂山花野鳥哀。一日柴門時吠犬,蒼頭和雨送詩來。

劫餘何處著吟髭,舊學商量自覺痴。倒綳孩兒看識字,草衣濁世幾人知?

門前鞍馬即天涯,遊思離情兩鬢華。辜負子規無限意,年年春雨夢思家。

世外巢由鷄鶴群,烏絲三叠感諸君。桃花潭水深如許,化作江東日暮雲。

二月十二日辰刻起程之廣州,與譚佩初弟會宿茶園驛。前巳刻至白石,吾父及諸弟皆來送別,滿弟同行,思義侍余重遊。

十三日午刻到湘潭,宿黄龍巷口春和棧,未刻之郭武壯[⑥]祠堂,作別於余太夫人,夜來黎芋僧會,傾談竟夕。

十四日午刻之長沙,與佩蒼至黄龍廟碼頭,小輪舟已開去。芋僧相邀至伊戚處益和糟坊,是夜借宿於此。羅三弟醒吾夜間來,偕行東粵。

十五日平明買小輪,午刻至長沙,即買東洋車去五家井,晤服鄒及仲言。又至明德小學堂晤張仲颺。又晤齊竹齋。服鄒餞別以酒,仲颺亦來入座。

十六平明買湘潭火輪之漢鎮。

十七午刻到漢,即過大通輪船之上海。

十八巳刻登岸遇歌者邱藝林於街,偕余之籃子街訪武賽青女史,談移時,小飲,復以小像贈余而歸,余贈答以畫幅。賽青者,郭五之故人也。余舊有句云:何事琵琶舊相識,為君泣下泪三升。醒公佩弟以為今日賦之。

十九日巳刻抵九江,輪停一時許。申末過小姑山,偕醒公登船樓,望之,山之後面,為寫其照於後山前。左二圖已先年畫之矣。申末先過彭澤縣。

附圖說明:

余癸卯由京師還家,畫小姑山側面圖;丁未由東粵歸,畫前面圖;今再遊粵東,畫此背面圖。

廿日巳刻至蕪湖,停一時許,又過采石,與醒公佩蒼登船樓,畫采石磯并對岸之金柱關圖。晚間與醒弟談口頭語詩,余憶與夏太史由長安之京華,途中與言口頭語詩。夏云,某前人咏月云:"眉月彎彎照九州,幾家歡喜幾家愁?幾家夫妻同羅帳?幾個飄零在外頭?"醒亦誦樊厲鶚[⑦]詞云,扇尾可憐書湯婦,似訴飄流。

二月廿日畫。采石前面皆石山,醒弟言山頂宜高少許方能雄峻。此州有里許。

廿一辰刻過通州。此二三日以來,北風吹浪,船亦微動,想過海必大風,遊情甚怯,將次韵羅秋老詩更末二句云:"老去微吟春社飲,子孫安得孟家鄰?"與首二句可合為一絶,於詩律健也。午刻登岸，寓中和客棧。是夜與同行五人去丹桂茶園觀劇。路街行電車從後來，五弟幾為所壓，險哉！抵欽時，當作書禀知父母。

廿二日未刻上安徽輪船。

廿三辰刻開往香港，至廿五日余始食飯半鍾。此數日尚未遇風，不可進食。猿叟金陵雜述詩："震耳風濤廢食眠"。長江如此，何况大海！雖此番平安之幸，其欲嘔不嘔之苦難堪矣。

廿六日午刻抵香港，寓中環泰安棧。午後偕醒吾、佩蒼之中國電報局，與郭君電，又看市。醒公先與約遇於湘潭，自言意欲遊戲廣州、桂林，有朋友須訪。既同行至此地，復欲同去欽州。余始知其意。同行非偶然耳，佩蒼未必先不知也。夜來之太平戲院觀劇。先以為廣東之劇，可為中國第六七等。今觀此院之劇，較廣東尤醜。殊不足觀，片刻即返。余自由京師歸，觀劇之眼界，所謂"五岳歸來不看山"矣。

廿七日午前之博物院，物頗係不勝記載。午後又行，探定輪船無至北海者，殊為焦急。酉刻與同遊散步街市，歸過日本電影演戲院，演西洋人情風俗如活現，惜哉，惟不能言。

二月廿日畫采石磯。晋温太真[8]然犀、唐李太白提月明常開平破賊皆於此處。此圖若畫横幅，兩頭之州，皆可長數十里。

廿八與同遊看街後山之泉石，余未及山半，欲倦而止。未刻歸。

廿九日與同遊少遊，得見熊一、豹一、小猩猩二。

卅日購長夾衫一，殊中著，喜甚。此地與故鄉大异，是時無著棉衣者。菜場見有黄瓜、紫茄、辣椒、扁豆等果類。尚有橘在樹間。余與同遊欲購新辣椒為渡海菜，問其價，每斤錢四百文。

又月二日辰刻，之孖地洋行買海南輪船票去北海，是行司事某與余筆談，余嫌其船價似貴，欲返向泰安棧，令是棧主人代買其票。將行，某司事出紙條與余，上有郭道人漳是次搭海南往北，請留大柗房并電話，送百步梯景泉別墅三百六十五號。云余與佩初看過，以為夢耶？復之景泉，果郭公昨由省來會面，握手雀躍三百。少坐，李鐵桓亦由景泉下房出。又少談，又一人從外來。郭君語余曰："此王仰峰也。"語伊曰："此齊某也。"共談片時，觀郭五作字數十紙，與鐵桓之仰峰處便飯。戌刻，郭五上海南，李、王俱送至船上。余來此地，因候船，羈愁七日。忽一日晤友之歡樂如此，真夢所不能到耳。前巳刻，佩初偕醒吾晤郭君，郭君皆大喜。并問余更有同行者否？余答以滿弟與思義來。李鐵桓願余如返湘時，轉道廣州作數月留連。并有古琴，乞余篆刻"天語"二字，如寄書，寄後樓坊營務處。王仰峰欲余鈎留，余約返時可矣。伊示余抵港問蘇杭街廣萬昌軍衣店，如抵省問藩司前廣萬昌軍衣店。

初三日辰刻開船。

初四黄昏抵海口。此二日雖未遇風，未能進食，五臟摇動，苦不可言狀。

初五、初二日風大，海南船之貨物不能起岸，停輪海中。大浪如山，鬱鬱船中，心内如焚，肚中饑餓，尚不能食。

初六日，郭五昨日電調伏波輪船，今日辰刻到。船停相隔海南船二里許。船上外國人以伸旗為語。伏波船以三班船來海南接。船亦以旗欲答之，即接去，即開輪。是夜戌刻到海口宿。

初七辰刻到北海，即以小舟上岸，宿遂安客棧，沈隊官處，沈者應余前在香港之電，來此接余去欽，閤派沈來接者郭四太爺也。郭統領不曾在軍，四太爺如此代為，亦愛我耳。可感可感。午前郭公去簾州訪王某至。

初十日尚未歸北海，此數日移寓宜仙館，郭五部下，有招飲者二次不及載。此地之娼頗多，絶無可觀者。余於旁觀，其侍客頗殷，不談歌舞。有欲挾邪者，與語即諾。雖無甚味，有為者想必痛快。

十二午刻，郭君來北海。

十三日到欽州，補記。

十七八間發家書一號，補記。

三月初五，自前十二日郭君由簾返北海。是夜上廣庚兵船。十三日平明開行。海中，復更小氣船至沙井，水淺，小船亦不能行。更轎至欽州城外鎮龍樓，所會故人太多，不勝記。廿七日與醒吾弟、李杞生兄遊天涯亭，復訪蘇髯遺像於亭後，并畫天涯亭圖。至月之末，此十來日為鄭樸生刊印四。又自刊“天涯亭過客”印。三月初一移客東興，與養源六弟同行也。初二日郭五弟偕余及醒弟驅車看炮臺及自種菜圃，車如流水，快甚。初三日又偕過鐵橋，去安南園之蒙街⑨。其街寂寞。片時返安南并東興。人情語音大异。不勝記。惟自欽州來東興一帶，山水頗與南衡相似，入目快心。復有感故鄉之情，獨坐欲泣。遊安南時，騎快馬去來，五弟稱之為能手。至今日，即初五日始寫日記。前廿餘日未書日記者，此日記本落於篋底，以為失去。昨日忽尋他物，復得之矣。前廿餘日之事，祇追記大意也。午後畫安南界之望樓并鐵橋為圖。夜來清檢行篋，有白壽山石二，忘却何人之物，有問者與之。

補記，廿九龔仙舟招飲，意欲乞余篆刊。

初六與郭五同車之東興街後，畫其伊自種菜圃為圖。圖中收入伏波廟。此數日來為郭鳳翔先生畫四幅，皆新得紀遊圖至。

十二日，此數為友作畫，并篆刊。無刻或暇不堪記，申刻送醒吾上舟之廣州去矣。

十五日午後郭君偕余騎快馬之教場學車，始數次須人扶之。既而可以自行。夕陽復可以轉頭，大快事也。燈下思想獅紐石似鄭公物也。

十六巳刻，又騎快馬去學車，能自上車不用扶持，小憩飲茶，肱若碎，携杯舉不近口，竟忘其苦，所謂樂而忘死者。此後與人作畫及篆刻，不勝記者皆不記。

十七學車大進，足可應意而行。午前得佩蒼書即復。辰刻與武賽青書。

“蜈蚣毒”。（聞蜈蚣咬人，以偷油婆抖碎抹之患處即愈。）

萬里山河孤館泪，十年風雨二毛人。

四月初三日，夜夢還家與内人談家務。内人告叔瓊之病更重。余嘆曰：“余出門時以為病人不數日内無可救藥，必至到死。罪余固即行。使目不見心不愁。哪知歸來，尚使老年人安排後人，不祥也。”與内人談後，又夢口左上齒落一，余扯之丢於地上，似骷髏齒。天明即記之。心中又不樂，奈何！客中之苦，無事不可消沉也。以銀一百兩交鳳翔四爺手，請至廣州代换大洋一百二十餘圓。以十五圓還清譚佩初（佩初來書屬余交鳳翔四爺手）。又以廿圓請代送還馮麗山。余請送交余家。又齊輝生寄一百角回家，亦由余手交鳳翔四爺去矣。余并二號三號家書，附銀交鳳翔寄歸。

初八日得張仲颸書。

十二得韡春書，余即復云：

“欽州萬里聞杜宇，已傷情。是時四月中矣。忽辱手書，喜極生恨。湘城白石，咫尺天涯。况復迢迢邊地也。羡君紅粉，嫁得其人；愧我青衫，老猶作客。十年毛髮，對鏡全衰。孤夜夢魂，還鄉無計。未知何日可使韡君見而憐之也。”是夜夢葬父，余哀，泣而醒。

十五日未刻，馬簾山來，報貞兒與四弟來欽，一喜一愁。喜其兒在身邊，愁其家中無人執事。知貞兒失偶。是夜與貞兒書。又與佩蒼書。余還去廿千錢，照伊來書交鳳翔手收去。三告伊也，未得伊復。

廿四日午刻得郭五電書云：“來函悉，貞兒係奉母命而來，其志可嘉，情可原。君家事，尊夫人能料理，公不必速歸也。弟明日還。”

廿八日為馬玉階向郭督辦請挂號還家養病，郭許之。郭贈余枷楠香珠及沉香（香珠盒内四塊為沉香）。又一香非沉香、枷楠香。或云：鷄血藤經歷年久，乘天地之氣，數百年所成之香，專治氣痛及肚瀉，痢瀉，其效如神。中餐於席上失口言人所短，使人少辱之。即書“三緘”二字於座右，并記云：往余見人篆刻，“閑談勿論人非，”笑之以為迂。今日始知六字工夫未易做得到也。行年將五十矣，書此於座右，用以自鑒耳。

廿九日漱伯索書“三緘”，（緘即“箴言”，下同）并記云：

“漱伯年少人也。見余書‘三緘’喜之，不以為笑。余少時聞人説‘慎於言’，笑之以為迂。故余行年將五十矣，始知自鑒。是不愧也！漱伯啟予者。惜余萍踪無定，尤可感耳。”

又書“三緘”贈潤生。并記云：

“人道潤生之學余，非獨畫也。余亦久知潤生閑静少言，不平復鳴，性頗似余，非斛學也。余自書‘三緘’於座右，漱伯見之欲索去。余復書二紙，一與漱伯，一與潤生。願潤生所學,師法捨短,為漱伯謙謙之一流何如?”

五月五日夢自挽云:“一食竟成灾,肉味何如菜根好?”醒來忘其對語。晨起,果病,病果因食,怪哉! 幸一瀉即愈。

又夢與禹石書,書中有云:“貴戚仲甫作畫,無不學余,然不願當北面。”黎雨民見書此語笑曰:“吾鄉知仲甫者,無不知其為公私淑。惜彼一生機緣,失之此也。”

初十日,子貞來東興,余見之欲喜欲愁。知伊妻之死之病原。子貞病,余見其憔悴,猶憐之也。謝某看其病,言脉不佳。復請黄國安為治,亦言其脉太速。余愁欲絶。

十五日,郭五之廣州,辰刻發。思義病因傷寒。子貞少愈。余勸其秋來同歸,伊似訓之。是夜作第四號家書。并與舅氏及西老衍生書挂號,由郵局寄出。壁單云:在故鄉與余不曾相識,在郭君軍中以沙射為事者請勿親於余,則有辱於余之骯髒也。

十七日,廣州總督來電,郭五署廉欽道。

廿日,佩初去欽州,余為馬哲生兄所畫之帳額(帳額是舊式雕花床帳前的横額,多為刺綉或彩繪。)交佩初帶去。

廿一,佩初未去。托帶之帳額伊轉交李杞生手去矣。得鄭樸孫電書,即復;又得郭五家電,附問余客窗何似。

廿二日,佩初返欽,鄭樸孫索臨之畫及索刊之石二方,又贈四弟及周福堂之帳額一一交佩初為帶去。夕陽時,又得鄭樸孫電與别,余即復,與郭五書亦交佩蒼轉交。

廿三日,此行來欽州,書畫篆刻之酬應,無時或不為人為,繁不及記。已刻為周通甫太令書三緘,并記云。

余己酉客欽州,行年將五十矣。始知書“三緘”於座右以為銘。通甫太令見之,不以為笑。且索,亦為書之。吁,斯時也,“三緘”固宜。然塵世倘逢開口欲笑者,願太令勿如余之“三緘”不欲答也。

又為静生書“三緘”,并記云。

静生善於談笑,索余書“三緘”,人必謂其不然。余知静生之所緘者,勿論人非,非關必逢嚬笑,趨而不答也。

與郭五書交段仙樓帶去。

楊斛儒之畫并書共八幅,交武硯峰帶去。

廿八日,得郭五電,促還欽。余復書,交張衡士帶去。

得伍硯峰書,是夜大風雨,風來時樓宇驚動,余心縣縣(注:縣與懸通用),獨自起坐不能寐,倚屋一木大數十圍,吹斷其半。嗟哉!异鄉為客心膽俱寒。玉階贈嚴鶴雲所書之聯,無款識,係鶴雲得意作,自藏篋底,死後所得也。是夜枕上作記。平明書於聯旁。

北海[10](唐·李北海)書法如怒猊抉石,渴驥奔泉,其天資超衆絶倫。吾友鶴雲書法嚴謹,心正筆正,鋒芒不苟,亦如其人。自稱師北海,是耶? 否耶? 此聯為鶴雲得意書,自藏篋底尚未款識。亡後余於東興得之,感故人平生與余與之情重,學書之工苦,記而藏之。

六月一日李正榮之帳額(見伊有書與輝

生屬代索此也),交齊輝生寄去;楊見文之帳額交馬玉階代交。

初三日,移還欽州。是夜宿那梭。初四日,宿防城縣。沿路送迎殷勤,全丙生八弟先以書寄諸處故也。初五日午刻到欽州。自防城縣步行十餘里上舟,舟行一夜離欽城十餘里,又退去潮水,舟不能進。登岸步行進城,雨中泥滑。行路之艱可知,況至午刻未進餐也。

初七日,郭五去東興。黄昏,彭慶堂來與談到三更。……

初八日,作家書第五號。

九日,得鄭樸孫書。前十日間,余客東興,先後得電書二。意氣最合,新知惟有此人也。

十七日,復鄭樸生書,由郭五函内寄去。

六月一日,得友人復書,知公尚未還省。璜欲還欽州,三日始行,三宿道中,始到,聞公一日已行矣。遲吾把臂,悵惘何如?辱廣平道中書,未作答,擬即來省快聚。復為諸友人以天時正熱勸故止之。新秋稍凉必得相見。昨偕潘君臨藉香亭,徘徊久之,未能為别。焦緑荷青,懷君子也。

作李莘夫刊印記。宣統己酉四月,余為天涯過客,應廉州太守莘夫先生篆刊古之二千石也,及管領珠官等印。太守以團扇自書春寒詩報之。余喜之,復感平生自以草衣閲人多矣。能工詩工書者,遇王湘綺先生及王悦公、樊鰈翁、夏天畸、余去非、汪無(無)咎、李筠盦、曾子緝。獨與李梅痴,咫尺神交未能相識。正與太守同皆為恨事,因刊“春寒詩”於此印側,以志欽佩。且欲附公壽俱金石也。齊璜并記。

廿二日,與潄伯書,并贈印石一方,交謝子英帶去。

廿三日,平明作書欲别郭五,伊即復,殷殷留待,秋深方歸。王錦波來,郭五意欲委余為員。又恐余不領受,故使王君代白。余已却之,非有他意。自恐不能任其委。郭五近非知我耶?我自非故我者耶?

七月一日,與郭五為王鎮榜乞情,伊未答,午後又與郭五書云。

葆弟左右:王鎮榜錯打兵士,復違命令。聞伊此時已自深悔,弟欲將伊革其隊官,替送回湘,此其軍法也。聞弟部下皆無敢與説人情者。鎮榜之錯可想,縱有求情者,弟皆未酬。璜已所求,因弟亦未答,固不敢再行面説,再三思之,不得不破除客氣懇求,求其勿替送者,有故也。鎮榜八都人,璜亦八都人也,替伊回八都,合都之人必嘖嘖。責璜無鄉里人情,況伊先有無禮,辱駡吾之兄弟,各有意氣,璜此時不能不忘其私嫌,行其大義。故不能不向弟求,所求與衆有所不同耳。弟須諒之,伏願能如此,願伊所虧之餉,自當理處,且放出營,交巡捕看守,交餉放歸可矣。

初十日,贈陳樹年之畫,由張乾大寄去。

十四日,為郭五臨畫十二幀,又畫小册四幅。此回來欽,篆刊共二百八十餘石;畫幅、畫册、畫扇約共二百五十餘紙。

廿四日,巳刻携貞兒起程返湘。郭五送廿餘里,因河水淺,小火輪船不能進。始欲轉去,各泣而别。佩蒼及四弟、滿弟、思義皆送至此,是夜宿九龍墟。(水路六十里,旱路三十五里。)

廿五日,北風過。大舟不易進,宿平吉墟。(九龍至平吉,旱路三十五里。)

附圖:(一)為郭凱濤畫存稿。(二)無題記。(三)舊村,七月廿六日過此。

廿六日,過舊村,畫圖於前宿大阜墟。

廿七日,到陸屋,黄管帶養齋使人接於河間,并邀至軍中留飲。是夜,司官何敬先來,談片刻去。

廿八日,平明起行,遇周通甫太令同行。陸道八十里,午後到沙坪即買舟,戌刻開……

廿九,午刻到南鄉(旱道七十里,水道八十里)宿舟中待火輪。

八月初一日,昨日周通甫贈來鷓鴣一,因輪船未來,秋熱太苦與周君上岸席地於榕陰下(容遲當畫《席地圖》),自早至昏,或云無輪船至。始更舟去貴縣(水路三百里),行至初三日始到貴縣,此處又無輪船,有一船過,載盈滿不容插針,獨危人尖入,此人殊非善類。觀其言談舉止,聞其同行者所言,實歹人無疑矣!

初四候船。

初五未刻,始搭電馬輪船。

初六日,午刻到梧州,宿泰安棧。

初七日,平明搭南寧輪船。

初八巳刻到廣州,會喻渭臣,訪鄭樸孫不遇。

初九過天順祥,彼處招飲於歌筵,余却之。鄭樸孫來談。

初十日,去樸孫處,談半日始歸。

十一日,與郭五書并茶葉喻渭兄帶去。

十二日又交一物共三包,請由行旱道者帶歸,又與許紹循書,并贈眼鏡概交渭臣帶交,又與玉階書,昨日聞樸孫言一聯,惜不能記其對句,其起句云:“不信藏書能餓子”。

今日於裱畫店見一聯,無款識,語云:“我有仙方煮白石;天留閑客管青春。”

午後再去裱畫店,觀此聯,其字之用筆有法。問之,須賣四千錢,以三千錢得之。

十三日,鄭樸孫、王仰峰、喻渭臣皆贈物為别,午後移寓鴻安棧。

十四日平明,上廣利輪船,王仰峰來船送别,余欲伊示住處於日記云藩司前,電話四百九十五號,廣萬昌軍衣店。

十五平明,到香港,船欲停二日方行,余携貞兒登岸,半日歸船。

十六日,向晚船開。

十七夜,過臺灣 界。

十八日,過福建界。

十九日,過(寧)波界。

廿日平明,到上海,寓陳江木橋長發棧,是夜携貞兒之同春園觀劇。

廿一日巳刻,買小轎船之蘇州,黄昏始開

行。

廿二日，午後到蘇州，寓穿珠巷賓鴻棧，即使劉漢湘問汪頡荀官於何處，於藩臺衙。移時漢湘歸，問得伊之公館在駙馬府堂之前，其人聞去上海。余與漢湘之伊公館，問之其門房書紙告伊為：上海新洋務總辦，其局在新馬路市浜橋，問汪公館。蘇州兒女多美麗者，前年以來偶有所聞，果然矣！

廿三日，夕陽搭輪船返上海。

廿四平明即到，即之汪六處。汪六於昨日平明，因蘇州撫臺之夫人死，會葬去矣。余復寓長發棧，伊僕約明日午後再去。

廿五日，午後再去汪公館，汪六未歸。是夜又去訪之，汪六歸，余被門人阻之，不得入。余將郭五之書付之門人即歸寓，決明日去矣，不欲再來。歸片時，忽有人呼寓所之門曰：此居居齊君否？新洋務局致書來。余驚醒接讀之，情意殷殷，欲余明日過去一晤，掃榻恭迓，如能小駐，尤所喜者。即弟他出，亦必有人接待。

廿六巳刻，買車又之汪公館。余下車投以名片箋，其門人即大聲曰：請！

汪六為瑞中丞之夫人歸櫬，致奠未歸，其公館之幕府某與談片刻，汪六即歸，一見如(故)，不勝其喜，請少勾留一二月，其意似欲余少許可方敢固留。余許十日飲，伊即遣人為移行李。

廿七日，汪六倩其教讀××及其×××× 遊也是園，此園係明時××所造，頗古致，興盡而歸。是夜又為××偕之丹桂茶園觀劇，丑刻歸。自廿七日以後，無夜不看劇，餘事繁不勝記。

九月初一日，汪六與余合與郭五電。

初三日，得郭五復電，甚慰。然使人清愁益發，奈何！奈何！

廿五日，今日起行返湘，夜來上招商局江永輪船，船上買辦吴蟾青伊侄瑞臣皆接待。因汪六有書致伊所托也。汪六見余禮貌勝於桂林時，未別時已再三再約明年來滬，并云蘇撫印瑞澄見余所刊之印，亦望余再來必欲掃榻以待。自來上海留連一月，其事甚繁，不勝記。將行數日，來汪六部下之友人無不知汪六之意，皆施禮貌，并招飲及祖餞及贶物，贶物最多惟姚繼枝，繼枝亦故人也。其接待亦最恭，汪六所用之人，皆非郭五部下也。

一九一九年(己未)日記

正月二十四日出門，行七日始到長沙，三月初四日早到北京，楊潜庵已代佃法源寺羯磨寮房三間居焉。

五月初九日，伯任欲從事於刊印，請余拓近刊印一本，將拓成一部寄之(作記)。

七月一日：過春雪樓。其主人求余畫南湖莊屋圖。出宿盒墨、秃鋒筆，為此粗稿。是時炎威逼人，不及畫屋而罷。石倩以為有心作畫，絶無如此天趣。笑人苦余加名字印。

余知此時之京華賣書畫者，筆墨愈醜愈得大名。余亦有好名之意邪。

七月初十，不速客來，有甚可憐狀。以二金與之，作齋壁詩二首，以斷再來。（原詩自刪去一首。）對君真個日如年，與佛同龕未有緣。尚食人間烟火食，為君親解五銖錢。

七月十五：南湖出清道人所書之扇面索畫。道人之書，其墨凸若錢厚。余亦以濃墨畫不倒翁。并題記之。

七月十七日：姚石倩亦喜余刻印，倒篋盡拓之，且屬余為記之。

閏七月十八日：胡南湖[11]見余畫籬豆一幅。喜極。正色曰：君能贈我。當報公以婢。并即贈之。并作詩以記其事。

八月十七日：廬江吕大贈余高麗陳年紙。裁下下破爛六小條。燈下一揮成六屏。令廠肆清秘閣主人代為裱褙。成為□□。南湖見之喜。清秘主人不問余。代余售之。余以為不值一錢。南湖以為一幅百金。時流何人能畫。予感南湖知畫。補記之。

八月十九，同鄉人黃鏡人招飲，獲觀黃慎[12]畫真迹桃園圖，又花卉册子八開，此人真迹，余初見也。此老筆墨放縱，近於荒唐，較之余畫，太工微刻板耳。

八月二十三，為方叔章作畫并題記。

九月九日答郭五索畫書。

九月十三八點鐘。買車南返，至車站，胡南湖送寶珠來，姚石倩、馬吉皆亦來為別。

以上均轉引自齊良遲提供的《白石文鈔·己未雜記》。

一九二〇年（庚申）日記

五月下旬一則日記：想我家園親人，亦愁余在此不知何如？四年以來，艱危驚苦，離泣備盡，言之傷心。

六月十五日。余四過都門，一日，□□手携紙來索畫，且曰：人情閱盡，舉目皆非，將欲圖一山，林樹删除，茅塞斷絶，白雲外不知此中有人世也。故求余先畫一圖，以固其志，面圖兀坐，早修其心，并求勿先令人知。余為□□畫此，通面汗流，不勝慚愧。

按：齊白石己未三過都門，此則日記乃記四過都門之事，故推斷為庚申（一九二〇年）。又齊良遲提供的《白石文鈔·壬戌雜記》輯者注壬戌歲中有雜記庚申事者。

以上轉引自齊良遲提供的《白石文鈔》

九月×日：梅蘭芳[13]倩齊如山[14]約余綴玉軒閑話，余知蘭芳近事如畫，往焉。蘭芳笑求余畫草蟲與觀，余諾，蘭芳欣然磨墨理紙，觀余畫畢，為歌一曲報之。余雖不知音律。聞其聲悲壯凄清，樂極生感，請止之，即別去。明日贈以此詩。

九月二十一：青藤、雪个、大滌子之畫，能横涂縱抹，余心極服之。恨不生前三百年，或求為諸君磨墨理紙，諸君不納，余於門外餓而不去亦快事也。

《齊白石研究大全》劉振濤等編，湖南師範大學，一九九四年，長沙。

庚申十月初一。夏君使人來接余去保定

庚申十月初一。夏君使人來接余去保定遊玩。為朱悟園題悟園詩存云。

按:齊白石題《悟園詩存》記已收入"記"中。

轉引自齊良遲提供的《白石文鈔》。

一九二一年(辛酉)日記

二月十五日。余正作家書也,忽得春姊來函,二月初八日函也。知次生寄於外公家讀書,紫來隨養母寄於戚家避盜去也,甚慰。

三月廿五日畫蟋蟀也。

四月十六日作工筆蜘蛛畫。

六月二十四日:辛酉六月六日,江西陳師曾為荷花生日,約諸友并張名家畫荷以慶。師曾知余有所不樂從,竟能捨余,然余不能於荷花無情,亦能招師曾諸子,以廿四日再慶。

八月初四,作工筆蠅畫,并題記。

八月初十日,夏午詒邀白石去保定,住雙彩五道廟街七號。二十二日,携胡寶珠買京漢車離保定還湘潭。

十一月十八日巳刻過黄河,車聲叮叮,余今年來去,四聞此聲,不覺泪潸然如雨。

一九二二年壬戌

三月二十八日,聞京漢路有戰事,不敢北上,居通泰街二十一號胡石庵家,得題不倒翁詩。

四月廿六日,吴缶老後人東邁與陳半丁訪余。後余至兵部窪半壁街五十六號邱養吾家,訪東邁也。見邱家有缶老畫四幅,前代已無人矣,此老之用苦心來老,不能出此老之範圍也。

五月十日,乘車北上,十三日到京。旋因夏午詒之召,即前往保定,仍居夏家。為曹錕[15]畫大挂軸一幅,為北派山水,不久返京。

五月十九日,劉霖生[16]出陳師曾所畫家在衡山湘水間圖屬題。霖生先生以家在衡山湘水間,倩其戚人陳師曾畫圖,觀者以為不似湖南山水,未知師曾之畫,閱前人真迹甚多,冶成别派,乃畫家手段,非圖繪筆墨也。亦未知霖生既以遂初,得盡天職,自當歸隱以樂余年,畫此足見其志也,無他意焉。余亦有借山圖,皆天下名山好景,俱大似。霖前歸時,鄰余咫尺,若好之,諸君卧遊可矣。

五月廿一日,有人携尹和伯[17]翁畫請跋,余跋。

六月十二日,老妻小妾及長兒同余北上,貞兒送行。

八月廿九日,余去年在北京買胭脂,自作成膏,沾水不能化,盡弃之。擇其稍潤澤者,留三四圓,今秋作成膏,沾水即融。未知係去年之潤澤者,故能融,未知胭脂亦要陳也。今日買來又多不可用,膏干以水浸之,滓而不化,以乳椎乳之,可用也。此予發明者,兒輩須知。

九月一日，得王退園先生復函，嬉笑怒駡皆成文章，余朋儕學力、天分、品行、志趣，當推此老為第一。凡退公與余書，無論破紙斷筆，兒孫需裱褙成册，以作規模也。

十一月初十日，為移孫設靈位，并冒寒自出，求林畏廬為移孫作墓志。昨初九夜當看到貞兒書，言移孫已死，余大呼如兒曰：我移孫死矣。如兒大哭，余亦大哭數聲。却無泪出，即睡去，亦不憂。初十日始有眼泪。

十一月十六日與師曾書：昨夜枕上得一絶句，題云食梨頭。

十一月十九日得仲華函。知郭五於十七日死矣，余即往慈園一哭，朋友之恩，聲名之始，余平生以郭五為最。

十一月二十日，為友人題舊作畫幅云：余少時不喜名人工細畫，山水以董玄宰、釋道濟外，作為匠家目之；花鳥徐青藤、釋道濟、朱雪个、李復堂外，視之勿見。

一九二三年（癸亥）

六月二十四日，今日為荷花生日，余畫荷花大小三十餘紙，畫皆未醜。有最佳者，惟枯荷又有四幅：一當面笑人，一背面笑人，一倒也笑人，一暗裏笑人。師曾携去四幅枯荷，暗裏笑人在内，有小幅畫册最佳，人不能知，師曾求去矣。

見渺之著《白石老人逸話》。

一九二四年（甲子）

八月初七日，如兒分居於象坊橋。余與百金作移居費……冬□月，如兒遷於南閘市口，此兒自今春以來，畫名大著……

一九二五年（乙丑）

正月，賓愷南[18]先生來寄萍堂，同客有勸余遊歷日本者，其言甚切。以為兼賣畫，足可致富。余答以余居京華九年矣，可以過活，饑則有米，寒者有煤，無須多金反為憂患也。愷南兄以為余可學佛，談禪最久。廿四日，余往廣濟寺尋愷南兄……并贈《净土四經》一書。

二月二十九日，“余大病。……人事不知者七日夜，痛苦不堪言狀。……半月之久，始能起坐，猶未死——六十三歲之火坑，即此過去耶？

一九二六年（丙寅）

三月十五日得子貞書，知吾母病重，將難治，并需匯錢濟急，余心痛不樂。十六日匯百圓……至二十四日不見子貞再函，未知母親愈否？尚有猜疑。來北京十年，十日未作畫第一度，心殊不樂，兵匪共亂，鐵道不通，奈何！

四月十九日得貞兒家書，知吾母前三月二十三日巳時逝世。即令人打探，火車不能通，兵匪更熾，即刻設靈位。此大痛心事，非能言盡，總之一言，不成人子至極！

七月七日得貞兒書，言吾父前六月初間得病，病係寒火症，不數日稍愈，復能進飯。忽又病，無論何食物不進。

八月初三日夜得快捷家書，未開函，知吾父必去，血泪先下，拭泪看家書，吾父七月初五日申時亦逝……余親往樊樊山老人處，求為父母各書墓碑一紙，各作像贊一紙。共付潤筆金一百二十餘圓。

《三百石印齋記事》

一九三三年（癸酉）

十二月二十三日乃吾祖母一百二十歲誕期。是夜焚冥鏹，另書紙箋焚之。言曰："祖母齊母馬太君，今一百二十歲，冥中受用，外神不得强得。今年孫年七十一矣，避匪難，居燕京，有家不能歸，將至死不能掃祖母之墓，傷心哉！"

一九三五年（乙亥）

陽曆四月一日（陰曆二月二十八日）起行，携寶珠、柏雲同歸，三月半到家，年十八九之女孫及女生（甥）不相識。離家十餘年，屋宇未損傷，并有增加，果木如故，山林益叢。子貞子女兄弟父子叔侄可謂好子孫也，祇有春姊（即陳春君）瘦得可憐，余三月即別，別時不忍相見，并有二三好友坐待相送。余亦不使知，出門矣，十四日還北平。

《三百石印齋記事》

一九三六年（丙子）

八月二十四日的日記：□□（原文用墨塗去）以四百圓謝予，半年光陰，曾許贈之三千圓不與，可謂不成君子矣！

《白石老人逸話》渺之著，香港上海書局，一九七三年。

一九四五年（乙酉）

正月廿七日《日記》云：予天明復睡，夢立於餘霞峰借山館之曬坪邊，見對門小路上有抬殯欲向借山館後走之意，殯後抬一未上蓋之空棺，竟走殯之前，向我家走。予夢中思之，此我之棺，行何太急？予必難活長久，憂之而醒。醒後，愈想愈覺離奇就做了一幅自挽聯：

有天下畫名，何若忠臣孝子；

無人間惡相，不怕馬面牛頭。

《齊白石研究大全》劉振濤等編，湖南師範大學出版社，一九九四年，長沙。

注：

① 八大山人，即朱耷（一六二六？—一七〇五？年），清南昌

人。譜名統鍌、雪個、個山、刃庵、破雲樵均為其別號。其畫簡單奇异,能用極少筆墨表現極復雜事物。工書法,狂草自成一家。

② 青藤,即徐渭之號。徐渭(一五二一——一五九三年),明山陰人。字文清,更字文長,號天池,青藤老人,山陰布衣,又號青藤道人。山水花卉人物畫皆精。行草書仿米氏亦有特色。并擅詩文。有《徐文長詩文全集》等。

③ 苦瓜僧,即石濤(一六三〇——一七二四年),清朝人。原名朱若極,更名無濟、原濟,又名超濟,小字阿長,號大滌子、清湘陳人、晚號瞎尊者。畫山水人物草蟲超逸有趣。有《畫語録》等。

④ 李營邱:宋營邱人。本名永,善畫花卉。為南宋畫院第一。

⑤ 高房山(一二四八——一三一〇年),元朝人。其先西域人,後居燕京。名克恭,又名士安。字彦敬,號房山老人。善畫山水墨竹。

⑥ 郭人漳父,郭松林(一八三三——一八八〇年),湖南湘潭人。為清武將,有功勛,死後謚武壯。

⑦ 厲鶚(一六九二——一七五二年),清代文學家。字大鴻,號樊榭。浙江錢塘人。善詩詞,為浙西詞派的重要作家之一。有《樊榭山文集》。

⑧ 温太真(二八八—三二九年),晋祁人。名嶠。性聰敏,有識量,博學能文,善談吐。官刺史。拜驃騎將軍,封始安郡公。有文集十卷。

⑨ 蒙街,即芒街。

⑩ 李邕(六七八—七四七年),唐江都人。字泰和。因當過北海太守,時稱李北海。文章書翰正直辭辨義烈皆過人,時謂六絶。尤精書法,行草之名尤著。

⑪ 胡南湖乃胡鄂公之號。胡鄂公(一八七四——一九五一年),湖北江陵人。字新三。一九一三年當選為第一屆國會衆議院議員,一九一七年任廣東潮循道尹。一九二一年任湖北省政務廳長。曾辦報反袁稱帝,反對帝國主義列强。抗日戰争前後為孔祥熙私人顧問。齊白石繼室胡寶珠為其所贈。

⑫ 黄慎(一六八七——一七六八年),清福建寧化人。字躬懋,又字恭壽,號癭瓢。家貧至孝。善畫山水人物。工草書,亦能詩。有《蛟湖詩鈔》。

⑬ 梅蘭芳(一八九四——一九六一年),原籍江蘇泰州,生於北京。名瀾,字畹華、浣華。京劇表演藝術家。一九二五年拜齊白石為師學畫花卉草蟲。

⑭ 齊如山(一八七五——一九六二年),直隸高陽人。又名宗康。曾三次旅歐。多年致力於戲曲搜集整理與研究工作,後致力於北京民俗的研究。有《齊如山先生全集》。

⑮ 曹錕(一八六二——一九三八年),天津人。字仲珊,北洋直系軍閥。

⑯ 劉揆一(一八七八——一九五〇年),湖南湘潭人,原籍衡山。字霖生,一作連生。早年留學日本,曾參加黄興的華興會、孫中山的同盟會,後創辦《公民報》反對袁世凱,參加過北伐戰争,後在國民政府行政院任顧問,主張停止内戰共同抗日。一九五〇年任湖南軍政委員會顧問。

⑰ 尹金易(一八五八——一九一九年),湖南湘潭人。字和伯,號和光老人。工畫花卉草蟲、人物。尤善畫梅,著稱於時。

⑱ 賓愷南,湖南湘潭人。名玉瓚。癸卯解元。信佛。

九、批語

批自刻印

一九二三年

印文：張樹勛印

批語：余之尋常篆刊也。

印文：冬嶺樵人

批語：別有趣味在用刀。

印文：張客公印

批語：此等印余常有。平穩而已。

印文：未央磚瓦甲天下

批語：尋常。

印文：彪岑

批語：二字不見做作。作為好手。

印文：黄泥漁人

批語：較他印稍見渾逸。

印文：郭向陽印

批語：余隨手便是。不佳亦不惡。

印文：子楠

批語：此二字所不喜者。非衆人手筆。

印文：樟林教頭

批語：醜。

印文：荆門張漢

批語：不惡。

印文：沛生

批語：亦不善。

印文：海陵

批語：洗去雕琢氣。作為好看。

印文：簡廬

批語：近刊之石。此為第一。弟外無人稱許也。

印文：北江

批語：二字祗能如是。絶無別法可辦。

印文：石檜書巢

批語：此乃余之最工細者。可以渾入無悶印譜中也。所稱許者。余始細看。似有古趣。

印文：鑿冰堂

批語：醜到十分加倍者。上一字過短。下一字過長。中一字不成位置也。

印文：吴闓生印

批語：此余尋常作之秀圓者。

印文：白石翁

批語：此三字祇宜如此篆。此拓惜印泥過濕。不成渾厚氣也。

印文：齊人

批語：此一印弟曾[①]所稱許者。余始細看似有古趣。

印文：汪之麒印

批語：世之俗人刻石。多有自言仿秦漢印。其實何曾得似萬一。余刻石竊恐似秦漢印。昨有友人陳半丁稱此印純是漢人之作最佳者。因功力所至也。

印文：徐保慶印

批語：不美亦不惡。

印文：徐再思印

批語：氣勢盈滿。無流俗修削工夫。

印文：陳氏女子

批語:平平。

印文:中和

批語:二字除此刊法。篆法必難妥當。勿作平庸看也。

印文:汪吉麐印

批語:此印可與汪之麒并美。

印文:石農

批語:拙非拙。亦有意趣。

印文:致坡

批語:上拓者似未安詳。亦不能自決其非。加以方欄竟成古印矣。

印文:齊良琨印

批語:此印驕快見渾。人所難到。

印文:郭希度印

批語:牙印刊得如此。作為好印。

印文:養原

批語:亦牙印。脱盡刀痕。

一九二七年

印文:飲於黄河食於蒿(嵩)山三送春秋

批語:印内蒿字想是嵩字。求刊者以書來。所載之印語是蒿字。余衹欲有錢可以買煤。無論何字敢下刀。呵呵。

一九三四年

印文:黔陽謝淵收藏秦漢以下金石文字之印

批語:此石之側記云。此石他日當值五十金。余不願外人所得。孔才弟以為何如。兄白石記。

印文:圓覺

批語:趙無悶無此方勁。白石。

印文:與辛

批語:余所記數印。未知陳朽見之以為何如。白石記。

印文:朱家潘

批語:以老實筆墨刊此朱字。非深知三昧者不識其工。

印文:肯信吾兼吏隱名

批語:此印。今日刊印者以及賞鑒家不能誇其何如為好? 白石記。

印文:印奴

批語:此二字比之無悶各有意態。余不謂余不能刻印。白石記。

印文:梅瀾

批語:此刻純似漢人所作。無甚味。白石記。

一九四六年

印文:年八十六矣

批語:淑度。白石之門人也。北平别來已越六載。今逢於南京。值予正刊此印。求拓之以紀事。丙戌十一月一日。

批孔才印草

一九二一年

印文:學道愛人

批語:凡天然印不易為。此石刊四字。宜作為兩行。每行二字。庶不見做作。古人無天然印。實不雅觀也。此石證之。石可不為為是。

印文:賀植新印

批語:此印乃弟近刊四十八石之第二印也。余願兄胸中須羅秦漢人。不必獨有白石也。

印文:李炳璜印

批語:此印似爛銅印。少渾圓之氣。然古銅印之渾圓係冶成。自無方角。李君此石能一日數用。五年後必成漢人印矣。孔才其進何勇也。

印文:邦理私印

批語:條石篆四字最難。古今人亦不喜刊。

印文:仲宏

批語:二字刀法超勁。余願吾賢師法捨短。

印文:擢星

批語:篆法有別趣。此石乃朱文中之最佳者。不獨言弟。即居京師之刊印家。刻此二字不過如是。

印文:啟之

批語:條石刻得古雅可觀。篆法雖工。然字亦有關係耳。

印文:離明

批語:刀法最工。純似鈍丁刻畫。隹字有趣。惜冂字未工也。

印文:氣以率志

批語:筆畫似拙。却不甚版刻。篆法可觀。却非做作。

印文:賀培新印

批語:此印乃弟近刊四十八印之第一也。居於北京諸刻印家。見此印必欲語人曰。賀培新之刊印。可惜亂來。即嫉辭也。

印文:孔才十五以後所作

批語:篆法乃見用心。其刀法未到十分純熟。覺散亂。此中三昧非獨在用心。亦與年俱進。

印文:謝玉樹印

批語:玉字未成篆文。無論古今人刊過。不得為法。可添一筆。改一筆。便成篆文。

印文:筱山

批語:二字似撝叔刀。雖工。筆畫未穩。刻此等印。見 撝叔 此印便知是非。

印文:天下第一等人忠臣孝子世間惟兩般事耕田讀書

批語:宜常用常擦。方去筆鋒。便是好印。

印文:白雲山人

批語:此印有白山人三字。殊難篆刻。此刻要算工穩。

印文:行吾敬與人忠

批語:行字不雅觀。敬字與行字有推讓之病。

印文:賀迪新印

批語:凡刊石有篆法得心之字。刀法亦有得手處。把石不可忘却。余亦正有此病。此篆法刀法與前第一印第二印雷同。

印文:暄波

批語:此暄字即吳讓之[②]所謂讓頭舒足為多事。波字佳。

印文:張熙敬印

批語:純似爛銅文。故古人印易為。余此言為世人所竊笑也。弟近刊四十八印。此印正。

印文:宗壽勛印

批語:此印佳。筆圓秀。惟壽字最有態度。惜鈎未平。不如前印矣。

印文：賀啟芳印

批語：刻石不宜過爛。偶爾為之可矣。賀字渾得可愛。近來所刻。此算佳者。

印文：仙實

批語：人旁本不易篆。山字稍低下。若是無悶篆縮上一半。實字真老實。有連邊之嫌。

印文：植新之印

批語：此刻篆雖似古金石。祇可偶爾為之。

印文：定遠之印

批語：刀法有趣。章法不團聚。

印文：李炳瑗印

批語：大局雖匀。字字却少精力。李字外且不足雅觀。

印文：子建

批語：趙無悶善篆印。然子字不易佳。余嘗篆此子字。樣式真難看也。願吾弟捨吾所短。

印文：南宫李葆光所作

批語：筆畫老健。如有朱厚色深之印泥泥之。近刻為此第一。

印文：賀培新

批語：賀字之脚。或直下。或見樣可矣。似此似未安穩。其中三味非可言傳。

印文：孔才

批語：二字有味。子字工矣。此後。凡刊有子字之印。以此圓筆最好。

印文：蔣成瑞印

批語：印字竊恐不入時宜。似匠心過用。

印文：玉伯

批語：二字及印邊佳。惜時人必罵也。

印文：賈廷琳印

批語：古人之作。知者難逢。

印文：賈廷琳印

批語：較前印尤工。雖有破筆畫而不見做作。真可謂不假雕琢。篆法。刀法不必輕捨。

印文：賈廷琳印

批語：賈字。琳字有心占長。即有推讓之意。不老實矣。

印文：子和

批語：二字有趣。通印入古。苟能印印如此傳作也。即此可不至消滅矣。

印文：子和父

批語：實有古趣。

印文：景蘧

批語：偽造漢印也。前一字其趣味與古人亂真。

印文：李楷芬

批語：條石不去刻印家習氣。有心為古。翻墮流俗。

印文：兆璜長壽　軒堂

批語：上一印純正。殊不易篆。秦漢人有天趣在老實也。

印文：宗達伯　許恩冕印

批語：上一印輕重自然。入古。此刻法不獨衆人不能知。即刻印家未必人人有此心手。

印文：王思桂印　許恩冕印

批語：上一印安詳。

印文：賀印

批語:賀印二字中離未免太遠。似有心為好。雖好不自然。

印文:兆璜長壽

批語:辛酉七月後。所見孔才弟所刊之石。篆法入古趣。刀法渾成。衹此兆璜一印。足可令人驚佩。白石。願弟穩守兆璜印以名家。不必取巧翻俗。白石又及。

印文:培新白箋

批語:辛酉七月後。白箋印較前兆璜。尤覺痛快。前印如椎畫沙。此印如寶劍之截玉。刊印之道止矣。

印文:吴兆璜摹兩漢金石

批語:吴兆璜摹兩漢金石之印。殊可使用。弟為余所刊者不及此。遠矣。所謂弄巧翻拙耳。

印文:潘式印信

批語:無做琢氣。自然古雅。即好刻手也。

印文:桐城吴氏北江

批語:桐城印。惜北字獨窄。

印文:濟川

批語:純漢人刊銅。

印文:賀氏收藏

批語:大方。

一九二三年

印文:别存古意

批語:純是秦漢思想。不假琢雕。自然古雅。白石山翁。

印文:慶漉

批語:篆勢大雅。不易得人知得。

印文:木卿

批語:古趣。似嫌印泥太濕。

印文:木卿

批語:比前小印尤佳。佳在木字甚拙。

印文:木卿

批語:不似石印。亦不似今人所為。妙品也。

印文:覺禪道人

批語:此印筆畫亦秀。却不見單弱。真能事無慚。

印文:張氏心泉

批語:小印能得筆情超古。

印文:趙家容印

批語:篆法甚有態度。

印文:鄧乃昌印

批語:乃昌二字。毛筆何能寫出。

印文:子靖

批語:脱盡凡格。不見做作。即為佳刻。

印文:豫滑尚氏收藏漢魏六朝金石文字書畫之印

批語:觸目驚人。吾子真可畏也。齊璜記之。以問來者有同情否。

印文:抱陽山人

批語:凡一藝名家。不欲為前人所誤。筆畫异人處。必須留心。

印文:燕賡

批語:瘦硬通神。却為服李陽冰者非之。吾弟勿聽也。

印文:宗尚周印

批語:四字古極。雅極。此時之京華刻印家

不能夢見。即吾輩亦不常有也。吾子刻石止乎此矣。白石山翁。

印文:楊溥之印

批語:秀硬可人。

印文:劉振鐸

批語:雖佳。無奇特處。

印文:劉文機印

批語:穩穩。

印文:張寶琳印

批語:用刀之力。若寶刀截玉如泥。

印文:明東

批語:其篆法足見吾子用心。毫不讓人。

印文:心泉持贈

批語:無悶多此篆法。在無悶不常多佳作。弟可不為。

印文:胡宗照印

批語:過於瘦。瘦必露刀也。

印文:友三

批語:二字佳。用筆真個愛人。惜二又字不相連。似有推讓氣習。總之令人細看不能釋手。

印文:秣陵吴兆璜二十以後書

批語:朱文印甚工。非尋常有意刊鍾鼎文字之流。死於木板之下。近代鍾鼎字多木板出書。

印文:閬生之印

批語:吴先生之名第二字不易刻。況印内又有之字。此篆法即算工矣。

印文:桐城吴氏北江

批語:佳過白文。

印文:覺負軒

批語:刀法硬峭。

印文:方福東

批語:渾。

印文:勿齋主人

批語:此石形。此字樣。無論何人不能弄好。

印文:賀植新印

批語:老誠。

印文:錫明

批語:篆法聰明。非此辦法不可。

印文:孫峰

批語:熟極反生。尋常眼孔不能知其微妙處。

印文:穎民

批語:前人無此篆法。前一字非此篆法不可。妙哉妙哉。

印文:昌威之印

批語:古趣。

印文:陳氏

批語:篆法似吾輩所為。吾弟近朱赤耶。

印文:懷寧何世珍印

批語:老硬。非少年人所為。可佩。

印文:琬君

批語:無悶所無。

印文:瑞芝

批語:芝字不可變動矣。謂為工。非譽詞耳。

印文:篤之

批語:之字又不可變動。吾小名阿芝。吾弟可為刻之。二字芝字之字均可用。

印文:雲青

批語:此印佳。惜雲字左直一筆。似有欺青字之勢。故末筆亦然。

印文:長榮

批語:截玉如泥。人所不能到也。

印文:宋楨之印

批語:刻成。想見快心。

印文:賀又新印

批語:筆畫平穩。不失古法。

印文:浩然

批語:告低於水。然字與水平身。却見自然些。

印文:謝溥

批語:單刀絶妙。

印文:涵九

批語:喜方硬。吾常有此刻法。

印文:馮浩

批語:二字老到。雖有筆畫相連處。絶無雕琢氣。白石。

一九二四年

印文:北山居士

批語:此四字殊不易篆。北字尤難言矣。非如此篆法不可。即如此篆法未佳。用心猶未苦也。白石山翁過目。

印文:孔才

批語:二字態度翩翩。無論何人不能再有作法。

印文:静虚堂主

批語:從此印以後。平通者不言。

印文:長安林郎

批語:恐過於放恣。

印文:懷寧潘氏

批語:潘字水旁上窄下寬。有溪水出江之勢。然在印中未古也。

印文:兆鰲

批語:此上窄下寬之字。不獨無病。而且佳。

印文:方氏美

批語:方字過於圓。故生緩弱。

印文:秋醒齋

批語:真穩。

印文:養晦齋

批語:謹防人曰學爛銅文也。

印文:葆文

批語:下一方留紅太齊。幸稍斜。無嫌也。

印文:子範

批語:範字車字。倘直下到邊尤妙。其印如未出京。可為再刊。

印文:文潮

批語:好矣。好矣。

印文:張國模印

批語:老到十分。未學枯硬。真妙手也。

印文:守拙

批語:拙字斜倒之勢。能見豐姿。

印文:心泉

批語:此二字不易篆。能至如此。苦心可見。

印文:光顯

批語:古趣。妙品也。不可多見。與昔人何處分别。

印文:雨人

批語:別無辦法。

印文:曾克耑印

批語:此篆法余也曾為過。四字不顯明。

印文:履小

批語:老誠至此。令人三揖。

印文:養浩所作

批語:横直筆畫過於方正。作字移於他處難認識也。

印文:陳汝翼印

批語:汝字稍長。故翼字下節筆不能痛快揮出也。

印文:自存

批語:余亦為自存篆過二字。不如弟刊之佳。

印文:遐子

批語:篆法與印邊妙絶。

印文:守廬

批語:渾厚可愛。

印文:孫文錦印

批語:幾乎便是漢刻。非弟上品。

印文:張銑

批語:長字下太寬。偶爾一印可矣。若字字之長字下寬。未免帶江湖習氣。銑字之金字亦短。

印文:閩侯曾克耑印

批語:圓而未弱。自是高手。

印文:秣陵之吴

批語:篆法。刀法皆入上古。時流絶無此夢。

印文:永新劉□文印信長壽

批語:非不工也。各所好也。

印文:方雲龍印

批語:過於硬。余亦有此病。

印文:仲弼

批語:此仲字得之矣。正合吾意。

印文:惠君貽惠

批語:渾雅。

印文:賀迪新印

批語:工極。工極。迪字好篆。故弟名印無此工者。

印文:明父

批語:篆法未安詳。

印文:乃昌

批語:好則好矣。昌字過於短。亦有小病。

印文:耕田讀書

批語:老辣。

印文:耀文

批語:耀字長不見長。文字短不見短。造化自然耳。妙品。

印文:敂之軼塵

批語:小印易工。

一九二四——一九二五年

印文:傅桂馨印

批語:工秀。

印文:菊客

批語:菊字可怕。吾每見之欲逃。

印文:公諒

批語:古趣妙極。吾弟再用工十年不能過此。

印文:祖孫父子叔侄兄弟同年會試科甲聯元

批語:却有古意。非有心為之也。

印文:陳彝長樂

批語:字松非法。

印文:養浩二十五以後所作

批語:費力無多。字字見古。不似刀刻。何也。

印文:吳防之印

批語:防字末筆過斜。似余舊時刻也。

印文:李葆光讀

批語:無烟火氣。

印文:澗於言事

批語:天然。非人工。

印文:張學山印

批語:生機欲動。

印文:仁父

批語:二字雖柔而未弱。

印文:遊戲人間

批語:筆輕力大。截玉如泥。

印文:大曾

批語:曾字有味。在上二畫。

一九二五年

印文:李榮騏印

批語:筆法超穩無縱横氣。看之尋常。為之不易。可謂得三昧。

印文:陳繼聖印

批語:印字少短。使陳字稍長不見短促。陳字直長取勢。印字末筆以横長取勢。故不妨字短促也。

印文:文粲

批語:文字離天別地。粲字頂天立地。故有一嫌其矮。一嫌其長。

印文:潘繩祖印

批語:筆法秀勁。工雅。不見奇特。非深知三昧者不能做出。

印文:毅

批語:石過六分衹刊一字。有求我刊者。我亦不樂為。

印文:伯芝

批語:別無篆法。能事止矣。前人未必有此。京華不識字人。獨能認識陳字。再不認識賀字。何也。

印文:博如

批語:如龍。如蛇。如雲。如烟。無悶所刊小印有如字。諸公以為孰非。

印文:吳懋

批語:置之偽漢印中。人必曰。今人真不能也。余曰。真漢人未必過此。

印文:何世珍印

批語:余不喜摹古。見人摹仿。又不能似。深耻之。吾弟與余同趣志。此印似古刊。何也。

印文:齊家女

批語:刊得甚好。惜齊家女暫無所用耳。

印文:阿梅

批語:秀絶。

印文:易門

批語:門字上應擎天。方不見短。

印文:平父

批語:無二篆法。

印文:汝翼

批語:汝字將末筆抽出。與翼字稱矣。

印文:雪濤

批語:佳。得印者有作才情不負此刊。

印文:王潤德印

批語:用筆老實。喜者自多。

印文:雨亭

批語:與前名印筆畫相稱。前人享大名者。如悲庵。朱白文不似一手出。余以為病也。

印文:徐鴻璣印

批語:使刀不痛快。篆畫工矣。

印文:殷治

批語:刻印至此。可謂神乎技矣。他日如有賞鑒家與賀子無宿冤者。應論在前清諸名人之上。

印文:竹銘

批語:竹字無論何人。别無篆法。

印文:寄痴

批語:寄字非此篆法。必不能妙。

印文:李芝翰墨

批語:余怕刻朱文。看此印弟亦有受苦之態。故古印祇有白文。可想朱文古人亦怕也。

印文:趙懷昌印

批語:變態不易為。為之則危。

印文:少平

批語:平字下直短。將似丁黄篆法。弟如多福。亦可傳之千秋。

印文:信都

批語:平穩。此二字不能篆得妙絶。不可言傳處。

印文:萍翁

批語:吾無言矣。日來作畫無不使此印者。

印文:但恨無過石濤

批語:似爛銅文。近醜態也。刻印有似秦漢人者。吾儕耻也。

印文:少平

批語:二字不易刻。不怪未用心。

印文:趙藴輝

批語:三字病在字字分明。毫不互混。筆畫亦太均。

印文:少平

批語:又是少翁來了。我見欲怕。

印文:毓荃侍觀

批語:見字上稍長。下脚故不暢舒。

印文:越山堂所得石刻

批語:朱文篆法。刻法至此。能事盡矣。

印文:聶氏書鈐

批語:耳字不長脚。古雅之至。

印文:曾經欒城聶氏收藏

批語:三百年哪有此物在塵世。稱之者可對之下拜。妒之者必隔座罵人。

印文:慕姚

批語:悲庵之流亞歟。何其跳出吾圈也。

印文:武福鼐

批語:古極。妙妙。

印文:小溪藏畫

批語:下半部佳者多於上半部。其進可見也。

印文:遊心物外

批語:余看古今刻印家。無人不做削。非吾過言也。不做不削者。自能欽佩。不以吾為妄耳。

印文:泊廬

批語:此印。吾與孔才弟外。天下人有夢見者。吾當以畫百幅為贈。請訂交於晚年。何如。

印文:十年雪牧歸來

批語:鍾鼎之字乃冶金也。學者大愚。弟刊此十字欲與世之愚蠢者同儕耶。余甚耻之。餘佳。

印文:楊八

批語:古拙有餘。亦不可得。

印文:欒城聶氏

批語:秀硬之筆。非削印家能夢見。

印文:易門

批語:此二字難篆。古人非其字不刻之謂也。

印文:易門啟事

批語:四字也。苦了孔才刻到此工。

印文:包鷺賓印

批語:四字工矣。惜各離异。

印文:王宏

批語:易翁名字。皆不易篆。吾弟為刻過多。驚人者何少。祇能怪其字。不責刻者之心手也。

印文:濱陽漫士

批語:秀則秀矣。殊不易拓。

印文:括囊

批語:妙妙。別無篆法矣。

印文:道僧

批語:二字雖老誠。未免令人心傷。

一九二六年

印文:吳兆璜記

批語:余刊印由秦權漢璽入手。苦心三十餘年。欲自成流派。願脱略秦漢。或能名家。每下刀偏不似刀刻。反類鑄冶。孔才弟近作已與余同此病。余憐之。因為記。兄璜。

印文:百竟盦賽藏記

批語:此印不能謂不佳。惟竟字略似徐三庚[③]。幸祇此一字。若字字如是。即入江湖氣習矣。

印文:丁卯

批語:工而且拙。何得古人神體至此。

印文:養浩

批語:朱文比白文更難刊。刀情篆法盡矣。

印文:消閑小品

批語:昔人謂書家腕底有牛蛇之鬼神。看孔才此印草。自知誠非虚語。白石。

印文:餐雪軒主

批語:此石想見太嫩。不然恐似爛銅。

印文:白樓

批語:妙。喜白樓得此有用。

印文:留得春消息

批語:已成流派。下筆自工。毋容一一挑撥。

印文:河澗紀氏□獻陶齋藏書之印

批語:若石堅能刊至此。本事更高矣。

印文:亞琴

批語:此印太似漢人。余看時不願長揖。

印文:素道人

批語:足見聰明。

印文:郭瑄書畫

批語:凡某某書畫印。因書畫二字看得最多。入目不能驚心。

印文:房山王氏收藏記

批語:凡横刊印或直條印以及圓印。或腰圓。無論是何高手。總之無謂。

印文:抱一守中

批語:神妙。

印文:鶴嘆所作

批語:鶴字非此篆法不稱。嘆字無此佳矣。

印文:蚤夜以孜

批語:余只知言工。此印之工。如有請余説明者。余不能也。

印文:履小長壽

批語:深於秦漢印篆之理者。看此長字便知作者之心苦。

印文:吴兆璋印

批語:無意中純是漢人手筆。余不願死於漢人印側。亦間有酷似漢印者。皆因工力所至也。

印文:賀培新印

批語:名印經刻太多。雖工不足怪也。

印文:孔才

批語:此二字。余曾刻過。皆尋常。工至此。不能再有。

印文:惕盦審藏之印

批語:世人以為盦字腰脚稍窄。余不論也。

印文:孔才所作

批語:四字格局無可辦法。誰也不能出色。

印文:孔才父

批語:三字無疵。

印文:孔才摹金石文

批語:孔字末筆曲折。雖有法。未免多於瑣屑。可不用。

印文:周士欽印

批語:古印也。

印文:孔才持贈

批語:大方可愛。

印文:水竹村人書畫之印

批語:恐得者雖求之。未必不捨而藏之也。

印文:畦丁

批語:妙妙。丁字似土中取出。將化欲化泥也。真妙。

印文:降雲館

批語:三字各有態度。合而成章。非凡手能夢見。

印文:君亦

批語:君字上小。大有古趣。

印文:吟者咏絮之廬

批語:好。好。好。不再有辦法矣。

印文:物閑閣

批語:此印非不工。因二門字所害也。

印文:般若盦

批語:余素不喜刻條石。篆法雖工到十分。不見巧處。

印文:臧玉海印

批語:拙見長。

印文:正學廬

批語:余為弟刻過此三字。未工。弟亦未工。何也。

印文:紀南

批語:真是愛人之作。余老矣。不然更字為紀南。好請弟刊印也。

印文:正學廬主

批語:大金石家自家用印宜更刊。

印文:孔才手鈔

批語:不好也不是。好也不是。

印文:師友不必與吾事

批語:將似悲盦。到底不壞。

印文:哼哼蟲亂天下矣

批語:無疵可說。

印文:培新白箋

批語:弟自家印。不工者居多。

印文:丁卯

批語:工。工。工。余於是印最欽佩者。丁字也。

印文:冷透鬢眉

批語:圓轉自然。幾許苦心能到。

印文:阿芝

批語:此贈余印。篆刊雖工。惜條石。余所不喜。贈物情也。亦當寶之。

印文:哀高邱之無女

批語:印語之字合篆法者。其印必佳。前印不如此印。一見便知。

印文:鵬飛九萬

批語:前朝刊印多名家。是誰能刻此四字。

印文:孔才過目

批語:用之於字畫書籍。不得污壞前人手迹。

印文:虎變

批語:虎變。真有變化。

印文:萬壽無疆

批語:凡不正之石。絶無佳作。

印文:與天無極

批語:若死於許氏說文[④]者。不篆此與字。此印必醜。

印文:千仞振衣

批語:下刀如寫草書。惟我與汝有是。

印文:庖丁

批語:余愛極。愛極。

印文:臣將為鑲

批語:大雅。不似唐以後人刊。

印文:齊立震

批語:古鑄銅從何分別。

印文:峙青

批語:我所怕之字。弟亦常遇着。

印文:一洗古今為快

批語:略似無悶。不亞工細。

印文:擁蕙盦

批語:盦字不如擁字。長却見短。

印文:君玉

批語:頗似鑄銅。非有心能到。

印文:賈廷琳印

批語:較弟名印佳。琳字欲至此。非白石法不可。

印文:雨洲

批語:神物也。雖有學力不能為此印。腕下有鬼神。信然。

印文:繼曾

批語:此印以下。人力所能到者。皆不加墨。

印文:馮鐔

批語:條石似此二字。算極工之作。

印文:陳汝翼書畫印

批語:美至此。真不易得。

印文:翼白

批語:翼字有飛騰萬里之態。真象形也。

印文:逸廬

批語:逸字無論是何高手。篆刊不能不醜。

印文:小溪

批語:工。工。小字稍短好極。若再短一絲見做作矣。

印文:敏於事而慎於言

批語:字體之緊嚴。筆畫之參差。稀密皆自然。無尋常古今人做作氣。

印文:簾邨

批語:邨字是可怕之字。柔弱削印者刊之反不見醜。

印文:孫容圖印

批語:妙極。白石外無人知得。

印文:春榆

批語:榆字未是。春字態度不佳。

印文:郭曾炘印

批語:郭君何人。可不辜負此印否。

印文:正學廬主

批語:弟所刊之正學廬。以此印為第一。

印文:培

批語:培字太爛。不獨世人欲罵。我輩亦然。

印文:孔才畫記

批語:丹青將老。此印能施用。

印文:孔才吟草

批語:四字風度翩翩。無論詩學如何好。此印能相稱。

印文:愛時進取將以惠誰汜汜放逸亦同何為

批語:印語甚好。篆亦可觀。

印文:沈憂令人老

批語:好在前刊三字。若前刊二字。尋常削印匠家腸肚矣。

印文:雄鷄一聲天下白

批語:諺云。捉得猪叫便是屠人。刊印至此。可稱屠人首領。

印文:浩湖

批語:無意不免似漢人。亦是一病。

印文:吟詩一夜東方白

批語:夜字不易篆。我見亦怕。

印文:少年心事當拏雲

批語:又是心字難工。通章衹年事二字未醜。

批劉淑度印草

一九二九年

印文:白雪齋主

批語:吾之同學中。君不出第三名。

印文:才慚綉虎

批語:篆法刀法無慚。白石。

印文:兼三

批語:二字之界過於清白。

印文:綠天盦

批語:盦字之天地位太均勻。

印文:孫榮彬印

批語:此四字别無作為也。

印文:摯哉

批語:二字不似刺綉手段。故佳。

印文:陳景三

批語:平平即是佳印。

印文:軼盦

批語:此盦字是矣。

印文:楊思康印

批語:此四字似嫌瘦硬。因印泥未佳厚故也。

印文:李麗貞

批語:麗貞二字未佳。因貞字之脚未舒。令予篆。亦無辦法矣。

印文:李鐸卿印

批語:鐸卿二字不能篆。强為之故成死物矣。

印文:騰霄讀書　騰霄珍賞

批語:上一印。若無霄字。稍為透空氣。幾乎死矣。刊印家亦怕字難變化也。下一印較上印稍佳。珍字筆畫少。可去版刻氣也。

印文:南溪

批語:似文三橋[5]。七八歲小孩子皆能削得出來。偶爾一刻可矣。

印文:岑生

批語:二字有老辣氣。可用之作。

印文:白石坡珍藏

批語:余五十歲以前。不肯與人刊收藏印。竊恐污人字畫書籍。此印篆法稍工或可用。總之。少與人刊為好。

印文:王紹張

批語:穩。刀法大方。汝所刊之朱文印。此為第一。即吾輩之作。不過如是而已。

印文:胡位斌印

批語:斌字不見説文。自我作古可矣。此四字似漢人作。

印文:化民

批語:此二字亦似古人作。筆情活極。印之佳者。

印文:寳琴

批語:琴字之難篆。我亦大怕。

印文:淑度

批語:可用。度字尤佳。

批馬景桐[6]印草

一九三二年

印文:信為吾寳

批語:信為二字似丁黄。恐時人不取也。

印文:亦錢

批語:不如前刻之超縱。

印文:聾行者

批語:聾字未是。

印文:行吾所是

批語:行所二字不雅。

印文:刻始壬申

批語:衹此篆法即工矣。

印文:光門

批語:光字有俗氣。

印文:邊治平印

批語:前二字筆細而有力。後二字惜柔弱矣。

印文:賀湘南印

批語:字不滿石。覺無力量。

印文:道弘屬稿

批語:篆法却是。惜字之筆畫太多。無空氣可觀。

印文:樂天知命故不憂

批語:命字末筆不與衆合。

印文:自嫌野性共人疏

批語:刻白文見紅則易。見白則難。

批半聾樓印草⑦

一九三八年

印文:半聾樓

批語:此印。吾弟至老可用。

印文:聾叟

批語:秦漢三昧得之矣。

印文:清泉堂

批語:大雅。當代刻者無。知者亦稀少。

印文:年已强壯

批語:予之佳刻。

印文:談何容易

批語:速篆法妙極。

印文:虚度古稀半

批語:此石篆法。好在筆畫粗索。疏密有趣。不能再工。篆刻中無上妙品也。

印文:半聾秘笈

批語:別無出新之法。祇宜如是。

印文:白丁

批語:此印時人不敢為也。

印文:鐵石心腸

批語:得古人之心矣

印文:漏痕屋

批語:三字最妙。可見聰明。

印文:半聾

批語:鐵衡弟刻石。不似余之皮毛也。

印文:聽有音之音者聾。

批語:與老缶可亂真。

印文:雪萍

批語:粗有味。

印文:未曾有也

批語:仿余之刻。尤秀。

印文:西平

批語:予之佳者。

印文:數點梅花天地心

批語:秀勁可愛。

印文:請君脱去烏紗帽。

批語:似缶廬工者。

注:

① 據啟功講為陳師曾。

② 吴讓之(一七九九—一八七〇年),清代人,字熙載。原名廷揚。嘗自稱讓翁,又號晚學居士。會寫意設色花卉。精篆隸,善治印,并精全石考證。

③ 徐三庚(一八二六—一八九〇年),清代人,浙江上虞人。字辛穀,號井罍,又號袖海,自號金罍道人。工篆隸,所刻吴皇象書天發神讖碑,刻印上規秦漢。

④ 許慎,東漢經學家、文字學家。漢召陵人。字叔重。著《説文解字》十四卷并叙目為十五卷,集古文經學訓詁之大成,并是我國最早的文字學專著。

⑤ 文三橋(一四九八—一五七三年),亦名文彭。明代著名

篆刻家。首創用青田燈光凍石治印，標志篆刻由銅印時代進入石章時代。

⑥ 馬景桐(一八九五——一九七〇年)，河北東鹿人。字琴舫，號組衡。一九二九年拜齊白石門為師，習中國畫和篆刻。四十年代懸潤治印，六十年代因眼病不再刻印作畫。

⑦ 半聾樓印草為周鐵衡印集。周鐵衡(一九〇三——一九六八年)，河北冀縣人。職業醫生、古錢幣收藏家，齊白石弟子，亦是齊派篆刻佼佼者。

十、潤格

雪庵潤格

雪庵畫山水似宋刻絲及大滌子畫品高。故知者難早得。年來外人欲求者無由入。余憐其一輩苦心。何不供諸天下為定潤格求者自得門徑。昔拙公和尚未以板橋道人為多事也。

條幅山水　四尺十二圓　五尺十六圓　六尺二十圓

條幅花卉　四尺六圓　五尺八圓　六尺十圓

條幅人物　四尺八圓　五尺十圓　六尺十二圓

整張加倍

扇面山水四圓　花卉二圓　人物三圓

團扇册頁同

如荷雅意。潤金先惠。每圓加外費一角。點題另議。

丙寅中秋前十日。借山老人齊璜書。

按：潤格寫於一九二六年。

北京榮寶齋資料室提供。

爲劉淑度所寫潤例

從來篆刻之盛。本屬士矣。女□能事無聞焉。門人劉師儀女士。字淑度。自幼喜刻印。篆法刀工無兒女氣。殊為閨閣特出也。年來求刻者過多。予憐其有日不暇給之苦。為訂潤例。免其繁勞。

石小三分至六分止每字二金。六分至一寸每字三金。石大一寸外者加倍。金玉不刻。

癸酉夏四月。白石山翁。

按：此潤例寫於一九三三年。

北京政協文史委員會編《文史資料選編》第二十四輯。

重訂潤格

余年七十有餘矣。苦思休息而不能。因有惡觸。心病大作。畫刻月不暇給。病倦交加。故將潤格增加。自必扣門人少。人若我弃。得其静養。庶保天年。是為大幸矣。白求及短減潤金。賒欠。退換。交換諸君。從此諒之。不必見面。恐觸病急。余不求人介紹。有必欲介紹者。勿望酬謝。用棉料之紙。半生宣紙。他紙板厚不畫。山水。人物。工細草蟲。寫意蟲鳥皆不畫。指名圖繪。久已拒絶。花卉字幅。二尺十圓。三尺十五圓。四尺二十圓。以上一尺寬。五尺三十圓。六尺四十五圓。八尺七十二圓。以上整紙對開。中堂幅加倍。横幅不畫。册頁。八寸内每頁六圓。一尺内八圓。扇面。寬二尺者十圓。一尺五寸内八圓。少者不畫。如有先已寫字者。畫筆之墨水透污字迹。不賠償。凡畫不題跋。題上款者加十圓。刻印。每字四圓。名印與號印。一白一朱。餘印不刻。朱文。字以三分四分大者為度。字小不刻。字大者加。一石刻一字者不刻。金屬玉屬牙屬不刻。石側刻題跋及年月。每十字加四圓。刻上款加十圓。面有紋裂。動刀破裂不賠償。隨潤加工。無論何人。潤金先收。

按:此則潤格所作時間,文内未注明。而據王森然引一九三四年所發文章,中有潤格内容與此潤格完全相同。則此潤格當作於七十至七十二歲之間。現藏遼寧省博物館。

爲門人王生書潤格

□□字鑄九[①]。號嶦農。少喜作畫刻印。二十歲後。聞有收藏家。不辭遠道。必往求觀。得見前清諸名人真迹既多。遂得其法。復從吾遊。明几夜燈。從無虛日。不辭酬應。積紙如山。吾謂從來知畫刻者。皆高人逸士。能事之精微。出自清閑。分陰無暇。工匠也。為擬潤例。減省煩勞。愛嶦農者。不以銅山當作珠海也。

轉引自齊良遲提供的《白石文鈔》。

陳小溪潤例

陳池翼。字小溪。年二十時。嘗來借山館。其人閑静。自言讀書之餘。好作畫刻印。余曰。知煤米價否。曰。不知。余曰。汝必欲以雕蟲小技悮此青年之如余耶。小溪不答。笑之。越數年。畫刻大進。有獨造處。求者益衆。余欲為擬潤格屏之。小溪又一笑。昨與余曰。年來酬應之苦。眠食失節。一月中常二十八九。今求公為我屏之可矣。余為書此。

轉引自齊良遲提供的《白石文鈔》。

爲門人姚石倩書潤格

書畫篆刻。本寂寞之道。讀書之餘。好事賞鑒。心領神會。成竹在胸。然後為之。無不工妙。故冬心缶廬皆五十歲後始從事畫刻便名家。今石倩與金吴略同。五十歲後不辭萬里之跋涉。來舊京從余遊。畫刻益進。求者日繁。或致勞倦。余憐之。為擬潤例。真愛者不惜乎此。惜金者不拒自絶矣。

轉引自齊良遲提供的《白石文鈔》。

爲蕭松人書潤格

蕭君松人。湖南寶慶人。性好奇特。兩目瞭然。自號一眼行者。作畫出乎天性。嘗作大畫。捷克人以三百金購去。欲購小幅。未定潤金。余為從廉訂之。并可供諸世人。亦有雙目瞭然者。

轉引自齊良遲提供的《白石文鈔》。

門客馬光奎撰文刊印作畫潤例

文短篇百字内四十萬。

百字至三百字每百字二十萬。過此另議。

白話同例。

畫花卉每方尺三萬。

山水人物加二倍。人著重色加一倍。

印朱文一字二萬白文一萬。

石印外不刻。

凡潤乞惠。

隨潤加一。

欲急用者可約期為定。

白石代定之。

卅二年中秋日。京華書。寄南京。

按:此潤例寫於一九四三年。

《齊白石父子軼事·書畫》馬璧編著,新殊出版公司,一九七九年,臺北。

自訂潤例

一尺十萬。册頁作一尺。不足一尺作一尺。扇面。中者十五萬。大者二十萬。粗蟲小鳥。一隻六萬。紅色少用五千。多用一萬。刻印。石小如指不刻。一字白文六萬。朱文十萬。每圓加一角。

按:此潤例寫于一九四七年。

轉引自渺之著《白石老人逸話》附圖,香港上海書局,一九七三年。

注:

① 王鑄九(一九〇〇—一九六六年),字嶦農,號雨石,齋稱紫丁香館,河南舞陽人。一九二九年拜齊白石為師。融書法、篆刻之筆法刀味入畫,筆簡意賅,具有濃鬱的時代氣息。

十一、告白

一

余年來神倦。目力尤衰。作畫刻印祇可任意所之。不敢應人示……作畫不為者。像不畫。工細不畫。着色不畫。非其人不畫。促迫不畫。刻印不為者。水晶玉石牙骨不刻。字小不刻。石小字多不刻。印語俗不刻。不合用印之人不刻。石醜不刻。偶然戲索者不刻。貪畫者不歸紙。貪印者不歸石。明語奉聞。瀕生啟。

按:此告白寫於一九一七年。

《齊白石傳略》龍龔著,人民美術出版社,一九五九年,北京。

二

賣畫不論交情。君子有耻。請照潤格出錢。庚申秋七月直白。

按:此告白寫於一九二〇年。

《齊白石研究大全》劉振濤等編,湖南師範大學出版社,一九九四年,長沙。

三

有為外人譯言買畫者。吾不酬謝。

壬戌。白石翁揖。

按:此告白寫於一九二二年。

《齊白石研究大全》劉振濤等編,湖南師範大學出版社,一九九四年,長沙。

四

三月十六日得家書。母親病重。吾心不樂。一切應酬請免。

按:此告白寫於一九二六年。

《齊白石研究大全》劉振濤等編,湖南師範大學出版社,一九九四年,長沙,原件藏遼寧省博物館。

五

去年將畢。失去五尺紙蝦草一幅。得者我已明白了。壬申。白石老人。

按:此告白寫於一九三二年。

《齊白石研究大全》劉振濤等編,湖南師範大學出版社,一九九四年,長沙。

六

近來多有短減潤金。代人求畫者。即不敬衰老。請莫再見。丙子九月。本主人堅白。

按:此告白寫於一九三六年。

《齊白石研究大全》劉振濤等編,湖南師範大學出版社,一九九四年,長沙。

七

白石老人心病復作。停止會客。若關作畫刻印。請由南紙店接辦。

按:此告白寫於一九三九年。

《齊白石傳略》龍龔著,人民美術出版社,一九五九年,北京。

八

二十八年十二月初一起。先來之憑單退。後來之憑單不接。本室主人。

按:此告白寫於一九四〇年。

《齊白石傳略》龍龔著,人民美術出版社,一九五九年,北京。

九

畫不賣與官家。竊恐不詳。告白。中外官長要買白石之畫者。用代表人可矣。不必親駕到門。官入民家。主人不利。謹此告之。恕不接見。庚申正月。八十老人白石拜白。

花卉加蟲鳥。每一隻加十圓。藤蘿加蜜蜂。每隻加二十圓。減價者。虧人利己。余不樂見。庚申正月初十日。

絶止減畫價。絶止吃飯館。絶止照像。自注:吾年八十矣。尺紙六圓。每圓加二角。賣畫不論交情。君子自重。請照潤格出錢。切莫代人介紹。心病復作。斷難報答也。

與外人翻譯者。恕不酬謝。求諸君莫介紹。吾亦苦難報答也。

按:以上告白寫於一九四〇年。

《齊白石研究大全》劉振濤等編,湖南師範大學出版社,一九九四年,長沙。原件藏遼寧省博物館。

十

凡藏白石之畫多者。再來不畫。或加價。送禮物者。不答。介紹者。不酬謝。已出門之畫。回頭補蟲。不應。已出門之畫。回頭加題。不應。不改畫。不照像。凡照像者。多有假白石名在外國展賣假畫。廠肆祇顧主顧。為我減價定畫。不應。九九翁堅白。

按:此告白寫於一九四一年。

《齊白石研究大全》劉振濤等編,湖南師範大學出版社,一九九四年,長沙。

十一

停止賣畫。

按:此告白寫於一九四三年。

引自齊璜口述、張次溪筆録《白石老人自傳》,人民美術出版社,一九六二年,北京。

十二

暫停收件。

按:此告白寫於一九四八年。

轉引自:齊璜口述、張次溪筆録《白石老人自傳》,人民美術出版社,一九六二年,北京。

第三部分

齊白石題跋

第三部分　齊白石題跋

按語：題跋是齊白石繪畫、篆印、書法藝術的重要構件，是齊白石創建饒具質樸、雄渾、爛漫的陽剛之美的藝術殿堂中不可或缺的組合部分。其内容豐富深邃，方式手法靈活高妙，數量之多，質量之高，爲古今藝術所僅見。在齊白石七十年的藝術生涯中，從二十七歲正式拜師學習詩文書畫，直至題爲九十八歲的絶筆之作，幾乎從未放松過對題跋的運用。這些新鮮生動、流溢着才情與天趣的題跋，不僅使其書畫篆印藝術更爲光彩奪目、感人肺腑，而且是其思想情感、生活情致、藝術追求和靈感志意的真誠表述，成爲全面研究齊白石藝術的珍貴史料和重要内容。自然，也有一些題跋没有署明具體的年代月份，這常使研究家們在斷代問題上大傷腦筋而争執不休。對此，筆者祇能參照有關專家學者大體一致的意見，將這些題跋歸入相應的年代。就其準確無誤的尺度上雖然難能盡如人意，但求能够引發出讀者再度審定和深入探求的熱情。

一八八九年（光緒十五年　乙丑）二十七歲

栩栩枝頭飛有意。春風吹動舞衣裳。

題蝴蝶蘭贈作塤夫子[1]。遼寧省博物館藏畫。

余二十七歲時。自號畫隱。友人王仲言[2]為刊畫隱二字印。

爲許情荃作畫隱圖并題。《齊白石作品集》第三集第一八八頁，人民美術出版社。

注：

①題蝴蝶蘭贈作塤夫子：齊白石《蝴蝶蘭》全詩："此身應是莊周化，其臭渾同王者香。栩栩枝頭飛有意，春風吹動舞衣裳。"這裏取後二句作畫。作塤：齊白石二十七歲在胡家之受業師陳少蕃，名咸清，字作塤，號少蕃。著有《樸石庵詩草》二卷。一九四六年齊白石八十六歲時再畫蝴蝶蘭圖曾憶及此事。

②王仲言：名訓，又號退園。精詩文，擅篆刻。龍山七子之一。著有《退園詩文集》。他與齊白石是生死摯交和兒女親家，《白石詩草》由他一手删定。白石日記寫道："仲言社弟友兼師也。往後凡關他的片言祇字，是吾子孫都要好好保存，視爲珍寶。"

一八九二年（光緒十八年　壬辰）三十歲

光緒十八年□月。奉夫子大人[1]之命。受業齊璜學。

題佛手花果扇面。湖南省博物館藏畫。

注：

①夫子大人：特指胡沁園。胡氏名自倬，字漢槎，號鈍叟，人稱壽三爺，擅詩文書畫。是齊白石走上書畫藝術生涯的第一位恩師，也是發現、培養和宣傳齊白石藝術才華的關鍵性人物。

一八九三年（光緒十九年　癸巳）三十一歲

笑煞錦鴛鴦。浮沉浴大江。不如枝上鳥。頭白也成雙。夫子大人[①]之命。光緒十九年夏四月。受業齊璜。

題梅花天竹白頭翁。遼寧省博物館藏畫。龍龔《齊白石傳略》圖版八，一九五九年，人民美術出版社。

作於沁園精舍。齊璜製。

題西施浣紗。首都博物館藏畫。

注：

①夫子大人：這裏指胡沁園。

一八九四年(光緒二十年　甲午)三十二歲

龍山七子[①]圖。七子者。貞吾羅斌。醒吾羅羲。言川王訓。子荃譚道。西木胡栗。茯根陳節暨余也。甲午季春過訪時園。醒吾老兄出紙一幅。囑余繪畫以紀其事。余亦局中人。不得置之度外。遂於酒後驅使山靈以為點綴焉。瀕生弟齊璜并識。

題龍山七子圖。人民美術出版社《齊白石繪畫精品集》第二頁，一九九一年。

麻姑進釀圖。曉村先生大人志慶。時甲午冬月。瀕生齊璜。

題麻姑進釀圖。中央美術學院藏畫。

晋卿世伯[②]大人教正。光緒二十年冬十月上九日。瀕生侄齊璜作於蔬香老圃。

題八哥水仙。胡佩衡、胡橐《齊白石畫法與欣賞》圖版七，一九五九年，人民美術出版社。

綉服華簪鶴髮仙。安危身繫廿餘年。兩京次第看烽熄。單騎從容服虜旋。點頷兒孫朝笏滿。中書門閥帝姻聯。放懷唐室思元老。壽考勛高富貴全[③]。光緒二十年十一月上九日。畫奉麥秋老伯大人之命。即乞教正。侄齊璜。

題壽翁。中國美術館藏畫。董玉龍主編《齊白石作品集》圖四，一九九〇年，天津人民美術出版社。

歲星偶謫碧天高。金馬門前待詔勞。壯歲上書驚漢武。明廷譎諫勝枚皋。來來試卜篋中棗。往往曾偷天上桃。目若懸殊鑿編貝。侏儒端莫笑吾曹[④]。第二行明字上有武。

題人物四條屏之二·東方朔。中國美術館藏畫。董玉龍主編《齊白石繪畫精品選》第二〇六頁，人民美術出版社，一九九一年，北京。

子銓社弟大人雅玩。乞正。小兄齊璜作於寄園。

題人物。中國美術館藏畫。

晋卿老伯。世侄璜。

題蘆雁。中央美術學院藏畫。

屢顧茅廬感使君。隆中策早定三分。南陽(漁)魚出欣逢水。西蜀龍飛便得雲。持己一生惟謹慎。出師兩表見忠勤。何圖永鎮巒方後。遺恨空屯北伐軍。

題諸葛亮。浙江省博物館藏畫。

江上送君行。依依泪欲傾。碧簫千古恨。紅豆一生情。吹月明年約。登樓何處聲。章臺春柳緑。打不盡黄鶯。光緒二十年十一月十六日畫於時園。奉□□老弟大人清賞。兄璜并題。

題洞簫贈别圖。中央美術學院藏畫。

注：

①龍山七子：由王仲言發起，一八九四年夏天在湘潭縣白泉棠花村羅真吾家，正式組建詩社。因在附近五龍山的大杰寺内借用幾間房子作社址，故取名龍山詩社。最初成員有齊白石、王仲言、羅真吾（名天用，號情園）、羅醒吾（名天覺，號時園）、陳茯根（名節）、譚子荃（名道）、胡西木（名栗）七人，推年紀最長的齊白石爲社長。時人稱爲"龍山七子"。

②晋卿世伯：羅晋卿，號蔬香老圃。係羅真吾、羅醒吾兄弟之父，故齊白石以世伯尊之。

③壽考勛高富貴全：從此首七律内容分析，當是對唐代大臣名將郭子儀的頌揚。

④侏儒端莫笑吾曹：從此首七律内容分析，當是指漢武帝時代大臣、文學家東方朔的神仙傳説。東方朔，字曼倩，平原（今山東惠民一帶）人。性詼諧滑稽，善辭賦，一度受到漢武帝重用。後世傳爲因偷天上碧桃而貶謫到人間的仙人。《神异經》、《海内十洲記》等書均托名爲他的作品。

一八九五年（光緒二十一年　乙未）三十三歲

漢亭仁兄[①]大人雅屬即正。瀕生弟齊璜。

題人物六條屏。陽光藏畫。

注：

①漢亭仁兄：歐陽陽光的本家。

一八九六年（光緒二十二年　丙申）三十四歲

沁園夫子大人雅命。丙申正月上九日。受業齊璜。

題山水扇面。湖南省博物館藏畫。

丙申四月浴佛節[①]。沁園主人自繪。門人璜刊。

爲胡沁園竹筆筒刊三魚圖。胡維岳藏。參見劉振濤、禹尚良、舒俊杰《齊白石研究大全》第二八頁，一九九四年，湖南師範大學出版社。

沁園夫子大人五秩之慶。受業齊璜。

題三公百壽圖。遼寧省博物館藏畫。

沁園夫子五十歲小像。時丙申四月浴佛後二日。受業齊璜恭寫。

爲胡沁園寫真。遼寧省博物館藏。參見劉振濤、禹尚良、舒俊杰《齊白石研究大全》第二八頁，一九九四年，湖南師範大學出版社。

漢槎夫子大人[②]之命。受業齊璜。

題山水。胡佩衡、胡櫜《齊白石畫法與欣賞》圖版五，一九五九年，人民美術出版社。

注：

①浴佛節：佛祖釋迦牟尼的誕辰爲四月初八日，定爲浴佛節，是佛教盛大節日之一。

②漢槎夫子大人：胡沁園，字漢槎。

一八九七年(光緒二十三年　丁酉)三十五歲

光緒丁酉。白石草衣齊璜為蝶庵[①]先生之屬。

題踢毽子·嬰戲圖四條屏之四。中央美術學院藏畫。

光緒丁酉五日正午。沁園夫子大人命畫。受業齊璜。

題虎。遼寧省博物館藏畫。

丁酉九月齊璜作於寄園。

題鐵拐李。浙江省博物館藏畫。

緑樧[②]野屋。齊大。

題緑樧野屋圖。北京市文物公司藏畫。寄黎鯨庵於四川的山水四條屏之一。

光緒丁酉十月畫寄鯨庵[③]明府蜀中。瀕生齊璜。

題山水四條屏寄黎鯨庵。北京文物商店藏。參見劉振濤、禹尚良、舒俊杰《齊白石研究大全》第二九頁,一九九四年,湖南師範大學出版社。

注:

①蝶庵:黎鯨庵之四弟,名承福,字壽承,號鐵安。

②樧:即杉。

③鯨庵:黎薇蓀,字鯨庵。清文肅公黎培敬之三子,黎雨民之叔父。甲午科翰林,時在四川做官。其弟黎鐵安,其子黎戬齋均與齊白石交往密切,情誼深厚。

一八九八年(光緒二十四年　戊戌)三十六歲

蔬香老圃圖。光緒二十四年春三月。世侄齊璜為晋卿老伯大人六十二歲壽。

題蔬香老圃圖。遼寧省博物館藏畫。

一八九九年(光緒二十五年　己亥)三十七歲

烏巢圖。光緒己亥十月初二日。龍山社長齊璜為真吾醒吾廬墓作。

題烏巢圖。中央美術學院藏畫。

一九〇〇年(光緒二十六年　庚子)三十八歲

庚子三月。齊璜。

題黛玉葬花。胡佩衡、胡橐《齊白石畫法與欣賞》圖版六,一九五九年,人民美術出版社。

繼老仁世丈大人雅令。白石山人齊璜畫。

題梅花喜鵲圖。湖南省博物館藏畫。

一九〇一年(光緒二十七年　辛丑)三十九歲

松庵[①]説劍圖。德恂同社道兄先生屬。辛丑三月。弟璜。

題松庵説劍圖。中國藝術研究院美術研究所資料館藏畫。

沁園師母五十歲小像。時辛丑四月。門人齊璜恭寫。

題沁園師母五十小像。遼寧省博物館藏畫。

辛丑五月客郭武壯祠堂。獲觀八大山人真本。一時高興。仿於仙譜[②]世九弟之箑上。兄璜。

題仿八大山人扇面。湖南省博物館館藏畫。

注：

①黎松庵：名德恂，字松庵，又字松安，亦名培鑾。係黎錦熙之父。清末舉人，一生未仕，隱居湘潭長塘，以詩文篆印自娛。曾組織羅山詩社，龍山七子時來唱和。他是齊白石早年吟詩刻印的摯友。長塘黎家是臯山黎雨民的本家。

②仙譜：胡仙譜，亦名仙逋，係胡沁園之子，胡阿龍之父。

一九〇二年(光緒二十八年　壬寅)四十歲

名利無心到二毛[①]。故人一簡遠相招。蹇驢[②]背上長安道。雪冷風寒過灞橋[③]。

題灞橋風雪圖。張次溪筆録《白石老人自傳》第四九頁，一九六二年，人民美術出版社。

我亦人稱小鄭虔。杏衫淪落感華顛。山林安得太平老。紅樹白雲相對眠。題馮□山先生所畫白雲紅樹圖近作。

題白雲紅樹圖。《中國嘉德'95春季拍賣·中國書畫》第六六號，一九九五年，北京。

楓林亭外夕陽斜。老大逢君更可嗟。記否兒時風雪裏。同騎竹馬看梅花。楓林亭逢朱大舊句。

題楓林亭外。《中國嘉德'95春季拍賣·中國書畫》第六六號，一九九五年，北京。

偶騎蝴蝶御風還。初雪輕寒半掩關。繞屋横斜萬梅樹。却從清夢悔塵寰。　安得蒲團便是家。凍梨無己鬢霜華。墜身香雪春如海。天女無須更散花。自題萬梅家夢圖二絶句。

題萬梅香雪圖。《中國嘉德'95春季拍賣·中國書畫》第六六號，一九九五年，北京。

燕子飛飛落日斜。春風不改野橋花。十年壯麗將軍府。獨樹當門賣酒家。為郭五人漳畫山水并題舊句。

光緒庚子仲秋。輔公老伯司馬大人以書附紙索璜畫。越明年暮春公没。又明年季秋。璜就柏蔭山房選絶句畫此六幀。以奉服鄒五弟世大人兩正。龍山社長齊璜白石草衣并記。

題當門賣酒。《中國嘉德'95春季拍賣·中國書畫》第六六號，一九九五年，北京。

注：

①二毛：青春已過，初生的黑髮變成了斑白頭髮。這裏代指老年人。《左傳·僖公二十二年》："君子不重傷，不禽(擒)二毛。"

②蹇驢：跛足的驢。《楚辭·七諫·謬諫》："駕蹇驢而無策兮，又何路之能極？"

③灞橋：長安東有灞橋，漢唐時代這裏是朋友惜别之處。有灞橋折柳之説。宋孫光憲《北夢瑣言》："相國鄭綮善詩。……或曰：'相國近有新詩否？'對曰：'詩思在灞橋風雪中驢子背上，此處何以得之？'"

一九〇三年（光緒二十九年　癸卯）四十一歲

余出西安。道過華陰縣。登萬歲樓看華山。至暮點燈畫圖。圖中桃花長約數十里。

題華山圖。張次溪筆録《白石老人自傳》第五一頁，一九六二年，人民美術出版社。題識轉引胡佩衡、胡槖《齊白石畫法與欣賞》第四一頁，一九五九年，人民美術出版社。題畫年代從《自傳》。

看山須上最高樓。勝地曾經且莫愁。碑後火殘存五岳。樹名人識過青牛。日晴合掌輸山色。雲近黄河學水流。歸卧南衡對圖畫。刊文還笑夢中遊。沁園夫子大人教。門下齊璜。

題華山圖團扇。遼寧省博物館藏畫。

一九〇四年（光緒三十年　甲辰）四十二歲

甲辰之江西。將至樟[①]。求寫生。

記鸕鷀寫生畫稿。劉振濤、禹尚良、舒俊杰《齊白石研究大全》第四二頁，一九九四年，湖南師範大學出版社。

注：

①樟：是年齊白石陪王湘綺師遊江西南昌，乘舟過樟樹。

一九〇五年（光緒三十一年　乙巳）四十三歲

乙巳九月。余嘗遊桂林。見店壁有此稿。歸於燈下背臨其大意。

題桂林旅店墻壁山水默畫稿。胡佩衡、胡槖《齊白石畫法與欣賞》第二二頁，一九五九年，人民美術出版社。

兩粤之間之舟無大桅。帆横五幅。上下兩幅色赭黄。中兩幅色白。亦有獨桅者。

海中山石。上半緑色。下半石色。點深緑色。即作墨點亦可。隱隱遠山青石。

將至平樂府。沙高處碧草一叢。堪入畫。

題記廣西寫生山水小稿。胡佩衡、胡槖《齊白石畫法與欣賞》第四三頁，一九五九年，人民美術出版社。

似舊青山識我無。少年心與迹都殊。偏舟隔浪丹青手。雙鬢無霜畫小姑[①]。白石山翁寫真并題。

前癸卯畫此側面。乙巳畫正面圖。遠觀似鐘形。尤古趣。已編入借山圖矣。白石又記。

題小姑山。胡佩衡、胡槖《齊白石畫法與欣賞》圖版二九，一九五九年，人民美術出版社。

注：

①小姑：小姑山，即小孤山。在江西彭澤縣北，安徽宿松縣東，有石如柱，屹立江中。俗名髻山。爲别於彭蠡湖之大孤山，故稱小孤山。世人愛其峭拔秀美，遂稱小孤爲小姑。巧好江側有一石磯，謂澎浪磯，即轉稱彭郎磯。

一九〇六年（光緒三十二年　丙午）四十四歲

龍山社侄[①]齊璜畫以壽晋卿老伯。時光緒丙午冬十月。

題賜桃圖。遼寧省博物館藏畫。

注：

①龍山社侄：龍山詩社成員常在羅真吾家雅集。真吾之父羅晉卿以軍職歸鄉，轉好文墨，與龍山七子關係融洽。“龍山社侄”是齊白石以晚輩身份向羅晉卿親昵的自稱。

一九〇七年(光緒三十三年　丁未)四十五歲

九還喜余畫。余未以為貪耳。公如為官。見錢如見山人之畫。則民何以安生。此感奇也。九還勿為怒。兄璜記。

題蝦。胡佩衡、胡橐《齊白石畫法與欣賞》圖版四〇，一九五九年，人民美術出版社。

丁未二月二十六午刻。過陽朔縣。於小岩下之水石上見此鳥。新瓦色其身。棗紅色其尾。小可類大指頭。

石下之水祇宜橫畫。不宜回轉。回轉似雲不似水也。

題岩下小鳥寫生稿。渺之著《白石老人逸話》附圖。轉引劉振濤、禹尚良、舒俊杰《齊白石研究大全》第四五頁，一九九四年，湖南師範大學出版社。

一九〇八(光緒三十四年　戊申)四十六歲

老屋聽鸝圖。音乖百囀黃鸝鳴。斗酒雙柑老屋晴。笑我買山真僻地。十年不聽子規聲。自丙午移家。老妻嘗云。來此不聞杜宇已九年矣[①]。

題石門風景。胡佩衡、胡橐《齊白石畫法與欣賞》圖版二七，一九五九年，人民美術出版社。

七月十七日未刻畫寧波山水。十七日巳刻過寧波界。

余近來畫山水之照。最喜一山一水。或一丘一壑。如刊印。當刊一丘一壑四字或刊一山一水四字。

記寧波畫稿。劉振濤、禹尚良、舒俊杰《齊白石研究大全》第四六頁，一九九四年，湖南師範大學出版社。

客論畫荷花法。枝幹欲直欲挺。花瓣欲緊欲密。余答曰。此語譬之詩家屬對。紅必對綠。花必對草。工則工矣。未免小家習氣。

題荷花。劉振濤、禹尚良、舒俊杰《齊白石研究大全》第四六頁，一九九四年，湖南師範大學出版社。

注：

①來此不聞杜宇已九年矣：齊白石世居杏子塢的星斗塘老屋。屋外有杜宇常落樹間鳴叫。一九〇〇年(光緒二十六年)齊白石用賣畫所得收入典住到蓮花砦下面的梅公祠，與祖母和父母分居另過。利用梅公祠內空地，添蓋一間書房，取名借山吟館。此處有梅花、芙蓉、芭蕉等綠陰清爽，助人詩思，却聽不到老屋杜宇(子規鳥)之鳴叫了。

一九〇九年(宣統元年　己酉)四十七歲

從師少小學雕蟲。弃鑿揮毫學畫蟲。莫道野蟲皆俗陋。蟲入藤溪是雅君。春蟲繞卉添春意。夏日蟲鳴覺夏濃。唧唧秋蟲知多少。冬蟲藏在本草中。

煮畫多年終少有成。曉霞峰前茹家冲内得置薄田微業。三湘四水古邑潭州飽名師指點。詩書畫印自感益進。昔覺寫真古畫頗多失實。山野草蟲余每每熟視細觀之。深不以古人之輕描淡寫為然。嘗以斯意請教諸師友。皆深贊許之。遠遊歸來。日與諸友唱酬詩印。鮮有暇刻。夜謐更闌。燃燈工寫。然多以之易炊矣。而未能呈册。此乃吾工寫之首次成册者也。乘興作八蟲歌紀之。是為序。光緒卅四年臘月廿二日子夜。齊璜呵凍自題。

五行中少應作小。六行中飽下有受。

工筆草蟲册題記。私人藏畫。

余癸卯由京師還家。畫小姑山側面圖。丁未由東粤歸。畫前面圖。今再遊粤東。畫此背面圖。

題注小姑山畫稿,《寄園畫稿》圖一。《榮寶齋畫譜》七十三,齊白石繪山水部分,第一頁,一九九三年。參見胡佩衡、胡橐《齊白石畫法與欣賞》第四二頁,一九五九年,人民美術出版社。

二月廿日畫。采石前面。皆石山。此廟向前。醒弟言。山頂宜高少許。方能雄峻。萬柳。遠州。此州有數里許。

題注采石磯畫稿,《寄園畫稿》圖二。《榮寶齋畫譜》七十三,齊白石繪山水部分,第二頁,一九九三年。

二月廿日畫。金柱胹。石。此圖兩頭之州可數十里。

題注金柱胹畫稿,《寄園畫稿》圖三。《榮寶齋畫譜》七十三,齊白石繪山水部分,第三頁。一九九三年。

二月廿日畫。采石側面。此處草色。此一筆為城。石。石。石。石。石。草色。

題注采石磯畫稿,《寄園畫稿》圖四。《榮寶齋畫譜》七十三,齊白石繪山水部分,第三頁,一九九三年。

二月廿日畫。采石磯。晋温太真然犀。唐李太白捉月。明常開平破賊。皆於此處。遠山。六色。此一筆即城。城。此圖若畫横幅。兩頭之州皆去。

題注采石磯畫稿,《寄園畫稿》圖五。《榮寶齋畫譜》七十三,齊白石繪山水部分,第三頁,一九九三年。

人間恨事。天下妙文。

題林紓[1]譯著《茶花女遺事》,龍龔《齊白石傳略》第三五頁,一九五九年,人民美術出版社。

網干酒罷。洗脚上床。休管他門外有斜陽。白石山翁并題新句。

題網干酒罷。《榮寶齋畫譜》七十三,齊白石繪山水部分,第三一頁,一九九三年。

酒醉網干。洗足上床。休管他門外有斜陽。白石并題句。

題酒醉網干。《榮寶齋畫譜》七十三,齊白石繪山水部分,第三一頁,一九九三年。

吾有借山吟館圖。凡天下之名山大川。目之

所見者。或耳之所聞者。吾皆欲借之。所借之山非一處也。

借山圖[2]手記。胡佩衡、胡橐《齊白石畫法與欣賞》第四二頁,一九五九年,人民美術出版社。

臨宋人粉本。時乙酉秋日於粵東官廨。以應葆生[3]五弟之囑。兄璜。

題臨宋人粉本。《榮寶齋畫譜》)一〇一,齊白石繪民俗風情部分,第一頁,一九九四年。

注:

①林紓:原名群玉,字琴南,號畏廬。福建閩縣(今福州)人。光緒舉人。通史記,善詩文,能畫山水。翻譯大量西方文藝作品,皆由人口譯,再以古文義譯。與王壽昌合譯法國大仲馬《茶花女遺事》。有《畏廬文集》、《畏廬詩集》及《論文》、《論畫》等。一九二〇年經衆議院議員易蔚儒(宗夔)介紹,與齊白石訂交。

②借山圖:從一九〇二年至一九〇九年,齊白石“五出五歸”,遊覽了陝西、北京、江西、廣西、廣東、江蘇等地名山勝地,“身行萬里半天下”。回到家鄉後,將“自畫所遊之境”的草稿精心整理,編爲借山圖卷。

③葆生:郭人漳,字葆蓀,又字葆生,號憨庵,又名郭五。湘潭縣易俗河麥灣人。出身富豪之家,官至欽廉兵備道。辛亥革命後,退居北京,一度任安福國會議員。一八九七年與齊白石結識,談詩文書畫無倦,特請齊白石教其如夫人(歐陽)畫畫。一九〇二年至一九〇九年在廣西、廣東爲官時,多次邀齊白石代筆作畫、教如夫人作畫。一九一七年後齊白石赴京謀生,與郭葆生親如家人。一九二二年郭葆生病逝於北京,齊白石甚爲悲慟,認爲“朋友之恩,聲名之始,余平生以郭五爲最。”

一九一〇年(宣統二年　庚戌)四十八歲

松山竹馬圖。墮馬揚鞭各把持。也曾嬉戲少年時。如今贏得人誇譽。淪落長安老畫師。

題松山竹馬。遼寧省博物館藏畫。

古樹歸鴉圖。八哥解語偏饒舌。鸚鵡能言有是非。省却人間煩惱事。斜陽古樹看鴉歸。

題古樹歸鴉。遼寧省博物館藏畫。

石泉悟畫圖。古人粉本非真石。十日工夫畫一泉。如此十年心領略。為君添隻米家船。

題石泉悟畫圖。遼寧省博物館藏畫。

甘吉[1]藏書圖。親題卷目未模糊。甘吉樓中與蠹居。此日開函揮泪讀。幾人不負父遺書。

題甘吉藏書。遼寧省博物館藏畫。

庚子前。黎鐵安[2]代譚無畏兄弟索篆刻於余。十有餘印。丁拔貢者以為刀法太爛。譚子遂磨去之。是時余正摹[3]龍泓。秋庵[4]。與丁同宗匠。未知孰是非也。黎鯨公[5]亦師丁黄。刀法秀雅。余始師之。終未能到。然鯨公未嘗見誹薄。蓋知余之純任自然。不敢妄作高古。今人知鯨公者亦稀。正以不假漢人窠臼耳。庚戌冬。余奉汪無咎約來長沙。譚子皆能刻印。想入趙撝叔[6]之室矣。復喜余篆刻。為刊此石。以酬知己。王湘綺近用印。亦余舊刊。余舊句云。姓名人識鬢髮絲。今日更傷寒酸客。然不復能工刻已。弟璜并記。

茶陵譚氏賜書樓世藏(鼎)籍金石文字印邊款。戴山青編《齊白石印影》第一五一頁，一九九一年，北京榮寶齋。

注：

①甘吉：胡廉石先人藏書樓之名。

②黎鐵安：清文肅公黎培敬之四子，黎雨民之叔父。擅篆刻、書法。己亥（一八九九年）介紹齊白石爲長沙一品大員譚鐘麟的三位公子（譚延闓、譚恩闓、譚澤闓）篆印。自此與譚澤闓（號組同，又號瓶齋）結交。

③丁拔貢：自稱金石家的丁可鈞，時居長沙。

④龍泓、秋庵：清代篆刻家，西泠八家的代表性人物。丁龍泓即丁敬，字敬身，號純丁，自號龍泓山人，工分隸，擅篆印。黄秋庵即黄易，字大易，號小松，又號秋庵。仁和（今杭州）人。官至濟寧同知。製印爲丁敬高足有出藍之譽。著有《小蓬萊閣詩鈔》。

⑤黎鯨公：即黎薇蓀，此時已辭官歸里，雅好書印及教育。辛亥後自呼鳧衣，於麓山下造聽葉庵，與齊白石在詩書畫印諸方面均有過從。

⑥趙撝叔：趙之謙，字益甫，號撝叔，字悲庵、無悶、梅庵、冷君等。會稽（今浙江紹興）人。官至江西鄱陽、奉新知縣。在詩書畫印等方面卓有建樹。有《二金蝶堂印譜》、《悲庵居士詩剩》、《悲庵剩墨》等行世。

一九一一年（宣統三年　辛亥）四十九歲

辛亥正月深山晴暢。獨步於屋後山石間。折得梅花一枝。置之案頭。對之覺清興偶發。為蓋臣仁兄作此。弟璜。

題煮茶圖。中央美術學院藏畫。

祝融[①]雨霽。借山增凉。作此寄無想[②]五兄先生長沙荷華池上。共四幅。宣統辛亥夏。弟璜。

題仕女條屏之一。上海中國畫院藏畫。

石庵五弟正。宣統辛亥八月。兄璜。

題竹枝游鴨。湖南省博物館藏畫。

此紙太薄。故着色處多浸散。幸畫之工與不工非關紙也。瀕生。

題種蘭圖。中央美術學院藏畫。

注：

①祝融：祝融峰，在湖南衡山縣西北三十里，係衡山七十二峰之最高者，約三千一百五十尺。上有青玉壇。湘水環帶山下，五折而北去。

②無想：長沙朋友譚澤闓，號瓶齋，又號組同，亦號無想。曾將家藏《漢印集韵選鈔》藏本借給齊白石影勾。

一九一二年（民國元年　壬子）五十歲

小園花色盡堪誇。今歲端陽節在家。却笑老夫無處躲。人皆尋我畫蝦蟆[①]。

李復堂小册畫本。壬子五日自喜在家。并書復堂題句。雲根姻先生之屬。以為何如。齊璜記以寄之。

此畫尚未寄去。其人已長去矣。是年秋八月。吾師沁園先生來寄萍堂。見而稱之。以為融化八怪。命璜依様為之。璜竊恐有心為好不如隨意之傳神。即以此記之奉贈。更畫四幅焚之。以答雲根也。弟子璜。

題菖蒲蟾蜍。遼寧省博物館藏畫。龍龔《齊白石傳略》圖版二一，一九五九年，人民美術出版社。

有光親家六十八歲像。壬子八月弟璜寫。

題鄧有光像。齊良遲藏畫。《榮寶齋畫譜》七十四，齊白石繪人物部分，圖一，一九九三年。

懊道人[2]畫荷花。過於草率。八大山人亦畫此。過於太真。余能得其中否。自尚未信。世有知者。當不以余言為自誇。食者自當竊笑也。白石老人并記。

題荷花翠鳥。胡佩衡、胡橐《齊白石畫法與欣賞》圖版六九，一九五九年，人民美術出版社。

古人作畫。不似之似。天趣自然。因曰神品。鄒小山[3]謂未有形不似而能神似者。此語刻板。其畫可知。桐陰論畫[4]所論。真不妄也。

題蘆葦水鴨。龍龔《齊白石傳略》第四一頁，一九五九年，人民美術出版社。

注：

①"小園花色盡堪誇"詩：齊白石此處借用清代李復堂題句。其實此詩并非李復堂所作，乃出於明代徐青藤之手。出處見《徐渭集》第四册補編第一三二一頁蝦蟆詩。

②懊道人：李鱓，字宗揚，號復堂，別號懊道人、墨磨人等，揚州府屬興化縣人。康熙五十年（一七一一年）中舉，曾任內廷供奉、山東滕縣知縣，罷官後常住揚州賣畫，係乾隆年間"揚州八怪"之一。

③鄒小山：鄒一桂，字元褒，號小山，又號讓卿，江蘇無錫人。雍正五年（一七二七年）進士，官禮部侍郎，贈尚書。能詩擅畫。著有《小山畫譜》、《小山詩鈔》等。

④《桐陰論畫》：清代秦祖永所著。秦祖永，字逸芬，號楞烟外史。金匱（今江蘇無錫）諸生，官至廣東碧甲場鹽大使。工詩文，擅書畫。著有《畫學心印》、《桐陰畫訣》等。

一九一三年（民國二年　癸丑）五十一歲

日來畫茄多許。此稍似者。老萍。

題茄子。湖南省博物館藏畫，作於一九二〇年。

曾向嵩高望薜蘿。偶從光影畫維摩。三桑未覺情年長。一葦真愁世法多。下筆早聞花雨落。劫灰方見鬼神呵。龍藏法樹飄零盡。誰為金人寫髻鬝。

余遊長安轉京華。嘗畫店壁。前詩乃夏午詒[1]先生朝歌旅舍壁看齊山人畫達摩作也。君先生不以知詩為辱者。索璜因録題詞。癸丑五月中。兄齊璜并記。

題達摩。天津楊柳青書畫社藏畫。

余嘗客海上。搜羅石印古迹。獨八大山人畫無多。見有小册畫一蝦。今經四年。尚未忘也。

題花卉、魚蝦、水禽圖屏。遼寧省博物館藏畫。轉引劉振濤、禹尚良、舒俊杰《齊白石研究大全》第四九頁，一九九四年，湖南師範大學出版社。

古人作畫。不似之似。天趣自然。因曰神品。

題水墨花卉、魚蝦、水禽圖。遼寧省博物館藏畫。

作畫最難無畫家習氣。即工匠氣也。前清最工山水畫者。余未傾服。余所喜獨朱雪个。大滌子。金冬心。李復堂。孟麗堂而已。璜。

題杯花。《榮寶齋畫譜》一〇一，齊白石繪民俗風情部分，第三頁，一九九四年。

山桃[2]女子每索余畫。且言求為形似者。使流俗不難知也。余深知此意。即如所言而為之。世有知者。當知非余所自許爾。癸丑春。瀕生并記。

題蘆雁。《榮寶齋畫譜》七十五，齊白石繪魚蟲禽鳥部分，第三四頁，一九九三年。

此動物。余曾見陳星海[3]有是畫法。尤可媚俗眼。欲耳食者易知。誠不難為。然中心終不歡也。萍翁又記。

題鷄。《榮寶齋畫譜》七十五，齊白石繪魚蟲禽鳥部分，第三四頁，一九九三年。

注：

①前詩乃夏午詒先生朝歌旅舍壁看齊山人畫達摩作也：此圖題詩是白石好友夏午詒所作。時在一九〇三年白石第一次遠遊北京時。夏午詒，名夏壽田，湖南桂陽人。一八九七年在湘潭城與白石相識，夏爲清末翰林，一九〇二年改官陝西，邀請白石遠遊西安，教他的如夫人姚無雙學畫，從而促成齊白石的遠遊。辛亥革命後，夏午詒主張君主立憲。二十年代初，曾爲曹錕幕僚，居保定。齊白石與曹錕的書畫之交，便是夏午詒介紹的。一九四三年九月二十九日齊白石曾爲弟子王文農作"跋夏壽田遺像。德居士，齊璜故人也。爲畫此像，泣下三升。碧落黄泉有知，也應一哭，齊璜之未死也。"

②山桃：黄山桃，湘潭青石鋪人。齊白石早年所收女弟子。擅畫美人。

③陳星海：清末湖南畫家。

一九一四年（民國三年　甲寅）五十二歲

沁園師花鳥工緻。余生平所學。獨不能到。是可愧也。仙譜弟念先人遺迹。屬記以存。尤可感耳。甲寅五月十日。公去已十二日矣。齊璜。

題胡沁園花鳥。龍龔《齊白石傳略》圖版五，一九五九年，人民美術出版社。

一九一五年（民國四年　乙卯）五十三歲

萬丈塵沙日色薄。五里停車雪又作。慈母密縫身上衣。未到長安不堪著。齊璜。

題仕女。上海中國畫院藏。《中國畫》第二期，一九五八年，中國古典藝術出版社。

余少時嘗過流泉。與七琴[1]善。吟餘畫倦。偶訪陶軒。道純先生煮茶閑話。透趣横生。今欲索拙畫於七琴。以為余之忘却故人也。目檢舊藏四幅以寄七弟代達知。
道公賞玩後。口將欲笑耳。時乙卯七月十五日弟齊璜并記。觀者陳子仲甫。

題菊花。中國美術館編《齊白石繪畫精品選》圖版一，一九九一年，人民美術出版社。

乙卯冬十月。白石老人作於借山館。天日晴和。時門前芙蓉正開。池魚樂遊。冬暖不獨人喜也。客有觀余作畫者。欲余為之記。

題芙蓉游魚。北京榮寶齋藏畫。《榮寶齋畫譜》七十五，齊白石繪魚蟲禽鳥部分，第三頁，一九九三年。

乙卯冬十月。齊白石。十一月中。蜕公[2]親家來借山。見而喜。因贈之。兄璜記。

題魚。湖南省博物館藏。

余自四十以後不喜畫人物。或有酬應。必使兒輩為之。漢廷大兄之請。因舊時嘗見余為郭公憨庵畫此。今日比之昔時不相同也。十年前作頗令閱者以為好矣。余覺以為慚耳。此法數筆勾成。不假外人畫像法度。始存古趣。自以為是。人必曰自作高古。世人可不信也。乙卯十月齊璜并記。

題羅漢。陝西美術家協會藏畫。

孟麗堂[3]先生嘗畫鷄。布以牡丹。題為春聲。余更以鷄冠花。謂為秋聲亦可矣。余年來興味蕭然。石門山長[4]求詩來借山。余興未盡。作此。無黨。

題秋聲圖。北京市文物公司藏畫。

余友胡廉石以石門一帶近景擬目二十有四。屬余畫為圖册。此十餘年前事也。未為題句。蓋壬寅後不敢言詩。乙卯冬。廉石携此册索詩來借山。黎㲉衣已先我題於畫册上。余不禁技癢。因補題之。

《石門畫册》題注。劉振濤、禹尚良、舒俊杰《齊白石研究大全》第五七頁,一九九四年,湖南師範大學出版社。

十里香風小洞天。塵情不斷薛濤[5]箋。錦茵無復烏龍妒。珠箔空勞玉兔圓。兩個命乖比翼鳥。一雙苦心并頭蓮。相思莫共花先盡。早有秋風上鬢鬟。白石草衣璜。

題仕女。《榮寶齋畫譜》七十四,齊白石繪人物部分,第一〇頁,一九九三年。

注:

①七琴:唐七琴,居流泉東園。齊白石早年在湘潭家鄉的好友。

②蜕公:王訓,字仲言,號退園,亦署蜕園,故稱蜕公。

③孟麗堂:清末花鳥畫家。

④石門山長:指湘潭石門人胡廉石。

⑤薛濤:唐代女詩人。字洪度,又作宏度,長安(今陝西西安)人。性靈敏慧,洞曉音律,以姿色才藝傾動一時。居蜀浣花溪,自製桃紅色彩箋,用以寫詩,後人仿造,稱爲薛濤箋。有《薛濤詩箋》傳世。

一九一六年(民國五年　丙辰)五十四歲

余嘗遊京華。相遇李筠庵[1]。伊為匋齋聘之。專購字畫而來者。京華欲售字畫者多舊家。筠庵每得真迹。必自先煮蘑菇面邀余同為拜賞也。惜余是時為人畫師。無暇臨為册本以供閑閑摹畫。省却多少追思耳。萍翁。

題秋蟲圖。長沙市博物館藏畫。

己酉秋客欽州。為郭五畫扇造稿。自覺頗有情趣。因鈎存之。丙辰九月繙閱[2]。歸篋補記之。

題嬰戲圖。《榮寶齋畫譜》七十四,齊白石繪人物部分,第二頁,一九九三年。

余見其畫筆題字及印章。實係張叔平[3]先生手迹。世人不有萍翁。誰能辨之。

戳齋七兄來借山。見余臨張叔平先生畫。意欲袖去。余知叔平先生與文肅公為同年友。非獨喜余畫。遂欣然贈之。

題自臨茹家冲鄰人藏畫。劉振濤、禹尚良、舒俊杰《齊白石研究大全》第五七頁，一九九四年，湖南師範大學出版社。

丙辰十月第五月。連朝陰雨。寄萍堂前芙蓉盛開。令移孫折小枝為寫照。花若有情。應不負我祖孫愛汝之恩也。萍翁記於三百石印齋。是日老妻有疾未來觀也。

題芙蓉。楊永德藏畫。

萬丈塵沙日色薄。五里停車雪又作。慈母密縫身上衣。未到長安不堪著。

題抱劍仕女[4]。上海中國畫院藏畫。

兒女呢呢素手輕。文君能事祇知名。寄萍門下無雙别。因憶京師落雁聲。杏子塢民齊璜。

題抱琴仕女。中央工藝美術學院藏畫。

嘗見清湘道人於山水中畫以竹林。其枝葉甚稠。雪个先生製小幅。其枝葉太簡。此在二公所作之間。借山吟館主人。

題竹。中央美術學院藏畫。

注：

①李筠庵：清末民初書法家、教育家李瑞清之弟，善書畫與鑒定。

②繙閱：翻閱。

③張叔平：名世准。湖南永綏(今花垣縣)人。道光二十三年舉人。工書畫篆刻，尤善畫墨梅。居北京，與周少白齊名。

④題抱劍仕女：從藝術風格及筆法等方面分析，此幅作品與抱琴仕女等作品均創作於一九一〇年至一九一六年期間。所題詩名爲霞綺横琴，故此畫亦可名爲霞綺横琴圖。

一九一七年(民國六年　丁巳)五十五歲

秋館論詩圖。丁巳八月十日為潜庵先生畫。時同客京華。齊璜阿芝。

題秋館論詩圖。北京市文物公司藏畫。

己酉還家丁巳逢。九年閑空假稱農。鄰翁笑道齊君懶。洗脚上床夕陽紅。

題山水。

借山館後有石井。井外常有蟹横行於緑苔上。余細觀九年。始知得蟹足行有規矩。左右有步法。古今畫此者不能知。白石老人并記。

題石井螃蟹。首都博物館藏畫。

昔人有遭遇得力於猫兒狗子。冬心[1]先生詩云。狗子猫兒可共居。萍翁老年乃喜孤僻。以為狗子在六擾之内。然丁巳以來之湖南多搶劫。無論晝夜。聞犬吠即由屋後之門竄出。狗子之於余之功。屢屢矣。

題狗子畫。劉振濤、禹尚良、舒俊杰《齊白石研究大全》第六〇頁，一九九四年，湖南師範大學出版社。

湘上滔滔好水田。劫餘不值一文錢。更誰來買山翁畫。百尺藤花鎖午烟。

題畫藤。劉振濤、禹尚良、舒俊杰《齊白石研究大全》第六四頁，一九九四年，湖南師範大學出版社。

丁巳五月。余重來京華。避亂天津。哲子[2]先生令刻佛家語。齊璜記。

南無阿彌陀佛印邊款。戴山青編《齊白石印影補遺》第一一頁，一九九一年，北京榮寶齋。

余五年以來。常欲重遊京華。今年五月十二日始至。正值戰事。一日黄昏後。客窗止雨。獨坐思家。忽報正陽親家五弟至。相見時驚喜欲泣。余將先歸。贈此為别。匆匆作也。丁巳六月十三日兄璜并記。

題芙蓉八哥贈張仲陽。遼寧省博物館藏畫。劉振濤、禹尚良、舒俊杰《齊白石研究大全》第六一頁，一九九四年，湖南師範大學出版社。

出污泥而不染。余與張五[3]皆足與此花流匹也。齊大并記。
此册正畫成。為人携去。余三揖方得還來。又記。

題荷花。陝西省美術家協會藏畫。

老萍作畫。為荷花壽。第三幅。余畫此幅乃荷花生日七日也。
余畫荷花。覺盛開之荷不易為。一日雨後。過金鰲玉蝀看荷花。歸來畫此。却有雨氣從十指出。

題荷花。胡佩衡、胡橐《齊白石畫法與欣賞》圖版七〇，參見第七五頁，一九五九年，人民美術出版社。

余嘗於友人家(見)銅鴨香爐。通身有神味。非如流俗畫家畫鴨也。
此足踵。此長者。中爪。中爪上短者。旁爪。足欲蹈未蹈時。兩旁之爪向上反。故旁爪在上。中爪在下。

題畫鴨小稿。胡佩衡、胡橐《齊白石畫法與欣賞》第二二頁，一九五九年，人民美術出版社。

余刊印每刊朱文。必以古篆法作粗文。欲不雷同時流。品中三昧。潛庵[4]弟雖不能刊。能深知矣。丁巳七月。同客京華。兄璜并記。

楊昭俊印邊款。戴山青編《齊白石印影》第一九一頁，一九九一年，北京榮寶齋。

余居京師法源寺。李道士曾顔余居曰净樂居。丁巳五月南遊滬瀕。適都門倉猝戰起。以為所蓄碑拓印石靡有孑遺矣。及返而寺齋無恙。亟製此志幸。齊璜刊潛庵自記。
余刊此石無意。竟似撝叔先生。人皆以為大好矣。余不能去前人之窠臼。慚愧慚愧。白石并記。

净樂無恙印邊款。戴山青編《齊白石印影》第一三一頁，一九九一年，北京榮寶齋)。

凡作畫。欲不似前人。難事也。余畫山水恐

似雪个。畫花鳥恐似麗堂。畫石恐似少白。若似周少白[5]。必亞張叔平。余無少白之渾厚。亦無叔平之放縱。丁巳七月二十四日三百石印齋主者畫。時楊潜庵。陳師曾。張正陽及葆生五弟同觀者。凡四人。瀕生記畫。

題巨石。胡佩衡、胡槖《齊白石畫法與欣賞》圖版一四，一九五九年，人民美術出版社。

余癸卯來京華。同客李筠庵先生嘗約觀書畫。且自煮蘑菇面食余。余觀舊畫最多第一回。今年來京又遇潜庵弟。聞余語往事。一日約余觀李梅痴先生書屏。亦仿照筠庵以待余。安得筠庵忽然而來。豈不令人樂死。如此佳話。因記之。兄璜。

題小鷄野草。首都博物館藏畫。

余二十年來嘗遊四方。凡遇正人君子。無不以正直見許。獨今年重來京華。有某無賴子欲騙吾友。吾友覺。防之。某恐不遂意。尋余作難。余避之潜庵弟所居法源寺如意寮。傾談金石之餘。為刊此印。丁巳八月二十八日。兄璜并記。

視道如華印邊款。戴山青編《齊白石印影》第一七九頁，一九九一年，北京榮寶齋。

余寄萍堂後石側有井。井上餘地平鋪秋苔。蒼緑錯雜。嘗有肥蟹横行其上。余細視之。蟹行其足一舉一踐。其足雖多。不亂規矩。世之畫此者不能知。陳師曾。郭葆生最以余言之不妄。三百石印齋主者瀕生記 。

題石與蟹。楊永德藏畫。胡佩衡、胡槖《齊白石畫法與欣賞》圖版四六，一九五九年，人民美術出版社。

丁巳五月重見鰈翁[6]先生於京華。刻此印為壽。齊璜。

增祥長壽印邊款。戴山青編《齊白石印影》第二一六頁，一九九一年，北京榮寶齋。

潜庵先生能論印而不能刊。故不知石多。齊璜不怪也。丁巳遇亂。同客京都。

潜庵印邊款。戴山青編《齊白石印影》第二六頁，一九九一年，北京榮寶齋。

丁巳九月十一日。連日風雨。開盡黄花。南望家亡(山)。不能無泪。為潜弟刊此。泪猶未干。固欲求工不可得。璜記。時同在京華。

潜庵印邊款。戴山青編《齊白石印影》第二一六頁，一九九一年，北京榮寶齋。

筆墩向這邊。順筆。筆尖向這邊横掃來。點外之色似朱砂。少許積墨和黄。欲紫不紫。

題注鴛鴦并蒂蓮花雙鈎底稿。胡佩衡、胡槖《齊白石畫法與欣賞》圖版一〇，一九五九年，人民美術出版社。

遠觀晚景。門樓黄瓦紅壁。乃前清故物也。二濃墨畫之烟乃電燈廠炭烟。如濃雲斜騰而出。烟外横染乃晚霞也。

題北京城南遠觀寫生小稿。胡佩衡、胡橐《齊白石畫法與欣賞》圖版三〇，一九五九年，人民美術出版社。

尹和伯[8]先生曾為潛庵弟畫梅。清潤秀逸。余不欲雷同。乃以蒼勁為之。今年丁巳九月十六日適潛弟三十七初度。即此為壽。時同客京華法源寺。兄齊璜。

題梅。北京畫院藏畫。王方宇、許芥昱《看齊白石畫》。劉振濤、禹尚良、舒俊杰《齊白石研究大全》第六二頁，一九九四年，湖南師範大學出版社。

戲擬八大山人。余嘗遊南昌。有某世家子以朱雪个畫册八幀求售二千金。竟無欲得者。余意思臨其本。不可。今猶想慕焉。筆情墨色至今未去心目。今重來京華。酬應不暇。時喜畫此雀。衹可為知余者使之也。聞稚廷家亦藏有朱先生之畫册。余未之見也。果為真迹否耶。余明年春暖再來時當鑒審耳。畫此先與稚弟約。丁巳九月廿五日。兄璜白石老人并記。

題戲擬八大山人。霍宗傑藏畫。王大山主編《齊白石畫海外藏珍》第四圖，榮寶齋(香港)有限公司，一九九四年。

丁巳客漢上。有瓷瓶賣者。余見其雕瓷甚有天趣。因戲鈎其稿。將付兒輩。他日為有用本也。

題老人與兒童畫稿。胡佩衡、胡橐《齊白石畫法與欣賞》第二二頁，一九五九年，人民美術出版社。

此屏共四幅。其紙不一。此外三幅皆陳年紙。著墨便有五彩。幸畫在此幅之先。不然為此敗興。或四幅皆不能佳。大不類余平生所作。後之鑒家必有聚訟者矣。丁巳十月十一日重遊京華還省。白石老人。

題水仙壽石。中央工藝美術學院藏畫。

興旺大兄之屬。白石老人齊璜。
旺字上本星字。余書錯也。

題梅花。北京畫院藏畫。

此余重來舊京時所畫。忽忽已越廿年。丙子冬始記之。白石山翁。

題藤蘿。中國美術館藏畫。

曲江外史畫水仙有冷冰殘雪態。此言也。我潛庵弟最能深知。借山吟館主者。

題水仙册。首都博物館藏畫。

余為楊潛庵畫册子。中有水仙花。陳師曾稱之。使余每畫册子。不離此花。

題水仙花。龍龔《齊白石傳略》第五〇頁，一九五九年，人民美術出版社。

注：

①冬心：金農，字壽門，號冬心。又號曲江外史、稽留山民、昔耶居士、百二硯田富翁等。詩文書畫俱精，有《冬心詩集》等著作傳世。乾隆時期揚州八怪之一。齊白石早年受其藝術影響頗深。

②晳子：楊度，名承瓚，字晳子。號釋虎、虎公、虎禪。湘潭姜畬石塘人。二十歲中舉人。後與齊白石一同受業於晚清名儒王湘綺。日本留學返京，官至内閣學部副大臣。後爲洪憲帝制籌安會首要人物，遭到通緝，一度蟄居天津租界。二十年代受馬克思主義理論影響，而這中共秘密黨員，一

九三一年在上海病逝。他與齊白石來往密切,文誼深厚。

③張五:齊白石親家張正陽。

④潛庵:楊昭俊,名昭雋,號潛庵,是齊白石同鄉摯友。一度與齊白石同居北京法源寺。擅書法、篆刻。

⑤周少白:周棠,字少白,號蘭西。山陰人。清末畫家。山水花卉師法陳白陽,畫石尤擅。

⑥鰈翁:樊樊山,名增祥,字嘉父,一字天琴,號雲門,晚號樊山老人。湖北恩施人。同治丁卯科舉人,光緒丁丑科進士。官至陝西臬臺、護理兩江總督等職。他十分器重齊白石,親自爲齊白石書定治印潤例。代刪白石詩稿,并撰寫詩序。爲齊白石父母寫墓碑、作像贊。多次爲齊白石作品題詩,贈予齊白石石印。一度想舉薦齊白石進宫爲慈禧太后作畫,當内廷供奉,但受到齊白石的婉言謝絶。齊白石對他極爲推崇,十分感念知遇之恩。曾云:"知詩者樊樊山,知刻者夏午詒,知畫者郭葆蓀。"樊山老人於一九三一年三月十四日在北平逝世後,齊白石製"老年流涕哭樊山"印以爲深情悼念。

一九一八年(民國七年　戊午)五十六歲

丁巳夏秋余重遊京華。二濱先生嘗與相聚。不索余畫長幅。今復見於長沙。適戰事尤熾。是誰尚能無愁耶。匆匆為之。先生知我者。其毋加責。戊午春。弟璜記。

題游鴨。湖南省博物館藏畫。

呼雷。不見故事。萍翁。

余曾為上寶山①畫八大幅。後又為畫王母等仙佛。今又為畫此八幅。不可謂不多矣。請看老萍曾為幾人作此等畫耶。一笑。萍又記。

題呼雷。《榮寶齋畫譜》七十四,齊白石繪人物部分,第六頁,一九九三年。

余嘗遊江西。於某世家見有朱雪个花鳥四幅。匆匆存其粉本。每為人作畫不離乎此。十五年來所摹作真可謂不少也。二濱先生喜余畫。自謂於畫不常求人。然先生之愛余不言可知矣。此幅雖不能如朱君。聊以報公之雅意於萬一否。弟璜并記。

題小鳥菊石。湖南省博物館藏畫。

注:

①上寶山:齊白石早年曾爲家鄉上寶山的齊三道士畫過一些神像功對題材的畫。如雷公電母、風伯、雨師、牛頭、馬面、玉皇大帝、四海龍王、騎牛老子,以及三隻眼的王元帥,脚踏火輪的殷元帥等。至於替化成庵畫紫竹林觀音現身,因爲那是其母周太君許的願。

一九一九年(民國八年　己未)五十七歲

己未夏五月。余三客京華。寄萍法源寺為協民同宗六兄製。弟璜。我用我家法也。

題山水四條屏春夏秋冬之冬。中央工藝美術學院藏畫。

荔頤居士小時頤如荔子之紅。取荔枝木百年而不凋。因以為號焉。己未客京華復以荔頤名齋。屬余畫此以紀其事。時六月一日。弟齊璜。

題荔枝。中央工藝美術學院藏畫。

余畫粗枝大葉。三過都門。知者無多。近今

以來。印髯能知。余為之喜。伯恒老兄又能知。余可大喜矣。此時此人或不可再得也。己未六月六日。齊璜并記。

題墨花草蟲。西安美術學院藏畫。

此幅本友人强余代筆之作。故幅左已書再觀題記。并蓋白石曾觀之印。乃余自惜年老不忍以精神如黄金擲於虚牝也。吉皆兄深知余意。勸余添加款題。仍為己作。余感吉翁之憐余。因贈之。惜吉翁僅能見此一幅也。己未又七月。弟瀕生并記。
如此穿枝出幹。金冬心不能為也。齊瀕生再看題記。後之來者自知余言不妄耳。

題梅花圖。廣州市美術館藏畫。

先生不倒。己未七月天日陰凉。昨夜夢遊南岳。喜與不倒翁語。平明畫此。十四日事也。白石。

題不倒翁。北京市文物公司藏畫。秦公、少楷主編《齊白石繪畫精萃》,吉林美術出版社,一九九四年。

己未秋八月朔。白石老人齊璜為澄一先生畫。時同客京師。

題雁來紅螃蟹。中國藝術研究院美術研究所藏畫。

凡畫花草。非横斜枝本不能有態度。余畫此以直立出之。却覺態度端雅。此意祇可與陳朽道耳。老萍三過都門。鷄冠花已老。菊花將開。思歸時也。老萍。

題鷄冠花·蜻蜓。香港楊永德藏。

秋聲。老萍。廬江吕大贈余高麗陳年紙。裁下破爛六小條。燈下一揮即成六屏。倩廠肆清秘閣主人褙裱成。為南湖見之。喜。清秘主人以十金代余售之。余自以為不值一錢。南湖[2]以為一幅百金。時流誰何能畫。余感南湖知畫。補記之。璜。

題秋聲·蔬果花鳥條屏之一。天津人民美術出版社藏畫。

韓子平生身是仇。此心深羡老僧幽。羊裘把釣人還識。牛糞生香世不侔。貧未十分書滿架。家無三畝芋千頭。兒孫識字知翁意。不必高官慕鄴侯。煨芋分食兒孫輩詩。三百石印齋主者。

題甘貧·蔬果花鳥條屏之二。天津人民美術出版社藏畫。

清白。白石老人。

題清白·蔬果花鳥條屏之三。天津人民美術出版社藏畫。

不如歸去。此杜鵑也。余聞此鳥多愁。越四十年矣。老萍。

題不如歸去·蔬果花鳥條屏之四。天津人民美術出版社藏畫。

廉直。老萍。

題廉直·蔬果花鳥條屏之五。天津人民美術出版社藏畫。

吉祥聲。此蟲呼為紡織娘。亦名紡紗婆。紡紗吉祥聲。非古典也。瀕生己未秋客京華。

題吉祥聲·蔬果花鳥條屏之六。天津人民美術出版社藏畫。

弟。法家也。能不以余為怪。余正無家可歸時。將愁付之東流。喜為弟作此。兄璜并記。

題松樹母鷄。中央工藝美術學院藏畫。

此幅依人執物之例。有未合處。尚塗弃。冷庵仁兄不以為嫌。命記之以存。未能却也。

題蒙古人出獵圖。胡佩衡、胡槖《齊白石畫法與欣賞》圖版三五，一九五九年，人民美術出版社。

即朱雪个畫蝦。不見有此古拙。

題蝦。胡佩衡、胡槖《齊白石畫法與欣賞》第五九頁，一九五九年，人民美術出版社。

洞庭君山。借山圖之七。老萍十過此湖。時己未秋三過都門。白石翁。

題洞庭君山。天津人民美術出版社藏畫。

己未六月十八日。與門人張伯任在北京法源寺羯磨寮閑話。忽見地上磚紋有磨石印之石漿。其色白。正似此鳥。余以此紙就地上畫存其草。真有天然之趣。

題白描稿。楊廣泰《齊白石談篆刻藝術》。轉引劉振濤、禹尚良、舒俊杰《齊白石研究大全》六七頁，一九九四年，湖南師範大學出版社。

余喜此翁。雖有眼耳鼻身。却胸内皆空。既無争權奪利之心。又無意造作技能以愚人。故清空之氣。上養其身。泥渣下重。其體上輕下重。雖摇動。是不可倒也。

題厚墨畫不倒墨。《白石文鈔·己未雜記》。轉引劉振濤、禹尚良、舒俊杰《齊白石研究大全》第六八頁，一九九四年，湖南師範大學出版社。

余三過都門。居法源寺。大古鉢種此草。問於和尚。知為白慈菇。戲畫之。又為兒孫輩添一人所未為之畫稿也。己未秋八月。此草已衰。故着色藹淡。白石老人并記。

題白慈菇圖。遼寧省博物館藏畫。轉引劉振濤、禹尚良、舒俊杰《齊白石研究大全》第六九頁，一九九四年，湖南師範大學出版社。

余作畫數十年。未稱己意。從此決定大變。不欲人知。即餓死京華。公等勿憐。乃余或可自問快心時也。

爲方叔章作畫題記。力群編《齊白石研究》第六六頁，一九五九年，上海人民美術出版社。

獲觀黄癭瓢畫册。始知余畫猶過於形似。無超凡之趣。決定大變。人欲罵之。余勿聽也。人欲譽之。余勿喜也。

五十七歲自記。王振德、李天庥輯注《齊白石談藝録》

第三五頁，一九八四年，河南人民出版社。

余嘗見之工作。目前觀之。大似。置之壁間。相離數武觀之。即不似矣。故東坡論畫不以形似也。即前朝之畫家不下數百之多。癭瓢。青藤。大滌子之外。皆形似也。

五十七歲自記。王振德、李天庥輯注《齊白石談藝録》第七一頁，一九八四年，河南人民出版社。

一九二〇年(民國九年　庚申)五十八歲

己未冬十二月。湖南雪深尺許。十指尚不知寒。無可消閑。呼兒輩立觀畫此。伯進仁弟雅賞。兄璜老萍。

題芙蓉游鴨。陝西美術家協會藏畫。

余自三遊京華。畫法大變。即能識畫者多不認為老萍作也。譬之余與真吾弟三年不相見。一日逢一髮秃齒没之人。不聞其聲。幾不認為真翁矣。真翁聞此言必能知余畫。乙未除夕。兄璜老萍記。

題墨牡丹。中國美術館藏畫。董玉龍主編《齊白石作品集》第七圖，天津人民美術出版社，一九九〇年，天津。

己未冬。余三遊京華。將歸。湖北胡鄂公勸其不必。以為余之篆刻及畫。人皆重之。歸去湖南草間偷活何苦耶。况苦辛數十年。不可不有千古之思。多居京華四三年。中華賢豪長者必知世有萍翁。方不自負數十年之苦辛也。今余之老友羅三爺聞余衹(已)大有獲利。庚申春。余將再四之京。羅三爺以為余之利心不足。二公之見各异。未知孰是非也。因記之。庚申正月初二日。萍翁又記。即朱雪个畫蝦。不見有此古拙。瀕生。

題水草·蝦。中國美術館藏畫。董玉龍主編《齊白石作品集》第八圖，天津人民美術出版社，一九九〇年，天津。

青藤。雪个無此畫法。阿芝。

題墨荷。中國美術館藏畫。

當真苦事要兒為。日日提籮阿母催。學得人間夫婿步。出如繭足返如飛。送學第二圖第二首。白石山翁。

題送學圖。《榮寶齋畫譜》七十四，齊白石繪人物部分第七頁。

己未十月於借山館後得此蟲。世人呼為紡織娘。或呼為紡紗婆。對蟲寫照。庚申正月。白石翁并記。

題寫生畫稿。龍龔《齊白石傳略》圖版二五，一九五九年，人民美術出版社，遼寧省博物館藏畫。

選格着色。异於造化。真人巧勝天老。

題畫葫蘆。龍龔《齊白石傳略》第五三頁。

古之藝術所傳。因傳其人。或高人。或名士隱逸。未聞舉止卑下之人。雖有一藝而能久遠者。昔人有價值者。求之不可得。未聞求人買物設筵招待者。(若此)其人可知。况更有所行無禮之徒耳(耶)。

題爲王雪濤畫扇面。龍龔《齊白石傳略》第五六頁。

此蟲須對物寫生。不僅形似。無論名家匠家不得大罵。熙二先生笑存。庚申三月十二日。弟齊璜白石老人并記。

題葡萄飛蝗册頁。中國美術館藏畫。

季端先生雅論。庚申三月十六日。齊璜四過都門製。

題墨梅。中央美術學院藏畫。

伯進先生與余相見於京華。無日或不聚談為樂。且喜余畫。余怪其既知老萍畫。終不相求。今商之南湖。製此贈之。伯翁正之為幸。庚申三月。弟齊璜并記。

題竪石小鳥。中國嘉德一九九五年秋北京拍賣會,香港楊永德藏齊白石書畫專場。

余喜種竹。不喜畫竹。因其平直。畫之與世之畫家自相雷同。平生除畫山水點景小竹外。或畫觀世音菩薩紫竹林。畫此粗竿大葉。方第一回。似不與尋常畫家胸中同一穿插也。時庚申五月廿五日。燕京又有戰争。家山久聞兵亂。燈底作畫。聊忘片刻之憂。白石老人并記。

尺紙三竿價十千。街頭常挂一千年。從今破筆全埋去。竹下清風晝好眠。白石老人又題。

吾友。余活人間將六十年。朋友無多人。非真君子雖相往還。然中心終未許也。齊璜再記。

此幅藏於篋底已越四月。悟園道兄夫子同居京師。檢此贈之。弟白石又記。

題竹。中國美術館藏畫。

横行衹博婦女笑。風味可解壯士顔。編藺束縛十八輩。使我酒興生江山。山谷老人詩。庚申十二月。白石老人。

題螃蟹。湖南省博物館編《齊白石繪畫選集》,一九八〇年,湖南美術出版社。

此三字。五刻五畫。始得成章法。非絶世心手不能知此中艱苦。尋常人見之。必以余言自誇也。庚申四月二十六日記。時家山兵亂。不能不憂。白石老人又及。

木居士印邊款。戴山青編《齊白石印影》第二三頁,一九九一年,北京榮寶齋。

日來畫茄多許。此稍似者。老萍。

題茄子·瓜果册頁之一。湖南省博物館藏畫。

葆生五弟贈余日本所製長穎筆。復倩余試筆作畫第一幅。兄房。

題枇杷·花果四條屏之一。湖南省博物館畫。

五月初四夜試筆第二幅。白石。

題菊花·花果四條屏之二。湖南省博物館藏畫。

白石老人試第三幅。

題葫蘆·花果四條屏之三。湖南省博物館藏畫。

試筆第四幅。三百石印富翁。

題石榴·花果四條屏之四。湖南省博物館藏畫。

作畫之難。難有脱盡畫家習氣。方能使人以為怪。白石。

題牡丹小鳥。浙江省博物館藏畫。

歷來畫家所謂畫人莫畫手。余謂畫蟲之脚亦不易為。非捉蟲寫生。不能有如此之工。白石。

題天牛豆角。中國美術館藏畫。

借山館後有此野藤。其花開時遊蜂無數。移孫四歲時。為蜂所逐。今日移孫亦能畫此藤蟲。静思往事。如在目底。白石記。

題藤蘿蜜蜂。胡佩衡、胡橐《齊白石畫法與欣賞》圖版二二,一九五九年,人民美術出版社。

堤上垂楊緑對門。朝朝相見有烟痕。寄言橋上還家者。羡汝斜陽江岸村。余畫秋水鷺鷥直幅。求者欲依樣為之。此第五幅也。白石翁齊璜并記。

題山水。

余自少至老不喜畫工緻。以為匠家作。非大葉粗枝糊塗亂抹不足快意。學畫五十年。惟四十歲時戲捉活蟲寫照。共得七蟲。年將六十。寶辰先生見之。欲余臨。祇可供知者一罵。弟璜記。

題秋葉孤蝗·草蟲册頁之四。中國美術館藏畫。董玉龍主編《齊白石作品集》,天津人民美術出版社,一九九〇年。

老萍親種梨樹於借山。味甘如蜜。重約斤許。戊己二年避亂遠竄。不獨不知梨味。而且孤負梨花。
朱雪个有此花葉。無此簡少。
余畫梅學楊補之。由尹和伯①借鈎雙鈎本也。友人陳師曾②以為工真勞人。勸其改變。

題花果畫册。《齊白石研究大全·齊白石年譜長編》第七一頁。

有人題此云。串串珊瑚拂水紅。余不知是珊瑚花否。藍花者。想是牽牛花也。
此蓼花也。

題蓼花·牽牛。中國藝術研究院美術研究所編《白石畫稿》圖一,一九八一年,文化藝術出版社。

三百石印富翁畫胭脂花。用我法也。

題胭脂。中國藝術研究院美術研究所編《白石畫稿》圖二,一九八一年,文化藝術出版社。

良萓。一名望。江南俗呼藍蝴蝶。識者謂其根即高良薑。白石臨。

題良薑。中國藝術研究院美術研究所編《白石畫稿》圖四,一九八一年,文化藝術出版社。

百合花。北人呼為虎皮蓮。白石。

此花一莖。莖上節節生花葩。非三四葩一齊開岐也。家山多此花。即寫意畫。非寫照不可。

其花開在春暮。

題百合花。中國藝術研究院美術研究所編《白石畫稿》圖五，一九八一年，文化藝術出版社。

串枝蓮。秋日花也。祇宜竹籬茅舍耳。老萍。

其色甚嬌嫩。似水紅。與六月菊同時開。

題串枝蓮。中國藝術研究院美術研究所編《白石畫稿》圖六，一九八一年，文化藝術出版社。

諸葛菜。白石山民用我法臨他人本。此菜平生未見過也。

題諸葛菜。中國藝術研究院美術研究所編《白石畫稿》圖七，一九八一年，文化藝術出版社。

水仙之下。實不知名。

題水仙。中國藝術研究院美術研究所編《白石畫稿》圖八，一九八一年，文化藝術出版社。

我家畫秋海棠。老萍。

葉上之筋。以此葉最似。

題秋海棠。中國藝術研究院美術研究所編《白石畫稿》圖九，一九八一年，文化藝術出版社。

如意草。歲暮年頭即花點盆最佳。以色罕耳。白石。

題如意草。中國藝術研究院美術研究所編《白石畫稿》圖一〇，一九八一年，文化藝術出版社。

魚兒花。又名荷苞牡丹。其葉分三岐。一岐之葉似分三葉。白石老人以我法臨。

題魚兒花。中國藝術研究院美術研究所編《白石畫稿》圖一一，一九八一年，文化藝術出版社。

竹葉。夏秋物。

題竹葉。中國藝術研究院美術研究所編《白石畫稿》圖一二，一九八一年，文化藝術出版社。

我道伊人魂可招。閑風閑雨幾中宵。偶隨藜杖溪橋外。艷婦如今尚有苗。子如。移孫屬。老萍。

畫凌霄可仿此花法。此夏日花也。

題凌霄。中國藝術研究院美術研究所編《白石畫稿》圖一三，一九八一年，文化藝術出版社。

題此有青蓮不采采青萍句。想此是萍花。

題青蓮。中國藝術研究院美術研究所編《白石畫稿》圖一四，一九八一年，文化藝術出版社。

瑞香有紅黄白三種。立春即花。白石。老人臨付子如。移孫。

題瑞香。中國藝術研究院美術研究所編《白石畫稿》圖一五，一九八一年，文化藝術出版社。

萬年青。棒直。略似四如意合成一花。一棒數十花。

吉祥草之果紅亦同時。
吉祥草之果。冬深始紅。
吉祥草畫得甚醜。子如。移孫須知更變。
其花開在虎耳草之先。

題萬年青·吉祥草。中國藝術研究院美術研究所編《白石畫稿》圖一六，一九八一年，文化藝術出版社。

虞美人。不能曲盡其妙。總以鮮艷為之便佳矣。白石。

題虞美人。中國藝術研究院美術研究所編《白石畫稿》圖一七，一九八一年，文化藝術出版社。

紫玉簪。三月即開花。秋深方已。白石。

題紫玉簪。中國藝術研究院美術研究所編《白石畫稿》圖一八，一九八一年，文化藝術出版社。

俗名老僧鞋。

題老僧鞋。中國藝術研究院美術研究所編《白石畫稿》圖二〇，一九八一年，文化藝術出版社。

草茉莉。為窮檐兒女之花。然而柴門野岸。冉冉夕陽。芳氣襲人。未可抹煞。况晚秋時。更不可少此。
此紙布色醜。未足雅觀。紫色乃鮮麗花青與洋紅錯雜塗之。又有一種花色以洋紅藤黄交亂畫也。

題草茉莉。中國藝術研究院美術研究所編《白石畫稿》圖二一，一九八一年，文化藝術出版社。

大紅鵲葉似荷錢而少偏花。夏甚紅。至秋漸減而花愈繁。若入燠③室。四時不卸(謝)。

題大紅鵲葉。中國藝術研究院美術研究所編《白石畫稿》圖二二，一九八一年，文化藝術出版社。

二日以來。為兒孫輩照人底手之畫臨之。殊無興。白石。
此幀皆出余己意。頗無流俗氣。庚申六月初二日。老萍記。

題臘梅·茶花。中國藝術研究院美術研究所編《白石畫稿》圖二三，一九八一年，文化藝術出版社。

美人蕉。夏日開花。

題美人蕉。中國藝術研究院美術研究所編《白石畫稿》圖二四，一九八一年，文化藝術出版社。

白石老人畫。非有所臨也。庚申六月初四日。

題桃花。中國藝術研究院美術研究所編《白石畫稿》圖二五，一九八一年，文化藝術出版社。

友人藏舊畫花卉百餘種。余擇其粗筆者臨其大意。中有梅菊之類。出自己意為之。以便臨池一看。俗所謂引機是也。白石記。如兒④移孫⑤收稿。

《白石畫稿》題記。中國藝術研究院美術研究所藏。

螳螂無寫照本。信手擬作。未知非是。或曰大有怒其臂以擋車之勢。其形似矣。先生何必言非是也。余笑之。庚申六月初一日畫此汗流。聞京華人閑談。北地從來無此熱。白石。

題螳螂。《榮寶齋畫譜》七十五,齊白石繪魚蟲禽鳥部分,第四〇頁。

余平生不作此種畫。偶檢中年所存蟲册子七葉。求樊樊山先生題跋。以為今目眊不能為也。有友人强余畫四幀。元丞先生見之。亦有此委。弟璜。

題蝴蝶。《榮寶齋畫譜》七十五,齊白石繪魚蟲禽鳥部分,第四〇頁。

如兒移孫共玩。庚申六月同居京華。老萍。

題學金冬心畫梅筆意。胡佩衡、胡橐《齊白石畫法與欣賞》圖版八三,一九五九年,人民美術出版社。

老萍最喜餐菊樓[6]寫真。能得神似。居於京師。同趣者皆莫及。來京無聞。乃先人非顯宦。自家未年尊故耳。余憐其與余少有同病。出此索跋。書而歸之。庚申七月中。

跋餐菊樓畫册。劉振濤、禹尚良、舒俊杰《齊白石研究大全》第七三頁,一九九四年,湖南師範大學出版社。

四百年來畫山水者。余獨喜玄宰[7]。阿長[8]。其餘雖有千岩萬壑。余嘗以匠家目之。時流不譽余畫。余亦不許時人。固山水難畫過前人。何必為。時人以為余不能畫山水。余喜之。子易弟譽余畫。因及之。

題餐菊樓畫册。劉振濤、禹尚良、舒俊杰《齊白石研究大全》第七三頁,一九九四年,湖南師範大學出版社。

阿芝少年喜釣魚。祖母防其水死。作意曰汝衹管食魚。今日將無火為炊。汝知之否。令其砍柴。不使近水。余以為苦。豈知衰老干戈。故山無置樵柯漁釣之地耶。

垂釣圖記。劉振濤、禹尚良、舒俊杰《齊白石研究大全》第一一頁,一九九四年,湖南師範大學出版社。

畫貝葉。其細觔之細。宜畫得欲尋不見。老眼所為。衹言大略耳。白石翁。
此蟲乃樊樊山先生所藏古月軒所畫烟壺上之本。白石又記。

題二葉秋蟲册頁。中國美術館藏畫。

容易又秋風。年年别復逢。雁鳴休笑我。身世與君同。余年來嘗居燕京。春往秋歸。畫此慨然題句。斗秋先生雅意。請兩正之。弟璜。

題蘆雁。中國美術館藏畫。嚴欣强、金岩編《齊白石畫集》,外文出版社,一九九〇年,北京。

好鳥離巢總苦辛。張弓稀處小栖身。知機却也三緘口。閉目天涯正斷人。老萍對菊愧銀鬚。不會求官斗米無。此畫京華人不要。先生三代是農夫。庚申秋月九月中。友人陳師曾以書來索余畫此以助賑。余自知畫不值錢。師曾之命未可却也。時寄萍象坊橋觀音寺。白石并題記。

題菊鳥圖。中央美術學院藏畫。

牽牛花最大為梅郎家最多。余從來畫此花大不過大觀錢大。自過梅家。畫此大花猶以為小也。

題畫牽牛花。湖南師範大學出版社《齊白石研究大全》第七四頁。

百本牽牛花碗大。三年無夢到梅家。

題畫牽牛花。胡佩衡、胡橐《齊白石畫法與欣賞》第三四頁。

滿階桐葉候蟲吟。

題桐葉蟋蟀。

庚申十月。白石翁四出都門歸省。

題扁豆。遼寧省博物館藏畫。

余嘗見南樓老人畫此。無脂粉氣。惜枝葉過於太真。無青藤雪个之名貴氣耳。三百石印富翁畫。時庚申冬還家省親。阿芝老矣。

題石榴。中國美術館藏畫。中國美術館編《齊白石繪畫精品選》圖版五,一九九一年,人民美術出版社。

注:

①尹和伯(一八五八—一九一九年):尹金陽,字和伯,號和光老人。湖南湘潭人。久居長沙作畫,以梅花爲人所稱。齊白石早年向他請教畫梅方法,并認爲畫梅以宋代揚補之、清末民初吴昌碩、尹和伯爲最佳。

②陳師曾:名衡恪,號槐堂,又號朽道人。字師曾。江西修水人。詩文書畫俱佳。其祖陳寶箴,號右銘,官至湖南撫臺。其父陳伯嚴,號散原,一代詩宗。陳師曾於書畫獨具慧眼,指引并激勵齊白石衰年變法。一九二二年應荒木十畝、渡邊晨畝等友人邀請赴日本國,以高昂價格爲齊白石賣畫,使齊白石藝術名播海外。齊白石、陳師曾是在中國書畫藝術上相互砥礪的諍友與摯友。齊陳之交是現代畫壇的佳話。

③燠室:温室。亦稱暖窖。

④如兒:齊白石三子齊良琨,號子如,又號子余。擅畫工筆草蟲。

⑤移孫:齊白石長孫齊秉靈,號近衡。一九〇六年病逝,年僅十七歲。秉靈待齊白石至孝,齊白石視秉靈至愛。在齊白石詩文書畫作品中反映得生動感人。

⑥餐菊樓:桐城方子易畫室名。方子易是民國年間畫家。

⑦玄宰:明代書畫家董其昌,字玄宰,號思白,華亭(今上海松江)人。萬歷戊子科進士,官至禮部尚書。提出山水畫南北宗論。著有《畫禪室隨筆》、《畫旨》、《畫眼》、《容臺集》等。

⑧阿長:清初書畫家。姓朱,名若極,廣西全州人。爲僧,法名原濟、元濟。又稱道濟、超濟。小字阿長。字石濤,號大滌子、清湘老人、瞎尊者、湘源濟山僧等。自稱苦瓜和尚。書畫作品傳世較多,有畫語録行世。係清初四僧之一。齊白石早年藝術受其影響頗深。

一九二一年(民國十年　辛酉)五十九歲

松針已盡蟲猶瘦。松子餘年緑似苔。安得老天憐此樹。雨風雷電一齊來。

阿爺嘗語。先朝庚午夏。星塘老屋一帶之松為蟲食其葉。一日大風雨雷電。蟲盡滅絶。丁巳以來。借山館後之松蟲食欲枯。如得庚午之雷雨不可得矣。

題畫老松并記。上海人民美術出版社《齊白石研究》附圖六,一九五九年。

辛酉春正月畫此并題記。三百石印富翁五過都門。

題松。湖南師範大學出版社《齊白石研究大全》第七六頁，一九九四年。

辛酉四月齊白石五過都門。畫此與夢青大兄論定。慚愧。

題扇面葫蘆圖。現藏北京市文物商店。

即辛酉四月十三日之蟲。足之長短最似者并存之。凡畫蟲。工而不似乃荒謬匠家之作。不工而似。名手作也。

題馬蜂圖。湖南師範大學出版社《齊白石研究大全》第二三八頁，一九九四年。

大滌子嘗云。此道有彼時不合衆意而後世鑒賞不已者。有現時轟雷震時而後世絶不聞問者。余此幅當時不求合衆意。後世不欲人聞問。人奈我何。辛酉六月六日白石老人製并記。

題荷花。北京市文物公司藏畫。

慎齋大兄托友人來索余畫。可想知畫。必不嫌此花粗石大。時辛酉秋七月齊璜白石翁并記。

題茶花小鳥。中國美術館藏畫。

著色畫四幅。獨此墨花能去却一絶艷姿。有超然拔俗之態。借山吟館主人并記。

題墨牡丹。中國美術館藏畫。

身如朽木[①]口加緘[②]。兩字塵情一筆删。笑倒此翁真是我。越無人識越安閑。

戲題門人爲畫小像。人民美術出版社《齊白石作品集》第三集第三八頁，一九九〇年。

借山之梨。實大味甘。惜四年以來。老萍不得嘗也。老萍畫此記之。

題畫梨。

問僊先生正畫。辛酉五月中。齊璜白石翁將遊武昌。道保陽製此。

題紫藤。胡佩衡、胡橐《齊白石畫法與欣賞》圖版五七，一九五九年，人民美術出版社。

刻印。其篆法别有天趣勝人者。惟秦漢人。秦漢人有過人處。全在不蠢。膽敢獨造。故能超出千古。余刻印不拘前人繩墨。而人以為無所本。余嘗哀時人之蠢。不知秦漢人人子也。吾儕亦人子也。不思吾儕有獨到處。如令昔人見之。亦必欽佩。曼生[③]先生之刻印。好在未死摹秦漢人偽銅印。甘自蠢耳。

題陳曼生印拓。王振德、李天庥輯注《齊白石談藝録》第三七頁，一九八四年，河南人民出版社。

辛酉四月十六日如兒於象坊橋畔獲此蜘蛛。余以絲綫繫其腰。以針穿綫刺於案上。畫之。三百石印富翁記。

題蜘蛛。齊良遲口述、盧節整理《父親齊白石和我的藝術生涯》圖版一〇，一九九三年，海潮出版社。

粗大筆墨之畫難得神似。纖細筆墨之畫難得形似。此二者余常笑人。來者有欲笑我者。

恐余不得見。身後恨事也。辛酉八月初四日得此蟲。京華白石翁記。

題蠅。齊良遲口述、盧節整理《父親齊白石和我的藝術生涯》圖版八,一九九三年,海潮出版社。

仲珊[④]使帥鈞正。辛酉五月。布衣齊璜寫呈。

題螞蚱貝葉·廣齑風圖册之一。美國王方宇藏畫。

辛酉秋八月。借山館主齊璜時居京華。

題七雞圖。中央工藝美術學院藏畫。

翅長三之二。頭至翅三之一。膝與翅齊。此蟲翅少短一分。畫時留意。
辛酉九月廿五日畫於借山。

題蝗蟲。齊良遲口述、盧節整理《父親齊白石和我的藝術生涯》圖版一二,一九九三年,海潮出版社。

辛酉冬。中華齊璜。

題蓮蓬翠鳥。北京榮寶齋藏畫。

注:

①朽木:身如朽木,自謂老朽無用之才。《論語·公冶長》:"宰予晝寢。子曰:朽木不可雕也。糞土之墻不可杇也。於予與何誅?"

②緘:口加緘,閉口不言。

③曼生:陳鴻壽,字子恭,號曼生,錢塘人。清嘉慶六年拔貢,官至淮安同知。詩文書畫俱有才華,篆刻繼西泠四家,浙中人悉宗之。曾宰宜興,創製紫砂壺新樣,作銘鐫句,人稱曼生壺。著《桑連理館詩集》、《種榆仙館印譜》等。

④仲珊:曹錕,字仲珊。一九二三年賄選爲總統。

一九二二年(民國十一年　壬戌)六十歲

以小紙畫牛為半丁[①]携之去。因留其本畫此。白石。
此係大幅裁下者。為兒孫輩作樣可矣。未可作為小幅看也。辛酉畫。壬戌裁後補記。白石。

題水牛。遼寧省博物館藏畫。遼寧省博物館編《齊白石畫册》第二三圖,遼寧美術出版社,一九六一年。

平野結廬。四無人徑。老夫願居之。辛酉三十日畫。壬戌初一日記也。白石

題平野結廬圖。《榮寶齋畫譜》七十三,齊白石繪山水部分,第一四頁,一九九三年

前時春色校(較)今濃。紅杏開花烟雨工。清福無聲尋不見。何人知在此山中。寶丞將軍雅正。齊璜并記。壬戌春。白石山翁。

題紅杏烟雨。北京市文物公司藏畫。

老夫今日不為歡。强欲登高著屐難。自過冬天無日暖。草堂烟雨怯山寒。壬戌三日詩。因作畫。白石山人。

題草堂烟雨圖。北京鄒佩珠藏畫。《齊白石繪畫精品集》,人民美術出版社,一九九一年,北京。

非草非木。與世不偶。竹兮竹兮真吾友。

題畫竹。湖南師範大學出版社《齊白石研究大全》第七九頁,一九九四年。

我書意造本無法。此詩有味君勿傳。

愚翁既知余詩。又知余畫。余未以為怪。又索此書。先生之好怪矣。昔人小稱意。人必小怪之。今余書令人慚。先生大稱之。余大怪先生者。請勿辭。壬戌二月二十七日。弟齊璜白石翁并記。

行書聯。王振德、李天庥輯注《齊白石談藝録》附圖二。一九八四年,河南人民出版社。

一代古雅。惟直公[2]能知。壬戌三月。齊白石。

題山水。中國美術館藏畫。《齊白石繪畫精品選》第一八九頁。

壬戌三月居長沙。得破紙甚多。最中畫。殊可寶也。白石翁試紙。

題絲瓜。遼寧省博物館藏畫。《齊白石畫册》,遼寧省博物館編,遼寧美術出版社,一九六一年,瀋陽。

世間亂離事都非。萬里家園歸復歸。願化此身作蝴蝶。有花開處一雙飛。萬里一作劫後。壬戌四月初二初三兩日。為石安五弟製畫八幅。每幅題一絶句。如羅三來。請賡其韵補可矣。兄璜并記。

題牡丹雙蝶圖。湖南省博物館藏畫。

有禽有禽名為鷹。出谷居高日有聲。雀羽不吞鶏肋弃。飽之揚翼則飛騰。末句乃白石後人句也。石安五弟正兩。壬戌四月初五日。兄璜白石翁。時居長沙。

題鷹石圖。湖南省博物館藏畫。

老夫自笑太痴頑。獨立西風上鬢端。食盡蒲(葡)萄不歸去。蟲聲斷續在藤間。壬戌四月為斗秋先生畫并題。弟齊璜白石翁。

題葡萄蝗蟲。嚴欣强、金岩編《齊白石畫集》,外文出版社,一九九一年,北京。

徐徐入室有清風。誰謂詩人到老窮。尤可誇張對朋友。開門長見隔溪松。壬戌年四月白石山翁并題。

題入室松風·山水條屏之二。北京市文物公司藏畫。

見笪重光[3]臨米家畫後作。虞生二兄先生正之。壬戌。弟齊璜。

題米氏雲山·山水條屏之四。北京市文物公司藏畫。

年來何處不消魂。江上青山夕照痕。野老人家無長物。千株楊柳不開門。壬戌四月。白石山翁并題。

題江上青山。中國美術館藏畫。

壬戌又五月居於保陽。見友人家有此簍。戲畫之。白石。

題簍蟹。湖南省圖書館藏畫。

居於北地者皆言數十年來之熱。今年為最。余揮汗畫此。壬戌。

題茨菇雙鴨。北京榮寶齋藏畫。《榮寶齋畫譜》七十五,齊白石繪魚蟲禽鳥部分,第四一頁,一九九三年。

皙子二兄先生論定。壬戌五月同居保陽。弟齊璜。

題米氏山水圖。胡佩衡、胡橐《齊白石畫法與欣賞》圖版一一四，一九五九年，人民美術出版社。

寶姬初侍余時。年十有八。此像二十二歲時也。長兒未一歲。老翁年六十矣。老萍記。寶姬生性雖拙。能知憐惜老翁。老萍深可感也。又記。

題寶姬壬戌小像。齊良遲口述、盧節整理《父親齊白石和我的藝術生涯》圖版四，一九九三年，海潮出版社。

衰顏何苦到天涯。十過蘆溝兩鬢華。畫裏萬荷應笑我。五年不看故園花。題畫荷舊句。壬戌夏製於天津。白石翁。

題墨荷。中國美術館編《齊白石繪畫精品選》圖版七，一九九一年，人民美術出版社。

此鄉一望青菰蒲。烟漠漠兮雲疏疏。先生之宅臨水居。有時垂釣千百魚。不愳不怖魚自如。高人輕利豈在得。赦爾三十六鱗游江湖。游江湖。翻踟蹰。却畏四面飛鵜鶘。曲江外史④本。白石翁。

題獨釣圖。人民美術出版社《齊白石繪畫精品集》第八頁，一九九一年。

前代畫山水者董玄宰釋道濟二公無匠家習氣。余猶以為工細。衷心傾佩。至老未願師也。居京同客蒙泉山人得大滌子畫册八開。欲余觀焉。余觀大滌子畫頗多。其筆墨之蒼老稚秀不同。蓋所作有老年中年少年之别。此册之字迹未工。得毋少時作耶。蒙泉勸余臨摹之。捨己從人。下筆非我心手。焉得佳也。不却蒙泉之雅意而已。壬戌秋七月。白石山翁記。時年六十矣。

仿石濤山水册題記。《中國嘉德'94秋季拍賣·中國書畫》，一九九四年，北京。

戲臨大滌子八開之八。齊瀕生。

此册所臨之由來。已另記之於前。一日蔣將軍見之喜。强之去裱褙成册。後將軍自携來屬余題記。余以為物得其主。歡然贈之。壬戌八月初七日齊璜。

題仿石濤山水册頁之八。《中國嘉德'94秋季拍賣·中國書畫》，一九九四年，北京。

余年未二十七歲時。未出本邑。不知世有善畫之名家。一日至長沙客舍。有少年人來。自言恪勤之裔孫。出畫四幅求售。欲得紋銀二兩。且言八大山人所作者。余細觀其畫。係第二層惟有題跋之字迹若有若無。八大四字似是。余亦不知為何人。以銀一圓得之。即將題跋捨去之。藏於筐。至衰年來京師。陳師曾見而訝之。惜不知作者為誰。余以來處告之。師曾曰此臨八大者或有之。非八大筆也。叮嚀即付裱褙。記而藏之。壬戌秋八月。白石山翁。

題仿八大山人畫。

齊璜製。

西風何物最清幽。叢菊香時正暮秋。花亦如人知世態。腰折無分學低頭。折腰兩字誤寫顛倒。壬戌秋八月白石并題。

題叢菊幽香。湖南省博物館藏畫。

壬戌秋。白石山翁示如兒紫兒。

題蘆葦昆蟲。遼寧省博物館藏畫。

紹南仁兄先生正雅。壬戌十月天日大寒。畫此。幸無生硬氣。齊璜。

題湖石海棠。北京市文物公司藏畫。

壬戌秋七月。還家一月。見借山吟館後老藤垂垂。其葉將老而未衰時。有好鳥去來。此天然畫幅也。

非其人不能領略。余自少小以來不喜臨摹前人畫本。以為有畫家習氣耳。冬十月始作畫并記云。白石。

題花鳥畫。湖南師範大學出版社《齊白石研究大全》第八二頁,一九九四年。

多足乘潮何處投。草泥鄉裏合鈎留。秋風行出殘荷界。自信無腸一輩羞。壬戌冬十月。白石并題。

題蟹草。中國美術館藏畫。

烏紗白扇儼然官。不倒原來泥半團。將汝忽然來打破。通身何處有心肝。壬戌五月小住長沙。畫不倒(翁)題詞。十一月養晦姻兄先生索畫此。余仍書舊題詞補空。齊璜時同居京華。

題不倒翁。上海朵雲軒藏畫。

京華伶界梅蘭芳嘗種牽牛花百種。其花大者過於椀(碗)。曾求余寫真藏之。姚華見之以為怪。誹之。蘭芳出活本與觀。花大過於畫本。姚華大慚。以為少所見也。白石。

題牽牛花。北京市文物公司。

石榴子熟葉將落。枝密雖能損露華。正好護持開十足。海棠不作可憐花。壬戌冬十一月居保陽天畸翁⑥家。畫此并題。三百石印富翁。

題石榴海棠圖。北京市文物商店藏。

胸中著有龍蛇。用之畫藤。有時雷雨亦疑飛去。

畫藤手記。王振德、李天庥輯注《齊白石談藝録》第七三頁,一九八四年,河南人民出版社。

余重來京師作畫甚多。初不作山水。為友人始畫四小屏。裴公見之。未以為笑。且委之畫此。畫法從冷逸中覓天趣。似屬索然。即此時居於此地之畫家陳師曾外。不識其中之三昧。非余狂妄也。瀕生記。

題山水。北京市文物公司藏畫。秦公、少楷主編《齊白石繪畫精萃》,吉林美術出版社,一九九四年,長春。

此畫山水法前不見古人。雖大滌子似我。未必有如此奇拙。如有來者。當不笑余言為妄也。白石老人并記。

題山水屏。人民美術出版社《齊白石繪畫精品集》第六頁，一九九一年。

此四幅照依潤格。值價六十二圓四角。秋澄先生多能。他日當卜牛眠報我也。呵呵。弟白石翁。

題山水屏。人民美術出版社《齊白石繪畫精品集》第七頁，一九九一年。

漢關壯繆像。

虎威上將軍⑦命齊璜敬摹。

題漢關壯繆像。天津藝術博物館藏畫。

宋岳武穆像。

虎威上將軍命齊璜敬摹。

題宋岳武穆像。天津藝術博物館藏畫。

東鄰屋角酒旗風。五十離君六十逢。歡醉太平無再夢。門前辜負杏花紅。齊白石製并題。

題杏花。中國美術館藏畫。

白石山翁齊璜。

斷角悲笳故國思。七年歸去夢遲遲。有人若問湘江事。聞道天霞似舊時。山翁又題。時居燕京。

翔欣仁兄雅正。璜。

題晚霞。北京榮寶齋藏畫。

作畫先閱古人真迹過多。然後脱前人習氣。别造畫格。乃前人所不為者。雖没齒無人知。自問無愧也。

題畫。胡佩衡、胡橐《齊白石畫法與欣賞》第二九頁，一九五九年，人民美術出版社。

詩思夜深無厭苦。畫名年老不嫌低。

六十歲前後篆書聯。王振德、李天庥輯注《齊白石談藝録》第五頁，一九八四年，河南人民出版社。

咫尺天涯幾筆涂。一揮便了忘工粗。荒山冷雨何人買。寄與東京士大夫。

題畫山水。王振德、李天庥輯注《齊白石談藝録》第四五頁，一九八四年，河南人民出版社。

兒戲追思常砍竹。星塘屋後路高低。而今老子年六十。恍惚昨朝作馬騎。

題畫竹。王振德、李天庥輯注《齊白石談藝録》第六六頁，一九八四年，河南人民出版社。

注：

①半丁：陳年（一八七七—一九七〇年），字半丁，又作半痴、静山等。浙江紹興人，久居北京，書畫印俱佳。早年師吴昌碩，後上溯明清名家，在花卉、山水諸方面獨樹一幟。曾任北京中國畫院副院長。

②直公：凌文淵，字直支，江蘇泰縣人。清末兩江優級師範出身，辛亥後官至財政部組長。擅書畫，尤精花鳥，筆勁墨湛，屬陳白陽、徐青藤傳派。是齊白石居京摯友之一。

③笪重光：字在辛，號江上外史，晚署逸光，號逸叟。晚年居茅山學道，改名傳光。句容人。順治壬辰科進士，官至御史。擅書畫，精鑒賞，通理論，著有《書筏》、《畫筌》。

④曲江外史：即清代書畫家金農。
⑤如兒紫兒：齊白石三子齊子如及其妻張紫環。
⑥天畸翁：即夏午詒。
⑦虎威上將軍：即曹錕。

一九二三年（民國十二年　癸亥）六十一歲

無岸仁弟見之喜。與僨奪之。時壬戌十一月廿又五日。兄璜白石山翁同居京華。

題柳樹。湖南省博物館藏畫。

壬戌小年。白石山翁戲墨。
已圈者不要。

題藤蘿小稿。胡佩衡、胡橐《齊白石畫法與欣賞》圖版五八，一九五九年，人民美術出版社。

海濱池底好移根。杯水丸泥可斷魂。有識荷花應欲語。寶缸身世未為恩。　星塘老屋舊移家。筆硯安排對竹霞。最是晚凉堪眺處。蘆茅蕩裏好蓮花。前首特題此幅。後一首借以補空也。三百石印富翁時居京華。
此幅乃辛酉六月畫。藏至癸亥十二月。撿贈沛之先生雅正。時在燕京。弟齊璜。

題寶缸荷花圖。中國美術館藏畫。

余未成年時喜寫字。祖母嘗太息曰。汝好學。惜來時走錯了人家。俗話云。三日風。四日雨。哪見文章鍋裏煮。明朝無米。吾兒奈何。後十五年余嘗得寫真潤金買柴米。祖母又曰。哪知今日鍋裏煮吾兒之畫也。匆匆余年六十一矣。猶賣畫於京華。畫屋懸畫於四壁。因名其屋曰甑。其畫作為熟飯以活餘年。痛祖母不能同餐也。時癸亥買燈後二日作於三道柵欄。白石山翁。
後記末句更為痛。不聞祖母之聲呼吾兒同餐也。白石。

自書甑屋[①]横額。龍龔《齊白石傳略》圖版二，一九五九年，人民美術出版社。

癸亥三日晨刻。買得小活魚一大盆。揀出此蟲。以白瓷碗著水。使蟲行走生動。始畫之。

題畫工筆魚蟲。齊良遲藏。

太平年少字情奴。兒女旗亭鬥唱酬。吟響枝高蟬翅咽。閑心比細葉紋粗。
畫苑前朝勝似麻。多為利禄出工華。吾今原不因供奉。愧滿衰顔作匠家。前首閑心更為詩心。拱北[②]先生委作細緻畫。取其所短。苦其所難也。請正之。癸亥三月中。齊璜并題記。

題貝葉秋蟬圖。浙江省博物館藏畫。

養庵先生嘗以書來索畫細緻山水。一面扇頁。萬户人家。不可謂不工矣。隔江楊柳千條未作算也。癸亥四月弟璜并記。

題山水扇面。中國藝術研究院美術研究所藏畫。

芳亭仁兄大人雅正。癸亥夏四月畫於燕京三道栅欄。齊璜。

枝搖鷹爪凉風早。香壓鷄頭清露餘。自有冰霜潔中内。滿身棘刺不須除。白石山翁自家臨自家栗樹三株。此第二幅。并題二十八字。

題栗樹。中國美術館藏畫。

看山時節未蕭條。山脚横霞開絳桃。二十年前遊興好。宏農澗[③]外畫嵩高。癸卯春。余由西安轉京華。道出宏農澗。携几於澗外畫嵩山圖。

題雪庵背臨白石畫嵩高本。胡佩衡、胡橐《齊白石畫法與欣賞》第四一頁,一九五九年,人民美術出版社。

村老不知城市物。初看此漢認為神。置之堂上加香供。忙殺鄰家求福人。白石山翁造不倒翁并題。

題不倒翁。天津楊柳青書畫社藏畫。

余曾見天畸翁院落有藤一本。其瓜形不一。始知天工自有更變。使老萍不離依様為之也。老萍并記。

題葫蘆蝗蟲。中國美術館藏畫。

鍾馗讀書。見金冬心先生畫鍾馗跋語。璜畫此幅成。焚香再拜。願天常生此人。元函先生供奉。弟璜。

題鍾馗讀書圖。浙江省博物館藏畫。

有雀有雀。北啄南剥。我屋既穿。誰謂汝無角。白石山翁并題。

題雀。上海美術家協會藏畫。

畫水仙之盛。無過此幅。齊璜製。時南檐日暖。

題水仙。嚴欣强、金岩編《齊白石畫集》,外文出版社,一九九〇年,北京。

杏子塢老民畫此。今之妙品也。呵呵。白石。

題南瓜。湖南省博物館藏畫。

色色蝦蟲美惡兼。好生天意亦堪憐。青蝦安得盈河海。化盡飛蝗喜見天。蝗化為蝦見後漢循吏傳[④]。白石山翁。

題水草游蝦。臺北故宫博物院藏畫。

甑屋四壁皆懸畫。有雛鷄一幅為友人携去。復畫此補足之。白石并記。

題棕樹母鷄。首都博物館藏畫。

荷花瓣瓣大如船。荷葉青青傘様圓。看盡中華南北地。民家無此好肥蓮。白石山民并題。

題荷花。北京故宫博物院藏畫。

白石山翁齊璜畫。

看花常記坐池亭。容易秋風冷不勝。生就不供中婦用。那時荷葉尚青青。白石又題。

題荷花蓮蓬。西安美術學院藏畫。

一花一葉掃凡胎。墨海靈光五色開。修到華嚴清静福。有人三世夢如來。用譚茘仙老人句補空。三百石印富翁。

題荷花。北京市文物公司藏畫。

四十離鄉還復還。此根仰事喜加餐。老親含笑問余道。果否朱門肉似山。

題白菜。首都博物館藏畫。

啄餘無事亦能啼。竹裏清風且息栖。天也祇教隨汝懶。司晨盡意有栖鷄。一作家。齊白石製并題。
余畫風竹山鷄既歸外人。再畫又為友人得去。此再三作也。白石又記。

題風竹山鷄。上海市文物商店藏畫。

不畫此花將越半年矣。胸中猶有好枝。白石并記。

題玉蘭。中國美術館編《齊白石繪畫精品選》圖版一〇,一九九一年,人民美術出版社。

凄風吹袂异人間。久住渾忘心膽寒。馬面牛頭都見慣。寄萍堂外鬼門關。

題王闓運所書寄萍堂横額。湖南師範大學出版社《齊白石研究大全》第八四頁,一九九四年。

借山館在湘潭南行一百廿餘里有蒲(葡)萄。

題畫葡萄。湖南省博物館編《齊白石繪畫選集》,一九八〇年,湖南美術出版社。

注:

①甑屋:湖南方言稱煮飯用器爲"甑"。齊白石靠賣畫養家糊口,故名畫屋曰甑。

②拱北:金城(一八七八—一九二六年),原名紹城,字拱北,又字鞏北,號北樓,又號藕湖。浙江吴興人。曾任國務院秘書,籌辦古物陳列所。創辦湖社畫會。擅畫山水、花卉。著有《藕廬詩草》、《北樓論畫》等。

③宏農澗:亦作泓農澗或弘農澗。

④後漢循吏傳:即《後漢書·循吏傳》。

一九二四年(民國十三年　甲子)六十二歲

尋常習氣盡删除。誰使聰明到老愚。買盡胭脂三萬餅。長安市上姓名無。癸亥冬十二月之初。為公雨先生製并題。白石山翁。

題緑梅。中國美術館編《齊白石繪畫精品選》圖版九,一九九一年,人民美術出版社。

余作畫五十年不善畫蘭花。無論今古人之作。目之所見者無不形似。此幅略去畫家習氣耳。白石。

題蘭花。四川美術學院藏畫。

慶芳公子。白石。
南湖弟多兒女。余戲贈畫册各一幀。已得九數。尚餘三幀。留待他日添兒補款也。呵呵。時癸亥冬十二月初八日。兄齊璜并記。

題蘆草游蝦·花鳥蟲魚册頁之十二。霍宗傑藏畫。

此幅畫於甲子元日。藏至廿又三日。贈東陽

老先生法正。中華齊璜。
白石山翁製於燕京西城。

題瓶菊。《榮寶齋畫譜》一〇一，齊白石繪民俗風情部分，第五頁，一九九四年。

白石老屋。老屋風來壁有聲。删除草木省疑兵。畫中大膽還家去。且喜兒童出户迎。甲子二月白石畫并題。

題白石老屋圖。龍龔《齊白石傳略》圖版一，一九五九年，人民美術出版社。

厨下有魚皆可砍。堂前有瓮未曾開。與君不飲何時飲。李白劉伶安在哉。甲子三月老萍題高愛林①畫。

題魚瓮圖。湖南美術出版社《齊白石題畫詩選注》附圖一六，一九八七年。

霜葉如刀雙刃斜。山邊境下影交加。從來不足為人賞。樵牧相傳唤作花。甲子春愛林畫友出此索題。齊白石。
時看好鳥去猶還。不入牢籠天地寬。却是為何忙不了。這邊飛過那邊山。白石又題。
此花吾鄉最多。不知為何名。非蘆花也。白石又記。

題荻雀圖。湖南美術出版社《齊白石題畫詩選注》附圖一五，一九八七年。

鳴蟬抱葉落。及地有餘聲。甲子三月白石并題。

題蟬。《榮寶齋畫譜》七十五，齊白石繪魚蟲禽鳥部分，第三〇頁，一九九三年。

逢人耻聽説荆關。宗派誇能却汗顔。自有心胸甲天下。老夫看熟桂林山。甲子春三月。為匯川先生畫并題。齊璜白石山翁。

題桂林山。北京故宫博物院藏畫。

余眼老手寒。字小不刻。善仲先生以徐君所賞之印刻者。所刻磨去。索余刻。先生所賞悮耶。余之刻果工耶。弟齊璜又記。甲子白石刻。

李寶楚字善仲印邊款。戴山青編《齊白石印影·補遺》第一六頁，一九九一年，北京榮寶齋。

老夫也在皮毛類。乃大滌子句也。余假之製印。甲子。白石并記。

老夫也在皮毛類印邊款。戴山青編《齊白石印影》第五七頁，一九九一年，北京榮寶齋。

此蟲與此葉。余曾俱寫其照。有欲笑余者。衹可謂未工。不可謂未似也。老萍。

題蟬。《榮寶齋畫譜》七十五，齊白石繪魚蟲禽鳥部分，第三〇頁，一九九一年，北京。

少臣仁兄嘗云。藏當時名家畫與知者觀。興高趣足。以古時僞本畫與知者觀。滿面自生慚色。余是其言。因記之於此幅。甲子五月初四日。齊璜。
有蟹不瘦。有酒盈卮。君若不飲。黄花過時。白石又題。

重陽時節雨潺潺。三五花疏院不寬。老欲學陶籬下種。種花容易折腰難。少臣兄屬再題為書近句。老萍。

題菊蟹。中國美術館編《齊白石繪畫精品選》圖版一一，一九九一年，人民美術出版社。

何苦官高為世豪。公侯不過富錢刀。夜長鐫印因遲睡。晨起臨池當早朝。長到齒搖非禄俸。力能自食勝民膏。眼昏未瞎手非死。哪至長安作老饕②。甲子冬十一月補題甑屋五十六字。業城仁弟兩正。兄齊璜白石山民時居京師。

行書軸。

論説新奇足起余。吾門中有李生③殊。須知風雅稱三絶。廿七年華好讀書。
深耻臨摹誇世人。閑花野草寫來真。能將有法為無法。方許龍眠④作替人。

題李苦禪畫册。湖南師範大學出版社《齊白石研究大全》第八六頁，一九九四年。

往余過洞庭。鯽魚下江嚇。浪高舟欲埋。霧重湖光没。霧開東望遠帆明。帆腰初日挂銅鉦。舉敲篙鉦復縮手。竊恐蛟龍聽欲驚。湘君駕雲來。笑余清狂客。請博今宵歡。同看長圓月。回首二十年。烟霞在胸膈。君山初識余。頭還未全白。白石山翁製并題。

題洞庭日初圖。胡佩衡、胡橐《齊白石畫法與欣賞》圖版一一六，一九五九年，人民美術出版社。

富貴花落成春泥。不若野草餘秋色。白石。

題蝗蟲·草蟲册頁之五。北京畫院藏畫。

此册之蟲為蟲寫工緻照者。故工。存寫意本者。故寫意也。三百石印富翁記。

題蝗蟲·草蟲册頁之九。北京畫院藏畫。

客有求畫工緻蟲者衆。余目昏隔霧。從今封筆矣。白石。

題甲蟲·草蟲册頁之十。北京畫院藏畫。

齊白石居京師第八年畫。
茅檐矮矮長葵齊。雨打風摇損葉稀。干旱猶思晴暢好。傾心應向日東西。白石山翁燈昏又題。

題向日葵。香港佳士得拍賣行藏畫。

筆端生趣故鄉風。柴火無寒布幕紅。我欲為公作雙壽。添山數叠萬株松。甲子冬璜。

題萬松山居圖。上海美術家協會藏畫。

三百石印富翁製於燕京鴨子廟側。

題垂藤雛鷄。北京榮寶齋藏畫。

盡了力子燒鑠。方成一粒丹砂。塵世凡夫眼界。看為餓殍身家。貞兒①來燕京省親。畫此與之。以紀其事。時余年三百八甲子矣。乃翁。

題畫人物。《榮寶齋畫譜》七十四，齊白石繪人物部分，第二四頁，一九九三年。

盡了工夫燒煉。方成一粒丹砂。人世凡夫眼界。看作餓殍身家。仲學先生清正。齊璜造并題新句。

題畫人物。胡佩衡、胡橐《齊白石畫法與欣賞》圖版一。

風流濁世歸巧匠。十日一畫萬里浪。君欲卧遊借順風。為君挂向高堂上。三百石印富翁齊璜四百二十甲子時製於舊京。

題山水。《榮寶齋畫譜》七十三，齊白石繪山水部分，第八頁，一九九三年。

注：

①高愛林：高希舜（一八九五—一九八二年），字愛林，號一峰山人、清凉山人。湖南益陽人。曾創辦京華美專於北京，又創辦南京美專於金陵，親任校長兼教授。建國後任中央美術學院中國畫教授。他與齊白石交誼深厚，合作之畫甚多。

②老饕：上了年紀的饕餮之徒。杜預《左傳·文公十八年》注云："貪財爲饕，貪食爲餮。"齊白石在詩中自嘲自己跑到京城當老飯桶。

③李生：李苦禪，原名李英，號勵公，山東高唐人。善書畫，白石入室弟子。曾任中央美術學院中國畫教授。

④龍眠：李公麟（一〇四九—一一〇六年），北宋畫家。字伯時，號龍眠。安徽舒城人。官至朝奉郎，好古博學，以白描畫法著稱於畫史。

一九二五年（民國十四年　乙丑）六十三歲

三百八十二甲子齊璜居京華第九年製。

雨初過去山如染。破屋無塵任倒斜。丁巳以前多此地。無灾無害住仙家。乙丑正月白石山翁又題。

少臣仁弟清論。齊璜。

題雨後山光圖。北京市文物公司藏畫。

善寫意者專言其神。工寫生者祇重其形。要寫生而後寫意。寫意而後復寫生。自能神形俱見。非偶然可得也。白石山翁製并記。

草野之狸。雲天之鵝。水邊雛鷄。其奈魚何。三百八十二甲子老萍又題。

題其奈魚何。北京畫院藏畫。

天之長。地之久。松之年。山之壽。乙丑花朝。介福先生賢夫婦壽。齊璜。

題松樹青山。中國美術館藏畫。

乙丑四月。余還家省親。留連長沙。有索畫者嫌畫中無印。欲不足為信。余因刊此石。余所用白石翁三字小印。已有四石。後之監（鑒）定者留意。白石自刊并記。

白石翁三字小印邊款。戴山青編《齊白石印影》第四六頁，一九九一年，北京榮寶齋。

三丈芭蕉一萬株。人間此景却非無。立身誤墮皮毛類。恨不移家老讀書。大滌子呈石頭畫題云。書畫名傳品類高。先生高出衆皮毛。老夫也在皮毛類。一笑題成迅彩毫。白石山翁畫并題記。

題芭蕉書屋圖。首都博物館藏畫。

不加鋤挖易成陰。倒地垂藤便著根。老子畫時心怕殺。實無可食刺通身。家山多此刺藤。不知為何名。借山館四周尤多。既不能近人。又不能禦盜寇。笑天之好生不擇物也。壬戌冬白石山翁并題記。
此幅畫於京華。深藏篋底已越四年。如兒見之以為工矣。梅兒聞之求賜。即與之。時乙丑夏五月廿又八日。乃翁記。

題刺藤圖。浙江省博物館藏畫。

鸜鵒[1]能言自命乖。樊籠無意早安排。不須四面張羅網。自有乖言哄下來。諺云。能巧言者。鳥在樹上能哄得下來。乙丑七月初六日。耳目之所聞見。因作此幅并題記。付與梅兒。乃翁。

題樊籠八哥。中國古典藝術出版社《中國畫》第二期。夏衍藏。

丁巳前過南鄰子小園。南鄰女子能上梯折栗子贈余。栗刺傷指見血痕。猶無怨態。此好夢不覺忽忽九年矣。白石記。

題栗樹。中國美術館藏畫。浙江人民美術出版社《齊白石畫集》圖四，一九九四年。《白石研究大全》第八七頁，一九九四年。

為官分别在衣冠。不倒名翁竟可憐。又有世間稱好漢。不倒翁一名打不倒的好漢。無心身價衹三錢。相親寂寞老疏迂。同調忘年德不孤。憐汝啟予商也意。柴門風雪日停車。第二首謂雪濤也。雪濤仁弟畫此。因聞余欲畫背面。先畫此呈余論定。正合余意。題二絶句歸之。

爲王雪濤畫不倒翁題詩。山東濟南王雪濤紀念館藏。

能供兒戲此翁乖。打倒休扶快起來。頭上齊眉紗帽黑。雖無肝膽有官階。孔才仁弟哂正。兄璜乙丑冬贈。

題不倒翁。中國古典藝術出版社《中國畫》第二期。中國美術家協會藏。

客謂以盈尺之紙。畫丈餘之草木。能否。余曰能。即畫此幀。客稱之。白石并記。
作畫易。衹得形似更易。欲得局格特别則難。此小幀有之。白石山翁又記。

題芭蕉。胡佩衡、胡橐《齊白石畫法與欣賞》圖七六，一九五九年，人民美術出版社。

余有友人嘗謂曰。吾欲畫菜。苦不得君所畫之似。何也。余曰。通身無蔬笋氣。但苦於欲似余。何能到。友人笑之。白石畫并記。

題白菜。胡佩衡、胡橐《齊白石畫法與欣賞》圖八七，一九五九年，人民美術出版社。

密樹濃陰繞地雲。石岩雙影虎同蹲。是誰留著秦時月。抛上長天照幽人。乙丑中秋後作畫十二幅之二并題。

題石岩雙影。胡佩衡、胡橐《齊白石畫法與欣賞》圖版一一八，一九五九年，人民美術出版社。

非盡人情山水在。餘霞猶似昔時紅。乙丑中秋後作畫十二幅之五。阿芝題舊句。

題晚霞山水。人民美術出版社《齊白石畫選》圖三二，一九八〇年。

吟聲不意出簾櫳。斯世猶能有此翁。畫裏貧居足誇耀。屋前屋後數株松。乙丑中秋後作畫十二幅之六。并題舊句。老齊郎。

題松屋。人民美術出版社《齊白石畫選》圖三一，一九八〇年。

中年自喚老齊郎。對鏡公然鬢未霜。兒女不饑爺有畫。草堂不漏杏花香。乙丑中秋後作畫十二幅之七。寄萍堂叟并題。

題杏花草堂。人民美術出版社《齊白石畫選》圖三〇，一九八〇年。

三峰如角世非稀。木末樓臺未足奇。何處老夫高興事。桂林歸後畫名低。乙丑中秋後作畫十二幅之八并題。齊大。

題山樹樓臺。人民美術出版社《齊白石畫選》圖二九，一九八〇年。

烟深帆影亂。潮長海山低。余舊題海山烟舫圖五言律中句也。乙丑中秋後作畫十二幅之九。木居士。

題海山帆影。人民美術出版社《齊白石畫選》圖二七，一九八〇年。

不教磨墨苦人難。一日揮毫十日閑。幸有楊枝慰愁寂。一春家在雨中山。八硯樓主[2]者。乙丑中秋後作畫十二幅之十。時居京華。上題之詩舊句也。

題雨中山。人民美術出版社《齊白石畫選》圖二六，一九八〇年。

少時戲語總難忘。欲構凉窗坐板塘。難得那人含笑約。隔年消息聽荷香。乙丑中秋後。製畫十二幅之十二并題。老萍。

題荷塘水榭。《榮寶齋畫譜》七十三，齊白石繪山水部分，圖二一，一九九三年。

好山依屋上青霄。朱幕銀牆未寂寥。漫道劫余無長物。門前柏樹立寒蛟。乙丑秋八月。齊璜為冷庵仁弟畫并題。

題山水·好山依屋圖。《齊白石繪畫精品集》人民美術出版社，一九九一年，北京。

造化可奪理難說。何處奔原列石巔。疑是銀河通世界。鼎湖山頂看飛泉[3]。乙丑秋八月。為晏池仁兄法家畫并題舊句。

題飛瀑。湖南美術出版社《齊白石繪畫選集》。

秋扇搖搖兩面白。官袍楚楚通身黑。笑君不肯打倒來。自信胸中無點墨。

往余在南岳廟前。以三錢買得不倒翁與兒嬉。大兒以為巧物。語余遠遊時携至長安作模樣。供諸小兒之需。不知此物。天下無處不有也。三百石印富翁又記。居京九年。前十日重陽。觀畫者。山妻[4]。理紙者。寶姬[5]也。

題不倒翁。湖南師範大學出版社《齊白石研究大全》第八七頁，一九九四年。

隨意鈎寫。刪盡掃地抹竈之時習。

題自畫山水。龍龔《齊白石傳略》第五三頁，一九五九年，人民美術出版社。

三百石印富翁。乙丑中秋後制。畫十二幅之十一。

空中樓閣半雲封。萬里鄉山有路通。紅樹白泉好聲色。何年容我作鄰翁。三百石印富翁又題。

題紅樹白泉。鐘靈編《紀念齊白石》選圖一〇，一九五八年，人民美術出版社。

著苗原不類蓬根。喜得能羸不老身。曾見夭桃開頃刻。又逢芍藥謝殘春。半天紅雨魂無着。滿地香泥夢有痕。經過東風全寂寞。艶嬌消受幾黄昏。乙丑冬。天日不寒。余得七言五十六字。白石。

題老少年。遼寧省博物館藏畫。

余每還家。為鄉人求畫所苦。今夏居於吾家遯園[6]之樓。樓下有欲晤余者。遯園為余謝去。因得安閑。深感遯園之慷慨痛快。

行書軸。王振德、李天庥輯注《齊白石談藝録》第一一頁，一九八四年，河南人民出版社。

注：

①鸜鵒：鴝鵒，亦稱八哥，椋鳥科。翼羽有白斑，飛時顯露呈八字形。雄鳥善鳴，經籠養訓練，能模仿人的聲音。

②八硯樓主：光緒三十二年(一九〇六年)齊白石用賣畫收入典住茹家冲梅公祠，翻蓋寄萍堂。堂内造一書室，取名八硯樓。名雖爲樓，并非樓房。衹是將南遊得來的八塊硯石，置於室中，故題此名，自稱八硯樓主。

③鼎湖山頂看飛泉：一九〇四年齊白石南遊兩廣，小住肇慶，曾與郭葆蓀遊鼎湖山，觀飛泉潭。

④山妻：原配夫人陳春君。

⑤寶姬：姬人胡寶珠。一九一九年十月入齊門，一九四一年扶正爲繼室。一九四三年病故。

⑥遯園：齊白石同宗齊遯園在長沙之住所。白石返家省親，爲避鄉人索畫，曾樓居於此。白石愛女阿梅爲逃夫婿打罵，也曾躲此避難。

一九二六年(民國十五年　丙寅)六十四歲

魚龍不見。蝦蟹偏多。草没泥渾奈汝何。丙寅春正月畫於京華寄萍堂。白石山翁。

古今教授九十七歲白石。

題魚龍不見蝦蟹多。北京市文物公司藏畫。秦公、少楷主編《齊白石繪畫精萃》，吉林美術出版社，一九九四年，長春。

余客京師。門人雪庵[1]和尚常言。前朝同光間。趙撝叔。德硯香諸君為西城三怪。吾曰。然則吾與汝亦西城今日之怪也。惜無多人。雪庵尋思曰。臼庵[2]亦居西城。可成三怪矣。一日臼庵來借山館。余白其事。明日又來。出紙索畫是圖。雪庵見之亦索再畫。余并題二絶句。第六行之字下有兩字。閉户孤藏老病身。哪堪身外更逢君。捫心何有稀奇筆。恐見西山冷笑人。幻緣塵夢總雲曇。夢裏阿長醒雪庵。不以拈花[3]作模樣。果然能與佛同龕。雪庵和尚笑存。丙寅春二月。齊璜。

題西城三怪圖。中國美術館藏畫。

樹雜椅桐繼國風。莫教林下長蒿蓬。共期秋實充腸飽。不羡春華轉眼空。病起數升傳欒録。晨興三咽學仙翁。櫻桃浪得銀絲薦。一笑才堪面發紅。晦庵詩。達之仁兄清屬。丙寅春二月時客長安。齊璜。

題栗。中國美術館編《齊白石繪畫精品選》圖版一三,一九九一年,人民美術出版社。

一日能買三擔假。長安竟有擔竿者。見隨園答金壽門書。苦禪學吾不似吾。一錢不值胡為乎。余有門人字畫。皆稍有皮毛之似。賣於東京能得百金。品卑如病衰人扶。苦禪不為真吾徒。

爲李苦禪畫題詩。李燕《苦禪宗師藝緣録》附圖,轉引湖南師範大學出版社《齊白石研究大全》第八九頁,一九九四年。

户外清蔭長緑苔。名花嬌媚不須栽。山頭山脚蒼松樹。任汝風吹四面來。丙寅秋九月中。余為伯廬[4]仁弟畫松山畫屋圖。復為題句書於此紙。兄璜。

題松山畫屋圖。楊永德藏畫。中國嘉德'95秋季拍賣會圖録第二二四號,北京。

大富貴亦壽考。

丙寅年齊璜製。時居京華第十春也。

題大富貴亦壽考。廣州市美術館藏畫。

三百石印富翁無昔人法度。時居燕京第十年。

芋魁南地如瓜大。一丈青苗香滿園。宰相既無才幹絶。老僧分食與何人。此詩乃白石山翁舊作也。書補此畫。白石又題記。

題芋魁圖。天津人民美術出版社藏畫。

烏紗白扇儼然官。不倒原來泥半團。將汝忽然來打破。通身何處有心肝。白石山翁畫并書舊句。

佩筌先生哂正。齊璜居京華第十年也。

題不倒翁。上海中國畫院藏畫。

一日晴波山萬重。柳條難繫故人篷。勸君莫到無邊岸。也恐回頭是此風。宋若夫人法正。齊璜白石山翁畫并題。

題晴波揚帆。北京市文物公司藏畫。秦公、少楷主編《齊白石繪畫精萃》,吉林美術出版社,一九九四年,長春。

不為貪愛走天涯。損道嗔痴誤出家。今識虚空身即佛。半加趺坐笑拈花。齊璜并題。

題拈花佛。北京市文物公司藏畫。

無我如來座。休同彌勒龕。解尋寂寥境。到眼即雲曇。心出家僧齊璜製此供奉。

題佛。炎黄藝術館藝術中心藏畫。

椏枝叠葉勝天工。幾點朱砂花便紅。不獨萍公老多事。猶逢貪畫石安翁。萍公并題。

題山茶花。湖南省博物館藏畫。

草莽吞聲。食忘所好。肥蟹嫩鷄。見之尚笑。可惜骨頭丢。因牙摇掉。三百石印富翁畫并題舊句。

題蘆蟹雛鷄。中央工藝美術學院藏畫。

從來未聞有釣蝦者。始自白石。白石并記。

題釣蝦。中央美術學院附中藏畫。

今日得家書。中心喜樂。挑燈畫此幅。白石山翁并記。

題南瓜。中國美術館藏畫。

老萍畫荷今日得三幅。此幅先畫者。白石。

題荷花螃蟹。中國美術館藏畫。

作畫貴能而不能。此幅將不能也。白石山翁并題記。

題月季。天津人民美術出版社藏畫。

三百石印富翁製。

當萬夫勇。著百結衣。取之毛羽。何如錦鷄。白石又題。

此四小幅乃為運明女士畫。未款。載今補題之。齊璜。

題鵪鶉稻穗。北京故宫博物院藏畫。

論園買夏鶴頭丹。風味雖殊嗜痂難。人世幾逢開口笑。塵埃一騎到長安。白石山翁并題。

題荔枝。《齊白石繪畫精品集》,人民美術出版社,一九九一年,北京。

登高時近倍思鄉。飲酒簪花更斷腸。寄語南飛天上雁。心隨君侶到星塘。星塘乃白石老屋也。三百石印富翁畫并題記。時居燕。

題蘆雁圖。中國美術館藏畫。

層次分明點畫工。啟人心事見毫鋒。他年畫苑三千輩。個個勿忘念此翁。對君斯册感當年。撞破金甌世可憐。燈下再三揮泪看。中華無此好山川。好亦作整。讀冷庵先生畫卷題後。丙寅璜。

題胡佩衡山水卷。查涉之《白石老人逸話》附録白石手迹。湖南師範大學出版社《齊白石研究大全》第九一頁,一九九四年。

仲孚先生無余畫蟹。以此贈之。勝於贈酒一缸。弟齊璜并記。

題蟹。胡佩衡、胡橐《齊白石畫法與欣賞》圖版四七,一九五九年,人民美術出版社。

十年種樹成林易。畫樹成林一輩難。直到髮亡瞳欲瞎。賞心誰看雨餘山。白石山翁畫并篆字題詩。

題雨後山村圖。胡佩衡、胡橐《齊白石畫法與欣賞》圖版一一，一九五九年，人民美術出版社。

此幅餘白不大。不能題詩。雖有得者之請。未能應也。白石山翁并記。

題三秋圖。劉振濤、禹尚良、舒俊杰《齊白石研究大全》圖一一，一九九四年，湖南師範大學出版社。

注：

①雪庵：釋瑞光（一八七八—一九三二年），字雪庵，削髮時原名續曇。先後爲北京阜城門外衍法寺、廣安門内蓮花寺住持。善畫山水，私淑大滌子。齊白石避鄉亂赴京賣畫，一見傾心，便拜齊白石爲師。齊白石對雪庵極爲賞識，爲其作畫、題辭、賦詩甚多。

②臼庵：馮臼庵，民國時期北京畫家，時居西城。與齊白石、釋雪庵合稱西城三怪。

③拈花：宋代普濟編定的《五燈會元》第一記載："世尊在靈山會上，拈花示衆。是時衆皆默然，唯迦葉尊者破顔微笑。世尊曰：'吾有正法眼藏，涅槃妙心，實相無相，微妙法門，不立文字，教外别傳，付囑摩訶迦葉。"佛祖拈花，迦葉微笑，成爲佛教禪宗之始。

④伯廬：楊伯廬，齊白石弟子。

一九二七年（民國十六年　丁卯）六十五歲

丁卯正月造稿畫此第二回也。應逸軒仁兄之請。齊璜白石山翁。

題鐵拐李。秦公、少楷主編《齊白石繪畫精萃》，吉林美術出版社，一九九四年，長春。

丁卯第一日為廠肆作畫。意造此稿。一峰山人見之以為好矣。索余重畫。時買燈日也。白石山翁并記。

題鐵拐李。《中國嘉德'95秋季拍賣·中國書畫》第四〇九號，一九九五年，北京。

丁卯正月廿又四日。為街鄰作畫造稿。其稿甚工雅。隨手取包書之紙鈎存之。他日得者作為中幅亦可。白石并記。

題鐵拐李。人民美術出版社《齊白石畫選》圖一八，一九八〇年，北京。

應悔離尸久未遠。神仙埋没却非難。何曾慧眼逢人世。不作尋常餓殍看。白石山翁并題。白水仁弟法正。丁卯春二月同學兄齊璜撿贈。

題鐵拐李。人民美術出版社《齊白石繪畫精品集》圖一六，一九九一年，北京。

實馨仁兄屬 畫壽孟太夫人。時丁卯正月。璜。實馨仁兄為尊太夫人所畫寒燈課子圖。本欲奉題。因樊山老人有詩在上。眼前有景説不得也。齊璜請諒之。

題蒼松圖。西安美術學院藏畫。

洞庭君山。借山圖之七。余自以大意筆畫畫借山圖册。泊廬仁弟以為未丑。余再畫贈之。丁卯春兄璜并記。時同在京華。

題洞庭君山·自臨借山圖册之七。中國藝術研究院美術研究所藏畫。董玉龍主編《齊白石繪畫精品選》，人民美術出版社，一九九一年，北京。

三徑凉風日欲斜。近籬茅屋老夫家。亂離籬

下開黄菊。顛倒堪憐戀地花。洞省先生正雅。丁卯四月弟齊璜。

題菊花雛鷄。中國美術館藏畫。

余畫此幅。友人曰君何得似至此。答曰家園有池。多大蝦。秋水澄清。嘗見蝦游。深得蝦游之變動。不獨專似其形。故余既畫。以後人亦畫有之。未畫以前故未有也。子畏仁兄法正。丁卯。齊璜白石山翁。

題群蝦。嚴欣强、金岩編《齊白石畫集》,外文出版社,一九九〇年,北京。

相君之貌(皃)。一色可憎。相君之形。百事無能。若問所讀何書。答曰道經。寄萍堂上老人造稿并題新句。

題讀書圖。人民美術出版社《齊白石畫選》圖一九,一九八〇年,北京。

璧城女弟子欲應人作四幅通景蘆雁圖。求余於燈下畫此稿本。不論作畫。白石翁。

題湖濱蘆雁。湖南美術出版社《齊白石繪畫選集》。

丁卯五月之初。有客至。自言求余畫發財圖。余曰發財門路太多。如何是好。曰煩君姑妄言著。余曰欲畫趙元帥否。曰非也。余又曰欲畫印璽衣冠之類耶。曰非也。余又曰刀槍繩索之類耶。曰非也。算盤何如。余曰善哉。欲人錢財而不施危險。乃仁具耳。余即一揮而就。并記之。時客去後。余再畫此幅。藏之篋底。三百石印富翁又題原記。

三百石印富翁製於燕。

題發財圖。中國古典藝術出版社《中國畫》第二期,中國文化部藏畫。

寄斯庵[①]製竹圖。

瘦梅仁兄刊竹名冠一時。曾刊白竹扇器贈余。工極。余畫此答之。時丁卯六月居燕第十一年。齊璜。

題寄斯庵製竹圖。北京市文物公司藏畫。

胡老伯母七十又八。畫此為壽。丁卯九月廿又一日。齊璜。

題風竹圖。中國美術館藏畫。

余小時所用之物。將欲大翻陳案。一一畫之。權時畫此柴筢。白石并記。

伊藤先生清正。時丁卯秋初。齊璜同在燕京。

所欠能噓雲幾層。伸如龍爪未飛騰。入山不取絲毫碧。過草如梳鬢髮青。遍地松針衡岳路。半林楓葉麓山亭。兒童相聚常嬉戲。并欲争騎竹馬行。白石山翁又題新句。

題柴筢。《楊永德藏齊白石書畫》,中國嘉德'95秋季拍賣會圖録第一八八號,一九九五年,北京。

余欲大翻陳案。將少小時所用過之物器一一畫之。權時畫此柴筢第二幅。白石并記。

似爪不似龍與鷹。搜枯爬爛七载輕。余小時

買柴筢於東鄰。七齒者需錢七文。入山不取絲毫碧。過草如梳鬢髮青。遍地松針衡岳路。半林楓葉麓山亭。兒童相聚常嬉戲。并欲争騎竹馬行。南岳有松數株。已越七朝興敗。麓山有楓葉亭。袁隨園更亭名為愛晚。三百石印富翁又題新句五十六字。

題柴筢。中國古典藝術出版社《中國畫》第二期。北京畫院藏畫。

不數筆成蝶固難。欲有栩栩姿態。尤不易也。白石。
季良仁兄清正。丁卯冬十又一月。居京華第十又一年。齊璜。

題海棠蝴蝶。中國嘉德一九九五年秋季北京拍賣會,香港楊永德藏齊白石書畫專場圖録第三一二號。

白龍山人畫册中有此猫。余臨之不能似。世之臨摹家老死無佳畫可知矣。丁卯冬。白石山翁。
仰望物式。不如芥子園畫譜[2]中之人物仰式真好。若窮物理。此猫通身未是。僅尾有趣耳。
頭宜少偏。

題畫猫底稿。人民美術出版社藏畫。

江滔滔。山巍巍。故鄉雖好不容歸。風斜斜。雨霏霏。此翁又欲如何去。流水桃源今已非。白石造稿并題。

題漁翁。王方宇、許芥昱《看齊白石畫》,藝術圖書公司,一九七九年,臺北。

曾看贛水石上鳥。却比君家畫裏多。留寫眼前好光景。篷窗燒燭過狂波。苦禪仁弟畫此。與余不謀而合。因感往事。賦二十八字。白石山翁。

題李苦禪魚鷹圖。李燕《苦禪宗師藝緣録》附圖。轉引劉振濤、禹尚良、舒俊杰《齊白石研究大全》第四二頁,一九九四年,湖南師範大學出版社。

掃除凡格總難能。十載關門[3]始變更。老把精神苦抛擲。功夫深淺心自明。

衰年變法自題。王振德、李天庥《齊白石談藝録》第四〇頁,一九八四年,河南人民出版社。

安居花草要商量。可肯移根傍短牆。心静閑看物亦静。芭蕉過雨緑生凉。白石老人自謂畫工不乃詩工。

題雨後。中國美術館編《齊白石繪畫精品選》圖版一五,一九九一年,人民美術出版社。

注:

①寄斯庵:北京治印刻竹名家張志魚,字瘦梅,創留青刻法。

②芥子園畫譜:中國畫技法圖譜,因刻製於李漁的别墅芥子園,故名。第一集山水,係清初王概據明李長蘅課徒畫稿增編而成。第二集梅蘭竹菊,第三集草蟲花鳥,係王概、王臬合編。各集均首列畫法淺説,次爲圖譜附以説明,末爲摹仿名家代表作。此書體例得當,系統顯易,便於初學,流傳甚廣。

③十載關門:齊白石定居北京後,聽從友人陳師曾的建議,從一九一七年至一九二七年左右,大致用了十年時間長期關門研究探索,終於自成一格,在畫壇獨樹一幟。

一九二八年(民國十七年　戊辰)六十六歲

今古公論幾絶倫。梅花神外寫來真。補之[1]。和伯。缶廬[2]去。有識梅花應斷魂。
欲為梅花盡百甌。客中變亂不須愁。今朝醉倒溪藤下。但恨難將插上頭。
和伯老人。湘潭人。余前詩所言之三人畫梅。余推此老為最妙。此老自言學楊補之。余以為過之遠矣。惜出長沙界。不知此老為何人。寄萍堂上老人畫并題記。時居京華。

題梅花。北京畫院藏畫。

今古公論幾絶倫。梅花神外寫來真。補之。和伯。缶廬去。有識梅花應斷魂。
安得將花插上頭。客中變亂不須愁。今朝醉倒溪藤下。欲為梅花盡百甌。
余為啟明夫人畫梅一枝。題二絶句。泠庵仁兄見之請再作。齊璜。

題梅花。人民美術出版社《中國現代名家畫譜·齊白石》第七四頁。

凡畫動物。欲不似。畫家本來不能為。欲似。又不能免俗。此畫難處。白石。

題蝦。龍龔《齊白石傳略》,人民美術出版社,圖三〇。

子林先生藏余畫將百幅。可謂有知己之恩。先生今年五十矣。贈此為壽。但願一識韓荆州。聞先生已有同情。感而記之。齊璜又及。
借褚載詩補空。褚詩。欲洗霜翎下澗邊。却嫌菱刺污香泉。沙鷗浦雁應驚訝。一舉扶摇直上天。

題鶴壽。霍宗傑藏畫。《齊白石畫海外藏珍》,王大山主編,榮寶齋(香港)有限公司,一九九四年,香港。

有酒有蟹。偷醉何妨。老年不暇為誰忙。岡雅先生清正。戊辰。齊璜。

題酒蟹。首都博物館藏畫。

余之畫蝦。已經數變。初祗略似。一變畢真。再變色分深淡。此三變也。白石山翁并記。

題畫蝦。中國文化部藏。中國古典藝術出版社《中國畫》第二期第三〇頁。

看著筠籃有所思。湖干海涸欲何之。不愁未有明朝酒。竊恐空籃征税時。白石山翁并題新句。泊廬仁弟法論。戊辰又二月。小兄齊璜持贈。

題漁翁。《榮寶齋畫譜》七十四,齊白石繪人物部分第一四頁。

豺狼滿地。何處爬尋。四圍野霧。一篗雲陰。春來無木葉。冬過少松針。明日敷炊心足矣。朋儕猶道最貪淫[3]。白石山翁造稿并題新句。誦昭畫家清論。戊辰春。齊璜。

題得財。北京市文物公司藏畫。秦公、少楷編《齊白石繪畫精萃》,吉林美術出版社,一九九四年,長春。

此册乃甲子年所畫。故有楷書璜製二字。戊辰秋補記之。白石璜製。

題草蟲册。北京畫院藏畫。

借山吟館主者作畫。平生不喜稠密。最耻雜凑。老年猶省少。

題汲汲高官。天津人民美術出版社藏畫。

種松皆作老龍鱗。昔人句。余有句云。行看種樹成青嶂。却憶移家未白頭。尤覺然纈感其衰老也。白石山翁并題。

題松樹。天津人民美術出版社藏畫。

冷庵先生清供。戊辰夏五月畫家舊稿。時同居京華。齊璜。

題白衣大士。人民美術出版社《齊白石繪畫精品集》第一九頁。

折花人久矣不存。此小幅記取不與人。戊辰五月十六日清檢舊簏。因添記 。白石。

題折枝花卉。中國嘉德一九九五年秋季北京拍賣會,香港楊永德藏齊白石書畫專場圖録。

苦禪仁弟畫筆及思想將起余輩。尚不倒戈。其人品之高即可知矣。余贈此慚愧。戊辰小月。小兄齊璜記。

題贈李苦禪《齊白石畫集》封面。李燕原藏,現捐於山東濟南萬竹園李苦禪紀念館。

啟吾先生别來容易七年矣。今兒輩省親來京華。復將還鄉。檢此寄贈。如見故人。戊辰秋七月弟齊璜記。

客有携佳紙出賣。值余正檢殘書。即畫此。

題檢書燒燭短。《榮寶齋畫譜》一〇一,齊白石繪民俗風情部分,第五頁,一九九四年。

余數歲學畫人物。三十歲後學畫山水 。四十歲後專畫花卉蟲鳥。今冷庵先生一日携紙委畫雪景。余與山水斷緣已二十餘。何能成畫。然先生之來意不可却。雖醜絶不得已也。戊辰冬十月。齊璜記。

題雪山圖。人民美術出版社《齊白石繪畫精品集》第一七頁。

天下鷄聲君聽否。長鳴過午快黄昏。

題畫鷄。張次溪筆録《白石老人自傳》第七九頁,人民美術出版社。

佳禽最好三緘口。啼醒諸君日又西。

題畫鷄。張次溪筆録《白石老人自傳》第七九頁,人民美術出版社。

芒鞋難忘安南④道。為愛芭蕉非學書。山嶺猶疑識過客。半春人在畫中居。余嘗遊安南。由東興過鐵橋。道旁有蕉數萬株繞其屋。已收入借山圖矣。齊璜并題記。

題安南道上。胡佩衡、胡橐《齊白石畫法與欣賞》圖版二八,一九五九年,人民美術出版社。

余三十歲以前揖服瓮塘老人[5]畫梅。雙勾此幅。年將七十。檢而記之。戊辰齊璜。

題畫三十歲以前雙勾梅花圖。劉振濤、禹尚良、舒俊杰《齊白石研究大全》第二三頁,一九九四年,湖南師範大學出版社。

名園籬下繞紅霞。挑賣長安入宦家。雨露滿天沾不到。最堪憐是鉢中花。白石山翁居燕第十一年製。并題新句。

題菊花。澍群《齊白石題畫詩選注》附圖一,一九八七年,湖南美術出版社。

寶君為余磨墨理紙已九年。畫此册以謝之。聊答殷勤之萬一也。

題水墨花卉册贈胡寶珠。齊良遲口述、盧節整理《父親齊白石和我的藝術生涯》第一九頁,一九九三年,海潮出版社。

注:

①補之:揚無咎(一〇九七—一一六九年),南宋畫家,字補之,號逃禪老人、清夷長者。久居豫章(今江西南昌)。能詩詞,尤善水墨梅、竹、松、石、水仙,以畫梅最著稱,尤宜巨幅。

②缶廬:吴昌碩(一八四四—一九二七),近代書畫家、篆刻家。初名俊,後改俊卿,字昌碩,一作倉石,號缶廬,晚號大聾。浙江安吉人。曾任丞尉,旋升江蘇安東(今漣水)縣令。在任一月,即離任移居上海以書畫謀生。曾任西泠印社社長。有《缶廬集》、《缶廬印存》、《吴昌碩畫集》等傳世。

③貧淫:貧窮到了極點。

④安南:今越南。

⑤瓮塘老人:尹和伯(一八五八—一九一九),名金陽,湘潭東坪鎮人。晚年號瓮塘老人。最善畫梅,曾向齊白石傳授交枝叠花的畫梅技法。齊白石對他畫梅推崇備至,稱其爲"和伯"、"尹伯老"、"瓮塘老人"等。

一九二九年(民國十八年　己巳)六十七歲

何處安閑著醉翁。愁過窄道樹陰濃。畫山易酒無人要。隔岸徒看望子風。己巳為石坡仁兄製於燕京。齊璜白石山翁并題。

題隔岸望酒圖。《榮寶齋畫譜》七十三,齊白石繪山水部分,第二五頁。

最難捨。小有丘壑。豆棚瓜架。也曾親手來扶著。衹今别到十三年。園林一瞬成荒落。是誰許作主人翁。明月清風。當年原有約。借山吟館主者畫并題長短新句。時居燕京第十三年。

題豆筴。北京市文物公司。秦公、少楷主編《齊白石繪畫精萃》,一九九四年,吉林美術出版社,長春。

滴滴胭脂短短叢。飛來彩蝶占牆東。鴛鴦簪冷紅新點。蟋蟀欄低翠作籠。借瞿佑[1]詩前四句題畫。白石山翁。

題秋海棠。北京畫院藏畫。

余避湘亂。偷活長安第十三年春二月之初。忽一日大風。正為子林先生製此幅。黄沙堆案。山姬曰。今日何日。天怒至此。余因記之。弟璜。

題群蝦。北京榮寶齋藏畫。

兩本新圖墨寶香。尊前獨唱小秦王。為君翻

作歸來引。不學陽關空斷腸。

醜石半蹲山下虎。長松倒卧水中龍。試君眼力看多少。數到雲山第幾重。冷庵先生再正。己巳夏。齊璜。

行書扇面。《齊白石繪畫精品集》第一四三頁，一九九一年，人民美術出版社。

半畝荒園久未耕。祇因天日失陰晴。旁人猶道山家好。屋角垂香發紫藤。己巳六月中。齊璜題舊句。

題藤蘿蜜蜂。湖南省博物館藏畫。

從來畫翡翠[②]者。必畫魚。余獨畫蝦。蝦不浮。翡翠奈何。白石并記。
己巳夏。齊璜。

題翠鳥與蝦。《著名國畫家專題技法·齊白石畫蝦》第四四頁，湖南美術出版社。

却勝玄都觀裏花。石坡仁兄清屬。齊璜。

題紅梅。天津人民美術出版社藏畫。

雨滋霞襯入朱顔。月下疑從姑射[③]還。最是春工多巧思。著將色在淺深間。寄萍堂上老人。借張新句。

題海棠圖·花卉條屏之一。美國王方宇藏畫。王方宇、許芥昱合著《看齊白石畫》，一九七九年，藝術圖書公司，臺北。

紫絚仁兄。十年朋友也。嘗藏余畫。今又索余畫佛像。恭應之。己巳秋七月。明日七日矣。齊璜并記。

題無量壽佛。中國嘉德一九九五年秋北京拍賣會，香港楊永德藏齊白石書畫專場，圖録三一五號。

長安城外曾遊處。馬上斜陽玩物華。最喜客鄉好豐歲。老藤地上亂堆瓜。此丁巳以後舊句也。白石山翁齊璜。

題南瓜。中國美術館編《齊白石繪畫精品選》圖版第一六，一九九一年，人民美術出版社。

松竹梅為天下人之謂為三友。此幅乃白石山翁之友也。白石製并記。

題芭蕉茶花。中國美術館編《齊白石繪畫精品選》圖版第一七，一九九一年，人民美術出版社。

丹砂點上溪藤紙。香滿筠籃清露滋。果類自當推第一。世間尤有昔人知。白石山翁齊璜并題新句。
濤石先生清鑒。己巳冬十月。齊璜再題。

題荔枝。《齊白石作品集》圖第三一，中國美術館藏畫，天津人民美術出版社。

裱字。余為添上衣旁。把筆錯誤。余亦常有之事。未足怪也。白石記。

題李苦禪月季畫。李燕《苦禪宗師藝緣録》，《齊白石研究大全》第九五頁，湖南師範大學出版社。

潞州迢迢隔烟霧。千里月明御風去。龍文匕首不平鳴。銀光夜逼天河曙。銅雀無人漳水流。一葉吟風下魏州。我今欲覓知何處。漳水月明空(自流)悠悠。冷庵先生法家論。己巳五月并題舊句。齊璜。

題紅綫盜盒[4]。胡佩衡、胡橐《齊白石畫法與欣賞》圖版第一二三。

注:

①瞿佑:明代文學家、詩人(一三四一—一四二七年),字宗吉,號存齋,錢塘(今浙江杭州)人。少年詩作即受到楊維楨等名家賞識。曾任浙江臨安教諭、周王府長史等職。詩詞多風情綺麗之作,但有些咏古詩歌有一定興寄。

②翡翠:翡翠鳥,即翠鳥。

③姑射:神仙之居。《莊子·逍遥遊》:"藐姑射之山,有神人居焉。肌膚若冰雪,綽約若處子。"

④紅綫盜盒:傳奇故事。《唐人小説》、《太平廣記》、《五朝小説》均有記載。紅綫女,係潞州節度使薛嵩青衣,在薛家十九年長大成人,善彈琴,通經史,爲薛嵩掌箋表,號曰内記室。適逢薛嵩親家田承嗣任魏州節度使,田承嗣暗裏訓練精兵强勇,伺機攻取潞州,爲此薛嵩心驚膽戰,計無所出。紅綫自告奮勇,胸間佩龍文匕首,御風千里直下魏州,連夜將田承嗣枕邊金盒盜回潞州。轉天,田知此事原委,驚膽絶倒,自此不敢動兵戈之事。紅綫報答薛家恩情之後,也遁迹塵世而去。

一九三〇年(民國十九年 庚午)六十八歲

人駡我。我也駡人。白石。

題人物。《榮寶齋畫譜》七十四,齊白石繪人物部分,第一六頁,一九九三年。

寅齋仁弟委畫人物册子廿又四開。除仿人三稿外。皆自造本。請論定。兄璜。

題還山讀書圖。《榮寶齋畫譜》七十四,齊白石繪人物部分,第六頁,一九九三年。

當真苦事要兒為。日日提籮阿母催。學得人間夫婿步。出如藺足反如飛[1]。送學第二圖第二首。白石山翁。

題送學圖。《榮寶齋畫譜》七十四,齊白石繪人物部分,第七頁,一九九三年。

處處有孩兒。朝朝正要時。此翁真不是。獨送汝從師。識字未為非。娘邊去復歸。莫教兩行泪。滴破汝紅衣。白石并題舊句。

題送學圖。《榮寶齋畫譜》七十四,齊白石繪人物部分,第九頁,一九九三年。

畫抱兒婦。難得田家風度。美人風度。人之心意中應有。反尋常也。白石并記。

題畫仕女。《榮寶齋畫譜》七十四,齊白石繪人物部分,第一一頁,一九九三年。

曲欄杆外有吟聲。風過衣香細細生。舊夢有情偏記得。自稱儂是鄭康成[2]。齊璜并題。

題鄭家婢。《榮寶齋畫譜》七十四,齊白石繪人物部分,第一八頁,一九九三年。

余略改畫門人釋瑞光於舊瓷器上之畫稿存之。白石。

題鍾馗。《榮寶齋畫譜》七十四,齊白石繪人物部分,第二二頁,一九九三年。

世人畫東方曼倩。必毛髮皤皤。余獨曼倩之兒時。白石齊璜畫。

題偷桃圖。《榮寶齋畫譜》七十四,齊白石繪人物部分,第三二頁,一九九三年。

瑶池桃子經三盜。何止高年乃八千。白石。

題偷桃圖。《榮寶齋畫譜》七十四,齊白石繪人物部分,第三二頁,一九九三年。

白石勾自造稿。時居故都。

題東坡玩硯圖。《榮寶齋畫譜》七十四,齊白石繪人物部分,第三二頁,一九九三年。

老當益壯。白石山翁。

題人物。《榮寶齋畫譜》七十四,齊白石繪人物部分,第三七頁。一九九三年。

也應歇歇。寄萍堂上老人。
此册二十四開。此圖并老當益壯圖。用朱雪个本。苦瓜和尚作畫第一圖。用門 人釋雪庵本也。白石又記。

題也應歇歇[3]。《榮寶齋畫譜》七十四,齊白石繪人物部分,第三九頁,一九九三年。

余往時喜舊紙。或得不潔之紙。願畫工蟲藏之兮。妙如女弟求畫工蟲。共尋六小頁為贈。畫後三十年。庚午。白石。

題蜘蛛。《榮寶齋畫譜》七十五,齊白石繪魚蟲禽鳥部分,第二五頁,一九九三年。

久立秋風漸漸凉。石高如柱許多長。千山萬徑鳥飛絶。四野無人天欲霜。白石并題新句。

題鷹石圖。胡佩衡、胡橐《齊白石畫法與欣賞》圖版第一〇三,一九五九年,人民美術出版社。

活色生香五百春。

題龔定庵[4]句,篆書横幅。《齊白石繪畫精品集》第一四二頁,一九九一年,人民美術出版社。

此幅上畫之山。偶用禿筆作點。酷似馬蹄迹。余耻之。後以濃墨改為大米點。覺下半幅清秀。上半幅重濁。又惡之。遂扯斷。留此畫竹法教我兒孫。庚午。白石并記。
萬竹林中屋數間。門前池鴨與人閑。一春荷鍤行挑笋。猶見層層屋後山。此幅上半幅之山已扯弃。用同紙以鄰國膠粘連之。補畫二山。仍書原處二十八字。借山吟館主者記。時居舊京城又西。

題萬竹山居圖。胡佩衡、胡橐《齊白石畫法與欣賞》圖版第三七,一九五九年,人民美術出版社。

注:

①出如繭足反如飛:繭足,被束縛之足。反,通“返”。意謂出門很慢,回家很快。

②鄭康成:鄭玄(一二七—二〇〇年),東漢著名學者,字康成。北海高密(今屬山東)人。一生好學,不樂爲吏。博通群經,集漢代經學之大成。後聚徒講學,弟子數百千人。家裏從主至僕,人人好學。鄭家婢女也有學問。與别家富門不同。

③也應歇歇:齊白石衰年變法成功,至六十八歲漸感疲勞,又思奮進,故同時有老當益壯、也應歇歇之作。

④龔定庵:龔自珍(一七九二—一八四一年),清代思想家、文學家。名鞏祚,字璱人,號定庵。浙江仁和(今浙江杭州人)。道光進士,官至内閣中書、禮部主事。學問淵博,能文善詩。著有《龔自珍全集》。

一九三一年（民國二十年　辛未）六十九歲

舊京刊印者無多人。有一二少年。皆受業於余。學成。自誇師古。背其恩本。君子耻之。人格低矣。中年人于非闇。刻石真工，亦余門客。獨仲子[①]之刻。古工秀勁。殊能絶倫。其人品亦駕人上。余所佩仰。為刊此石。先生有感人類之高下。偶爾記於先生之印側。可笑也。辛未正月。齊璜白石。

跋爲楊仲子刊見賢思齊印。戴山青編《齊白石印影》第八四頁，北京榮寶齋。

余之刊印不能工。但脱離漢人窠臼而已。同侶多不稱許。獨松庵老人誇謂曰。西施善顰。未聞東施見妒。仲子先生刊印古勁秀雅。高出一時。既倩余刊見賢思齊印。又倩刊此。歐陽永叔[②]所謂有知己之恩。為余言也。辛未五月居於舊京。齊璜白石山翁。

跋爲楊仲子刊不知有漢印。戴山青編《齊白石印影》第一六頁，北京榮寶齋。

少年不識重歸期。愁絶於今變亂時。老屋後山夢飛去。紫藤花下路高低。辛未春。虚谷先生正。齊璜并題。

題紫藤蜜蜂。北京市文物公司，秦公、少楷主編《齊白石繪畫精萃》第一九圖，一九九〇年，吉林美術出版社，長春。

辛未仲夏。與次溪[③]仁弟同訪曹雪芹故居於京師廣渠門内卧佛寺。次溪有句云。都護墳園草半漫。紅樓夢斷寺門寒。余取其意。為繪紅樓夢斷圖。并題一絶。

題紅樓夢斷圖。張次溪遺稿《回憶白石老人》，《齊白石研究大全》第九七頁，湖南師範大學出版社。

佛號鐘聲兩鬢霜。空餘猶有畫師忙。揮毫莫作真山水。零亂荒寒最斷腸。

題不二草堂作畫圖。渺之《白石老人逸話》附圖。

前有若呼。後者與俱。蟲粟俱無。雛鷄雛鷄趨何愚。三百石印富翁并題近句。

題雛鷄。霍宗傑藏畫。王大山編《齊白石畫海外藏珍》第二七圖，一九九四年，榮寶齋（香港）有限公司，香港。

八哥解語偏饒舌。鸚鵡能言有是非。省却人間煩惱事。斜陽古樹看鴉歸。三百石印富翁。

題枯樹歸鴉。中國美術館藏畫。《齊白石作品集》第三三頁，天津人民美術出版社。

弟言廠肆有吾偽作。能有趣。今日隨吾同往。吾當購之。苦禪仁弟。兄璜。辛未第八日。

書法。

此册葉大花粗。不宜摹作。祇可為法家賞玩也。璧城女弟須知之。璜。

題紫藤。《齊白石繪畫選集》，湖南美術出版社。

為政清閑物自閑。朝看飛鳥暮飛還。借唐人絶句詩前二句題畫。白石山翁。

題歸鴉夕照。《榮寶齋畫譜》七十三，齊白石繪山水部分，第一三頁。

白石山翁齊璜衰年意造。不求人知。

題餘霞枯木歸鴉。《榮寶齋畫譜》七十三，齊白石繪山水部分，第一三頁。

六十後刊舊句。七十歲時補記。辛未秋。白石山翁。

魯班門人印邊款。戴山青編《齊白石印影》第二二一頁，一九九一年，北京榮寶齋。

冷庵畫侶。良友也。持此為贈。慚愧。齊璜。

題柳牛。胡佩衡、胡橐《齊白石畫法與欣賞》圖版第一〇九，一九五九年，人民美術出版社。

辛未春。五次寫生。

題麻雀寫生小稿。胡佩衡、胡橐《齊白石畫法與欣賞》圖版二三，一九五九年，人民美術出版社。

吾畫山水。時流誹之。故余幾絶筆。今有寅齋弟强余畫此。寅齋曰。此册遠勝死於石濤畫册堆中。一流也。即乞余記之。

題山水册頁。王振德、李天庥輯注《齊白石談藝録》第四〇頁，一九八四年，河南人民出版社。

余五六歲時戲於老屋星塘岸。水淺見大蝦不可得。以粗麻綫繋棉絮為餌之。蝦足鉗餌。綫起蝦出水。猶忘其開鉗。較以釣魚更可樂也。兒時樂事老堪誇。衰老耻知煤米價。憐君著述釣魚趣。何若阿芝絮釣蝦。

爲于非闇[4]畫釣魚圖并題。徐中敏、婁師白編著《齊白石畫蝦》第二〇頁，一九九〇年，湖南美術出版社。

五十年前作小娃。棉花為餌釣蘆蝦。今朝畫此頭全白。記得菖蒲是此花。余小時喜以棉花為餌釣大蝦。蝦鉗其餌。釣絲起。蝦隨釣絲起出水。鉗尤不解。祇顧一食忘其登彼岸矣。

題蝦。徐中敏、婁師白[5]編著《齊白石畫蝦》第二三頁，一九九〇年，湖南美術出版社。

我住在朋友家。門前碧水一泓。其中魚蝦甚多。我偶然取出釣竿來。釣鈎上戲綴棉花球一團。原意在釣魚。釣得與否。非所計也。不料魚乖不上鈎。祇有一個愚而貪食的蝦。把棉花球當做米飯。被我釣了上來。因口腹而上鈎。已屬可哀。上鈎而誤認不可食之物為可食。則可哀孰甚。

題畫蝦。徐中敏、婁師白編著《齊白石畫蝦》第二三頁，一九九〇年，湖南美術出版社。

衰老但知煤米價。兒時樂事可重誇。釣魚憐汝曾編記。何若先生舊釣蝦。

題釣蝦圖贈于非闇。王振德、李天庥輯注《齊白石談藝録》第六五頁，一九八四年，河南人民出版社。

赫赫炎宫張火繖(傘)。借韓[6]詩。白石山翁。

題柿子。《榮寶齋畫譜》一〇一,齊白石繪民俗風情部分,第九頁,一九九四年。

注:

①仲子:楊鈞(一八八一—一九四〇年),字重子,又字仲子,號白心,晚號怕翁,湖南湘潭姜畬人。他與兄楊度、姊楊莊均以文才出名,有"湘潭三楊"之稱。民國初築屋室於長沙五里牌,齋名白心草堂,自呼五里先生。擅書畫、金石、詩文。著《白心草堂詩集》、《白心草堂金石書畫》。他與齊白石都是王湘綺門生,同窗切磋,情誼篤厚。

②歐陽永叔:歐陽修(一〇〇七—一〇七二年),北宋文學家、史學家。字永叔,號醉翁,晚年號六一居士。廬陵(今江西永豐)人。官至樞密副使、參知政事。與宋祁合修《新唐書》,自撰《新五代史》。有《歐陽文忠公集》傳世。

③次溪:張次溪,張篁溪之子。張篁溪與齊白石都是王湘綺的門生。一九三二年,二十四歲的張次溪拜齊白石爲師,開始爲齊白石編印詩集。齊白石逝世以後,爲齊白石整理自傳,由人民美術出版社印行。他是齊白石晚年生活和社會活動的紐帶性人物。

④于非闇:于照(一八八七—一九五九年),現代書畫家,字非闇,又署非厂,號閑人。山東蓬萊人。清末貢生。建國後任北京中國畫院副院長。齊白石門生。擅工筆花鳥和瘦金書。有《于非闇工筆花鳥選集》、《非闇漫墨》、《我怎樣畫工筆花鳥》、《都門釣魚記》等著作傳世。

⑤婁師白:齊白石門生。北京書畫家。

⑥借韓詩:借用韓愈的詩題畫柿子。韓愈(七六八—八二四年)唐代文學家、哲學家。字退之,河南河陽(今河南孟縣)人。因其郡望昌黎,故自稱昌黎韓愈。人稱韓昌黎。官至吏部侍郎。在文學上居唐宋八大家之首,是古文運動的倡導者。著有《昌黎先生集》。

一九三二年(民國二十一年 壬申) 七十歲

吾畫蕉屋。七十歲喜樓居。故畫蕉樓。白石山翁。

題蕉屋。《榮寶齋畫譜》七十三,齊白石繪山水部分,第一二頁,一九九三年。

眼看朋儕歸去拳。哪曾把去一文錢。先生自笑年七十。挑盡銅山應息肩。

題息肩圖[1]。張次溪筆錄《白石老人自傳》第八四頁,一九六二年,人民美術出版社。

從來畫山水者惟大滌子能變。吾亦變。時人不加稱許。正與大滌同。獨悲鴻[2]心折。此册乃悲鴻為辦印。故山水特多。安得悲鴻化身萬億。吾之山水畫傳矣。普天下之不獨祇知石濤也。

題上海中華書局印行徐悲鴻選編《齊白石畫集》樣書封面。齊良遲藏。

此中華書局代印寄來之樣。初印最精。良遲兄弟如有變化。可師也。乃翁記。壬申秋。時居燕京第十六年。

題上海中華書局印行徐悲鴻選編《齊白石畫集》樣書扉頁。齊良遲藏。

余年七十矣。未免好學。一昨在陳半丁處見朱雪个畫鷹。借存其稿。從此畫鷹必有進步。白石翁記。

題鷹石。王大山主編《齊白石畫海外藏珍》榮寶齋(香港)有限公司出版,一九九四年,香港。

通身有荆棘。滿腹是甘芳。不怕刺儂指。太息隔鄰牆。三百石印富翁畫并題句。

題栗子荸薺。北京榮寶齋藏畫。

余日來所畫。皆少時親手所為。親目所見之物。自笑大翻陳案。白石山翁并記。

題稻草小鷄。北京畫院藏，董玉龍主編《齊白石繪畫精品選》第四〇頁，一九九一年，人民美術出版社，北京。

池上有芙蓉。倒影來水中。水中有雙魚。浪碎芙蓉紅。三百石印富翁并題。

題芙蓉小魚。北京畫院藏畫。《齊白石作品集·第一集·繪畫》第四八圖，一九六三年，人民美術出版社，北京。

鍾馗搔背[3]圖。鍾馗故事甚多。皆前人擬作。未有畫及搔背者。余遂造其稿。見此像想見鍾馗之威赫矣。齊璜并記。

題鍾馗。

鄂公胡南湖家藏金冬心先生畫古佛四尊。幅幅精妙。余嘗鈎其本。此其一也。白石。

在家可與佛同龕。記得前身是阿難[4]。心出家庵僧齊璜題新句。

西山南岳總吞聲。草莽何心欲出群。生世愈遲身愈苦。諸公贏我老清平。白石。

四方古佛圖。杏子塢老民齊璜心空及弟臨舊稿四紙并篆。

題四方古佛圖。

濟國先生嗜書畫。即藏余畫。此幅已過十幅矣。人生一技故不易。知者尤難得也。余感而記之。齊璜。

題鷄鴨圖。中國嘉德一九九五年秋季北京拍賣會，香港楊永德藏齊白石書畫專場，圖録號一八六。

頃刻青蕉生庭塢。天無此功筆能補。昔人作得五里霧。老夫能作千年雨。今歲畫蕉約四三十幅。此幅算有春雨不歇之意。寄萍堂上老人并題。

題芭蕉。天津人民美術出版社藏畫。

日長最好晚凉幽。柳外閑盟水上鷗。不使山川空寂寞。却無魚處且釣留。題舊句。齊璜畫於京華。

題無魚釣留圖。天津人民美術出版社藏畫。

鸕鷀過去釣潭枯。白石山翁舊句也。

題柳岸鸕鷀圖。胡佩衡、胡櫜《齊白石畫法與欣賞》圖版一一三，一九五九年，人民美術出版社。

借山吟館主者畫此小幅時。有友至。笑曰。君何獨喜魚蝦。答曰。吾之侶也。何得厭。友復欲求贈。吾未之與。白石記。

題魚蝦。天津人民美術出版社藏畫。

此幅之紙甚佳。一日秋風不寒。晨起把筆。欣然成之。東生先生見之。能識其未醜。欲携去。余即歡然讓之。白石山翁又記。

題松鷹。北京市文物公司藏畫。秦公、少楷主編《齊白石繪畫精萃》第四三圖，一九九四年，吉林美術出版社，長春。

雲楝先生來函索畫。時值心氣稍平。故欣然

畫贈之。吾年來衰老多病。點墨如金。往後如再有雅命。恐難於報答也。壬申秋月齊璜。

題扁豆。湖南省博物館藏畫。

寶珠老人屬作。壬申秋七月。白石。

老人仿東坡。呼老云也。又及。

題畫藤扇面。《齊白石繪畫精品集》第二八頁，一九九一年，人民美術出版社。

人工勝天巧。頃刻春光好。衹是寒風陣陣吹。蓼花殘菊也開了。白石并題。

題蓼花。《齊白石繪畫精品集》第三〇頁，一九九一年，人民美術出版社。

製大幅後。撿佳皮紙畫此。猶見餘興。

寄萍堂上老人并記。

題白菜草菇。《齊白石繪畫精品集》第三二頁，一九九一年，人民美術出版社。

月長圓。石長壽。樹木長青。壬申七月。齊璜贈。

題長青圖。《榮寶齋畫譜》七十三，齊白石繪山水部分，第三二頁。一九九三年。

借山吟館主者新得朱砂試色。

題柿子。《齊白石繪畫精品集》第二六頁，一九九一年，人民美術出版社。

葉似新蒲緑。身如亂錦纏。任君千度剥。意氣自衝天。借徐仲雅詩。白石山翁。

題棕樹。《齊白石繪畫精品集》第二七頁，一九九一年，人民美術出版社。

壬申夏五月中。齊璜。

余之畫蟹。七十歲以後一變。此又變也。三百石印富翁并記。冬日無寒。

題畫螃蟹。中國美術館藏畫。《齊白石作品集》圖三四，一九九〇年，天津人民美術出版社。

作畫欲求工細生動。故難。不謂寥寥幾筆。神形畢見。亦不易也。余日來畫此魚數紙。僅能删除做作。大寫之難可見矣。白石并記。

題畫鮎魚。中國美術館藏畫。《齊白石作品集》圖三六，一九九〇年，天津人民美術出版社。

余曾客天涯亭。常為鶺鴒寫真。白石。

題鶺鴒。《齊白石繪畫精品集》第二四頁，一九九一年，人民美術出版社。

葉落見藤亂。天寒入鳥音。老夫詩欲鳴。風急吹衣襟。枯藤寒雀從未既作新畫。又題新詩。借山老人非閑輩也。觀畫者。老何郎也。

題老藤群雀。

五技平生一不成[5]。登岩緣石算何能。欲無顛倒山頭樹。但願人間再太平。前人題畫云。零亂山村顛倒樹。不成圖畫更傷心。但字本汝字。白石山翁又題新句。

題山石松鼠。北京市文物公司藏。秦公、少楷主編《齊白石繪畫精萃》，一九九四年，吉林美術出版社，長春。

山居絶少繁華事。酌酒看花便過年。瑟夫先生屬。白石。

題梅花瓶盃。

友人凌君直支。前年有人贈以梔子花。故凌君畫大佳。余今春有門人贈余玉簪花。畫亦不醜。

題畫玉簪花。胡佩衡、胡橐《齊白石畫法與欣賞》第三五頁，一九五九年，人民美術出版社。

三丈芭蕉一萬株，人間此景却非無。立身悮(誤)墮皮毛類。恨不移家老讀書。

大滌子呈石頭畫題云。書畫名傳品類高。先生高出衆皮毛。老夫也在皮毛類。一笑題成迅彩毫。白石山翁畫并題記。

題山水。澍群《齊白石題畫詩選注》附圖三，一九八七年，湖南美術出版社。

注：

①息肩圖：一九三二年正月初五，齊白石得意門生瑞光和尚圓寂了，享年五十五歲。齊白石甚爲痛惜，感慨萬千。想到人早晚都會死，自己已是七十歲的人了，風燭殘年，餘下日子無多，不必再爲衣食勞累，遂畫息肩圖。

②徐悲鴻：現代畫家、美術教育家。江蘇宜興人。擅素描、油畫、國畫。建國後任中央美術學院院長、中國美術家協會主席等職。有多種畫集傳世。他與齊白石交往較多，情誼深厚。

③鍾馗搔背：鍾馗屬傳説中的故事人物。民間端午節多懸鍾馗像以驅妖避邪。自唐朝吴道子以來，畫家多畫捉鬼圖、嫁妹圖等題材。搔背圖當屬齊白石創製。

④阿難：全稱"阿難陀"，意譯"歡喜"、"慶喜"。據《大智度論》卷三記載，阿難是斛飯王之子，佛祖釋迦牟尼的堂弟。侍從釋迦二十五年，係十大弟子之一，被稱爲"多聞第一"。傳説佛教第一次結集，由他誦出經藏。

⑤東坡：蘇軾（一〇三六——一〇一年），北宋文學家、書畫家。字子瞻，號東坡居士。眉州眉山（今四川眉山）人。嘉祐進士，官至翰林學士兼侍讀，爲唐宋八大家之一。畫竹屬湖州派。書法與蔡襄、黄庭堅、米芾并稱"宋四家"。詩文有《東坡集》。爲人豪放曠達，詩酒自適，人呼"坡仙"。

一九三三年（民國二十二年　癸酉）七十一歲

此四本乃璜與姬人手拓。不欲贈人。今兒輩遊蜀。璜無所寄治園（王纘緒別號）將軍。撿此令子如代呈。癸酉春。齊璜。

題自拓印譜四册贈王纘緒。重慶市博物館編《齊白石印匯》，一九八八年，巴蜀書社。

鶴頂紅濕龍精血。似汝楊梅味祇酸。曾作天涯亭①過客。别無珍果在人間。白石題舊句。

題荔樹。

余七十歲後不願作人物。山水。今為德國人畫此。初造也。白石。

題鐵拐李睡葫。

癸酉踏青第二日。天氣和暢。開窗拈筆。為半農先生製於舊京西城之西太平橋外。

題審音鑒古圖。《榮寶齋畫譜》七十三，齊白石繪山水部分，第二七頁。

星塘。予之生長處也。春水漲時。多大蝦。予少小時。以棉花為餌。戲釣之。今越六十餘年。故予喜畫蝦。未除兒時嬉弄氣耳。今次溪仁弟於燕京江擦門内買一園。名曰張園[②]。園西有房數間。分借與予。為借山居。予畫此。倩吾賢置之借山居之素壁。

補題多蝦圖。張次溪筆録《白石老人自傳》第八七頁，一九六二年，人民美術出版社。

門人李苦禪一日來借山館。自言明日往西湖。昨有蜀人欲及師門。求余介紹。明日有持余名箋求見者。請接待為幸。再明日果來。為祥止[③]也。今將越年。篆刻小技藍已青矣。畫此為贈并記其事。癸酉。璜。

題雙魚圖贈羅祥止。李燕《苦禪宗師藝緣録》，《齊白石研究大全》第一〇四頁，湖南師範大學出版社。

吾曾遊保陽至蓮花池。觀蓮花池。上有院宇。聞為摯甫[④]老先生曾掌教。大開北方文氣之書院也。去年秋。北江先生贈吾以文。吾故畫此圖報之。以補摯甫老先生當時未有也。癸酉春二月。時居舊京。齊璜并記。

題蓮池書院圖。《榮寶齋畫譜》七十三，齊白石繪山水部分，第一七頁。

予七十歲後閉門謝客。今華青先生過談第三次矣。欲得予畫。撿此贈之。時癸酉秋八月將遊巴蜀。齊璜白石記於燕。

題荔枝圖。《齊白石繪畫精品集》圖三四，人民美術出版社。

自笑中年不苦思。七言四句謂好詩。一朝百首多何益。辜負欽州好荔枝。欽州荔枝舊時事也。白石山翁并題記。

題荔枝筐。《榮寶齋畫譜》一〇一，齊白石繪風俗民情部分，第七頁。

黄犢無欄繫外頭。許由與汝是同儔。我思仍舊扶犁去。哪得餘年健是牛。次篁先生仁世兄雅屬。癸酉秋八月。齊璜并題。

耕野帝王[⑤]象萬古。出師丞相[⑥]表千秋。須知洗耳[⑦]江濱水。不肯牽牛飲下流。畫圖題後。是夜。枕上又得此絶句。白石。

題葛園耕隱圖。《榮寶齋畫譜》七十三，齊白石繪山水部分，第三五頁。

癸酉冬。姬人病作。延名醫四五人。愈醫治其病愈危。余以為無法可救矣。門人楊我之介紹鳳蓀老人。舉二方。吞藥水二鍾。得效漸漸。今已愈矣。贈此并記之。齊璜。

題菊花。

菊花有識應須記。畫自中華國耻時。濟國先生法論。癸酉。齊璜。

題菊花。

天半垂眸萬籟低。鳥踪飛絶一聲啼。家鷄搏盡腸猶飽。昂首將從何處飛。白石山翁并題。

題松鷹。《齊白石繪畫選集》圖十七,湖南美術出版社。

芙蓉葉大花粗。山之後者葩。開能耐久。且與菊花同時。亦能傲霜。余最愛之。白石山翁并記。

題芙蓉遊魚。《齊白石繪畫選集》圖一八,湖南美術出版社。

一筆垂藤百尺長。濃蔭合處日無光。與君挂在高堂上。好聽漫天紫雪香。白石。

題紫藤。湖南省博物館編《齊白石繪畫選集》圖一九,一九八〇年,湖南美術出版社。

甑屋二字。早刻之於石。癸酉夏無可消愁。自行刻印。撿得此石。亦早上。甑屋二字。不忍洗去。遂重刻之。白石。

甑屋印邊款。戴山青編《齊白石印影》第二三八頁,一九九一年,北京榮寶齋。

歐陽永叔謂張子野有朋友之恩。予有知己二三人。其恩高厚。刻石紀之。癸酉八月。白石并記。時居京華。

知己有恩印邊款。戴山青編《齊白石印影》第一〇八頁,一九九一年,北京榮寶齋。

詩者睡之餘。畫者工之餘。壽者劫之餘。此白石之三餘⑧也。癸酉秋九月刊於故都。

三餘印邊款。戴山青編《齊白石印影》第八頁,一九九一年,北京榮寶齋。

寶珠。胡以茂女。重慶豐都人。湖北胡鄂弓之母之義女也。年十八歸余。事余周密。余甚感之。因刊石以記其賢。癸酉即民國二十二年冬十月。時居燕京白石齊璜。

齊白石婦印邊款。齊良遲口述、盧節整理《父親齊白石和我的藝術生涯》第二〇頁,一九九三年,海潮出版社。

注:

①天涯亭:海南島崖縣三亞之西二十餘里,有天涯海角,其間巨石棋布,斜崎海邊,風光奇絶,有天涯亭可以觀賞周圍景色。清雍正十一年(一七三二年),崖州知州程哲等題刻"天涯"、"海角"、"海闊天空"、"南天一柱"等遺迹甚多。

②張園:張次溪家的園林住所。在北京左安門内新西里三號。原是明代袁崇焕督師的故居,清末廢爲民居。民國初年,次溪之父篁溪出資購置,修治整理,人稱張園。園内後跨院西屋三間,分借齊白石居住。又劃幾丈空地,供齊白石種菜蒔花。齊白石多次在此繪畫消夏。

③祥止:羅祥止,四川人,經李苦禪介紹向齊白石學篆刻,深得齊白石愛重。

④摯甫:吴汝綸(一八四〇——一九〇三年),清末文學家,字摯甫,安徽桐城人。同治進士,桐城派後期作家。與張裕釗、黎庶昌、薛福成等師事曾國藩,時稱"曾門四弟子"。曾任内閣中書、冀州知州等職,於發揚文教、興修水利諸方面有所成績。著作有《易説》、《詩説》、《東遊叢録》、《深州風土記》等。

⑤耕野帝王:謂堯、舜等古代賢聖而躬耕壠畝、親自勞作的帝王。

⑥出師丞相:諸葛亮(一八一——二三四年),三國時期蜀國政治家、軍事家、文學家。字孔明。瑯琊陽都(今山東沂南)人。官拜丞相。有《諸葛亮集》,以《出師表》最爲著名。

⑦洗耳:漢蔡邕《琴操·河間雜歌·箕山操》記載,許由的才能被堯所聞,堯遣使以符璽禪爲天子。許由感到堯誤會自己貪天下,以使者言爲不善,乃臨河洗耳。皇甫謐《高士傳·巢父》記載,巢父聽到許由洗耳原由,認爲許由不甘隱逸所致,耻聽其言,牽牛到潁水上流飲之。譙周《古史考》認爲巢父即許由,稱"巢由洗耳","巢父洗耳"或即由此。《孟子·盡心上》"古之賢士何獨不然"。漢趙岐注:"樂道守志,若

許由洗耳，可謂忘人之勢矣。”

⑧三餘：《三國志·魏志·王肅傳》，晋裴松之注引《魏略》：董遇教學生充分利用三餘時間讀書，謂“冬者，歲之餘。夜者，日之餘。陰雨者，時之餘也。”

一九三四年(民國二十三年　甲戌)七十二歲

多福壽男。甲戌春三月。墨池宿積太多。隨意撿此紙戲書之。齊璜。

題書法。

北方白菜味香殊。鄉味論甜總不如。可惜無名播天下。南方山菌勝蘑菇。

余畫此二種。思用此詩之意。題之未竟。今見愛林仁兄畫此。余為題句。其意方及之。白石山翁。

題白菜香菇。澍群《齊白石題畫詩選注》附圖一七。一九八七年，湖南美術出版社。

一日得舊紙。喜畫之。竟與新紙無少异。白石山翁。

題清白家風圖。中國美術館編《齊白石繪畫精品選》圖版三三，一九九一年，人民美術出版社。

甲戌春三月為茂亭先生畫於舊京。白石齊璜時年七十又四矣。

題畫青蛙蝌蚪扇面。中國嘉德一九九五年秋季在北京拍賣會，香港楊永德藏齊白石書畫專場，圖録號一八二。

長年多子。

題松針。王森然《回憶齊白石》，《齊白石研究大全》第一〇六頁，湖南師範大學出版社。

冷艷寒香。

題梅花。王森然《回憶齊白石》，《齊白石研究大全》第一〇六頁，湖南師範大學出版社。

石榴結子怨西風。

題石榴。王森然《回憶齊白石》，《齊白石研究大全》第一〇六頁，湖南師範大學出版社。

老年人蛩聲①皆厭聞。故籬下不畫蟋蟀。

題豆角。王森然《回憶齊白石》，《齊白石研究大全》第一〇六頁，湖南師範大學出版社。

曾見雪个以水晶杯著墨芙蓉。余畫以紅菊。

題菊花。王森然《回憶齊白石》，《齊白石研究大全》第一〇六頁，湖南師範大學出版社。

菜根同味。

題矮瓜。王森然《回憶齊白石》，《齊白石研究大全》第一〇六頁，湖南師範大學出版社。

梅畹華牽牛花碗大。人謂外人種也。余畫此最小者。

題牽牛花。王森然《回憶齊白石》，《齊白石研究大全》第一〇六頁，湖南師範大學出版社。

老饞親口教琵琶②。朱雪个題葡萄句。余不得解。二十年猶未忘。

題葡萄。王森然《回憶齊白石》,《齊白石研究大全》第一〇六頁,湖南師範大學出版社。

南門河上雨絲絲。纖手教儂剥荔枝。南門河在欽州。

題荔枝。王森然《回憶齊白石》,《齊白石研究大全》第一〇六頁,湖南師範大學出版社。

太史不生無所用。空勞枝上利如刀。

題玉蘭。王森然《回憶齊白石》,《齊白石研究大全》第一〇六頁,湖南師範大學出版社。

千紅萬紫要春恩。

題梅花。王森然《回憶齊白石》,《齊白石研究大全》第一〇六頁,湖南師範大學出版社。

年年依樣秋聲。

題秋蟲。王森然《回憶齊白石》,《齊白石研究大全》第一〇六頁,湖南師範大學出版社。

紅到春風。

題天竺。王森然《回憶齊白石》,《齊白石研究大全》第一〇六頁,湖南師範大學出版社。

富貴家風。

題芍藥蜜蜂。王森然《回憶齊白石》,《齊白石研究大全》第一〇六頁,湖南師範大學出版社。

又是秋風。

題藕和柿子。王森然《回憶齊白石》,《齊白石研究大全》第一〇六頁,湖南師範大學出版社。

風味勝梅花香色。

題竹笋蘑菇。王森然《回憶齊白石》,《齊白石研究大全》第一〇六頁,湖南師範大學出版社。

端午時候。

題枇杷粽子。王森然《回憶齊白石》,《齊白石研究大全》第一〇六頁,湖南師範大學出版社。

借山吟館主者一時清興。可見之於草木。

題枯樹雙鴉。

款款而來。白石。

題畫蜻蜓鏡片。

休負雷雨。白石。

題畫蛙·蝌蚪鏡片。

畫花卉。半工半寫。昔人所有。大寫意。昔人所無。白石山翁製。

題蝴蝶蘭。

一生搔癢手。人世贊稱稀。晚歲身衰餘背癢。搔爬工處自家知。三百石印富翁齊璜畫并題二十四字自嘲。

題搔背圖。

耐翁先生贈余詩甚多譽詞。余愧之。報以畫。未能盡善。又愧之。願先生一笑補壁為幸。齊璜。甲戌。

題小鷄出籠。《齊白石繪畫精品集》第四六頁，人民美術出版社。

伯言先生清囑。甲戌秋八月清凉。北地正好揮毫。欣然成之。白石齊璜時居舊京第十八年。

題畫山水。

少懷仁弟為小兒女補讀病假之書。甚勤快。撿此贈之。甲戌冬。璜。

江上青山樹萬株。樹山深處老夫居。年來水淺鷗鵜衆。盤裹加餐哪有魚。白石山翁并題。

題畫山水。

蠶桑苦。女工難。得新弃舊後必寒。甲戌冬。白石山翁。

題桑蠶。

門人羅生祥止小學乃邱太夫人教讀。稍違教。必令跪而責之。當時祥止能解怪其嚴。今太夫人逝矣。祥止追憶往事。且言且泣。求余畫《憶母圖》以紀母恩。余亦有感焉。圖成并題二絶句。願子成龍自古今。此心不獨老夫人。世間養育人人有。難得從嚴母外恩。當年却怪非慈母。今日方知泣憶親。我亦爺娘千載逝。因君圖畫更傷心。甲戌冬十一月二十二日酒闌客去之醉腕也。時居故都西城之西太平橋外。白石山翁齊璜。

題教子圖。

西風昨夜到園亭。落葉階前一尺深。且喜天風能反復。又吹春色上良藤。借山吟館主者製并題舊句。

題紫藤。胡佩衡、胡橐《齊白石畫法與欣賞》圖版六〇，人民美術出版社。

甲戌四月初一日午後遊卧佛西溝[3]。借几施刀。刊此六字封書寄遠。白石并記。

“西山風日思君”印邊款。戴山青編《齊白石印影》第六四頁，一九九一年，北京榮寶齋。

余之白石翁三字印。此五换矣。甲戌九日。白石。

“白石翁”印邊款。戴山青編《齊白石印影》第四五頁，一九九一年，北京榮寶齋。

余暮年喜讀宋詞。我口所欲言而古人為言舌問之。刊為印章。此八字周密[4]句。甲戌七夕前二日。時居故都。白石并記。

“一襟幽事砌蛩能説”印邊款，戴山青編《齊白石印影》第一頁，一九九一年，北京榮寶齋。

竹霞洞。祝融峰。洞庭君山。華岳三峰。雁塔坡。柳園口。小姑山。獨秀山。五十六圖半天下。吾賢得仿十之三。剩水殘山真位置。經營與俗太酸鹹。借山圖原名紀遊。湘綺師曰。何不皆題借山。可大觀矣。原圖五十有六。前丁巳來燕京。友人陳師曾假去月餘。歸來失去八圖。欲補畫擬作。恐未其面目。故止之。洎廬仁弟臨此題記之。甲戌。兄璜。

題借山圖册。

甲戌十月之初。天日無寒。揮毫任所之。為秀容女弟子屬也。觀畫者同學輩二十人。白石。

題白菜。劉振濤等人編《齊白石研究大全》圖版第二三。一九九四年,湖南師範大學出版社。

寶君之索。一揮應之。甲戌冬。白石山翁。

題洞庭君山圖。胡佩衡、胡橐《齊白石畫法與欣賞》圖版第一三二,一九五九年,人民美術出版社。

中流砥柱。柱宇先生鑒此圖。甲戌冬。齊璜。

題中流砥柱。《榮寶齋畫譜》七十三,齊白石繪山水部分,第三〇頁,一九九三年。

注:

①蛩聲:蟋蟀聲。

②老饞親口教琵琶:清八大山人(朱雪个)題葡萄句。自唐王翰《凉州詞》"葡萄美酒夜光杯,欲飲琵琶馬上催"句傳誦以來,後人便將吃葡萄與彈琵琶聯係起來。

③卧佛西溝:北京西山卧佛寺、櫻桃溝一帶。

④周密:宋元間文學家。字公謹,號草窗,又號蕭齋。晚年置業於弁山之陽,遂號弁陽老人、弁陽嘯翁。居臨四水,亦號四水潜夫。係宋末詞壇名家。著作有《武林舊事》、《齊東野語》、《癸辛雜識》、《浩然齋雅談》、《蘋洲漁笛譜》、《草窗詞》等多種。

一九三五年(民國二十四年　乙亥)七十三歲

星斗塘外有松。多巢八哥。故予畫八哥能似。白石。

題松樹八哥。

余畫友之最可欽佩者。惟我悲鴻。君所見作物甚多。今日所展尤勝當年。故外人不惜數千金購求一幅老柏樹合矣。白石山翁白石扶病。乙亥第六日。

徐悲鴻畫展題言。黄震《徐悲鴻研究》,《齊白石研究大全》第一〇八頁,湖南美術出版社。

乙亥春。舊京國立藝術專科學校開教授所畫展覽會。此松鷹圖亦在校展覽。校長嚴季聰①先生見之喜。余即將此幅捐入校内陳列室永遠陳列。齊璜。

題松鷹。

一日畫鼠子嚙書圖。為同鄉人背余袖去②。余自頗喜之。遂取紙追摹二幅。此第二也。時居故都西城太平橋外。白石山翁齊璜并記。

題鼠子嚙書圖。《榮寶齋畫譜》一〇一,齊白石繪民俗風情部分,第一九頁。

此鼠子嚙書圖。為家人依樣各畫一幅。自厭雷同。故記及之。乙亥白石山翁。

題鼠子嚙書圖，中國美術館編《齊白石繪畫精品選》圖版第三五，一九九一年，人民美術出版社。

余四十一歲時。客南昌。於某舊家得見朱雪个小鴨子之真本。鈎摹之。至七十五歲時。客舊京。忽一日失去。愁餘。取此紙。心意追摹。因略似。記存之。乙亥二月。白石。咀爪似非雙勾。余記明了。或用赭石作没骨法亦可。

題畫鴨小稿。胡佩衡、胡橐《齊白石畫法與欣賞》第二一頁，一九五九年，人民美術出版社。

乙亥之夏。天日晴和。友人王君森然[3]。看余作畫。成此幅以贈之。

題拜石圖贈王森然。王森然《回憶齊白石先生》，《齊白石研究大全》第一〇九頁，湖南師範大學出版社。

草動青蛇驚影。風行紫雪飛香。乙亥初冬製於舊京。美然先生雅正。齊璜。白石山翁居於北地十又九年矣。

題紫藤蜜蜂。

乙亥夏初。携姬人南還。掃先人墓。烏烏私情。未供一飽。哀哀父母。欲養不存。自刻悔烏堂。

悔烏堂印自記。王振德、李天庥輯注《齊白石談藝録》第九頁，一九八四年，河南人民出版社。

鐘馗尚有閑錢用。倒是人窮鬼不窮。此前朝人本也。齊璜并篆。

題瑞錢圖。

客謂余曰。君所畫皆垂藤。未免雷同。余曰。藤不垂。絶無姿態。垂雖略同。變化無窮也。客以為是。白石山翁并記。

題葫蘆。

過湖渡海幾時休。欲訪桃源逐遠遊。行盡烟波三萬里。能同患難祗孤舟。此烟波萬里圖乃予借山圖舊稿也。友人曾於他處得見之。由是逢余面必相提及。索求頗殷。余不能拂其意。應命依樣。三百石印富翁齊璜題記。

題山水。

稻穀年豐知鴨賤。桃花時到憶魚肥。白石山翁畫并題句。

題魚鴨。中國古典藝術出版社《中國畫》第二期第三〇頁，一九五八年。

杏子塢離湘潭百里。余生長地也。今居燕十又八年。尚無歸時。恐不生還。因刊此印。白石。

"杏子塢老民"印邊款。戴山青編《齊白石印影》第八一頁，一九九一年，北京榮寶齋。

壽酒神仙。乙亥冬月白石畫并題。

題壽酒神仙。《榮寶齋畫譜》七十四，齊白石繪人物部分，第二一頁，一九九三年。

醉瑪瑙以盛來。點胭脂而艷絶。寄萍堂上老

人製於舊京。借山吟館。

題石榴。中國美術館編《齊白石繪畫精品選》圖版第三四，一九九一年，人民美術出版社。

寶珠如婦學畫。求余題記。自作樣稿。白石。

題胡寶珠畫黄鵝。齊良遲口述、盧節整理《父親齊白石和我的藝術生涯》圖版一六，一九九三年，海潮出版社。

反面之畫。乃寶珠學作。太醜。幾欲扯作紙條。予為書此數字。寶必喜。想可挽留也。乙亥六月中天將雨。老夫白石翁。

題胡寶珠畫黄葫蘆扇面之背面。齊良遲口述、盧節整理《父親齊白石和我的藝術生涯》第一八頁，一九九三年，海潮出版社。

注：

①嚴季聰：嚴智開（一八九四—一九四二年），字季聰，天津人。嚴修第五子。日本東京美術學校及美國哥倫比亞師範大學畢業。歷任北京國立美術學校教務長、主任、教授，北京師範大學教授，北平政府藝術專員，天津市美術館館長等職。

②袖去：將畫藏在衣袖裏竊走。

③王君森然：王森然，一八九五年生，河北定縣人，中央美術學院國畫教授。先是齊白石文友，後拜齊白石爲師。

王森然（一八九五—一九八四年），原名樾，號杏岩，河北定縣人。曾任中央美術學院教授，第六屆全國政協委員。代表作有《松鷹》、《荷塘蛙聲》等。國畫《壽桃》等作品作爲國禮先後贈送意大利總統佩爾蒂尼、日本前首相大平正芳等。著作有《王森然畫輯》、《秦漢美術史》、《唐宋元明美術史》、《清代美術史》等。

一九三六年（民國二十五年　丙子）七十四歲

生不願為上柱國。死尤不願作閻羅。閻羅點鬼心常忍。柱國憂民事更多。但願百年無病苦。不教一息有愁魔。悠悠乘化聊歸盡。蟲背鼠肝皆太和。購得益州十樣箋。表將心願達青天。好花常令朝朝艷。明月何妨夜夜圓。大地有泉皆化酒。長林無樹不摇錢。書成却待凌風奏。鬼怨神愁夜悄然。拾云賢外孫媳將倍（陪）寶珠侍余遊蜀。求畫此幅。并書幻想詩[1]以紀之。丙子三月之初。白石。

題松鼠食花生。中國嘉德一九九五年秋季北京拍賣會，香港楊永德藏齊白石書畫專場，圖録第三三八號。

碧苔朱草小亭幽。曾見紅衫憶昔遊。隔得欄杆紅萬字。相思飛上玉階秋。冬心先生嘗畫一紅衫女子倚欄。題云。昔年曾見。丙子夏四月為逸民先生鑒家囑。齊璜。

題海棠。

一花一葉掃凡胎。墨海靈光五色開。修到華嚴清静福。有人三世夢如來。借昔人詩[2]。時丙子春。吾將蜀遊。冷庵友人先生法論。璜。

題墨荷。胡佩衡、胡橐《齊白石畫法與欣賞》圖版一二九，一九五九年，人民美術出版社。

御風夜別神仙。羅袂生凉斗酒前。三唱晨鷄天色淡。芙蓉城裏月娟娟。録遊仙詩題此幅。覺畫亦生色。白石山翁齊璜。

題芙蓉。

為君骨肉暫收帆。三日鄉村問社壇。難得夫君情意甚。携樽同上草堆寒。丙子遊蜀欲泊酆都。尋寶姬母墓。因有此作。今寶君[3]屬題於此幅。以紀其事。白石。

題魚。《齊白石繪畫精品集》第三八頁，人民美術出版社。

卅載何須泪不干。從來生女勝生男。好寫墓碑胡母字。千秋名迹借王三。王三。王纘緒軍長也。寶妹之屬。時居治園清宅。白石并題贈詩。

題蛙。《齊白石繪畫精品集》第三八頁，人民美術出版社。

毋忘尺素倦紅鱗。一諾應酬知己恩。昨夜夢中偏誠道。布衣長揖見將軍。白石草衣齊璜。

題渝州古柏。《榮寶齋畫譜》七十三，齊白石繪山水部分，第二〇頁。

欲收蒼莽上詩樓。赤日長天江海流。畫盡岳麓山頭樹。侖嵋嫌低祝融休。舊政蜀中傳父老先聲又播燕州。願君莫道他鄉好。有此湖山誇宦遊。治園運使論定。湘潭齊璜時居故都。

題旭日江南。

拏空獨立雪鱗鼓。風動垂枝天助舞。奇干靈根君不見。飛向天涯占高處。昔時嘗見前朝有雪鷹圖本。余心儀久矣。今日始得以自家筆法為之。并撿舊句。略易數字。用於此幅。白石題記。

題英雄高立。

年高身健有斯翁。汾陽仙骨南岳松。傲群不須强昂首。側耳得聽風吟聲。杏子塢老民齊璜勾前賢壽上添壽圖本并題新句。

題君壽千載。

予癸卯侍湘綺師遊南昌於某世家。得朱雪个先生真本。三十餘年未能忘也。偶畫之。丙子璜。

題仿八大花鳥。

三徑凉風日欲斜。近籬茅屋老夫家。亂離籬下開黄菊。顛倒堪憐戀地花。級三先生清正。丙子冬蘋翁。

題扇面。

稻水千區映。村烟幾處斜。秧歌聲不絶。於此見年華。石沆句。白石畫。

題稻穗草蟲。《齊白石繪畫精品集》第三九頁，人民美術出版社。

寄萍堂上老人强持細筆。

題工蟲老少年。

吾生性多疑。是吾所短。刊此自嘲。丙子五月。時客成都之治園。白石。

“吾狐也”印邊款。戴山青編《齊白石印影》第七七頁，一九九一年，北京榮寶齋。

丙子五月作於成都治園精舍。白石山翁齊璜。時年七十又六矣。

題紫藤。劉振濤、禹尚良、舒俊杰《齊白石研究大全》第一一四頁，一九九四年，湖南師範大學出版社。

為我一揮手。如聽萬壑松。炎日鑠金之下。何福過此峨嵋。老衲耶壽田。

題松。

者（這）裏也不是。那裏也不是。縱有麻姑爪[4]。焉知著何處。各自有皮膚。哪能入我腸肚。丙子夏四月為治園軍長畫并篆。白石草衣齊璜時客渝州。

題鐘馗搔背圖。中國嘉德一九九五年秋季北京拍賣會，楊永德藏齊白石書畫專場，圖録第一九八號。

榮寶齋主人囑製。丙子箋。白石。

題鼠。《榮寶齋畫譜》一〇一，齊白石繪民俗風情部分，第一九頁，一九九四年。

注：

①幻想詩：共十五首，齊白石題畫僅選用其中兩首。清末翰林潘齡皋評幻想詩云："胡大川孝廉作舟幻想詩十五首，思入非非，皆未經人道語，余深愛之。每於俗事不稱意，輒朗誦一過，頗足解憂。如孝廉者，亦可謂饑寒逼腐儒，顛倒作奇想矣。"胡大川，名作舟，清同治年間詩人。

②借昔人詩：此幅墨荷題詩借用了譚溥的詩作。譚溥，字仲牧，號荔仙（亦作荔生），別號瓮塘居士。湘潭諸生。山水畫家和詩人。齊白石曾向他拜師學畫山水。

③寶君：齊白石呼先妻山姬、姬人。後扶繼室的胡寶珠稱謂甚多。有時呼"寶姬"，有時呼"寶君"，有時呼"寶妹"，還有時呼"寶珠老人"，不一而足。

④麻姑爪：據晋葛洪《神仙傳》記載，麻姑爲仙人王方平之妹，美貌絶倫，頭頂作髻，髮垂至腰，手指細如鳥爪，搔人必至癢處，有擲米成珠之術。長居蓬萊仙島，曾見東海三爲桑田。

一九三七年（民國二十六年　丁丑）七十五歲

白石山翁七十五歲時畫於故都城西太平橋外。

題松鼠。《齊白石繪畫精品集》第四二頁，人民美術出版社。

三百石印富翁一夜燈下。

題牽牛花。《齊白石繪畫精品集》第四四頁，人民美術出版社。

籬下南山。借山吟館主者擬五柳先生[1]像。

題五柳先生像。《齊白石繪畫精品集》第四五頁，人民美術出版社。

顛倒荷花如佛性。開來自若哪知愁。白石老人舊句。

題荷花蜻蜓。《齊白石繪畫精品集》第五〇頁，人民美術出版社。

南無西方接引阿彌陀佛[2]。丁丑春初。晨起焚香繪。齊璜。

題人物。《齊白石繪畫精品集》第五一頁，人民美術出版社。

丁丑燈節後。三弟來故都。將返白石家山。撿前七年所作。倩帶贈佛遜賢侄孫。白石璜。

題炊。《齊白石繪畫精品集》第五三頁，人民美術出版社。

借山吟館主者初解棉衣。身輕畫此小幅。九如圖。白石又篆。

題九如圖。《齊白石繪畫精品集》第五四頁，人民美術出版社。

皮毛傲霜類。何獨汝趨炎。白石題。

題螳螂野菊。《齊白石作品集》第四四頁。中國美術館藏畫，天津人民美術出版社。

予仿古月可人[3]畫牛六十年。僅得此牛稍似。琴蓀先生喜古月可人之畫牛。必知此牛之佳否。丁丑六月。齊璜。

題柳牛。《榮寶齋畫譜》七十三，齊白石繪山水部分，第三八頁。

敲門快捷羽書馳。北海荷花正發時。國孽未蒙天早忌。吾儕有壽欲何之。書舊句補空。

題柿樹。

少懷仁弟為小女良止[4]之師。能盡力。畫此贈之。以紀其事。丁丑秋白石老人。

題葫蘆。人民美術出版社《齊白石繪畫精品集》第五〇頁。

踏花蹄爪不時來。荒弃名園衹夢苔。黃菊獨知籬外好。著苗穿過者邊開。白石又題。

題菊籬。

金鳳花開色更鮮。佳人染得指頭丹。彈箏亂落桃花瓣。把酒輕浮玳瑁斑。拂鏡火星流夜月。畫眉紅雨過春山。借昔句三百石印富翁。

題鳳仙花。

老眼朦朧看作鷄。通身毛羽葉高低。客窗一夜如年久。聽到天明汝不啼。白石又書舊句補畫。

題鷄冠花。

雙壽。白石山翁齊璜寫意。冬雪初晴畫此。一快事也。

題雙壽。

仁者多壽。齊璜丁丑年七十七矣。時居舊都。

題仁者多壽。董玉龍、胡孟炎編《中國畫名家作品粹編·齊白石畫集》第五頁，一九九四年，浙江人民美術出版社。

旭初先生雅囑。時丁丑夏五月。

百梅祠外塘頭眺。十字坡前牛背眠。往事重尋無夢到。心隨鴻雁度湘烟。湘綺師為題借山圖詞句。袖手塘頭眩眺。十字坡乃余小時牧牛處也。此二雁。山姬求余依樣重畫。白石。

題蘆雁。《齊白石畫選》圖五四，一九八〇年，人民美術出版社。

年年春至願春留。春去無聲衹合愁。夫婿封侯倘無分。閨中少婦豈忘羞。

此幅乃友人索予臨王夢白[⑤]。予略所更動。知者得見王與予二幅。自知誰是誰非。因老年人肯如人意。有請應之。白石齊璜并題記。

題仕女。《中國畫》第二期第二四頁，闕蔚山藏。一九五八年，中國古典藝術出版社。

三百石印富翁齊白石。也曾寫生。

題雙松鼠。胡佩衡、胡橐《齊白石畫法與欣賞》圖版一〇四，一九五九年，人民美術出版社。

得財[⑥]。丁丑製於燕。白石。

題得財。《榮寶齋畫譜》七十四，齊白石繪人物部分，第二〇頁，一九九三年。

畫抱兒婦。難得田家風度。美人風度。人之心意中應有。反尋常也。白石并記。

題仕女。《榮寶齋畫譜》七十四，齊白石繪人物部分，第一一頁，一九九三年。

子長[⑦]初學能意造畫局。可謂有能學之能。予喜。

題齊良遲畫芭蕉。齊良遲口述、盧節整理《父親齊白石和我的藝術生涯》第八二頁，一九九三年，海潮出版社。

注：

①五柳先生：晋代文學家陶淵明（三七六—四二七年），名潛，字淵明，又字元亮，號五柳先生。潯陽柴桑（今江西九江）人。曾官州祭酒、參軍、彭澤令，因不爲五斗米折腰，解印去職，至死未仕。今存《陶淵明集》。所作散文《五柳先生傳》傳誦至今。

②阿彌陀佛：佛名，净土宗的主要信仰對象。稱其爲西方極樂世界的教主，能接引念佛人往生西方净土，故又稱接引佛。另有無量壽佛、無量光佛、清净光佛、智慧光佛等十三個名號。

③古月可人：胡何光禺（一七三六—一七九七年），湘潭人，字文蔚，號旭齋，别號古月可人，工花鳥，尤擅畫喜鵲。

④良止：齊白石小女，又名良芷。乳名小小乖。生於一九三〇年。能畫。

⑤王夢白：王雲（一八八七—一九三八年），字夢白，號鄉道人，江西豐城人。善花鳥魚蟲，尤精動物畫。有《王夢白畫集》傳世。

⑥得財："財"音諧"柴"，故畫得柴圖而稱得財，取喜慶發財之意。這是清末民初流行吉祥畫中常用的手法。

⑦子長：齊良遲，字子長。一九二一年生於湖南湘潭家鄉。齊白石第四子，係胡寶珠所生。幼年由白石原配夫人陳春君代養。十六歲隨齊白石學齊派寫意花鳥。二十四歲畢業於北平輔仁大學美術系，繼而任教於北平藝術院校。後辭職專門侍奉於白石身邊。著有《自學美術叢書》。是世界公認的齊派嫡傳的代表性人物。現爲北京文史研究館館員。

一九三八年（民國二十七年　戊寅）七十八歲[①]

冷庵弟先索寫字。又索作畫。予喜應之。以補書法之醜也。齊璜。

題藤蘿扇面。《齊白石繪畫精品集》第六頁，一九九一年，人民美術出版社。

吾年將八十矣。於戊寅陰曆五月二十六日又

生一子。名良末。號耋根。第十三日刻此印記之。白石。

"耋根"印邊款。戴山青編《齊白石印影》第一七一頁,一九九一年,北京榮寶齋。

諺云。凡動物有一體似龍者。可以為龍。蝦頭似龍。可為龍耶。白石。

題群蝦。《齊白石繪畫精品集》第六二頁,一九九一年,人民美術出版社。

予見古名人字畫。絶無真者。故三百石印齋無收藏二字。今因得黄瘿瓢采花圖。佩極。始刊此石。戊寅五日。時居故都。白石并記。

"齊白石藏"印邊款。戴山青編《齊白石印影》第二〇九頁,一九九一年,北京榮寶齋。

願天圖。畫師不忘前身。為此老叟傳神。仰首所望何事。願天常生好人。從來借予之書畫及篆刻為進身而得知遇者不勝枚指。余或聞之。豈能無感。戊寅三百石印富翁齊璜時客京華題記并篆。

題願天圖。

新得一舍利[②]石函。略為一尺。中空。盛舍利子。上之石蓋已失。旁為唐開耀二年開業寺釋孝信舍利函等字。字有數百。精整完好。神似褚河南。乃一見著録之名品也。因名其齋而作此圖。戊寅齊璜畫并録範卿先生來函之語。

題舍利函齋圖。中國美術館編《齊白石繪畫精品選》圖版第二〇三,一九九一年,人民美術出版社。

此種菌出於南方。其味之美遠勝北地蘑菇。白石老人平生所嗜。

題菌。胡佩衡、胡橐《齊白石畫法與欣賞》圖版八八,一九五九年,人民美術出版社。

裏邊是甚麽。白石老人齊璜意造。

題人物。胡佩衡、胡橐《齊白石畫法與欣賞》圖版一二七,一九五九年,人民美術出版社。

石墨居[③]閑步歸來圖。冷庵仁弟屬畫。戊寅四月。七十八翁齊璜强畫於故都借山吟館。

題石墨居閑步歸來圖。胡佩衡、胡橐《齊白石畫法與欣賞》圖版一一五,一九五九年,人民美術出版社。

客論作畫法。工粗孰難。予曰筆墨重大。形神極工。不易也。

題畫貝葉。胡佩衡、胡橐《齊白石畫法與欣賞》第九一頁。一九五九年,人民美術出版社。

予年七十八矣。人謂祇能畫蝦。冤哉。白石山翁。

題蝦。胡佩衡、胡橐《齊白石畫法與欣賞》圖版四二,一九五九年,人民美術出版社。

漫遊東粤行踪寂。古寺重徑僧不知。心似閑蛩無一事。細看貝葉立多時。紅葉題詩圖出嫁。學書柿葉僅留名。世情看透皆多事。不若禪堂貝葉經。年將八十老眼。齊璜畫并題新句。

題貝葉草蟲。

冷庵弟此紙醜不受墨。而且吾弟坐待畫不能佳。吾不怪紙醜。衹怪吾弟欲早得為快也。小兄璜。戊寅。
予第一次畫蚊。竟能稍似。冷庵。泊廬二弟稱之曰。萬物富於胸中。為畫家殊不易也。白石又記。

題蛙蚊。謝雲、劉玉山主編《中國現代名家畫譜·齊白石》第六七頁，一九九三年，人民美術出版社。

大富貴有期[4]。戊寅秋九月齊璜。

題牡丹雙鷄。《齊白石畫選》圖五六，一九八〇年，人民美術出版社。

坐久不聞香。三百石印富翁。白石。

題玻璃杯蘭蕙。胡佩衡、胡橐《齊白石畫法與欣賞》圖版六三，一九五九年，人民美術出版社。

星塘老屋在杏子塢之南。予第五子良遲半歲時。其母抱之視王父王母。今良遲年十七矣。王父王母辭世已十又三年。畫此吾兒須知母恩。王父王母皆葬於杏子塢。戊寅秋乃翁。

題梅。

世世多子。戊寅老萍。

題石榴。

予曾遊南昌於丁姓家。得見八尺紙之大幅四幅。乃朱雪个真本。予臨摹再三。得似十之五六。中有大魚一幅。筆情減少能得神似。惜丁巳已成劫灰。可太息也。今畫此幅因憶及之。白石。

題魚。

鼎新先生正。弟齊璜。
次溪世侄嘗求余畫。余以為時日猶長。或二三年未曾應也。竟使見余往作即不惜金錢必欲得之。吾賢之愛詩畫可知矣。出此求題。即書數語記之。白石。
此幅乃余少年時作也。印記雖是老萍字樣。年三十歲時即喜稱翁老等字。忽忽四十餘年。筆墨之變換殊天壤也。甲戌秋白石重題。
山澤弟見之喜。次溪贈之。再索余為之記。戊寅冬白石時居燕京。

題飛鴻贈人圖。《名家翰墨》總一四輯，第一三四頁，一九九一年，香港翰墨軒出版有限公司，香港。

冷庵先生一日踏雪登門求畫。余以為世上知音難逢。其情不可却。故揮筆成此圖也。戊寅冬白石。

題閑居圖。

昔日余遊江西。得見雪个八大山人[5]有小畫。中册畫老當益壯。臨之作為粉本。丁巳年家山兵亂後於劫灰中尋得此稿。心喜且嘆朱君之苦心。雖後世之臨摹本。猶有鬼神呵護耶。今晝此幅。感而記之。借山吟館主者。時客京華西城鐵屋。

此幅乃余家藏之稿。戊寅冬月一日。吾友泠庵仁兄先生見之甚喜。并欲索之。吾即贈也。并題數字。因記。八硯樓頭久别人。

題人物。

小小池邊一架瓜。瓜藤原不著虚花。羡君蔬食家鄉飽。無事開門為聽蛙。和恂仁兄之雅。齊璜并題。

題絲瓜青蛙。《齊白石繪畫選集》圖二六,一九八〇年,湖南美術出版社。

戊寅夏悲鴻道兄在桂林聞予生第七子。遂畫千里駒寄贈。予畫此小册拾頁報之。時冬初也。璜。

題蝦。《齊白石畫選》第九三頁,一九八〇年,人民美術出版社。

家雀家雀。東啄西剥。糧盡倉空。汝曹何著。白石題舊句。

題麻雀。胡佩衡、胡橐《齊白石畫法與欣賞》圖版二四,一九五九年,人民美術出版社。

墨緣。隻字得來俱是緣。好事諸公誰肯憐。阿吾一言非偽語。不必高官慕尊前。杏子塢老民七十八書於京華。

書法横幅。

注:

①七十八歲:戊寅(一九三八年)齊白石實爲七十六歲。因丁丑年(一九三七年)有算命先生舒貽上爲齊白石批八字,説齊白石在丁丑年“脱丙運交辰運,美中不足”。齊白石奮而抗命,遂將七十五歲改爲七十七歲,自增兩歲。故戊寅七十六歲寫爲七十八歲。自此之後,歷年照推。

②舍利:佛骨,梵語“設利羅”。《魏書·釋老志》:“佛既謝世,香木焚尸,靈骨分碎,大小如粒,擊之不壞。焚亦不燋,或有光明神驗,胡言謂之舍利。弟子收奉,置之寶瓶,竭香花,致敬慕,建宫宇,謂爲塔。”後來通指高僧圓寂後燒成的骨粒或骨塊,據説有多種顏色。如白色骨舍利,黑色髮舍利,赤色肉舍利等。又有全身舍利、碎身舍利、生身舍利、法身舍利的區别。

③石墨居:胡佩衡畫室名。

④大富貴有期:牡丹象徵大富貴,鷄與“期”諧音。此爲吉祥畫常用的象徵、諧音之法。

⑤雪个、八大山人:朱耷(一六二四—一七〇五年),清代書畫家、詩人。本名統𨨗,明寧王朱權後裔,封藩南昌,遂爲江西南昌人。明亡後爲僧,書畫多署八大山人。别號有雪个、傳綮、驢屋等。與原濟(石濤)、弘仁(漸江)、髡殘(石溪)合稱“清初四高僧”,對後世畫壇影響頗大。

⑥清白:“白菜”之“白”諧清白之音,吉祥畫或象徵畫常用的手法。

一九三九年(民國二十八年　己卯)七十九歲

中年種竹早成林。緑遍餘霞(峰石)雨露深。一夜涷雷閑數笋。天涯還有荷鋤人。荷鋤人謂貞兒。每逢數笋時。必念予當年荷鋤種竹。長兒求書。己卯。乃翁。

題行書扇面。

事事遇頭。白石老人居京華第二十三年。

題芋頭·柿子。

知醫。百煉弟濟人有心。人皆歡之。為書此。紀其事。己卯。白石。

書法軸。

餘年安得子孫賢。白石老人書於古燕京。行年八十。己卯春三月一日書七幅。此幅良止收。又記。

行書軸。

老白二字。五磨五刻方成。此道之不易可知矣。白石翁七十九時。

“老白”印邊款。戴山青編《齊白石印影》第五四頁,一九九一年,北京榮寶齋。

前年為猫寫照。自存之。至己卯。悲鴻先生以書求予精品畫作。無法為報。祇好閉門。越數日。蓄其精神。畫成數幅。無一自信者。因追思學詩。先學李義山[①]先生。搜書翻典。左右堆書如獺祭[②]。詩成。或可觀。非不能也。唯有作畫。若不偷竊前人。有心為好。反腹枵手拙。要於紙上求一筆可觀者。實不能也。方撿此舊作。速寄知己悲公桂林。白石齊璜慚愧。

題耄耋圖。劉振濤、禹尚良、舒俊杰《齊白石研究大全》第一一七頁,一九九四年,湖南師範大學出版社。

奉三與雪濤善。雪濤為予弟。奉三即予弟也。己卯冬。齊璜。

題秋趣。

俊魁先生藏予畫甚多。此幅由當鋪發賣買來。不嫌他人有號。真嗜痂[③]也。己卯冬。白石題記。

題架豆蜻蜓。

從來有足之動物。獨蟹善横行。天雖好生。未免多事。白石。

題蟹。第二期《中國畫》,一九五八年,第三一頁,中國古典藝術出版社。

注:

①李義山:唐代詩人李商隱(約八一三—約八五八年),字義山,號玉溪生,又號樊南生。鄭州滎陽(今屬河南)人。有《李義山詩集》傳世。

②獺祭:獺貪食,常捕魚陳列水邊,如陳物而祭。這裏指多用典故,堆砌成文的習氣。

③嗜痂:喜食瘡痂成了癖好。《南史·劉穆之傳》云穆之孫“邕性嗜食瘡痂,以爲味似鰒魚。”

一九四〇年(民國二十九年　庚辰)八十歲

三百石印富翁。白石山前老農人也。

題群魚。《齊白石繪畫精品集》第六七頁,一九九一年,人民美術出版社。

寄萍堂上老人畫於心寬氣和時候。可見之於魚蟹。

題魚蟹。《齊白石繪畫精品集》第六八頁。一九九一年,人民美術出版社。

鱸魚一飽猶知足。白石山翁并句。

題魚鷹。《齊白石繪畫精品集》第六九頁，一九九一年，人民美術出版社。

多壽多男。白石老人造於燕京寄萍堂上南窗。

題歲朝圖。《齊白石繪畫精品集》第七一頁，一九九一年，人民美術出版社。

杏子塢老民齊白石畫於舊京華。

題雁來紅。《齊白石繪畫精品集》第七四頁，一九九一年，人民美術出版社。

仙桃延壽。庚辰八十老人齊白石。

題桃。《齊白石作品集》第四八頁，中國美術館藏畫，天津人民美術出版社。

十年不踏東山路。今日重為放浪行。老矣判無黄鵠舉。歸哉惟有白鷗盟。新秧刺水農家樂。修竹環溪客眼明。已駕中車仍小駐。綠蘿亭下聽鳴聲。壽蘭先生正。齊璜。

書法軸。

多子多子。借山老人齊白石。
子才仁弟出紙索予隨意一揮。予無意畫以石榴。喜吾弟有多子之兆。庚辰。白石又記。

題石榴。

此小蝦。乃予老眼寫生。當不賣錢。

題小蝦。《中國畫》第二期第二六頁，一九五八年，中國古典藝術出版社。

借山吟館主者齊白石居百梅祠屋時。牆角種粟。當作花看。

題粟。

犬吠鴉鳴睡不寧。誰教空手作良民。家鷄夜半休饒舌。未及啼時我已醒。白石又題。

題鷄。

諸侯賓客四十載。菜肚羊蹄嗜各殊。不是强誇根有味。須知此老是老夫。借山吟館主者齊璜畫并題句。

題白菜。

牡丹為花之王。荔枝為果之先。獨不論白菜為菜之王。何也。白石。

題白菜辣椒。謝雲、劉玉山主編《中國現代名家畫譜·齊白石》第二五頁，一九九三年，人民美術出版社。

摘得瓜來置竈頭。庖中夜鬧是何由。老夫剔起油燈火。照見人間鼠可愁。

題燈鼠。

何以不行。白石。

題熟螃蟹。《榮寶齋畫譜》七十五，齊白石繪魚蟲禽鳥部分，第三七頁，一九九三年。

愛説盡説。祇莫説人之不善。白石老人。

題八哥。

萬事不如把酒强。白石老人。

題柿子。

前人畫蟹無多人。縱有畫者。皆用墨色。余於墨華間。用青色間畫之。覺不見惡習。借山吟館主者齊璜并記。

題草蟹。

秋色秋聲。庚辰。冷庵仁弟正。小兄齊璜贈。

題菊花秋蟲。《齊白石畫選》圖四，一九八〇年，人民美術出版社。

天真。八十老人白石。

題群童。

予嘗見冬心翁畫蓮蓬新藕。甚工整。予不願為此。予之工整者。子才弟一笑。八十老人。白石。

題花卉成扇。

丈夫處世。即壽考不過百年。除老稚之日。見於世者。不過三十年。此三十年中。可使死重於泰山。可使死輕於鴻毛。是以君子慎之。

書贈王文農。力群編《齊白石研究》第一四七頁，一九五九年，上海人民美術出版社。

能喜此幀者。他日不能無名。白石。

題青花盤碗。《榮寶齋畫譜》一〇一，齊白石繪民俗風情部分，第一〇頁，一九九四年。

客論畫法曰。下筆欲細。方為工。予曰。此細字。君論畫。可分工拙。若論詩。詩從何處細起。客不可答。白石。

題茄子。《榮寶齋畫譜》一〇一，齊白石繪民俗風情部分，第一〇頁，一九九四年。

借山吟館主者齊白石居百梅祠屋時。牆角種粟。當作花看。

題穀穗螳螂。《榮寶齋畫譜》一〇一，齊白石繪民俗風情部分，第二一頁，一九九四年。

此一葉也。與佛有情。與我無情。同一蟲也。一則有聲。一則無聲。三百石印富翁齊白石畫。
僧家用貝葉寫經。冬心翁用以畫佛像。予嘗遊廣州。得貝葉甚多。帶至京失矣。

題貝葉蟬。胡佩衡、胡橐《齊白石畫法與欣賞》圖版九五，一九五九年，人民美術出版社。

既偷走。又回望。必有畏懼。倘是人血所生。必有道義廉耻。

題猴子偷桃。胡佩衡、胡橐《齊白石畫法與欣賞》第九五頁，一九五九年，人民美術出版社。

湘上老狂奴。

題畫蛙。王振德、李天庥輯注《齊白石談藝録》第三九頁，一九八四年，河南人民出版社。

一九四一年(民國三十年　辛巳)八十一歲

缶廬老人花卉册。子長[1]雙勾。乃翁題。九九翁[2]。

題雙勾吴昌碩花卉册。齊良遲藏。

硯。田也。願好豐年。白石。

題册頁穀穗蝗蟲。中國美術館藏畫。《齊白石作品集》第五七頁,一九九〇年,天津人民美術出版社。

題畫之字多文氣。亦通順。其畫更佳。或曰畫佳。不題多字。其畫不能變醜。白石并記。

題紅柿。中國美術館藏畫。《齊白石作品集》第六一頁,一九九〇年,天津人民美術出版社。

大森先生之屬。此幅餘白甚多。俟白石山妻患大痊。再行添寫感謝話。辛巳春二月。白石暫記。

題喜鵲。中國美術館藏畫。《齊白石作品集》第六二頁,一九九〇年,天津人民美術出版社。

冷庵仁弟法正。辛巳。九九翁齊璜。
一樹梨花壓海棠。白石又篆。

題海棠梨花扇面。《齊白石繪畫精品集》第七九頁,一九九一年,人民美術出版社。

坐久始聞香。為子長畫。辛巳。乃翁。同客京華。

題蘭扇面。《齊白石繪畫精品集》第八〇頁,一九九一年,人民美術出版社。

辛巳秋月。九九翁齊白石老眼所作於舊燕京城西鐵屋并題記。

題貝葉草蟲。《齊白石繪畫精品集》第八二頁,一九九一年,人民美術出版社。

一年容易又秋風。毅庵先生雅正。辛巳。齊璜。

題秋海棠、雁來紅蜻蜓。胡佩衡、胡橐《齊白石畫法與欣賞》圖版七七,一九五九年,人民美術出版社。

百花齊放。毅庵先生雅囑。白石老人。

書法寫天發神讖碑意。胡佩衡、胡橐《齊白石畫法與欣賞》圖版一四〇,一九五九年,人民美術出版社。

年高身健。不肯作神仙。九九翁白石。

篆書立幅。《齊白石繪畫精品集》第一四四頁,一九九一年,人民美術出版社。

此予三十歲以前所畫。書有他人上款。得者裁去。請予題記。八十又一老人。白石。

題群鷄。胡佩衡、胡橐《齊白石畫法與欣賞》圖版第四九,一九五九年,人民美術出版社。

辛巳秋。九九翁白石用舊時自造本。

題仕女。《榮寶齋畫譜》七十四,齊白石繪人物部分,第一一頁,仕女六。一九九三年。

予少時寫生。九九後題。

八十歲題一九一三年以後畫佛手。《榮寶齋畫譜》一〇一,齊白石繪民俗風情部分,第二頁,一九九四年。

予久不畫蟹。偶爾畫之。竟能成趣。乃心手相應也。辛巳二月借山吟館主者。

題簍蟹圖。中國美術館編《齊白石繪畫精品選》圖版四三。一九九一年,人民美術出版社。

點水蜻蜓如羚羊之挂角。不著一字[3]。白石老人。辛巳。

題蜻蜓册頁。中國美術館編《齊白石繪畫精品選》圖版一六八,一九九一年,人民美術出版社。

注:

①子長:齊白石四子齊良遲,字子長。生於一九二一年。現居齊白石跨車胡同老屋。當代書畫家。書畫皆有白石遺風餘韵。

②九九翁:八十一歲老人自稱。取"九九八十一"之意。

③不著一字:唐人司空圖論詩云:"羚羊挂角,無迹可求。""不著一字,盡得風流。"這裏意指蜻蜓點水,自然而有韵味。

一九四二年(民國三十一年　壬午)八十二歲

知魚。白石老人畫并篆二字。時壬午春。

題知魚。《榮寶齋畫譜》七十五,齊白石繪魚蟲禽鳥部分,第三頁,一九九三年。

寒夜客來茶當酒。杏子塢老民齊白石作。

題寒夜客來茶當酒。龍龔《齊白石傳略》圖版三八,一九五九年,人民美術出版社。

壬午春。天日和暖。望兒視我。白石老人。

題杯蘭。《榮寶齋畫譜》一〇一,齊白石繪民俗風情部分,第二八頁,一九九四年。

泥水風凉又立秋。黄沙曬日正堪愁。草蟲也解前頭闊。趁此山溪有細流。居京華日久。今年熱苦殊逼。揮汗畫此紀之并題新句。白石。

題山溪遊蝦。中國美術館編《齊白石繪畫精品選》圖版四四。一九九一年,人民美術出版社。

此幅乃内子[1]寶珠畫。可與予亂真。真知予畫者。方能分别筆墨活動為予贊人無愧。予覺慚也。白石老人得見。遂題數字。壬午。

予使寶珠弃畫。因恐人猜疑為老夫代作。竟使之無名。予非丈夫。欲慰吾妻。再題數字。白石。

此幅筆飛墨舞。實予無此工妙。若有心誇譽。為人世之小人。非真君子也。八十二歲老人又題。當語兒輩珍藏。

題胡寶珠所作群蝦圖。齊秉頤藏。

此小幅乃寶姬所臨。余眼昏燈昏。看作己作。竟題姓名。越明日又記之。白石。

題胡寶珠所臨群鵝圖。齊秉頤藏。

對君斯册感當年。撞破金甌國可憐。燈下再三揮泪看。中華無此整山川[2]。

題友人山水卷子。張次溪筆録《白石老人自傳》第一〇〇頁，一九六二年，人民美術出版社。

畫不賣與官家。竊恐不祥。告白。中外官長要買白石之畫者。用代表人可也。不必親駕到門。從來官不入民家。官入民家。主人不利。白石啟。壬午。

書法。

壬午春正月十又三日，余來陶然亭。住持僧慈安贈妥墳地事。次溪侄。引薦人也。書於詞後。以記其事。

跋自填西江月詞。張次溪筆録《白石老人自傳》第九八頁，一九六二年，人民美術出版社。

步履相趨上酒樓。六街燈火夕陽收。歸來未醉閑情在。為畫叟家補裂圖。前四年之詩。今日始作此圖。第四句圖字本初字。少懷仁弟兩屬。八十二歲齊璜。

題補裂圖。《齊白石繪畫精品集》第八四頁，一九九一年，人民美術出版社。

雁雙飛館。冰庵仁弟知雁有節。因名其齋。壬午冬。八十二歲。白石。

書法軸。

壬午秋。門人張生萬里借來板橋老人書直條一幅。予命良遲雙勾保存。愁時隨意一翻。遠勝舉杯。白石老人記。

題齊良遲雙勾鄭板橋書法册[3]。齊良遲口述、盧節整理《父親齊白石和我的藝術生涯》第三〇頁，一九九三年，海潮出版社出版。

壬午秋。予年八十二矣。一日欲人畫白衣大士像。心造此稿。此中年所造稿。大工。兒輩須珍重收用。昨日九日也。

題白衣大士像。人民美術出版社藏畫。

注：

①内子：内室。舊日丈夫對自己妻妾的謙稱。

②對君斯册感當年……中華無此整山川：此詩見用於兩處：一處爲二十年代軍閥混戰時期。另一處爲四十年代日寇侵華時期。以何處爲準？論者頗有歧義。筆者認爲一首詩題多幅畫，對於古今許多書畫家來説，極爲常見，祗是因時因地題詩者的心境不同而已。

③齊良遲雙勾鄭板橋書法册：壬秋冬日，齊白石門人張萬里從友人處借來一幅鄭板橋挺長的中堂條幅，齊白石欲買不能，便借挂多日，令齊良遲將中堂條幅上的許多字一一雙勾下來，然後將每一張紙理齊，用紙捻穿成一册。此條題字取自該書法册之封面。

一九四三年（民國三十二年　癸未）八十三歲。

致坡將軍喜余畫山水。以此贈之。壬戌冬十月。弟齊璜白石。

輔臣先生於廠肆見此幅。乃友人羅君之物。以價得之甚喜。囑予題記。癸未夏。八十三歲白石。

題山水。天津人民美術出版社藏畫。

予之刻印。少時即刻意古人篆法。然後即追求刻字之解義。不為摹作削三字所害。虛擲精神。人譽之。一笑。人罵之。一笑。

自跋印草。劉振濤、禹尚良、舒俊杰《齊白石研究大全》第一二二頁，一九九四年，湖南師範大學出版社。

安居花草要商量。可肯移根傍短牆。心静閑看物亦静。芭蕉過雨緑生凉。白石。

題芭蕉。中國美術館藏畫。董玉龍主編《齊白石作品集》第六八頁，一九九〇年，天津人民美術出版社。

此册十開。即如平泉莊之木石。是吾子孫不得與人。八十三歲白石老人記。

題香菇册頁。《榮寶齋畫譜》八，齊白石繪花卉草蟲部分，第三一頁，一九九四年。

三百石印富翁白石奉天[②]有事之年畫。

題清趣册頁。《榮寶齋畫譜》八，齊白石繪花卉草蟲部分，第三一頁，一九九四年。

一日有客見余所畫鷄。喜之。欲觀余每畫請勿更樣。即對客為之。故余之畫有雷同者。白石山翁并記。

題群鷄。董玉龍、胡孟炎《中國畫名家作品粹編·齊白石畫集》第一三頁，一九九四年，浙江人民美術出版社。

舊遊所見。前甲辰。余遊南昌。侍湘綺師過樟樹[③]。於舟中所見也。後四十年。癸未。白石。

題魚鷹。《齊白石畫選》第八七圖，一九八〇年，人民美術出版社。

白石老八十三歲時。方書款識。

題絲瓜蟈蟈。《榮寶齋畫譜》八，齊白石繪花卉草蟲部分，第二八頁，一九九四年。

胡氏寶珠侍余不倦。余甚感之。於民國卅年五月四日。在京華憑戚友二十九人。立陳胡所生之子各三人之分關産業字。并諸客勸余將寶珠立為繼室。二十九人皆書名蓋印。見分關字便知。白石批記。日後。齊氏續譜。照稱繼室。白石批。

歿於民國三十二年十二月十二日亥時。享年四十二歲。民國三十二年乃癸未[④]。

《齊氏五修族譜》胡寶珠欄眉批及欄内補記。齊良遲口述、盧節整理《父親齊白石和我的藝術生涯》第二〇頁，一九九三年，海潮出版社。

西風秋景顔色。北雁南飛時節。紅似人民眼中血[⑤]。

題雁來紅。齊良遲口述、盧節整理《父親齊白石和我的藝術生涯》第四四頁，一九九三年，海潮出版社。

白石老人示兒女。年八十三。

予畫此幅示小兒女小乖。問曰。此夫人耶。婢耶。予曰。夫人。貴人也。富貴不可求。雖為婢。命也。但求不賤可矣。白石老人又及。癸未。

題仕女。齊良遲口述、盧節整理《父親齊白石和我的藝術生涯》圖版一，一九九三年，海潮出版社。

一葦渡江。白石老年時畫不出來也。此幅大約在白石三十歲所作。丁亥白石始補記。

題一葦渡江圖。遼寧省博物館藏畫。

注：

①奉天：奉天省。東界吉林，東南以鴨綠江界朝鮮，南界黄海、渤海，西南界直隸，西界熱河，北界黑龍江。今屬遼寧一帶。當時被日本侵占，將東北三省改稱"滿州國"。齊白石否定日僞對東北地區的稱謂，而説是"奉天有事之年"。

②樟樹：樟樹鎮，在江西清江縣東北三十里，亦名清江鎮。

③此條分爲兩段，分别書於一九四一年和一九四三年，現歸一起。前段爲《齊氏五修族譜》胡寶珠欄眉批。寫於一九四一年將胡寶珠扶爲繼室之時。後段書於一九四三年，是對胡寶珠一欄的補記。原欄内文字爲印刷文字，内容爲：以茂女，名寶珠。四川重慶府酆都人。清光緒二十八年壬寅八月吉日生。生子良遲、良已；女：良憐、良歡、良止。

④紅似人民眼中血：齊白石對日本帝國主義侵華暴行深惡痛絶，時時企盼祖國河山的光復與統一，故畫雁來紅并通過款題表達自己的感情。

一九四四年(民國三十三年　甲申)八十四歲

松竹梅皆君友。能耐寒。品色俱高。借山館後白石親種半山。

題茶花。

群鼠群鼠。何多如許。何鬧如許。既嚙我果。又剥我黍。燭采燈殘天欲曙。嚴冬已换五更鼓。

題群鼠圖。《齊白石研究大全》第一二三頁，一九九四年，湖南師範大學出版社。

處處草泥鄉。行到何方好。去歲見君多。今歲見君少。

題畫蟹。劉振濤、禹尚良、舒俊杰編《齊白石研究大全》第一二三頁，一九九四年，湖南師範大學出版社。

人生於世。不能立德立功。即雕蟲小技亦可為。然欲為則易。工則難。識者尤難得也。予刻印六十年。幸浮名揚於世。譽之者因多。未有如朱子屺瞻①。即以六十白石印自呼為號。又以六十白石印名其軒。自畫其軒為圖。良工苦心。竟成長卷。索予題記。欲使白石附此卷而傳耶。白石雖天下多知人。何若朱君之厚我也。遂跋數語。甲申秋。八十四歲白石尚客京華。寄朱君海上。

跋朱屺瞻《六十白石印軒圖卷》。楊廣泰編撰《齊白石談篆刻藝術》，劉振濤、禹尚良、舒俊杰編《齊白石研究大全》第一二三頁，湖南師範大學出版社。

屺瞻仁兄最知予刻印。予曾刻知己有恩印。先生不出白石知己第五人。

朱屺瞻印邊款。劉文峰《朱屺瞻與齊白石》文，載《朵雲》雜志第三集，一九八二年。

此食魚鳥也。不食五穀鸕鷀之類。有時河涸江干。或有餓死者。漁人以肉飼其餓者。餓者不食。故舊有諺云。鸕鷀不食鸕鷀肉。

題李苦禪所畫鸕鷀鳥。張次溪筆録《白石老人自傳》第一〇〇頁，一九六二年，人民美術出版社。

大好江山破碎時。鸕鷀一飽别無知。漁人不識興亡事。醉把扁舟繫柳枝。

題鸕鷀舟。張次溪筆録《白石老人自傳》第一〇〇頁，一九六二年，人民美術出版社。

此册計有二十開。皆白石所畫。未曾加花草。往後千萬不必添加。即此一開一蟲最宜。西厢詞作者[②]謂不必續作。竟有好事者偏續之。果醜怪齊來。甲申秋八十四歲白石記。

題飛蝗册頁。董玉龍主編《齊白石作品集》第八〇頁，中國美術館藏畫，一九九〇年，天津人民美術出版社。

朱門良肉在吾側。口中伸手何能得。是誰使我老民良。面皮變作青青色。俗話云。貪食者口中伸出手來。

題畫白菜贈胡佩衡。劉振濤、禹尚良、舒俊杰《齊白石研究大全》第一二三頁，一九九四年，湖南師範大學出版社。

芙蓉花發咏新詩。故國清平憶舊時。今日見君三尺畫。此心難捨百梅祠。百梅祠在湘潭南行百里蓮花峰下。予曾借居七年。親手栽芙蓉樹甚茂。此詩為人題畫芙蓉作。予室人寶珠求書之。不知因何失去。森然弟從廠肆買回贈予。乃書此詩報之。八十四歲白石老人齊璜。

書贈王森然。王森然《回憶齊白石先生》文。轉引劉振濤、禹尚良、舒俊杰《齊白石研究大全》第一二四頁，一九九四年，湖南師範大學出版社。

甲申中秋前三日。八十四歲白石齊璜。

題鐵拐李。《榮寶齋畫譜》七十四，齊白石繪人物部分，第一二頁，一九九三年。

形骸終未脱塵緣。餓殍還魂豈妄傳。抛却葫蘆與鐵拐。人間誰信是神仙。白石山翁造稿并題新句。

題鐵拐李[④]。《榮寶齋畫譜》七十四，齊白石繪人物部分，第一二頁，一九九三年。

揆中先生吉遷之慶。八十四歲白石齊璜。

移富貴於平安。瓶字有形。平字無形。借瓶之聲。白石再題。

題牡丹·瓶。劉振濤、禹尚良、舒俊杰《齊白石研究大全》圖版一九，一九九四年，湖南師範大學出版社。

其色雖似吾儕，風味壓倒園圃。八十四歲白石。

題白菜。胡佩衡、胡槖《齊白石畫法與欣賞》第一三六圖，一九五九年，人民美術出版社。

注：

①朱子屺瞻：朱屺瞻（一八九一——一九九六年），當代畫家。字起哉，江蘇太倉人。國畫、油畫兼擅，與齊白石交往深厚。被齊白石視爲知己。

②西厢詞作者：王實甫，元代戲曲家。名德信，大都（今北京）人。所作雜劇存目十四種，全存有《西厢記》、《破窑記》、《麗春堂》三種，殘存《販茶船》、《芙蓉亭》二種，另有少數散曲作品。後人稱"新雜劇，舊傳奇，《西厢記》天下奪魁。"

③朱門良肉在吾側：唐代杜甫名句："朱門酒肉臭，路有凍死骨。"齊白石入居北京後，在自己身側，即看到了這種社會現象。

④鐵拐李：亦稱李鐵拐，傳説中"八仙"之一。《列仙全傳》、《歷代神仙通鑒》、《續文獻通考》等均有李鐵拐故事。元人岳百川寫了一部題爲《吕洞賓度鐵拐李岳》的雜劇。在民間傳説中，説李拐兒本來不跛不拐，在修道時同老子遊華

山，元神出殼，軀殼留在洞中，由徒弟看守。豈料到第七天中午尚未返回，徒弟因急着出洞看望病危的老母，，便用火燒了尸體。李拐兒返回洞中看没了尸體，便鑽入林子中一具餓殍内，成了黑臉蓬頭，卷鬚巨眼，面目醜陋的乞丐。他想將元神跳出，老子則説服了他：真道應在表相之外求得，不在於表面的美醜。衹要功行圓滿，便是异相神仙。從此李鐵拐便拄着鐵拐、背着葫蘆串遊在人間解救灾難。

一九四五年（民國三十四年　乙酉）八十五歲

有天下畫名。何若忠臣孝子。無人間惡相。不怕馬面牛頭。

自題挽聯[①]。張次溪筆録《白石老人自傳》第一〇一頁，一九六二年，人民美術出版社。

昨日大風雨。心緒不寧。不曾作畫。今朝製此補充之。不教一日閑過也。

八十五歲題畫。胡佩衡、胡橐《齊白石畫法與欣賞》第一一頁，一九五九年，人民美術出版社。

鐵栅三間屋。筆如農器忙。硯田牛未歇。落日照東厢。

題詩答胡佩衡。胡佩衡、胡橐《齊白石畫法與欣賞》第一一頁，一九五九年，人民美術出版社。

冷逸如雪个。遊燕不值錢。此翁無肝膽。輕弃一千年。予五十歲後之畫。冷逸如雪个。避鄉亂。竄於京師。識者寡。友人師曾勸其改造。信之。即一弃。今見此册。殊堪自悔。年已八十五矣。乙酉。白石。

題庚申花果畫册。劉振濤、禹尚良、舒俊杰《齊白石研究大全》第一二五頁，一九九四年，湖南師範大學出版社。

昔人不入時句云。早知不入時人眼。多買胭脂畫牡丹[②]。予云。奪得佳人口上脂。畫出櫻桃始入時。白石老人。

題櫻桃。

宰相歸田。囊底無錢。寧肯為盜。不肯傷廉。借山老人畫吾自畫改稿。

題畢卓盜酒[③]。《齊白石繪畫精品集》第八五頁，一九九一年，人民美術出版社。

寧肯為盜難逃。不肯食民脂膏。白石。

題盜瓮。《榮寶齋畫譜》七十四，齊白石繪人物部分，第一三頁，一九四四年。

天半微風飛紫雪。離亂春思校更忙。白石老人任筆所之。句亦如之。

題藤蘿。《齊白石繪畫精品集》第九二頁，一九九一年，人民美術出版社。

借山吟館主者齊白石。午枕後不倦之作。

題海棠鷄冠。人民美術出版社《齊白石繪畫精品集》第九五頁，一九九一年。

乙酉秋初。快慰時作。

題小鷄。《齊白石繪畫精品集》第八六頁，一九九一年，人民美術出版社。

筠籃沾露挑新笋。爐火和烟煮苦茶。肯共主人風味薄。諸君小住看梨花。此予小園客至詩七言律後四句。書以題此畫。白石老人八十五歲。

題笋。董玉龍主編《齊白石作品集》第八一頁，中國美術館藏畫，一九九〇年，天津人民美術出版社。

剔開紅焰救飛蛾。昔人句也。白石借用。八十五歲。

題飛蛾油燈册頁。中國美術館藏畫，董玉龍主編《齊白石作品集》第九〇頁，一九九〇年，天津人民美術出版社。

老當益壯。八十五歲白石老人。

題老人拽杖。

在公為公。在私為私。八十五歲白石老人畫并題八字。

題青蛙。《齊白石畫選》第九七頁，一九八〇年，人民美術出版社。

白石老人八十五歲時一揮。乙酉。
事事清白。白石又篆。

題白菜柿子。劉振濤、禹尚良、舒俊杰《齊白石研究大全》圖二二，一九九四年，湖南師範大學出版社。

借山老人八十五歲時。喜家園土石猶存。磨墨一揮。

題墨蟹。胡佩衡、胡橐《齊白石畫法與欣賞》圖版四八，一九五九年，人民美術出版社。

小魚煮絲瓜。祇有農家能諳此風味。白石老人。

題小魚筐。《榮寶齋畫譜》一〇一，齊白石繪民俗風情部分，第一四頁，一九九四年。

杏子塢老民齊白石畫硯。茶具。

題硯和茶具。《榮寶齋畫譜》一〇一，齊白石繪民俗風情部分，第一七頁，一九九四年。

借山老人齊白石得家書已經月。猶有歡心。

題紅梅龍瓶。《榮寶齋畫譜》一〇一，齊白石繪民俗風情部分，第二五頁，一九九四年。

凡作畫須脱畫家習氣。自有獨到處。
白石自臨自家本。覺不如從前。八十五歲。

題蘭。謝雲、劉玉山《中國現代名家畫譜·齊白石》扉頁，一九九三年，人民美術出版社。

予四十歲後。在借山館後親手接梨樹卅餘株。每接時。必呼瑘芭[④]携刀鋸。數年來得七十餘株。此時其樹猶存否。不得知。哭瑘芭久不存矣。八十五歲白石記。乙酉。

題梨。謝雲、劉玉山《中國現代名家畫譜·齊白石》第三六頁，一九九三年，人民美術出版社。

梅花見雪更精神。三百石印白石。

題梅花見雪更精神。《榮寶齋畫譜》一〇一，齊白石繪民俗風情部分，第二五頁，一九九四年。

注：

①自題挽聯：齊白石八十五歲時，即乙酉年陰曆正月二十七日天明復睡，做夢夢見借山館曬坪邊，對面小路有人抬殯

走過來，殯後隨着一口没上蓋的空棺，直向他急急奔來。驚醒後，覺得納悶、離奇，遂自題挽聯，以明不怕馬面牛頭之志。

②早知不入時人眼，多買胭脂畫牡丹：宋代李唐咏畫詩“雪裏烟村雨裏灘，看之如易作之難。早知不入時人眼，多買胭脂畫牡丹。”元初劇作家關漢卿《望江亭》劇中也引用此詩。後代流傳極廣。

③畢卓盗酒：據《晋書·畢卓傳》記載，畢卓，字茂世，新蔡銅陽人。大興年間任吏部郎，清廉正直，爲民所稱。家無美酒寶具，但嗜酒過人。鄰居釀酒，畢卓因貪酒竟夜入瓮間盗飲至醉，被管酒人捉住，明日視之，乃畢吏部也。故傳其“寧肯爲盗，不肯傷廉。”

④琊芭：長孫齊秉靈，號近衡，稱移孫，幼呼琊芭。事齊白石甚孝至乖。

一九四六年（民國三十五年　丙戌）八十六歲

藝術之道。要能謙。謙受益。不欲眼高手低。議論闊大。本事卑俗。有識如此數則。自然成器。穎中公子之屬。白石老人。八十六歲。丙戌。

爲胡橐行書題詞。《齊白石繪畫精品集》第一四七頁，一九九一年，人民美術出版社。

南岳山下。白石岩前。齊白石畫。時丙戌三月。風和氣暖。

題葫蘆小鳥。中國嘉德一九九五年秋季北京拍賣會，楊永德藏齊白石書畫專場，圖録二一七號。

富貴平安。式儀世兄之屬。八十六歲白石。

題喜富貴。中國嘉德一九九五年秋季北京拍賣會，楊永德藏齊白石書畫專場，圖録二一六號。

吾鄉有陳少藩先生工詩。吾初弃斧斤時。作蝴蝶蘭畫。為贈題云。栩栩枝頭飛有意。春風吹動舞衣裳。陳喜召至門下。八十六歲白石。

題蝴蝶蘭。《齊白石繪畫精品集》第九六頁，一九九一年，人民美術出版社。

楓林在南岳山下。白石山間有亭。名楓林。白石。

題楓林草蟲。《齊白石繪畫精品集》第九七頁，一九九一年，人民美術出版社。

花草神仙。冷庵畫友論定。齊璜八十六歲。丙戌。

題海棠扇面。《齊白石繪畫精品集》第九八頁，一九九一年，人民美術出版社。

柏壽。八十六歲白石老人製。時客京華第卅又一年。明日中秋也。

題柏壽圖。中國美術館藏畫。董玉龍主編《齊白石作品集》第九一頁，一九九〇年，天津人民美術出版社。

克家仁弟畫猫最工。可謂絕倫。今欲索予畫猫。予畏之。撿得舊時自造本。吾賢一笑。八十六歲。丙戌。白石。

題猫蝶。《齊白石畫選》第一〇一圖，一九八〇年，人民美術出版社。

寄萍老人齊璜畫於燕京。

此翁惡濁聲。久之聲氣化為塵垢於耳底。如不取去。必生痛癢。能自取者。亦如巢父洗耳臨流。丙戌。白石又記於金陵。

真夫鄉長先生囑。璜加款識以藏之。璜再三題記。時年八十六矣。

題挖耳圖。《榮寶齋畫譜》七十四,齊白石繪人物部分,第三四頁,一九九三年。

受降後二年丙戌冬初。兒輩良琨來金陵見予。出此像。謂為誰。問於予。予曰。尊像乃乃翁少年時所畫。為可共患難黎丹之母胡老夫人也。聞丹有後人。他日相逢。可歸之。亂離時遺矣。可感也。八十六歲齊璜白石記。

題黎夫人像。龍龔《齊白石傳略》圖版九,一九五九年,人民美術出版社。

此幅乃予繼室寶珠所畫。惜志不堅。未成而弃。且不永年。殊可感也。老夫八十六歲題記。白石。

題胡寶珠畫佛手·老鼠·櫻桃。齊良遲口述、盧節整理《父親齊白石和我的藝術生涯》圖版一五,一九九三年,海潮出版社。

注:

①克家:曹克家,現代北京畫家,擅畫猫。

②黎丹:黎雨民,名丹,號綍廷。皋山文肅公黎培敬之長孫,胡沁園之外甥。黎丹之母即齊白石恩師胡沁園之姊妹。龍山詩社初創在五龍山大杰寺内,一八九五年遷至南泉冲黎丹家。黎丹是龍山七子之一,他與齊白石交情深厚長久。

一九四七年(民國三十六年　丁亥)八十七歲

星塘老屋。何日重居。白石。

題竹笋麻雀册頁。董玉龍主編《齊白石作品集》第九六頁,一九九〇年,天津人民美術出版社。

此蟋蟀居也。昔人未曾言過。此言始自白石。

題蟋蟀葫蘆册頁。

三代為農夫。才曉得菜根有真味。白石。

題白菜蘿蔔。

草木知春君最先。借山老人白石自白下還京華後製。

題玉蘭。

白石五十八歲初來京華時。作册子數部。令兒分炊。各給一部。當作良田五畝。丁亥分給時又記。

題花卉草蟲册頁。劉振濤、禹尚良、舒俊杰《齊白石研究大全》第一二八頁,一九九四年,湖南師範大學出版社。

此幅有難識其真偽者。余曰。白石之畫。祇有廠肆買出者多偽。此乃借山鐵屋出者。千真。白石又記。

與徐悲鴻合畫《雙鷄》并題。遼寧省博物館藏畫,張鋒提供。

寄萍老人八十七歲畫。八十歲之前不能為也。寄萍即白石也。

題畫螃蟹。北京市文物商店藏品專輯《齊白石書畫選》。引自劉振濤、禹尚良、舒俊杰《齊白石研究大全》第一二八頁，一九九四年，湖南師範大學出版社。

八十七歲白石老人尚客京華。

題燈趣圖。《齊白石畫選》第一〇五頁，一九八〇年，人民美術出版社。

予之畫。從借山館鐵柵門所去者。無偽作。世人無眼界。認作偽作。何也。子孫得者。重若平泉莊之木石①。則予幸矣。白石六十以前作。八十七歲始補題記。
璜生下來時。祖父命名純芝。余故呼為阿芝。

題花卉册頁。董玉龍、胡孟炎編《中國畫名家作品粹編·齊白石畫集》第三六頁，一九九四年，浙江人民美術出版社。

三千年之果。劍石世兄。丁亥秋。六六華年。予贈此。紀其事。八十七歲白石。

題三千年之果。《齊白石繪畫選集》圖四一，湖南美術出版社。

光照②仁弟玩味。丁亥。八十七歲白石同客京華。
色香堅固。白石老人又篆。

題海棠。《齊白石繪畫精品集》第一〇二頁，人民美術出版社。

名園無二。白石老人。

題荔枝。《齊白石繪畫精品集》第一〇三頁，人民美術出版社。

與語如蘭。秀芳老弟命。八十七歲白石。丁亥。

題蘭花。《齊白石繪畫精品集》第一〇四頁，人民美術出版社。

齊璜也曾仿造此像之減筆。并題罵誰二字。白石題。

題人物。《齊白石繪畫精品集》第一〇七頁，人民美術出版社。

曾過白沙。白石。

題枇杷蜻蜓册頁。董玉龍主編《齊白石作品集》第一〇〇頁，一九九〇年，天津人民美術出版社。

星塘老屋後人。白石。

題茶壺瓶菊册頁。董玉龍主編《齊白石作品集》第一〇一頁，一九九〇年，天津人民美術出版社。

興來畫梅添蝶。却非偶然。見隨園老人遊羅浮山詩。白石。

題紅梅墨蝶。董玉龍主編《齊白石作品集》第一〇三頁，一九九〇年，天津人民美術出版社。

東鄰屋角酒旗風。五十離君六十逢。歡醉太平無再夢。門前辜負杏花紅。齊白石製并題。

題杏花。董玉龍主編《齊白石作品集》第一〇六頁，一九九〇年，天津人民美術出版社。

丁亥。借山後人得予少年時小册五開。求予老年補畫五開。以成一部。八十七白石。

題蟋蟀葫蘆册頁。《榮寶齋畫譜》七十五，齊白石繪魚蟲禽鳥部分，第三八頁，一九九三年。

盆。空也。欲謂君偷。此蟲呼為偷油婆。白石。

題偷油婆。《榮寶齋畫譜》七十五，齊白石繪魚蟲禽鳥部分，第三八頁，一九九三年。

金陵先生正。此乃白石三十歲後所畫。八十七歲重見補題。

題仕女。《榮寶齋畫譜》七十四，齊白石繪人物部分，第一一頁，仕女四，一九九三年。

昨夜床前點燈早。待我解衣來睡倒。寒門衹打一錢油。哪能供得鼠子飽。何時乞得猫兒來。油盡燈枯天不曉。八十七歲白石為翰章先生畫。請題舊句。

題燈鼠。《榮寶齋畫譜》一〇一，齊白石繪民俗風情部分，第一九頁，一九九四年。

此自造之本。畫贈蓮花山長。甲申三月中。瀕生。

蓮花山長[③]乃予同宗文章老作家也。一代傳人。殊不易知其名。八十七歲白石。

題散花圖。中國美術館編《齊白石繪畫精品選》圖版二〇五，一九九一年，人民美術出版社。

余作畫每兼蟲鳥。則花草自然有工緻氣。若畫尋常花卉。下筆多不似之似。决不有此荷花也。

題荷花蜻蜓。胡佩衡、胡橐《齊白石畫法與欣賞》第九〇頁，一九五九年，人民美術出版社。

此印册有十本。門人王紹尊[④]以重金購於京華。想是吾子孫以易百錢斗米於廠肆也。重見三嘆。以還王生。丁亥八十七歲白石記。

題手拓《白石印草》。山西人民出版社《紹尊刻印》扉頁，一九九四年。

燭火光明如白晝。不愁人見豈為偷。八十七歲白石老人并句。

題燭鼠圖。中國美術館編《齊白石繪畫精品選》圖版七七，一九九一年，人民美術出版社。

花香墨香。蝶舞墨舞。都不能知。八十七歲白石作。

題花香蝶舞。中國美術館編《齊白石繪畫精品選》圖版七八，一九九一年，人民美術出版社。

霜葉丹紅花不如。八十七歲白石。

題楓葉秋蟬。中國美術館編《齊白石繪畫精品選》圖版八四，一九九一年，人民美術出版社。

白石山人畫以付兒輩珍藏。

前款字乃予三十年後欲學何蝯翁之書時所

書。何能得似萬一。八十七歲重見一笑。白石題。丁亥。

題黛玉葬花圖。中國展覽交流中心藏畫。

注：

①平泉莊之木石：指梅公祠借山館産業。

②光照：盧光照，河南汲縣人，一九一四年生。齊白石弟子。曾在北平藝專中國畫系任教。五十年代後長期在人民美術出版社從事編輯工作。擅寫意花鳥。

③蓮花山長：齊伯子，號蓮花山長，擅寫作。

④王紹尊：一九一四年生於天津薊縣。一九二八年至一九三七年至北平讀師範大學附中和師大，拜齊白石爲師。五十年代先後在中央戲劇學院、山西大學任教。著有《篆刻述要》、《紹尊刻印》等。

一九四八年（民國三十七年　戊子）八十八歲

八硯樓頭久別人。齊白石畫。戊子。

題枇杷。《齊白石繪畫選集》圖三一，湖南美術出版社。

一日為悲鴻校長畫鼠十二頁。友人見之。亦復屬為之。八十八歲白石。

題老鼠笋子。《齊白石繪畫選集》圖三四，湖南美術出版社。

何處名園有佳果。徐寅已説荔枝先。八十八白石。

題荔枝螳螂。《齊白石繪畫選集》圖四三，湖南美術出版社。

香清色正枝如鐵。不似玄都觀裏花。白石。

題紅梅。《齊白石繪畫選集》圖四五，湖南美術出版社。

予少時作慣之事。故能知魚。寄萍老人齊白石製。八十八歲重見此幅。加題四篆字。

題我最知魚。

落地桃花泥亦香。借山老人白石。

題蜂·花瓣。

畫荔枝。從來無此大幅。有大幅。從此幅始。戊子。八十八歲白石。

題荔枝。中國美術館藏畫，董玉龍主編《齊白石作品集》第一〇七頁，一九九〇年，天津人民美術出版社。

豐年。戊子八十八歲齊白石老人。

題玉米草蟲。中國美術館藏畫。董玉龍主編《齊白石作品集》第一〇九頁，一九九〇年，天津人民美術出版社。

此册八開。其中一開有九九翁之印。乃余八十一歲時作也。今公度先生得之於廠肆。白石之畫從來被無賴子作偽。因使天下人士不敢收藏。度公能鑒别。予為題記之。戊子八十八歲白石時尚客京華。

題水草小蟲。《齊白石畫選》第三七圖，一九八〇年，人民美術出版社。

星塘老屋後人。白石。

題蓮蓬·蜻蜓。胡佩衡、胡槖《齊白石畫法與欣賞》圖版七四，一九五九年，人民美術出版社。

壽酒。其薰鄉先生長壽。八十八歲白石。

題壽酒。《榮寶齋畫譜》一〇一，齊白石繪民俗風情部分，第二〇頁，一九九四年。

戊子八十八歲白石老人製於京華。

菊酒延年。白石又篆。

題菊酒延年。《榮寶齋畫譜》一〇一，齊白石繪民俗風情部分，第二〇頁，一九九四年。

今年又添一歲。八十八矣。其畫筆已稍去舊樣否。

題畫。胡佩衡、胡橐《齊白石畫法與欣賞》第四九頁，一九五九年，人民美術出版社。

八硯樓頭遠別人。齊白石客京華卄又九年矣。

題玉簪蜻蜓。中國美術館編《齊白石繪畫精品選》圖版八八，一九九一年，人民美術出版社。

吾鄉有鐵蘆塘。塘尾多菖蒲。可雅觀。八十八歲白石。

題菖蒲青蛙。中國美術館編《齊白石繪畫精品選》圖版九六，一九九一年，人民美術出版社。

仲武先生清屬。戊子秋中後。八十八歲白石一揮。

題白菜。中國美術館編《齊白石繪畫精品選》圖版九三，一九九一年，人民美術出版社。

注：

①不似玄都觀裏花：典出唐代劉禹錫（七七二—八四二年）《元和十年自朗州承召至京，戲贈看花諸君子》詩："紫陌紅塵拂面來，無人不道看花回。玄都觀裏桃千樹，盡是劉郎去後栽。"這裏說紅梅傲霜與紅桃爭艷不同格調。

一九四九年（己丑）八十九歲

門人吉祥僧曾畫達摩像。余將衣褶刪省之。白石。伯鈞先生供奉。八十九歲白石又題。己丑。

題達摩。

作人[①]仁弟論篆。仁者長壽。君子讓人。八十九歲白石。

篆書聯冊頁。《齊白石繪畫精品集》第一四六頁，一九九一年，人民美術出版社。

晴雨可呼乎。予嘗聞汝啼。似是呼晴呼雨婦。可逐乎禽獸之雄者。祇有汝也。借山老人。八十九。

題籠鳩圖。《齊白石繪畫精品集》第一一〇頁，一九九一年，人民美術出版社。

昔歐陽子[②]集古録。自漢魏以來。古刻散弃於山崖墟莽間。未收拾。為足惜。又自謂。荒林破冢。神仙鬼物。作人仁弟雅屬。乙丑八十九歲白石。

隸書立幅。《齊白石繪畫精品集》第一五〇頁，一九九一年，人民美術出版社。

昔歐陽子集古録。以漢魏以來石刻散弃於崖草墟莽間。未嘗收拾為足惜。子才仁弟論正。己丑春。八十九歲齊璜白石。

隸書條幅。

己丑八十九歲杏子塢老民一揮。

到老益貧誰似我。此翁真是把(負)鋤人。白石老人再題十四字。

題農具。徐悲鴻紀念館藏。《中國畫》第二期第二二頁,一九五八年,中國古典藝術出版社。

白石詩草衹印五百本。為友朋索去至盡。僅留此一部。以作欲重題畫之用。不能贈人。乞諒之。八十九歲白石記。己丑。

題舊刊白石詩草。齊良遲藏。劉振濤、禹尚良、舒俊杰《齊白石研究大全》圖二七頁,一九九四年,湖南師範大學出版社。

直上青霄無曲處。己丑。八十九歲白石老人。

題棕樹小鷄。人民美術出版社《齊白石畫選》圖五七,一九八〇年。

白石老人八十九歲。行年九十歲矣。己丑。

題鷹。謝雲、劉玉山主編《中國現代名家畫譜·齊白石》第五九頁,一九九三年,人民美術出版社。

雄鷄高唱天下紅。

題鷄鳴圖。胡佩衡、胡橐《齊白石畫法與欣賞》第六八頁,一九五九年,人民美術出版社。

既有長年③大貴。又可謂曰三餘④。八十九歲白石。

題長年大貴圖。《榮寶齋畫譜》七十五,齊白石繪魚蟲禽鳥部分,第三頁,一九九三年。

注:

①作人:吴作人,一九〇八年生於江蘇蘇州。擅油畫、國畫、書法。曾任中央美術學院院長、中國美術家協會副主席等職務。

②歐陽子:唐宋八大家之一歐陽修的尊稱。

③長年:長鮎的諧音。吉祥畫常見之手法。

④三餘:三魚的諧音。含富裕之意,與抓緊三餘時間讀書另有一番情趣。

一九五〇年(庚寅)九十歲

此瓜南方謂為南瓜。其味甘芳。豐年可作下飯菜。饑年可以作糧米。春來勿忘下種。大家慎之。庚寅九十歲白石老人并記。

題南瓜圖。遼寧省博物館藏。劉振濤、禹尚良、舒俊杰《齊白石研究大全》第一三二頁,一九九四年,湖南師範大學出版社。

南岳山上有鄴侯書屋尚存。千秋敬羡。予五十歲後。因避鄉亂來京華。心膽尚寒。於城西買一屋賣畫。屋繞鐵栅。如是年九十矣。尚自食其力。幸畫為天下人稱之。其屋自書白石畫屋。不遺子孫。留為天下人見之。一瞑而後或為保留千秋。亦如鄴侯書屋之有幸也。

跋白石畫屋橫匾。王振德、李天庥輯注《齊白石談藝録》第九〇頁,一九八四年,河南人民美術出版社。

雙壽。冷庵仁兄伉儷。九十歲白石。

題雙壽圖。《齊白石繪畫精品集》第一一二頁，一九九一年，人民美術出版社。

多壽。三百石印富翁齊璜。
外孫女熊悠悠三歲時。外祖年九十矣。

題大桃。董玉龍主編《齊白石作品集》第一一三頁，中國美術館藏畫，一九九〇年。

九九翁齊白石畫藏。
毛澤東主席。庚寅十月。齊璜。

題一九四一年畫鷹。龍龔《齊白石傳略》圖版四六，一九五九年，人民美術出版社。

海為龍世界。雲是鶴家鄉。丁丑秋七月。齊璜。
毛澤東主席。庚寅十月。

一九三七年篆書加題。龍龔《齊白石傳略》圖版四五，一九五九年，人民美術出版社。

沁園師仙去三十七年矣。今年春。公孫阿龍①世侄萬里來師予。喜其能誦先芳。為製此圖。以永兩家之好。庚寅九十歲齊璜。

題沁園憶舊圖。龍龔《齊白石傳略》圖版四四，一九五九年，人民美術出版社。

白石老人略能知三世之事。故常畫三柿。以紀因果也。稱三世不能畫。祇好畫三柿借其音。前清人多用此法。九十白石。

題三柿圖。謝雲、劉玉山主編《中國現代名家畫譜·齊白石》三四頁，一九九三年，人民美術出版社。

或云過冬至節。一年將終。白石畫此。可稱九十一歲矣。

題蟹。謝雲、劉玉山主編《中國現代名家畫譜·齊白石》第一〇頁，一九九三年人民美術出版社。

白。白。白。黑。黑。黑。鴿子大翅不要太尖且直。尾宜稍長。

注對鴿寫生小稿。胡佩衡、胡橐《齊白石畫法與欣賞》第九三頁，一九五三年，人民美術出版社。

舍予②先生論正。九十歲白石。

題古木寒鴉圖。胡絜青藏。《中國畫》第二期，一九五八年，中國古典藝術出版社。

南岳山上有鄴侯書屋尚存。千秋敬羡。余五十歲後。因避鄉亂來京華。於城西買一屋。屋繞鐵栅。賣畫為生。如是年九十矣。尚自食其力。幸畫為天下人稱之。自書其屋名白石畫屋。不遺子孫。留為天下人見之一嘆。而後或為保管千秋。亦如鄴侯書屋之有幸也。庚寅九十歲白石齊璜。

跋白石畫屋横匾③。齊良遲口述、盧節整理《父親齊白石和我的藝術生涯》第一五頁，一九九三年，海潮出版社。

注：

①阿龍：胡文效，胡沁園之孫，胡仙譜之子，時在東北博物館工作。爲東北博物館捐贈和搜集齊白石書畫文獻資料甚多。

②舍予：老舍（一八九九—一九六六年），現代小説家、劇作家。原名舒慶春，字舍予。滿族，正紅旗人。一九五〇年五月在北京市文代會上拜識齊白石，不久將自己夫人胡絜

青帶到跨車胡同拜齊白石爲師。他是齊白石晚年的摯友之一。

③跋白石畫屋横匾:《白石文鈔》、《齊白石談藝録》、《齊白石研究大全》等書與此處大同小异,看來白石手稿與横匾跋文并非一致,故一并收録,供讀者在比較中品味。

一九五一年(辛卯)九十一歲

益壽延年。毛主席教正。九十一歲齊璜。

題書法。《毛澤東故居藏書畫家作品集》圖一二,人民美術出版社。

江上餘霞。辛卯九十一歲白石。

題江上餘霞。《齊白石繪畫精品集》第一一三頁,一九九一年,人民美術出版社。

和平。槖也仁弟屬。九十一歲白石。

題鴿子扇面。《齊白石繪畫精品集》第一一五頁,一九九一年,人民美術出版社。

槖也藏大扇頗不少。予亦不辭其勞。九十一歲白石。

題螃蟹扇面。《齊白石繪畫精品集》第一一六頁,一九九一年,人民美術出版社。

已卜餘年見太平[①]。

書法贈東北博物館。劉振濤、禹尚良、舒俊杰《齊白石研究大全》第一三四頁,一九九四年,湖南師範大學出版社。

辛卯春畫鉗錘道義之一。九十一白石。

題老鉗匠。人民美術出版社《齊白石畫選》圖二五,一九八〇年。

烏紗白扇儼然官。不倒原來泥半團。將汝忽然來打破。通身何處有心肝。齡文女弟兩哂。九十一歲白石。

題不倒翁。人民美術出版社《齊白石畫選》圖二四,一九八〇年。

九十一老人白石寫生。

題青蛙。龍龔《齊白石傳略》圖版四八,一九五九年,人民美術出版社。

佳人常在口頭香。辛卯四月畫於京華鐵屋。白石老人。

題櫻桃。董玉龍、胡孟炎《中國畫名家作品粹編·齊白石畫集》圖一六,一九九四年,浙江人民美術出版社。

蛙聲十里出山泉。查初白[②]句。老舍仁兄教畫。九十一白石。

題蛙聲十里出山泉。董玉龍、胡孟炎《中國畫名家作品粹編·齊白石畫集》圖二五,一九九四年,浙江人民美術出版社。

罷看舞劍忙提筆[③]。耻共簪花笑倚門。
槖也弟子屬書。九十一白石舊句。辛卯五月之初。

題蘭花蚱蜢扇面。《齊白石繪畫精品集》第一一四頁,一九九一年,人民美術出版社。

福壽齊眉。辛卯六月初三日。乃佩衡弟六十

壽。吾年九十一矣。兄白石璜。

題梅花扇面。《齊白石繪畫精品集》第一一七頁,一九九一年,人民美術出版社。

夏衍④先生正。借山老人白石。九十一歲。

題墨蝦。董玉龍、胡孟炎《中國畫名家作品粹編·齊白石畫集》圖二六,一九九四年,浙江人民美術出版社。

手摘紅櫻拜美人。曼殊禪師⑤句。辛卯。老舍雅命。九十一歲白石畫於京華城西白石鐵屋。

題瓶梅。《榮寶齋畫譜》一〇一,齊白石繪民俗風情部分,第二五頁,一九九四年。

幾樹寒梅帶雪紅。曼殊禪師句。九十一白石應友人老舍命。

題寒梅。

小魚都來。九十一歲老人齊白石戲。

題釣餌一魚。《齊白石畫選》圖八三,一九八〇年,人民美術出版社。

此白石四十後之作。白石與雪个同肝膽。不學而似。此天地鬼神能洞鑒者。後世有聰明人必謂白石非妄語。九十一歲為槖也記。
三百石印富翁。

題秋梨細腰蜂。胡佩衡、胡槖《齊白石畫法與欣賞》圖版三,一九五九年,人民美術出版社。《齊白石繪畫精品集》,一九九一年,人民美術出版社,北京。

此幅乃予二十歲時之作。九十以後重見。其中七六十年。筆墨自有是非。把筆記之。不勝太息。九十一白石尚在客。
潤生弟屬。兄齊璜。
白石二十歲後無此二小印矣。又記。

題魚。胡佩衡、胡槖《齊白石畫法與欣賞》圖版四,一九五九年,人民美術出版社。

願世人都如此鳥。

題和平鴿贈東北博物館。劉振濤、禹尚良、舒俊杰《齊白石研究大全》第一三四頁,一九九四年,湖南師範大學出版社。

寄萍堂上老人齊璜。
槖也世侄弟子藏玩。辛卯九十一歲白石老人又題。

題玉蘭、海棠、牡丹,胡佩衡、胡槖《齊白石畫法與欣賞》圖版六七,一九五九年,人民美術出版社。

朱雪个畫有小册。中有搔背者。仿奉蔄廬仁兄先生一笑。戊辰夏。齊璜。
此幅乃予前十八年作也。今歸峰南仁弟。予又得見。因記數字。乙酉春。白石老人八十五矣。
辛卯。予年九十一矣。此幅又歸麟廬⑥弟。求予題記。是許姓好子孫。不得付與他人。

題搔背圖。《榮寶齋畫譜》七十四,齊白石繪人物部分,第八頁,一九九三年。

純芝。白石之名也。

題仙人掌。《榮寶齋畫譜》一〇一,齊白石繪民俗風情部分,第二九頁,一九九四年。

予居南岳山下之茶恩寺餘霞峰。屋側有梨樹。結實大如碗。甜如蜜。被唐生志所砍滅。傷予懷。故常畫梨紀事。九十一歲白石。

題雙梨。《榮寶齋畫譜》一〇一,齊白石繪民俗風情部分,第三〇頁,一九九四年。

桔。世呼為橘子。即桔子也。九十一歲。辛卯。白石。

題三吉。《榮寶齋畫譜》一〇一,齊白石繪民俗風情部分,第三〇頁,一九九四年。

寄萍堂上老人齊璜。
橐也世侄弟子藏玩。辛卯。九十一歲白石老人又題。

題玉蘭·海棠·牡丹。謝雲、劉玉山主編《中國現代名家畫譜·齊白石》第六二頁,一九九三年,人民美術出版社。

曾牧星塘屋後。白石老人製。

題牧猪。人民美術出版社《齊白石畫選》圖一〇七,一九八〇年。

追思牧豕時。迄今八十年。却似昨朝過了。

題畫猪。胡佩衡、胡橐《齊白石畫法與欣賞》第九六頁,一九五九年,人民美術出版社。

曾牧星塘老屋前後。白石老人製。

題牧牛。胡佩衡、胡橐《齊白石畫法與欣賞》第九六頁,一九五九年,人民美術出版社。

鴿子大翅不要太尖且直。尾宜稍長。
要記清鴿子的尾毛有十二根。

畫鴿寫生稿自記。王振德、李天庥輯注《齊白石談藝録》第五五頁,一九八四年,河南人民出版社。

岳麓山之流。楓林亭外之星塘。白石老人。

題畫蘿蔔。《榮寶齋畫譜》一〇一,齊白石繪民俗風情部分,第二六頁,一九九四年。

昔人有三餘二字。借魚之音。予亦有三餘曰。畫者工之餘。詩者睡之餘。壽者劫之餘。九十一歲。白石。

題三魚圖。《榮寶齋畫譜》七十五,齊白石繪魚蟲禽鳥部分,第五頁,一九九三年。

長年。九十一歲白石。

題鮎魚。《榮寶齋畫譜》七十五,齊白石繪魚蟲禽鳥部分,第二四頁,一九九三年。

作畫在似與不似之間為妙。太似為媚俗。不似為欺世。此九十一歲白石老人舊語。

題枇杷。中國美術館編《齊白石繪畫精品選》圖版一〇二,一九九一年,人民美術出版社。

注:

①已卜餘年見太平:陸遊詩句。

②查初白:查慎行(一六五〇—一七二七年),清代詩人。初名嗣璉,字夏重。後改名慎行。字悔余,號初白,又號他山。海寧(今屬浙江)人。康熙四十二年進士,特授翰林院編修,入直内廷。有《敬業堂詩集》、《敬業堂文集》傳世。

③罷看舞劍忙提筆:唐開元年間,吴道子、張旭與裴旻將軍相

遇,吴道子請裴將軍舞劍,以助壯氣。裴將軍舞劍罷,道子乘氣勢奮筆作畫,張旭借壯氣揮毫草書,果然書畫氣勢非凡,不同尋常。

④夏衍:現代劇作家。本名沈乃熙,字端軒。一九〇〇年生於浙江杭縣。著有《夏衍劇作集》、《蝸樓隨筆》等。

⑤曼殊禪師:蘇曼殊(一八八四——一九一八年),近代作家。原名戩,字子谷,後改名玄瑛。法號曼殊。廣東香山(今中山)人。出生於日本横濱。父親爲旅日華商,母親爲日本人。其早年因家庭矛盾出家爲僧,但國家民族的興亡又使他未能忘情於現實,情緒起伏,時僧時俗。能詩善畫,通多種語言,文言小説和譯作均有影響。有《蘇曼殊全集》傳世。

⑥許麟廬:北京花鳥畫家。齊白石弟子。

一九五二年(壬辰)九十二歲

予借山於曉霞山之西。大岩之東岩之石。牽牛常有花大如斗。予九十二歲時。一日翻舊簏。得予少時手本。九十二始用之。白石。

題牽牛。中國美術館藏畫。董玉龍主編《齊白石作品集》第一一七頁。一九九〇年,天津人民美術出版社。

齊白石九十二歲尚客京華白石鐵屋。

題農耕圖。中國美術館藏畫。董玉龍主編《齊白石作品集》第一一八頁,一九九〇年,天津人民美術出版社。

和平鴿。橐也之請。九十二歲。白石。

題和平鴿。人民美術出版社《齊白石繪畫精品集》第一一九頁,一九九一年。

和平。橐也請畫。壬辰。九十二歲白石。

題和平鴿。《齊白石繪畫精品集》第一二二頁,一九九一年,人民美術出版社。

百世多吉。九十二歲白石。

題百世多吉。《齊白石繪畫精品集》第一一二頁,一九九一年,人民美術出版社。

落霞與孤鶩齊飛。秋水共長天一色[1]。琪翔部長秀儀女弟同玩。九十二歲白石。

題滕王閣。《齊白石繪畫精品集》第一二三頁,一九九一年,人民美術出版社。

猫之精光。蝶之彩色。求老人依樣。不厭千回。予亦不可辭。九十二白石。

題猫蝶圖。《齊白石繪畫精品集》第一二四頁,一九九一年,人民美術出版社。

立高聲遠。九十二歲白石老人一揮。

題立高聲遠。《齊白石繪畫精品集》第一二六頁,一九九一年,人民美術出版社。

祖母聞鈴心始歡(璜幼時牧牛。身繫一鈴。祖母聞鈴聲。遂不復倚門矣)。也曾總角牧牛還。兒孫照樣耕春雨。老對犁鋤汗滿顔。橐也屬題舊句。九十二歲璜。

題牧牛圖。《齊白石繪畫精品集》第一二八頁,一九九一年,人民美術出版社。

祖光[2]鳳霞[3]兒女同寶。壬辰七月五日拜見。九十二歲老親題記。

題楓葉秋蟬圖。《新鳳霞回憶録》插圖。劉振濤、禹尚良、舒俊杰《齊白石研究大全》第一三四頁,一九九四年,湖南師範大學出版社。

麟廬弟得此。緣也。九十二歲白石畫。答是何緣故。問麟廬苦禪二人便知。

題荷花倒影圖。許麟廬藏。劉振濤、禹尚良、舒俊杰《齊白石研究大全》第一三六頁,一九九四年,湖南師範大學出版社。

壬辰之秋。有外友與予相識者。皆知予畫。故此幅亦為外友作也。九十二歲白石。

題菊花鴿子。《齊白石畫選》第六〇頁,一九八〇年,人民美術出版社。

壬辰九十二歲。用自家本應門客之求。時在京華。白石。

題劉海戲蟾。《榮寶齋畫譜》七十四,齊白石繪人物部分,第一五頁,一九九三年。

壬辰。九十二歲白石。

題壽星。《榮寶齋畫譜》七十四,齊白石繪人物部分,第四〇頁,一九九三年。

閨房誰掃嬌妖態。識字自饒名士風。記得板塘西畔見。蒲葵席地剥蓮蓬。白石并題新句。

壬辰白石九十二歲重見。感記之。

題蓮蓬葵扇。《榮寶齋畫譜》一〇一,齊白石繪民俗風情部分,第一五頁,一九九四年。

九十二歲白石老人一揮。

題魚蟹。《齊白石畫選》圖九六,一九八〇年,人民美術出版社。

壬辰九十二歲。初傳畫鳥法。父。

題和平鴿畫稿。謝雲、劉玉山主編《中國現代名家畫譜·齊白石》第四六頁,一九九三年,人民美術出版社。

逢人耻聽説荆關[④]。宗派誇能却汗顔。自有心胸甲天下。老夫看慣桂林山。

題雨耕圖贈老舍。力群編《齊白石研究》第三八頁,一九五九年,上海人民美術出版社。

有風園柳能生態。無浪池魚可數鱗。此是人生行樂事。夕陽閑眺到黄昏。

題釣絲小魚圖。胡絜青藏。力群編《齊白石研究》第八四頁,一九五九年,上海人民美術出版社。

壬辰九十二歲。初傳七兒畫鳥法。父。

題鴿册頁。中國美術館編《齊白石繪畫精品選》圖版第一六九,一九九一年,人民美術出版社。

蔬笋同香。白石老人。

題蔬果册之四。中國美術館編《齊白石繪畫精品選》圖版第一七三,一九九一年,人民美術出版社。

瓜瓣分明。九十二歲白石。

題蔬果册之五。中國美術館藏《齊白石繪畫精品選》圖版第一七四,一九九一年,人民美術出版社。

黄河之南生此為菌。其味勝蘑菇。白石。

題蔬果册之八。中國美術館藏《齊白石精品選》圖版一七七，一九九一年，人民美術出版社。

注：

①落霞與孤鶩齊飛，秋水共長天一色：唐代王勃《滕王閣序》一篇中的名句。

②祖光：吴祖光，當代劇作家。

③鳳霞：新鳳霞，評劇演員。吴祖光之妻。拜齊白石爲師學畫。後認齊白石爲義父。有《新鳳霞自傳》傳世。

④荆關：五代畫家荆浩、關同。荆浩，字浩然。沁水（今屬山西）人。生活於唐末至後梁時期。博通經史，善文章，工山水，善佛像，被視爲北方山水畫派之祖。因隱居太行山之洪谷，遂自號洪谷子。關同，又作仝、橦、童，生卒年未詳，長安（今陝西西安）人。初師荆浩，力學而成，有出藍之譽。《圖畫見聞志》將關同、李成、範寬并稱山水三大家。

一九五三年（癸巳）九十三歲

毛主席萬歲。九十三歲齊白石。

題松鶴圖。《毛澤東故居藏書畫家作品集》圖一〇，人民美術出版社。

平安多利[①]。九十三歲白石。

題鵪鶉荔枝。

三千年。九十三歲白石。

題雙桃。《榮寶齋畫譜》一〇一，齊白石繪民俗風情部分，第三三頁，一九九四年。

京華呼為老玉米。九十三歲白石。

題包穀。

入室亦聞香。九十三歲白石一揮。

題玉蘭。

兩部蛙色當鼓吹。九十三歲白石。

題蛙群與蝌蚪群。中國美術館編《齊白石繪畫精品選》圖版一一二，一九九一年，人民美術出版社。

紗窗玉案憶黄昏。燒燭為予印爪痕。隨意一揮空粉本。迴風亂拂没雲根。罷看舞劍忙提筆。耻共簪花笑倚門。壓倒三千門下士。起予憐汝有私恩。九十三歲白石。

題蘭。

新喜。九十三歲老人白石。

題新喜。《齊白石繪畫精品集》第一三〇頁，一九九一年，人民美術出版社。

阿龍世侄之情。九十三歲白石老人作。

題荔枝鴿子。龍龔《齊白石傳略》圖版四九，一九五九年，人民美術出版社。

和平。東北博物館。白石贈。時年九十三。

題和平鴿。龍龔《齊白石傳略》圖版五〇，一九五九年，人民美術出版社。

此胡沁園手勾稿。璜寶之二十餘年矣。從不示人。今冬。阿龍世侄來京華。酒酣話舊。撿此歸之。白石。老人矣。余願阿龍繩武勿墜。一九五三年冬謹記。批璜。即白石也。又記。

題胡沁園手勾小蟲。遼寧省博物館藏。轉引劉振濤、禹尚良、舒俊杰《齊白石研究大全》第一三八頁，一九九四年，湖南師範大學出版社。

東北博物館胡生阿龍來京求畫。作此答之。九十三歲白石老人。時居京華。

題山水畫。引自劉振濤、禹尚良、舒俊杰《齊白石研究大全》第一三八頁，一九九四年，湖南師範大學出版社。

青[2]也吾弟。小兄璜同在京華。深究畫法。九十三歲時記。齊白石。

題蛙與蝌蚪。艾青《回憶齊白石》。轉引劉振濤、禹尚良、舒俊杰《齊白石研究大全》第一三八頁，一九九四年，湖南師範大學出版社。

我們學習我國在過渡時期的總路綫。就是要學習馬克思列寧主義在中國的具體化。就是要使我們的共産主義覺悟提高一步。
一九五三年十二月。齊白石。九十四歲。

書總路綫體會。龍龔《齊白石傳略》圖版五一，一九五九年，人民美術出版社。

百華齊放。推陳出新。癸巳九十四歲白石。

篆書。龍龔《齊白石傳略》圖版五二，一九五九年，人民美術出版社。

此乃余廿年前舊作。今重見。始題數字紀之。九十三歲白石。

題松樹。胡佩衡、胡橐《齊白石畫法與欣賞》圖八六，一九五九年，人民美術出版社。

能供兒戲此翁乖。打倒休扶快起來。頭上齊眉紗帽黑。雖無肝膽有官階。白石四十歲後句。實為無聊。九十三歲白石。

題不倒翁。

延年。九十三歲白石。

題菊花。董玉龍主編《齊白石作品集》第一一九頁，一九九〇年，天津人民美術出版社。

夏衍老弟清屬。九十三歲白石。

題墨蟹。董玉龍、胡孟炎《中國畫名家作品粹編·齊白石畫集》第三〇頁，一九九四年，浙江人民美術出版社。

齊白石五十歲後畫蚱蜢。九十三歲始畫稻。

題蚱蜢稻穗。

倩穎弟子。岳峰老弟同鑒。九十三歲白石。

題鴛鴦。《榮寶齋畫譜》七十五，齊白石繪魚蟲禽鳥部分，第三七頁，一九九三年。

君胡為者昨日來。青燈緑酒歡無涯。君胡為者今日去。挽斷征鞭留不住。君來君去總傷神。不如悠悠陌路人。借高南阜[3]句贈門人羅祥止還蜀。九十三歲老人白石。

行書聯。

往余過洞庭。鲫魚下江嚇。浪高舟欲埋。霧重湖光没。霧中東望一帆輕。帆腰日出如銅鉦。舉篙敲鉦復住手。竊恐蛟龍聞欲驚。湘君駕雲來。笑我清狂客。請博今宵吹。同看長圓月。回首二十年。烟霞在胸膈。君山初識余。頭還未全白。白石為仲光弟子畫并題往句。今九十三歲矣。

題一帆風順。《榮寶齋畫譜》七十三，齊白石繪山水部分，第三三頁，一九九三年。

樹坤弟笑納。九十三白石。

題棕樹八哥。《齊白石畫選》圖四八，一九八〇年，人民美術出版社。

漏泄造化秘。奪取鬼神工。

一九五三年前後書法。王振德、李天麻輯注《齊白石談藝録》第七二頁，一九八四年，河南人民出版社。

蛟龍飛舞。鸞鳳吉祥。

行書聯。王振德、李天麻《齊白石談藝録》第九六頁，一九八四年，河南人民出版社。

注：

①平安多利：鵪鶉諧音"安"，荔枝音諧"利"。

②青：艾青，現代詩人。原名蔣海澄，曾用筆名有莪加、林壁等。一九一〇年生於浙江金華。一九二八年考入杭州國立藝術學院繪畫系，在院長林風眠的鼓勵下，於翌年赴法國勤工儉學，遂走上詩人之路。有《艾青詩選》、《艾青談詩》等二十餘部詩集、詩論出版。曾被授予法國文學藝術最高勛章，多次獲全國優秀新詩獎。

③高南阜：高鳳翰（一六八三—一七四八年），字西園，號南村，晚號南阜，蘗琴老人。膠州（今山東膠縣）諸生。一作濟寧人。官至徽州績溪知縣。詩、書、畫、印兼擅。以畫最爲知名。

一九五四年（甲午）九十四歲

鴉歸殘照晚。落落大江寒。茅屋出高士。板橋生遠山。棗也之屬。九十四歲白石。

題鴉歸殘照晚。《齊白石繪畫精品集》第一二九頁，一九九一年，人民美術出版社。

祖國頌。九十四歲白石。

題祖國頌。《齊白石繪畫精品集》第一三一頁，一九九一年，人民美術出版社。

東北博物館將舉辦白石畫展。余以衰老畏遠行。不能躬與其盛。為此作長卷寄之。有解人當知此乃余生平破例也。九十四歲白石。

題折枝花卉卷。遼寧省博物館藏。轉引劉振濤、禹尚良、舒俊杰《齊白石研究大全》第一三九頁，一九九四年，湖南師範大學出版社。

此畫共十又二頁。如兒畫蟲。乃余畫花草。白石老人。九十四歲。

爲齊子如所畫昆蟲册補花草并題。遼寧省博物館藏。轉引劉振濤、禹尚良、舒俊杰《齊白石研究大全》第一三九頁，一九九四年，湖南師範大學出版社。

東北博物館遣胡生阿龍來京求畫。作此答之。九十四歲白石老人時居京華。

題水牛。

蔬笋清香。九十四歲添上蔬笋四字。白石。

題蔬笋清香。董玉龍、胡孟炎《中國畫名家作品粹編·齊白石畫集》圖二八，一九九四年，浙江人民美術出版社。

東北博物館舉辦白石畫展。集余往昔及近年所作數拾幅於一堂。與我東北同（志）相見。

幸何如之。白石老人身逢盛世。國内外人士對余畫之愛戴。應感謝毛主席與中國共産黨對此道之倡導與關懷。余老矣。不能遠道北上。共與其事。特寄尺紙。以表向往之忱。甲午春。

齊白石畫展題詞。遼寧省博物館藏。劉振濤、禹尚良、舒俊杰《齊白石研究大全》第一三九頁,一九九四年,湖南師範大學出版社。

齊白石像。永玉[①]刻。又請白石老人加題。年九十四矣。

題黄永玉刻齊白石像。黄永玉藏。劉振濤、禹尚良、舒俊杰《齊白石研究大全》第一四一頁,一九九四年,湖南師範大學出版社。

發揚民族文化。

爲北京榮寶齋題詞。北京榮寶齋藏。

甲午年端午節。白石畫。

題粽子。《榮寶齋畫譜》一〇一,齊白石繪民俗風情部分,第三五頁,一九九四年。

白石老人九十四歲時一揮如意。

題藤蘿。《齊白石畫選》圖七〇,一九八〇年,人民美術出版社。

注:

①永玉:黄永玉,一九二四年生,湖南鳳凰人。土家族。擅版畫。曾在中央美術學院任教。

一九五五年(乙未)九十五歲

祖國萬歲。九十五歲白石。

題萬年青。《榮寶齋畫譜》一〇一,齊白石繪民俗風情部分,第三八頁,一九九四年。

夫畫道者。本寂寞之道。其人要心境清逸。不慕名利。方可從事於畫。見古今之長。摹而肖之能不誇。師法有所短。捨之而不誹。然後再現天地之造化。如此腕底自有鬼神。弟子槖也屬。九十五歲白石。

行書題詞。《齊白石繪畫精品集》第一四八頁,一九九一年,人民美術出版社。

槖也請擬舊時作。九十五歲白石。

題黄鸝翠柳。胡佩衡、胡槖《齊白石畫法與欣賞》圖版一〇一,一九五九年,人民美術出版社。

喜見慈祥[①]。為華僑報社慶祝一九五五年元旦特刊作。九十五歲白石老人。

題松樹、鵲、鴉。

弟子槖也屬。九十五歲白石。

題萬年青。《齊白石繪畫精品集》第一三三頁,一九九一年,人民美術出版社。

秋蟲。白蟲。此黄蟲。白石。

題秋蟲。《齊白石繪畫精品集》第一三四頁,一九九一年,人民美術出版社。

秋佳。白石。

題秋佳。《齊白石繪畫精品集》第一三六頁,一九九一年，人民美術出版社。

秋色。九十五歲白石。

題秋色。《榮寶齋畫譜》圖八，齊白石繪花卉草蟲部分，第四五頁，一九九四年。

三日不揮毫。手無狂態。白石。

題蝦。《齊白石畫選》圖九〇，一九八〇年，人民美術出版社。

一九五六年（丙申）九十六歲

九十六矣。白石。

題芙蓉鴨子。董玉龍主編《齊白石作品集》第一二二圖，一九九〇年，天津人民美術出版社。

此蟹借東坡先生句題之云。魂飛湯父命如鷄。後世賢者鑒。九十六歲書於北京。白石。

題蟹。齊良遲口述、盧節整理《父親齊白石和我的藝術生涯》圖版七，一九九三年，海潮出版社。

一九五七年（丁酉）九十七歲

九十八歲①。白石畫。

題紅黄二牡丹。《榮寶齋畫譜》一〇一，齊白石繪民俗風情部分，第四〇頁，一九九四年。

注：

①九十八歲：一九五七年五月十四日北京中國畫院成立，齊白石任名譽院長。在當天展出的古今佳作中，有一幅齊白石新作花卉，題爲"齊白石時年九十有八"。《榮寶齋畫譜》一〇一民俗風情部分，第四〇頁所選登的紅黄二色牡丹，花瓣、花葉混用紅藍顏色，題爲九十八歲，也是异於常態的作品。齊良已（子瀧）在《湘潭文史資料》第三輯"齊白石誕生一百二十周年紀念專輯"上寫了題爲"父親畫的最後的一幅畫"的文章，説齊白石最後一幅畫爲一九五七年春夏間作的牡丹。朱省齋《齊白石百歲紀念雜談》一文中説，齊白石在晚年最後的一段日子裏，作畫時"連自己的真實年齡也記憶不清了，所以乃有'時年九十有八'之誤寫。"

齊白石年表

齊白石年表

徐　改

一八六四年(甲子　清同治三年)

一月一日齊白石生於湖南省湘潭縣杏子塢星斗塘的一個農民家庭。是日為農曆癸亥同治二年(一八六三年)的十一月二十二日。按生年即一歲的傳統計歲法,至甲子年稱二歲。

白石乃長子,派名純芝,號渭清,又號蘭亭。二十七歲時(一八八九年)又取名璜,號瀕生,別號白石山人,後以號行稱齊白石。別號還有寄園、齊伯子、畫隱、紅豆生、寄幻仙奴、木居士、木人、老木、寄萍、老萍、萍翁、寄萍堂主人、杏子塢老民、湘上老農、借山吟館主者、借山翁、三百石印富翁、齊大、老齊郎、老白等。

一八六五年(乙丑　清同治四年)

三歲。養於家。

多病。母親和祖母每為此燒香求神。

《白石自狀略》云:"王母曰:'汝小時善病,巫醫無功。吾與汝母禱於神祇,叩頭作聲,額腫墳起,嘗忘其痛苦。醫謂食母乳,母宜禁油膩。汝母過年節嘗不知肉味。吾播谷,負汝於背,如影不離身。'"

一八六六年(丙寅　同治五年)

四歲,養於家。

病愈,祖父始教識字。

白石晚年曾為人畫《霜燈畫荻圖》,題詩云:"我亦兒時憐愛來,題詩述德愧無才。雪風辜負先人意,柴火爐鉗夜畫灰。"詩後自注云:"余四歲時,天寒圍爐。王父就松火光,以柴鉗畫灰,教識'阿芝'二字。阿芝,余小名也。"

一八七〇年(庚午　清同治九年)

八歲。居家。

農曆正月十五後,始從外祖父周雨若讀書。蒙館設在離家三里路的楓林亭王爺殿。

《白石自狀略》云,每逢"春雨泥濘,祖父左提飯籮,右擎雨傘,朝送孫子上學,暮後往負孫歸。"六十歲時作《過星塘老屋題壁》詩:"白茅蓋瓦求無漏,遍嶺栽松不算空。難忘兒時讀書路,黄泥三里到家中。"

白石天資聰穎,在蒙館讀《四言雜字》、《三字經》、《百家姓》、《千家詩》等,一讀便熟。對《千家詩》尤覺有味。

花朝節(農曆二月十五日)過後,始有書法課——描紅。

鄰居家房門上有雷公像,古怪有趣,遂以薄竹紙蒙在畫像上用筆勾出,和原像一般無二,於是對畫畫産生了莫大興趣。此後,常撕描紅紙私下作畫。《白石自狀略》云:"性喜畫。以習字之紙裁半張畫漁翁起。外王父(周雨若)嘗責之,猶不能已。"

是年秋,輟學。

一八七二年(壬申　清同治十一年)

十歲。居家。

仍在家做雜活,并開始上山砍柴。

一九二〇年,白石曾為《餐菊樓畫册》中的《垂釣圖》作記云:"阿芝少時喜釣魚。祖母防其水死,作意曰:'汝祗管食魚,今日將無火為炊,汝知之否?'令其砍柴,不使近水。"

《白石詩草》有《山行見砍柴鄰子傷感》詩三首,其一云:"來時歧路遍天涯,獨到星塘認是家。我亦君年無累及,群兒歡跳打柴叉。"詩後自注云:"余生長於星塘老屋。兒時架柴為叉,相離數伍,以柴鈀擲擊之,叉倒者為赢,可得薪。"

一八七三年(癸酉　清同治十二年)

十一歲。

是年齊家租種了十幾畝田,與别人合養了一頭牛。白石嘗一邊牧牛,一邊砍柴、拾糞,還一邊温習舊讀的功課。有時儘顧讀書,忘了砍柴。《白石自狀略》曾記:"一日王母曰:'今既力能砍柴為炊,汝祗管寫字! 俗語云:三日風,四日雨,哪見文章鍋裏煮? 明朝無米,吾孫奈何? 惜汝生來時走錯了人家。'"此後他上山總是先把書挂在牛角上,撿滿了糞,砍足了柴,再讀書。趁着放牛之便,常繞道到外祖父家請教,讀完了一部在蒙館中未學完的《論語》。

白石晚年刻過一方印章"吾幼挂書牛角",又有《憶兒時事》詩云:"桃花灼灼草青青,樂事如今憶佩鈴。牛角挂書牛背睡,八哥不欲唤儂醒。"

一八七四年(甲戌　清同治十三年)

十二歲。

三月九日(農曆正月二十一日),由父母作主娶童養媳陳氏春君。春君於一八六三年二月十三日(農曆壬戌同治元年十二月二十六日)生,按實足年齡長白石一歲。白石有《祭陳夫人文》云:"清同治十三年正月二十一乃吾妻於歸期也。是時吾妻年方十二。"又自記云:"吾妻事祖翁姑之餘,執炊爨,和小姑小叔,家雖貧苦,能得重堂生歡。"

黎錦熙[①]在《齊白石年譜》(胡適、鄧廣銘、黎錦熙合編,商務印書館,一九四九年)中按云:"湘俗童養媳與其夫大都年歲相當,先正式舉行婚禮,謂'拜堂',便在夫家操作。等到成年,擇期'圓房',然後同居。白石與陳夫人是光緒七年,十九歲時才'圓房'的。"

六月十八日(農曆五月五日),祖父萬秉公病歿。

一八七七年(丁丑　清光緒三年)

十五歲。

父親見白石體弱力小,難學田裏農活,決定

讓他學一門手藝。正月，拜本家叔祖齊仙佑木匠為師。齊仙佑是以蓋房子立木架、打門窗為本行的粗木作，見白石力氣小扛不動大檁條，三個月後便送其還家，不再納。

農曆五月，再拜遠房本家齊長齡為師。齊長齡亦為粗木作。是年秋，白石隨師做工歸來途中，遇見三個細木作（亦稱小器作，專作雕花等精緻小巧的細活），師傅恭敬讓路并問好。白石問師何故如此，師傅說：作大器作的人，不敢和作小器作者平起平坐。不是聰明人，是一輩子也學不成細木作的。白石心中不服，遂暗下决心，改學小器作。

一八七八年（戊寅　清光緒四年）

十六歲。

轉拜雕花木匠周之美為師，學小器作。

白石撰有《大匠墓志》云："君以木工為最著，雕琢尤精。余師事時，君年三十有八。嘗語人曰：'此子他日必為班門之巧匠。吾將來垂光，有所依矣。'"

一八八一年（辛巳　清光緒七年）

十九歲。

下半年出師。與妻陳春君圓房。

《白石老人自述》（張次溪筆録，岳麓書社，一九八六年，長沙。以下稱《自述》）云："經過一段較長時間，學會了師傅的平刀法，又琢磨着改進了圓刀法，師傅看我手藝學得很不錯，許我出師了。"

黎戩齋[②]《記白石翁》云："芝木匠（時鄉人呼白石為芝木匠）每從其師肩斧提籃，向主家作業。……陳家壠胡姓，巨富也。凡有婚嫁具辦奩床妝橱之屬，必招翁為之。矜炫雕鏤，無不刻畫入神。"

《自述》又記："那時雕花匠所雕的花樣，差不多都是千篇一律。……我就想法换個樣子，在花籃上面加些葡萄石榴桃梅李杏等果子，或牡丹芍藥梅蘭竹菊等花木。人物從綉像小說的插圖裏，勾摹出來，都是些歷史故事。還搬用平時常畫的飛禽走獸，草木蟲魚，加些布景，構成圖稿。我運用腦子裏所想得到的，造出許多新的花樣，雕成之後，果然人都誇獎說好。我高興極了，益發地大膽創造起來。"

一八八二年（壬午　清光緒八年）

二十歲。在家鄉。

繼續與周師傅做雕花木活。

有一次，在一個讀書人家借到一部乾隆年間刻印的彩色《芥子園畫譜》，用了半年時間，在松油燈下用薄竹紙勾影，染上色，釘成十六本。此後做雕花木活，便以畫譜為據，花樣出新，也没有不相匀稱的毛病了。

一八八七年（丁亥　清光緒十三年）

二十五歲。

仍在鄉間做雕花木匠，兼畫畫。

《自述》云："我的畫在鄉里出了點名，來請我畫的，大部分是神像功對，每一堂功對，少則四幅，多的有到二十幅的。畫的是玉皇老君、財神、火神、竈君、閻王、龍王、靈官、雷公、電母、雨師、風伯、牛頭、馬面和四大金剛、哼哈二將之類。……有的畫成一團和氣，有的畫成滿臉煞氣。和氣好畫，可以采用《芥子園》的筆法，煞氣可麻煩了，决不能都畫成雷公似的。祇得在熟識的人中間，挑選幾位生有异像的人，作為藍本，畫成以後，自己看着，也覺可笑。”

一八八八年（戊子　清光緒十四年）

二十六歲。在家鄉。

經好友齊公甫的叔叔齊鐵珊介紹，拜紙扎匠出身的地方畫家蕭傳鑫（號薌陔）為師，學畫肖像。後又經文少可指點，對畫肖像始得門徑。

黎錦熙云：“先是陳（少蕃）偕齊鐵珊讀書於一道士觀中，白石的三弟為煮茶飯，白石時過之，因識鐵珊。鐵珊語白石：‘蕭薌陔將到家兄伯常家畫像，何不拜為師？’白石遂以所作自由畫李鐵拐像為贄，旋至其家，盡傳其法。文少可亦家傳畫像，聞白石師蕭，因訪白石，數宿，又盡傳之。”（見《齊白石年譜》）

一八八九年（己丑　清光緒十五年）

二十七歲。在家鄉。

拜胡沁園、陳少蕃為師學詩畫。

《白石自狀略》云：“年二十有七，慕胡沁園、陳少蕃二先生為一方風雅正人君子，事為師，學詩畫。”

黎錦熙《齊白石年譜》按云：“蕭（薌陔）館於杏子塢馬迪軒家，馬為胡沁園的連襟，馬告胡：鄉有芝木匠者，聰明好學。胡始留意。當時白石在賴家壠做雕花活，每夜打油點燈自由習畫。鄉人見之曰：‘我們請胡三爺畫帳檐，往往等到一年半載，何不把竹布取回，請芝木匠畫畫？’於是胡更留意。陳少蕃（名作塤，著有《樸石庵詩草》）時館於胡家，沁園約白石來，對他說：‘三字經云：蘇老泉，二十七，始發奮，讀書籍。你正當此齡，就跟着陳老師開始讀書吧！’……”

兩位老師為白石取名“璜”，取號“瀕生”，取別號“白石山人”。陳少蕃除對他講解《唐詩三百首》外，還教讀《孟子》、唐宋八家的古文等。并令其閑時讀《聊齋志异》一類小說。胡沁園教白石工筆花鳥草蟲，把珍藏的古今名人字畫拿出來讓他觀摹。胡又介紹白石向譚溥（號荔生，別號瓮塘居士）學習山水。胡又鼓勵他學作詩。白石第一首七律詩有句云：“莫羨牡丹稱富貴，却輸梨桔有餘甘”，大受胡師稱贊，認為“有寄托”，從此白石始大膽作詩。

是年，始學何紹基書法。《自述》云：“我起初寫字，學的是館閣體，到了韶塘胡家讀書以後，看了沁園、少蕃兩位老師，寫的都是道光年間，我們湖南道州何紹基一體的字，我也跟着他們學了。”

八月七日（農曆七月十一日），長子良元（字伯邦，號子貞）生。

自是年起，白石逐漸扔掉斧鋸鑿鑽，改行專做畫匠了。

一八九〇年（庚寅　清光緒十六年）

二十八歲。

在家鄉杏子塢、韶塘一帶畫像謀生。繼續讀書、習畫。

湘潭風俗，畫生人稱“小照”，畫死者稱“遺容”。畫像之外，白石還經常為主顧家女眷畫帳檐、袖套、鞋樣之類，有時還畫中堂、條屏等。其畫像術日精。

約此年左右，白石跟蕭薌陔學會裱畫。

一八九一（辛卯　清光緒十七年）

二十九歲。

在家鄉賣畫。苦讀詩書。

家貧，燈盞無油，嘗燃松枝與沁園師外甥黎丹[3]談詩；又從朋友王訓[4]處借白香山《長慶集》，借松火之光頌讀。白石七十歲時曾有《往事示兒輩詩》記其事：“村書無角宿緣遲，二十七年華始有師。燈盞無油何害事，自燒松火讀唐詩。”

一八九二（壬辰　清光緒十八年）

三十歲。

逐漸在方圓百里有了畫名。畫像之外，亦畫山水、人物、花鳥草蟲、仕女等。

《自述》云：“那時我已并不專搞畫像，山水人物，花鳥草蟲，人家叫我畫的很多，送我的錢，也不比畫像少。尤其是仕女，幾乎三天兩朝有人要我畫的。我常給他們畫些西施、洛神之類。也有人點景要畫細緻的，像文姬歸漢、木蘭從軍等等。他們都説我畫得很美，開玩笑似地叫我‘齊美人’。”

靠賣畫，家中光景有了轉機，自書“甑屋”兩個大字懸於室。

一八九四年（甲午　清光緒二十年）

三十二歲。

三月二十七日（農曆二月二十一日），次子良芾生。

是年春，白石到長塘黎家為黎松安[5]故去的父親畫遺像。時在黎家教家館的王訓發起組織詩會。夏，借五龍山大杰寺為址，正式成立“龍山詩社”。白石年最長，推為社長。成員有：王仲言、羅真吾、羅醒吾、陳茯根、譚子荃、胡立三。人稱“龍山七子”。社外詩友有：黎松安、黎薇蓀[6]、黎雨民、黄伯魁、胡石庵、吴剛存、張登壽等。其中張登壽、號仲颺，曾當過鐵匠。後發奮讀書，拜王湘綺為師。他與白石一見如故，後來成了兒女親家。

王訓《白石詩草跋》云：“山人天才穎悟，不學而能。一詩既成，同輩皆驚，以為不可及。”

一八九五年（乙未　清光緒二十一年）

三十三歲。

是年在長塘黎松安家成立“羅山詩社”（羅山，又名羅網山，在松安家對面里許）。“龍山”社友也加入，時常去作詩應課。白石造山水花鳥花箋分送詩友。

白石於清宣統元年(一九〇九年)《與黎大松安書》曾追述云:"回憶十年前與公頻相晤時,蛻園(王訓)、雲溪(黎裕昆)多同在座。聚必為十日飲,或造花箋,或摹金石,興之所至,則作畫數十幅。日將夕,二三子遊於杉溪之上。仰觀羅山蒼翠,幽鳥歸巢;俯瞰溪水澄清,見蟛蜞横行自若。少焉,月出於竹嶼(白竹坳)之外,歸誦芬樓[7],促坐清談。璜不工於詩,頗能道詩中之三昧。有時公或弄笛,璜亦姑妄和之。月已西斜,尚不欲眠。"

一八九六年(丙申　清光緒二十二年)

三十四歲。

是年始鑽研篆刻。

黎錦熙《齊白石年譜》按云:"白石此年始講求篆刻之學。時家父與族兄鯨庵正研究此道,白石翁見之,興趣特濃厚,他刻的第一顆印為'金石癖',家父認為'便佳'。此印及其早歲的工筆畫處女作,多存我家,直到民國三十三年湘潭淪陷,被日軍摧毁殆盡——家父的《松翁自訂年譜》載,自丙申至戊戌共刻印約百二十方,已亥又摹丁黄印二十餘方,這幾年白石與家父是常共晨夕的,也就是他專精摹刻圖章的時候。他從此'鍥而不捨',并不看作文人的餘事,所以後來獨有成就。"

一八九七年(丁酉　清光緒二十三年)

三十五歲。

是年由朋友介紹,始進湘潭縣城為人畫像,幾經往返,漸有名氣。

約此年,由嚴鶴雲介紹,識郭葆生(字人漳,號憨庵。乃清代名將郭松齡之子)。又識桂陽州名士夏壽田(號午詒)。

一八九八年(戊戌　清光緒二十四年)

三十六歲。

是年白石得黎薇蓀寄自四川的丁龍泓、黄小松兩家印譜,刻意研摹。

黎戬齋《記白石翁》云:"家大人自蜀檢寄西泠六家中之丁龍泓、黄小松兩派印影與翁摹之,翁刀法因素嫻操運,特為矯健,非尋常人所能企及。……翁之刻印,自胎息黎氏,從丁、黄正軌脱出,初主精密,後私淑趙撝叔,猶有奇氣。晚則軼乎規矩之外。"

一八九九年(己亥　清光緒二十五年)

三十七歲。

三月一日(農曆正月二十日),由張仲颺[9]介紹,拜見湘潭名士王湘綺。十一月二十日(農曆十月十八日)正式拜王湘綺為師。

王湘綺(一八三二—一九一六年),清末民初著名經學家、古文學家、詩人。名闓運,字壬秋,一字壬父,號湘綺。咸豐舉人,曾為肅順賓客、曾國藩幕參。先後主持成都尊經書院、兩湖書院,又任翰林院檢討,禮學館顧問;民國初一度任國史館總裁。

王湘綺《湘綺樓日記》是年正月二十日記:

"看齊木匠刻印、字畫，又一寄禪張先生也。"[10]十月十八日又記："齊璜拜門，以文詩為贄，文尚成章，詩則似薛蟠體。"[11]十九日又記："齊生告去，送之至大碼頭。"

是年白石首次自拓《寄園印存》四本。

一九〇〇年（庚子　清光緒二十六年）

三十八歲。

為住在湘潭縣城的一位江西鹽商畫《南岳圖》六尺中堂十二幅。《自述》云："我為了凑合鹽商的意思，着色特别濃重，十二幅畫，光是石緑一色，足足地用了二斤，這真是個笑柄。鹽商看了却十分滿意。"

白石以《南岳圖》潤金三百二十兩，承典了距星斗塘五里遠的梅公祠及其十畝水田。二月，携夫人春君及二子二女遷居梅公祠。又在祠堂内擇一空地，自蓋一間書房，取名"借山吟館"。

白石曾作《借山記》云："余少工木工，蛙竈無著處，恨不讀書。工餘喜讀古詩，盡數十卷。光緒庚子二月始借山居焉。造一室，額曰'借山吟館'。學為詩數百首。"

一九〇二年（壬寅　清光緒二十八年）

四十歲。始遠遊。

五月十一日（農曆四月初四），三子良琨生。良琨，後名愚公，字大可，號子如，別號漁家村人，後娶張仲颺女張紫環。

十一月初（農曆十月初）應夏午詒、郭葆生之約赴西安，教夏午詒之如夫人姚無雙學畫。此前白石衹在湘潭附近作畫，"并不作遠遊之想"，郭葆生曾寄長信云："……闗中夙號天險，山川雄奇，收之筆底，定多杰作。兄仰事俯蓄，固知憚於旅寄，然為畫境進益起見，西安之行，殊不可少，尚望早日命駕，毋勞躊躇！"遂成行。途中畫《洞庭看日圖》和《灞橋風雪圖》等。

農曆十二月抵西安，晤張仲颺、郭葆生，識長沙人徐崇立。課徒間暇，嘗遊碑林、雁塔、牛首山、華清池等名勝。

年底，由夏午詒介紹，識陝西臬臺樊樊山，并相贈印章數方。樊報以酬銀五十兩，并手書白石刻印潤例單一張："常用名印每字三金，石廣以漢尺為度，石大照加，石小二分，字若黍粒，每字十金。"

樊增祥（一八四六—一九三一年），湖北恩施人。字嘉父，號雲門，一號樊山，光緒丁丑進士，清末官至陝西、江寧布政使，護理兩江總督。師事張之洞、李慈銘，以詩名於清末民初。白石在遠遊期間一直挂他寫的潤例單，受益匪淺。

《自述》云："我作畫，本是畫工筆的，到了西安以後，漸漸改用大寫意筆法。"黎錦熙《齊白石年譜》按云："辛丑以前，白石的畫以工筆為主，草蟲早就傳神。他在家一直地養草蟲——紡織娘、蚱蜢、蝗蟲之類，還有其它生物，他時常注視其特點，作直接寫生的練習。歷時既久，自然傳神，所以他的畫并不是專得力於摹古。到壬寅，他四十歲，作遠遊，漸變作風，才走上大寫意的花卉翎毛一派。"

一九〇三年（癸卯　清光緒二十九年）

四十一歲。

是年初春，夏午詒隨父夏時進京，邀白石同行。據黎錦熙編《白石詩草補編》第二編[12]《枕上得懷人詩一首》按語云："此一九〇三年（癸卯）在西安作。見白石日記三月一日。次日啟程往北京。"途中經華陰縣，登萬歲樓，作《華山圖》。後渡黄河，又在弘農澗畫《嵩山圖》。

抵京後，住宣武門外北半截胡同夏午詒家，依然課姚無雙畫畫。

在京期間，識張翊立（號貢吾，湘潭人）、曾熙[13]、李瑞荃（號筠庵）。"并於李筠庵處得見八大、金冬心、徐青藤等名家畫册……又於汪啟淑所賞鑒漢銅印叢中，擇其篆法可師者，勾存二百餘字。"[14]參加由夏午詒發起的陶然亭餞春，同行者有楊度[15]、陳兆圭等。白石畫《陶然亭餞春圖》以記其事。

六月離京，經天津乘海輪繞道上海，再坐江輪轉漢口，返湘潭。此乃白石的第一回遠遊。

關於白石抵京及返湘的時間，各家年譜的記載略有出入，録於斯待考。

胡適等編的《齊白石年譜》言白石於三月抵京。所據乃《白石詩草》卷一《題畫記樊樊山先生京師》詩後自注"癸卯三月三十日夏壽田、楊度、陳兆圭在陶然亭餞春，求余為畫餞春圖以記其事"。又録黎錦熙癸卯日記："六月二十六日，上午齊寄園先生來"。可知六月二十六日白石已在湘潭。

齊佛來《我的祖父白石老人》記"一九〇三年農曆四月五日，祖父隨夏午詒由西安到達北京……"又記"祖父從四月到京，到六月離去，共在北京逗留四月（這年是農曆閏五月）……農曆六月十九日，祖父從天津乘海輪回湘……二十二日到上海……二十四日即買大通輪赴漢。二十八日抵漢口，當即換昌和小輪船還湘。"

禹尚良、羅菡編《齊白石年譜長編》從齊佛來説，因"齊佛來著此書，曾檢閱白石老人當年日記。"[16]

一九〇四年（甲辰　清光緒三十年）

四十二歲。

是年春，白石同張仲颺應王湘綺之約，同遊江西。《白石自狀略》云："甲辰，侍湘綺師遠遊南昌。七夕，師賜食石榴，招諸弟子曰：'南昌自曾文正公去後，文風寂然，今夕不可無詩。'座中有鐵匠張仲颺、曾招吉及璜，推為'王門三匠'。登滕王閣，小飲荷花池，遊廬山。"其間，王闓運為白石印草撰寫序文（後刊於白石第二次印草《白石草衣金石刻畫》卷首），還為其《借山圖》題詞。[17]

秋日還家，此白石二出二歸。歸家後改"借山吟館"為"借山館"，并自撰《借山館記》云："甲辰春，薄遊豫章，吾縣湘綺先生七夕設宴南昌邸舍，召弟子聯句，强余與焉，余不得佳句，然索然者不獨余也，始知非具宿根劬學，蓋未易言矣。中秋歸里，删館額'吟'字，曰'借山館'。"

一九〇五年（乙巳　清光緒三十一年）

四十三歲。

是年，始摹趙之謙[18]篆刻。

《自述》云："光緒三十一年，我四十三歲，在黎薇蓀家裏見到趙之謙的《二金蝶堂印譜》，借了來，用硃筆勾出，倒和原本一點没有走樣。從此，我刻印章，就摹仿趙撝叔的一體了。"

七月中，應廣西提學使汪頌年（名詒書，長沙人。壬辰光緒十八年翰林）之約，遊桂林、陽朔。《自述》云："我在桂林，賣畫刻印為生。樊樊山在西安給我定的刻印潤格，我借重他的大名，把潤格挂了出去，生意居然很好。"

是年冬識蔡鍔[19]、黄興[20]，蔡請白石到巡警學堂教畫，白石怕招惹是非，堅辭不就。

一九〇六年（丙午　清光緒三十二年）

四十四歲。

年初白石在桂林。欲歸故里，忽接家書，言四弟純培及長子良元，從軍去了廣州。白石即取道梧州赴廣州。至廣州住祇園寺。得知四弟和良元已隨郭葆生去了廣西欽州。白石又匆匆趕至欽州。

在欽州，晤郭葆生。是時郭葆生任欽、廉兵備道道臺。郭遂留白石教其姬人學畫并為其捉刀作應酬畫。郭喜收藏，白石得以臨摹八大山人、徐青藤、金冬心等人畫迹。

約八月還家。是為三出三歸。

九月二十日，周之美師傅辭世，白石作《大匠墓志》。

因梅公祠的房子和祭田典期已滿，白石遂在餘霞峰下的茹家冲買一所房屋和二十畝水田，將房屋翻蓋一新，取名"寄萍堂"。又在堂内造一書室，將遠遊所得的八塊硯石置於内，因名"八硯樓"。十一月二十日携妻子兒女搬入新居。

十二月初七，長孫秉靈生。

一九〇七年（丁未　清光緒三十三年）

四十五歲。

春，應郭葆生上年之約，再至廣西梧州，隨郭到肇慶。遊鼎湖山、觀飛泉潭。又往高要縣遊端溪、謁包公祠。并隨軍到東興。過北侖河鐵橋，領略越南芒街風光。見野蕉百株，滿天皆成碧色，遂畫《緑天過客圖》（後收入《借山圖卷》）。

是年冬返湘。是為四出四歸。

一九〇八年（戊申　清光緒三十四年）

四十六歲。

二月應羅醒吾之約赴廣州。是時，羅醒吾在廣東提學衙門任事，參加了同盟會。在廣州期間，白石曾以賣畫為名替羅醒吾傳送革命黨的秘密文件。在廣州，白石以刻印為活，賣畫很少。

秋間返故里。此乃白石五出五歸。

一九〇九年（己酉　清宣統元年）

四十七歲。

是年應郭葆生戊申年(一九〇八年)之約,再赴欽州[21]。

二月十二日(公曆三月三日)起程赴廣州,同行者有滿弟與思義(白石之婿)。是日會譚佩初宿茶園驛。十三日到湘潭,宿春和棧。十四日會羅醒吾,一行五人同赴東粵。十五日至長沙,晤服鄒、王仲言、張仲颺、齊竹齋。十七日到漢口,轉赴上海之大通輪船。十九日抵九江,白石再畫小姑山。二十日至蕪湖畫萬柳川。二十二日轉船。二十六日抵香港,寓中環泰安棧,等去北海的船,參觀博物館、遊覽市容。

二月(閏月)二日晤郭葆生、王仰峰、李鐵恒。三日自香港水路啟程,七日抵北海,逗留數日,十二日郭葆生來,始同往欽州。十三日抵欽州。

三月初一日(公曆四月二十日)移客東興。

六月初五日(公曆七月二十一日)回欽州。

七月二十四日(公曆九月八日)携良元水路啟程返湘。

八月八日(公曆九月二十一日)到廣州,逗留數日,十五日到香港。再經臺灣、福建海域,二十日抵上海。二十二日到蘇州,遊虎丘。二十三日返上海,住上海新洋務總辦汪頡荀公館。

九月二十五日(公曆十一月七日)由上海啟程返湘。是為六出六歸。

關於己酉年的出遊,張次溪筆録的《白石老人自傳》和他重寫的《齊白石的一生》,在時間和經歷上都與《寄園日記》有出入。當以日記為準。《白石詩草自序》:“壬寅年,吾年四十始遠遊,至己酉,五出五歸,身行半天下。”是將戊申赴廣州與己酉赴欽州合為第五次出歸。據己酉日記,白石的遠遊應為六出六歸。

一九一〇年(庚戌　清宣統二年)

四十八歲。

將遠遊畫稿重畫一遍,編成借山圖卷。又為胡廉石[22]畫《石門二十四景圖》。

九月遊長沙,住通泰街胡石庵家。時張仲颺、王仲言、胡仙甫(胡沁園之子)嘗與白石相聚,談詩論畫。

一九一一年(辛亥　清宣統三年)

四十九歲。

二月赴長沙,居營盤街,會王湘綺,請為其祖母作墓志銘。後由白石自己動手刻石而成。

在長沙為譚組安先人及其四弟畫像。《自述》云:“我用細筆在紗衣裏面,畫出袍褂的團龍花紋,并在地毯的右角,畫上一方‘湘潭齊璜瀕生畫像記’小印,這是我近年來給人畫像的記識。”

三月十日,王湘綺約白石在瞿子玖(瞿鴻機,曾任軍機大臣)家的超覽樓飲宴,觀櫻花、海棠。

一九一二年(壬子　民國元年)

五十歲。

居家作畫。鑿竹成筧，引山泉入院。親自設計并動手製作寄萍堂内一應陳設、几案。

據黎錦明[23]回憶，一九一〇—一九一二年間，白石每年都要在黎家小住數月，與黎松安切磋詩畫，還為黎氏辦的杉溪家庭學校上書畫課。[24]

一九一三年(癸丑　民國二年)

五十一歲。

居家作畫。

九月與三個兒子分家。長子良元和次子良黼各自分炊，獨立門户。

十月初八日，次子良黼病歿，年二十歲。白石作《祭次男子仁文》。

一九一四年(甲寅　民國三年)

五十二歲。

三月，白石在寄萍堂邊親植梨樹數十株。

四月二十八日，胡沁園去世。白石畫了二十多幅畫，親自裱好，在靈前焚化，又作七言詩十四首(均收入《借山吟館詩草》)、祭文一篇、挽聯一副，聯曰："衣鉢信真傳，三絶不愁知己少；功名應無分，一生長笑折腰卑。"

一九一五年(乙卯　民國四年)

五十三歲。

居家作畫。

一九一六年(丙辰　民國五年)

五十四歲。

居家作畫。

一九一七年(丁巳　民國六年)

五十五歲。

五月為避家鄉兵匪之亂，隻身赴京。十二日抵京，住前門外西河沿排子胡同阜豐米局後院郭葆生家。

五月二十日張勛復闢，白石隨郭葆生一家到天津租界避難。

六月回京，七月搬至炭兒胡同(亦郭葆生宅院)，又移榻法源寺。同住法源寺的還有湘潭同鄉楊潛庵(名昭俊，善書法、篆刻)。

六月初三日，樊樊山為白石删定《借山吟館詩草》并作序文。

白石在琉璃廠南紙店挂單賣畫賣印，時任教育部編審員的陳師曾[25]以為格調不俗，便到法源寺造訪。二人意氣識見相投，遂成莫逆。白石出《借山圖卷》請其論定，師曾題詩曰："曩於刻印知齊君，今復見畫如篆文。束紙叢蠶寫行脚，脚底山川生亂雲。齊君印工而畫拙，皆有妙處難區分。但恐世人不識畫，能似不能非所聞。正如論書喜姿媚，無怪退之譏右軍。畫吾自畫自合古，何必低首求同群。"九月，白石離京之時曾有贈陳師曾詩："槐堂六月爽如秋，四壁嘉陵可卧遊。塵世幾能逢此地，出京焉得不回頭。"

《自述》云："我這次到京，除了易實甫[26]陳師曾二人以外，又認識了江蘇泰州凌植支(文淵)、廣東順德羅癭公(惇曧)、敷庵(惇㬊)兄弟,江蘇丹徒汪藹士(吉麟)、江西豐城王夢白(雲)、四川三臺蕭龍友(方駿)、浙江紹興陳半丁(年)、貴州息烽姚茫父(華)等人。凌、汪、王、陳、姚都是畫家,羅氏兄弟是詩人兼書法家,蕭為名醫,也是詩人。……滄海先生[27]跟我都是受業於湘綺師的。神交已久,在易實甫家晤見,真是如逢故人,歡若平生。”

在京期間,還結認了兩個和尚畫家。一是法源寺的道階,一是衍法寺的瑞光。

白石十月初還湘。家中之物已被兵匪洗劫一空。

一九一八年(戊午 民國七年)

五十六歲。

家鄉兵亂更甚。二月十五日離家避居紫荊山下。七月二十四日始歸。

《白石詩草補編》第二編有《二月十五日家人避亂離借山,七月二十四日始歸》,詩後自注云:“借山書籍為白蟻所食,梨熟為大蜂所啖。二月十五日離家。十六日悄歸,視其物,鷄犬無存。王湘綺樊鰈翁及諸友人贈余手迹,幸隨身保存。”

《白石詩草》自序云:“明年戊午,騷亂尤甚,四圍烟氣,無路逃竄。幸有戚人居邑之紫荊山下,其地稍僻,招予分居。然風聲鶴唳,魂夢時驚。遂吞聲草莽之中,夜宿於露草之上,朝餐於蒼松之蔭。時值炎夏,浹背汗流,緑蟻蒼蠅共食,野狐穴鼠為鄰。殆及一年,骨如柴瘦,所稍勝於枯柴者,尚多兩目而能四顧。目睛瑩瑩然而能動也。”

一九一九年(己未 民國八年)

五十七歲。

正月辭別父母妻兒,第三次到北京。住法源寺,仍操賣畫治印舊業。

是年日記云:“正月二十四日出門,行七日始到長沙,三月初四早到京,楊潛庵已代佃法源寺羯磨寮房三間居焉。”[28]

是時白石在京無名氣,求畫者不多。自慨之餘,白石决心變法。

《白石詩草》云:

“余作畫數十年,未稱己意。從此决定大變,不欲人知。即餓死京華,公等勿憐。乃余或可自問快心時也。”

“獲觀黄癭瓢畫册,始知余畫過於形似,無超凡之趣,决定從今大變。人欲駡之,余勿聽也;人欲譽之,余勿喜也。”[29]

閏七月十八日,胡南湖贈白石一婢女,名寶珠。有日記云:“……胡南湖見余畫籬豆一幅,喜極。正色曰:‘君能贈我,當報公以婢。’余即贈之,并作詩以紀其事。”[30]

《自述》云:“到了中秋節邊,春君來信説,她為了我在京成家之事,即將來京布置,囑我預備住宅。我托人在龍泉寺隔壁,租到幾間房,搬了進去。不久春君來京,給我聘到副室胡寶珠,她是光緒二十八年壬寅八月十五中秋節生的,小名叫桂子,時年十八歲。原籍四川酆都縣轉斗橋胡家冲。”

九月，聞湖南有戰事，携春君、寶珠返湘。

日記云：“（九月）十三日八點鐘，買車南返，至車站，胡南湖送寶珠來，姚石倩、馬吉皆亦來為别。”

一九二〇年（庚申　民國九年）

五十八歲。

春二月，白石携三子良琨（子如）、長孫秉靈（移孫）來京就學。到京後，由龍泉寺搬至宣武門外石鐙庵。

是年夏七月，因直皖戰事，白石携子如、移孫避居帥府園六號郭葆生家。

戰平後，白石由石鐙庵搬至觀音寺。

據黎錦熙《瑟僩齋日記》，白石避居帥府園是七月下旬至八月中旬之間。

是年，白石又識梅蘭芳[31]、林琴南、陳散原、朱悟園、賀履之及十二歲的張次溪。

十月由保定返湘省親。

一九二一年（辛酉　民國十年）

五十九歲。

正月十三日，得夏午詒書，携長子良元北上，抵京。

五月應夏午詒之約赴保定，過端午節，與夏同遊清末蓮池書院舊址——蓮花池。

在保定期間，為曹錕[32]畫工筆草蟲册《廣豳風圖》（共十六幀）。

秋八月十日離京至保定。同月二十二日啟程返湘潭。九月九日到家，二十五日得子如信，言移孫病篤，二十五日携春君同回北京。

十一月十八日與春君南返。

是年冬，胡寶珠生四子齊良遲，字翁子、號子長（《自述》和胡適等人編《齊白石年譜》言齊良遲辛酉十二月二十日生於北京；禹尚良等編《齊白石年譜長編》據齊良遲自己言，十月二十日生於湘潭茹家冲）。

一九二二年（壬戌　民國十一年）

六十歲。

在家鄉過春節。三月北上。至長沙，因有戰事，京漢路不通車，居留胡石庵家數十日。

三月二十八日日記云：“聞京漢路有戰事，不敢北上。居通泰街二十一號胡石庵家……”

在長沙“與張仲颺、胡復初（石庵）、楊重子（名鈞，號白心，楊度之弟）、黎戩齋諸人過從。為重子刻印甚多，為戩齋畫鴛鴦芙蕖綾本横幅，極精美。”[33]

是年春，陳師曾携中國畫家作品，東渡日本參加東京府廳工藝館的《中日聯合繪畫展覽會》。白石的畫引起畫界轟動，賣價豐厚，并有作品選入巴黎藝術展覽會。

五月十日從長沙啟程，十三日到北京。

六月初二，移居西四三道栅欄十號程姓房屋。第二天即南返接家眷。初八日到家。

六月十二日日記云：“老妻小妾及長兒（良遲）同余北上，貞兒送行。”二十日到京。

十一月初一長孫秉靈病死於湘譚。

十一月十七日友人郭葆生病逝於北京。日記云："十九日得仲華函，知郭五於十七日死矣，余即往慈園一哭，朋友之恩，聲名之始，余平生以郭五為最。"㉞

一九二三年(癸亥　民國十二年)

六十一歲。

是年白石始作《三百石印齋記事》。

二月十四，孫秉聲(良元四子，字耕夫)生。

六月二十七，孫秉公(良琨長子，字生客，號燕來)生。

八月七日，陳師曾奔繼母喪，因患痢疾死於南京。消息傳來，白石悲痛异常。

是年中秋節在保定。有《中秋夜》詩，後自注云："凡三日、五日及八月十五日，多為天畸招往保陽，不在京華也。時湘軍正在交戰。"

秋冬之間，由三道栅欄搬至太平橋高岔拉一號(現北京西城趙登禹路東，劈柴胡同西口附近)。

十一月十一日，五子良巳(號子瀧，小名遲遲)生。

一九二四年(甲子　民國十三年)

六十二歲。

是年八月，三子良琨自立，携妻兒搬至象坊橋，冬又搬至南鬧市口，已能賣畫謀生，其妻張紫環(張仲颺之女)亦能畫梅花。

一九二五年(乙丑　民國十四年)

六十三歲。

二月底，白石大病。

日記云："二月二十九日余大病。……人事不知者七日夜，痛苦不堪言狀。……半月之久始能起坐。猶未死！六十三歲之火坑即此過去耶？"

四月南下，返湘潭。因鄉亂未止，居留湘潭城數月。

齊佛來《我的祖父白石老人》記云："一九二五年夏曆乙丑四月，祖父自京還湘潭，由於鄉間匪風甚熾，未敢到家看望曾祖父母。住城内聚英旅館，女主人楊韞春素與祖父相識，接待至為殷勤。……祖父這次回湘潭第一是為了看望曾祖父母，第二是為了解决阿梅姑姑的婚事。……不久離開聚英旅館到晏容秋先生家小住，秋初才回北京。"

據是年重陽節後白石所畫《不倒翁圖軸》跋語云："……觀畫者山妻，理紙者寶姬也。"可知是時陳夫人春君亦在北京。《自述》云："我在北平，賣畫為活，(春君)北來探視，三往三返，不辭跋涉。"

是年起，梅蘭芳拜為弟子學畫草蟲。

是年識王森然㉟。

一九二六年(丙寅　民國十五年)

六十四歲。

初春，南回探親，行至長沙，因有戰事，衹好轉漢口，水路至南京，再改乘火車經天津，二月底回到北京。

三月，白石之母周太君在家鄉病逝，享年八十二歲。

白石自作《齊璜母親周太君身世》文。

七月，白石父齊貰政公亦病逝家山，享年八十八歲。

《三百石印齋紀事》云："八月初三日夜得快捷家書，未開函，知吾父必去，血泪先下。拭泪看家書，吾父七月初五日申時亦逝！……余親往樊樊山老人處，求為父母各書墓碑一紙，各作像贊一紙，共付潤筆金一百二十餘圓。"

是年冬，買跨車胡同十五號住宅。年底入住。

一九二七年(丁卯　民國十六年)

六十五歲。

是年春，應國立北京藝術專科學校校長林風眠之聘，始在該校教授中國畫。

《自述》云："校長和同事們都很看得起我……學生們也都佩服我，逢到我上課，都是很專心地聽我講，看我畫……我也就很高興地教下去。"

是年，胡寶珠生女，名良憐。

一九二八年(戊辰　民國十七年)

六十六歲。

北京更名北平。北京藝專改為北平大學藝術學院，齊白石改稱為教授。

九月初一，胡氏再生一女，名良歡。

九月，《借山吟館詩草》始印行。

十月，《白石印草》印行。

是年冬，徐悲鴻北平大學藝術學院院長繼續聘白石為該院教授。

是年胡佩衡編《齊白石畫册初集》出版。

一九二九年(己巳　民國十八年)

六十七歲。

年初，徐悲鴻辭去北平大學藝術學院院長之職南返。白石有《作畫寄贈徐君悲鴻并題二絶句》，詩後自注云："戊辰，徐君悲鴻為北京藝術院院長，欲聘余為教授，三過借山館，余始應其請。徐君考諸生，其畫題曰白皮松，考試畢，商余以定甲乙，余所論取，徐君從之。"

四月，白石有《山水》一幀參加南京政府教育部在上海舉辦的第一届全國美術展覽會。

一九三〇年(庚午　民國十九年)

六十八歲。

是年白石有作品參加北平大學舉辦的造型藝術展覽會。同時展出的有衛天霖、王夢白等人的作品。

一九三一年(辛未　民國二十年)

六十九歲。

正月二十六日，樊樊山逝於北平。

三月十一日，胡寶珠生第三女，名良止。

夏，白石到張篁溪的張園(左安門内新西里

三號)小住。

九月十八日,日軍偷襲瀋陽。重陽節白石取登高避灾之古意,與黎松安登宣武門。

十月,參加胡佩衡、金潜庵等在北平琉璃廠豹文齋籌開的《古今書畫賑灾展覽會》。

是年,應私立京華美術專門學校校長邱石冥之聘,到該校任教。

一九三二年(壬申　民國二十一年)

七十歲。

正月初五,門人瑞光和尚去世。白石親到蓮花寺哭奠。

七月,樊樊山、吴昌碩題簽,徐悲鴻編選作序的《齊白石畫册》由上海中華書局印行。

十月,白石有作品參加汪亞塵、朱屺瞻等舉辦的《新華藝專教授近作展覽》。

十一月,日軍南侵,傳聞益熾,避居東交民巷門人紀友梅家,數日後即返。

是年起與張次溪着手《白石詩草》八卷的編印工作。白石自己設計版式、封面,親選紙張、裝釘絲綫等。張次溪請楊雲史(圻)、宗子威、趙幼梅(元禮)、吴北江(闓生)、李釋堪、張篁溪、黎松安、王訓等為詩草題詞。白石作畫以答謝。《自述》雲:"給吴北江畫的《蓮池講學圖》,給楊雲史畫的《江山萬里樓圖》,給趙幼梅畫的《明燈夜雨樓圖》,給宗子威畫的《遼東吟館談詩圖》,給李釋堪畫的《握蘭簃填詞圖》,這幾幅圖,我自信都是别出心裁,經意之作。"

一九三三年(癸酉　民國二十二年)

七十一歲。

是年元宵節《白石詩草》八卷印行。

三月,日軍侵占熱河,平津局勢緊張。五月白石應門人紀友梅之邀,再度到東交民巷避居二十多天。

六月,白石拓存居京後的第二次印譜,凡八十册,仍冠以王湘綺原序。

八月,又拓存居京後的第三次印譜,計十册。

秋,往張園小住。

是年,白石有畫作二十幅收入魯迅和鄭振鐸編印的《北平箋譜》。

一九三四年(甲戌　民國二十三年)

七十二歲。

四月二十一日,胡寶珠生第三子,名良年。

是年為箋譜和月份牌作畫多幅。[36]

是年冬,手拓印譜數册,分與兒孫輩珍藏。

約於此年重訂潤例。原文藏遼寧省博物館。

一九三五年(乙亥　民國二十四年)

七十三歲。

正月,白石扶病到藝文中學觀徐悲鴻畫展,并親去看望徐悲鴻。後徐氏回訪。

四月,携寶珠還鄉,在家與王仲言諸舊友重聚,并散財鄰里,以濟荒年。

《白石自狀略》云："乙亥夏初，携姬人南還，掃先人墓。烏烏私情，未供一飽；哀哀父母，欲養不存。自刻'悔烏堂'印。"

五月初五，訪陳散原，請其為詩集作序。後應陳師曾夫人之請為陳散原畫工筆肖像一幀。[37]

是時北平搶風甚盛，白石遂請婁師白父子為其居室裝了一道鐵栅欄。五月下旬，因鐵栅欄跌傷腿骨。六月初四與張次溪書云："早起開鐵栅欄，忘記鐵門之鐵撑，阻其足，其身一倒，鄰家聞有伐木倒地聲，幾乎年將八十之老命死矣。今日始作此數字，其足已成殘廢也。"

一九三六年(丙子　民國二十五年)

七十四歲。

正月，白石邀張次溪、汪慎生[38]到右安門外尋訪羅聘[39]故居花之寺，未果。又同往琉璃廠訪觀音閣，但羅聘軼事已少有人知，白石不勝悵惘，嘆息而歸。

三月初七，應張篁溪之邀到張園參拜袁崇焕遺像，會陳散原、楊雲史、吴北江等。

閏三月初七日，白石應四川王纘緒之邀，携胡寶珠及良止、良年入蜀。抵成都後住南門文廟後街。遊青城、峨嵋，晤金松岑、陳石遺等。九月五日回到北平。[40]

是年，張大千來訪，并邀白石到中山公園水榭參觀其個人畫展。

冬，白石應張次溪之請為賽金花[41]寫墓碑。白石給張次溪寫信云："聞靈飛(賽金花的別號)得葬陶然亭側，乃弟等為辦到，吾久欲營生壙，弟可為代辦一穴否？如辦到則感甚！有友人說，死鄰香冢，恐人笑駡。予曰，予願祇在此，惟恐辦不到，説長論短我不聞也。"

一九三七年(丁丑　民國二十六年)

七十五歲。

是年起白石自稱七十七歲。

胡適等編《齊白石年譜》云："長沙舒貽上(之鎏)曾為白石算命，説'是年脱丙運交辰運，美中不足。'白石在命册上批記云：'十二日(三月)戌時交運大吉。……宜用瞞天過海法：今年七十五，可口稱七十七，作為逃過七十五一關矣。'"

七月七日蘆溝橋事變，日軍大舉侵華，七月二十六日北平、天津相繼失陷。白石辭去藝術學院和京華美專教職，閉門家居。

是年為盧光照、謝炳琨、雒達《三友合集》作序云："夫畫者，本寂寞之道，其人要心境清逸，不慕官禄，方可從事於畫。見古今人之所長，摹而肖之，能不誇；師法有所短，捨之而不誹。然後再觀天地之造化，來腕底之鬼神，對人方無羞愧。不求人知而天下自知，猶不矜狂，此畫界有人品之真君子也。……"[42]

九月，詩人陳散原在京逝世，白石為作挽聯并親到靈前行禮。

一九三八年(戊寅　民國二十七年)

七十八歲。

二月，為周鐵衡《半聾樓印草》作序。[43]

五月二十六日，齊良末生。九月徐悲鴻寄《千里駒圖》以為賀。白石遂回贈花卉草蟲册，并題云："戊寅夏，悲鴻道兄在桂林，聞予生第七子，遂畫千里駒寄贈，予畫此小册拾頁報之。時冬初也。璜。"

十二月十四日，良遲長子秉聲生。二十三日，白石六子良年死。

是年，南京、湖南相繼淪陷，白石心緒不寧，《三百石印齋紀事》就此停筆。

一九三九年（己卯　民國二十八年）

七十九歲。

白石在大門貼出"白石老人心病復作，停止見客。"

是年，徐悲鴻從桂林寫信，求白石之精品，白石選舊作《耄耋圖》相贈。

九月，畫《超覽樓禊集圖》[44]。

一九四〇年（庚辰　民國二十九年）

八十歲。

正月十四日，白石髮妻陳春君在湘潭老家病逝，享年七十九歲。白石撰《祭陳夫人文》述其勤儉賢德的一生。

為避敵偽人員糾纏，白石又在門首貼出告白，曰："畫不賣與官家，竊恐不祥。中外官長要買白石之畫者，用代表人可矣，不必親駕到門，從來官不入民家，官入民家，主人不利。謹此告知，恕不接見。庚辰正月，八十老人白石拜白。"

作《白石自狀略》。此文有三個稿本，文字、紀年稍有异同。最後改本有結語云："平生著作無多，自書《借山吟館詩》一册，《白石詩草》八卷，《借山吟館圖》四十二圖（陳師曾借觀失少十圖），畫册三集，尚有詩約八卷未鈔正。挽詞及題跋、記事語、書札已集八卷，未鈔正。畫册可印照稿，可印百集。在北地留連二十有三載，可慚者，雕蟲小技，感天下之知名。且喜三千弟子，復嘆故舊亦如晨星。匆匆年八十矣，有家不能歸。派下男子六人，女子六人，男婦五人，孫曾男女合共四十餘人，不相識者居多數。"[45]

一九四一年（辛巳　民國三十年）

八十一歲。

五月四日，白石在慶林春飯莊設宴，邀胡佩衡、陳半丁、王雪濤、劉冰庵、王慶雯等戚友為證，舉行胡寶珠立繼扶正儀式。當衆在《齊氏五修族譜》批記云："胡氏寶珠，侍余不倦，余甚感之。於民國三十年五月四日，余在京華憑戚友二十九人，立陳、胡所生之子各三人之分鬮産業字。并諸客勸余將寶珠立為繼室，二十九人皆書名蓋印，見分鬮字便知。日後齊氏續譜，照稱繼室。"[46]

一九四二年（壬午　民國三十一年）

八十二歲。

白石請張次溪在陶然亭畔覓得墓地一塊。正月十三日，携寶珠、良已親往陶然亭與住持僧慈安相晤，觀看墓地，遊陶然亭。後有《西江月·

重上陶然亭望西山》詞，收入《白石詩草補編》第二編。

正月下旬，白石偕張次溪同往長椿寺祭拜陳散原之靈柩。後畫《蕭寺拜陳圖》贈張。[47]

一九四三年（癸未　民國三十二年）

八十三歲。

是年白石又在門首貼出"停止賣畫"四大字。

為邱石冥畫展題詞云："畫家不要以能誦古人姓名多為學識，不要以善道今人短處多為己長。總而言之，要我行我道，下筆要我有我法。雖不得人歡譽，亦可得人誹罵，自不凡庸。借山之門客邱生之為人與畫皆合予論，因書與之。"

又有《自跋印章》云："予之刻印，少時即刻意古人篆法，然後即追求刻字之解義，不為'摹、作、削'三字所害，虛擲精神。人譽之，一笑；人罵之，一笑。"

十二月十二日（公曆一九四四年一月五日），繼室胡寶珠病歿，年四十二歲。

一九四四年（甲申　民國三十三年）

八十四歲。

《自述》云："六月七日忽然接到藝術專科學校的通知，叫我去領配給煤。……我立即把通知條退了回去，并附了一封信道：'頃接藝術專科學校通知條，言配給門頭溝煤事。白石非貴校之教職員，貴校之通知誤矣。先生可查明作罷為是。'"

是年秋，為朱屺瞻《六十白石印軒圖卷》作跋。

九月，夏文珠女士來任看護。

一九四五年（乙酉　民國三十四年）

八十五歲。

是年公曆八月十四日，日軍無條件投降。十月十日，北平受降。白石與侯且齋等在家中小酌，以慶抗戰勝利。白石有句："……受降旗上日無色。賀勞樽前鼓似雷。莫道長年亦多難。太平看到眼中來。"

恢復賣畫刻印，琉璃廠一帶畫店又挂出了白石的潤格。

印行一九二〇年所作花果册。

一九四六年（丙戌　民國三十五年）

八十六歲。

八月，徐悲鴻任北平藝術專科學校校長，聘白石為該校名譽教授。

秋，請胡適寫傳記。[48]

秋，為朱屺瞻《梅花草堂白石印存》寫序。

十月十六日，北平美術家協會成立。徐悲鴻任會長，白石任名譽會長。

十月，中華全國美術會在南京舉辦齊白石作品展。白石由四子良遲、護士夏文珠女士陪同乘飛機抵南京，下榻石鼓路十二號。張道藩[49]負責接待，曹克家負責飲食起居。時齊佛來已在南京迎候。

在南京期間，白石遊了玄武湖、鷄鳴寺、中

山陵、明孝陵以及靈谷寺、燕子磯、北極閣等名勝，蔣介石接見白石，并有意薦他為國大代表候選人，被謝絶；于右任[50]設家宴招待白石；張道藩拜白石為師。

十一月初，《齊白石作品展》移展上海。汪亞塵代表上海文藝界迎接白石於南京。抵上海寓國民黨淞滬警備司令楊虎的"興中學會"，第二天移榻愚園路。

在滬期間，會梅蘭芳、符鐵年、朱屺瞻。

是年歲暮，白石離滬返京。[51]

一九四七年（丁亥　民國三十六年）

八十七歲。

五月十八日，重訂潤格。[52]

是年，四十歲的李可染由徐悲鴻介紹拜白石為師。

八月，胡適寫成《齊白石自述編年》初稿，交白石審閲。

一九四八年（戊子　民國三十七年）

八十八歲。

六月，胡適邀黎錦熙合作編寫《齊白石年譜》，十一月又交鄧廣銘補訂。

十二月，平津戰役開始。友人勸其南遷，白石考慮再三，決定居留北平。[53]

一九四九年（己丑）

八十九歲。

一月三十日北平和平解放。

不久，因轉寄湖南周先生的一封信，毛澤東寫信向他致意。[54]

艾青、沙可夫、江豐到家中看望白石。

三月，胡適、黎錦熙、鄧廣銘編《齊白石年譜》由商務印書館出版發行。

七月，出席中華全國文學藝術工作者代表大會。當選為"文聯"全國委員會委員。七月二十一日，中華全國美術工作者協會在中山公園正式成立，白石為美協全國委員會委員。

九月，白石為毛澤東刻朱、白兩方名印，請艾青轉交。[55]

十月一日中華人民共和國成立，定都北平，改北平為北京。

一九五〇年（庚寅）

九十歲。

四月，中央美術學院成立，徐悲鴻任院長，聘白石為名譽教授。

同月，毛澤東請白石到中南海作客，并共進晚餐，朱德、俞平伯等作陪。後白石有端硯、歙硯和另一方圓硯贈送毛澤東。毛亦派人送來一筆潤金。

十月，白石將一九四一（辛巳）所畫《鷹》和一九三七年（丁丑）所篆書聯"海為龍世界，雲是鶴家鄉"贈送毛澤東。

十月，政府為白石修繕跨車胡同十五號房屋。期間，白石曾先後在北河沿亮果廠、崇文門內蘇州胡同小住。大約在十一月間，才返回跨車胡同。

是年被聘為中央文史館館員。

冬,白石有作品參加北京市《抗美援朝書畫義賣展覽會》。

冬,白石將“白石畫屋”匾額懸於“鐵屋”門上。匾上跋云:“南岳山上有鄴侯書屋尚存,千秋敬羡。予五十歲後,因避鄉亂,來京華,心膽尚寒。於城西買屋賣畫,屋繞鐵柵。如是年九十矣,尚自食其力,幸畫為天下人稱之,其屋自書‘白石畫屋’,不遺子孫,留為天下人見之,一瞑而後,或為保管千秋,亦如鄴侯書屋之有幸也。”

一九五一年(辛卯)

九十一歲。

二月,白石有作品十餘幅參加瀋陽市《抗美援朝書畫義賣展覽會》。

胡絜青拜白石為師。老舍以“蛙聲十里出山泉”、“幾樹紅梅待雪開”、“凄風苦雨更宜秋”、“芭蕉葉捲抱秋花”、“手摘紅櫻拜美人”等前人名句請白石老人作畫。

為東北博物館畫《和平鴿》,并題:“願世人都如此鳥”。

是年,夏文珠辭去。聘伍德萱為秘書。

一九五二年(壬辰)

九十二歲。

是年白石親自養鴿觀察其動態。弟子胡橐嘗拿畢加索畫的飛鴿復製品請他參考。白石曰:“他畫鴿子飛時要畫出翅膀的振動,我畫鴿子飛時畫翅膀不振動,但要在不振動裏看出振動來。”[56]

十月,亞洲及太平洋區域和平大會在北京召開,白石畫《百花與和平鴿》向大會獻禮。

十月五日,毛澤東致函云:“白石先生,函贈‘普天同慶’繪畫一軸,業已收到,甚為感謝!并向共同創作者徐石雪、于非闇、汪慎生、胡佩衡、溥毅齋、溥雪齋、關松房諸先生致意。毛澤東,一九五二年十月五日。”

白石被選為中國文學藝術界聯合會主席團委員。

北京榮寶齋用木板水印法復印出版《齊白石畫集》共二十二幀。

一九五三年(癸巳)

九十三歲。

一月七日(農曆壬辰十一月二十二日),北京文化藝術界人士周揚、徐悲鴻、郭沫若、李濟深、何香凝等二百餘人在文化俱樂部聚會,為齊白石祝壽。李濟深講話,文化部副部長周揚代表文化部授予白石“人民藝術家”榮譽獎狀。

是晚,中華全國美術家協會、中央美術學院舉行宴會,國務院總理周恩來出席祝賀,并與白石促膝相談。

“生日過後,毛澤東又補送四件禮品,一罎湖南特產茶油寒菌,一對湖南王文開筆鋪特製長鋒純羊毫書畫筆,還有精裝的一支東北野山參和一架鹿茸,向老人祝賀生日。”[57]

九月,白石有作品參加《第一届全國國畫

展》。

十月四日當選為中國美術家協會第一任理事會主席，并任北京中國畫研究會主席。

是年，政府令肅清市區内的一切墳墓。白石在陶然亭的生壙亦在遷除之列。白石欲假“幻住園”[58]一席之地埋骨其中，特畫《幻住園圖》請張次溪代為向葉恭綽傳達其意。即得葉公允可，白石喜而致函以謝。葉恭綽報以四詩。其中有句云：“結鄰有約何須買，試寫秋墳雅集圖。”[59]

一九五四年（甲午）

九十四歲。

三月，東北博物館在瀋陽舉辦《齊白石畫展》。

四月二十八日，中國美術家協會主辦的《齊白石繪畫展覽會》在北京故宫承乾宫開幕。展出作品一百二十一件，展期為三周。《美術》雜志第五期，刊登了展覽消息及白石作品彩頁。

八月，湖南選齊白石為全國人民代表大會代表。白石為《新湖南報》畫一幅畫，表示對家鄉人民的謝意。

九月十五日，白石出席了首届人民代表大會第一次會議。畫家艾中信有《齊白石在全國人民代表大會會議上》速寫發表在《美術》一九五四年十月號。

九月，由蔡若虹、夏衍編導的紀録片《畫家齊白石》啟鏡開拍。

十月，白石參觀了蘇聯造型藝術展覽，并會見蘇聯畫家。

是年始臨《曹子建碑》。[60]

一九五五年（乙未）

九十五歲。

二月，參加首都文學藝術界反對使用原子武器的簽名大會，白石講了話，并在告世界人民書上簽名。

六月，與陳半丁、何香凝、于非闇等十四位畫家集體創作巨幅《和平頌》獻給在芬蘭赫爾辛基召開的世界和平大會。

十二月十一日，德意志民主共和國總理格羅提握拜訪白石，并授予他德國藝術科學院通訊院士榮譽狀。

是年秋，中國美術家協會通過文化部撥款為白石購買地安門外雨兒胡同甲五號住宅（原舊王府花園一部分）并修葺一新。

十二月二十九日，白石遷入雨兒胡同新居。

一九五六年（丙申）

九十六歲。

三月十六日，白石還居跨車胡同。

四月二十七日，世界和平理事會宣布將一九五五年度國際和平獎金授予齊白石。

九月一日，在臺基廠九號中樓中國人民保衛世界和平委員會隆重舉行授獎儀式。郭沫若主持儀式，并致賀詞。茅盾代表世界和平理事會國際和平獎金評議委員會將榮譽獎狀、一枚金質獎章和五百萬法郎（合人民幣三萬五千圓）

獎金授予白石。周恩來總理出席大會。

在授獎儀式上，白石請鬱風代讀致詞："世界和平理事會把國際和平獎金獲得者的名義加在齊白石的名字上，這是我一生至高無上的光榮，我認為這也是給予中國人民的無上光榮。"我以九十六歲的高年，能借這個機會對國家社會，對文藝界有些小貢獻以獲得這樣榮譽，這是我永遠不能忘的一件事。正因為愛我的家鄉，愛我的祖國美麗富饒的山河土地，愛大地上的一切活生生的生命，因而花費了我畢生的精力，把一個普通中國人的感情畫在畫裏，寫在詩裏。直到近幾年來，我才體會到，原來我所追求的就是和平。"

是日會後，放映了彩色紀録片《畫家齊白石》。

後白石將獎金的一半捐出作為獎勵中國畫的基金，曰"齊白石獎金"。

是年為黎錦熙、齊良已編，白石自訂《齊白石作品選集》作序（此畫册於一九五九年十月由人民美術出版社出版發行）。

一九五七年（丁酉）

九十七歲。

五月，北京中國畫院成立，白石任榮譽院長。

同月，白石身體狀況欠佳。二十二日毛澤東派田家英前來慰問，勸白石"節勞少見賓客"，"静居休養"。

五六月間，坐着政府送他的廣藤輪椅車遊陶然亭。

齊佛來回憶云："這一年祖父格外思念家鄉，幾乎天天要回湘潭……對於作畫，仍未停止，構思用筆，有條不紊，不過題款時，要有人指點，否則，有些寫重復字。一直到逝世前半個月，還畫了一幅牡丹，那大概就是他的絶筆了。"[61]

九月十五日卧病，十六日加劇，下午四時送北京醫院搶救，六時四十分與世長辭。

九月十七日在北京醫院入殮。按白石生前所囑，把刻着白石姓名、籍貫的兩方石印及使用近三十年的紅漆手杖一并放入他自己設計，用故鄉杉木做成的棺木中。是日移靈嘉興寺殯儀館。

九月二十一日上午七時三十分，在嘉興寺舉行公祭。周恩來、陳毅、林伯渠、董必武、陳叔通、李維漢、周揚、沈雁冰等國家領導人，白石生前好友，門人及國際友人四百餘衆參加公祭。祭畢，白石靈車在數十輛汽車護送下，駛往西直門外魏公村湖南公墓，安葬在繼室夫人胡寶珠墓左側。墓前佇立花崗岩石碑，上面刻着白石生前所篆"湘潭齊白石之墓"。

後葉恭綽有悼詩云："交誼誰云死卜鄰，遺言一諾付埃塵。曾羅亦是閑丘壠，誰伴吟風賞月身。"

注釋：

①黎錦熙(一八九〇——一九七八年),語言學家。字劭西,湖南湘潭人。畢業於湖南優級師範學堂。建國後任北京師範大學中文系主任、中國科學院學部委員、九三學社中央常委、政協全國委員會委員。

②黎戩齋,黎錦熙族兄黎薇蓀之次子。白石居家時,每年正月必去拜年,故與白石相熟。

③黎丹,字雨民,湘潭黎培敬長孫。黎培敬號簡堂,咸豐進士。黎丹後曾任青海省政府秘書長等職,善書法及詩文。

④王訓(約一八六七——一九三七年),字仲言,號退園。與白石同鄉,兩家祇隔約十五華里。乃當地名儒,熟讀經史,尤長詩文,著有《退園詩文集》。後與白石成兒女親家。

⑤黎松安(一八七〇——一九五三年),名培鑾,又名德恂,字松庵。乃黎錦熙之父。前清舉人。一生不仕,居故里,以詩書畫印自娱。

⑥黎薇蓀,名承禮,號鯨庵。黎培敬第三子,黎丹之叔父。光緒甲午翰林,改官四川,庚子年辭官歸田。

⑦誦芬樓乃黎松安家書樓。

⑧黎鐵安,名承福,號鰈庵。黎薇蓀之四弟。

⑨張仲颺,名登壽,湘潭烏石寨人。鐵匠出身,後讀詩書,亦爲王闓運弟子。後與白石成兒女親家。

⑩寄禪乃宋朝黄山谷之後裔,俗名黄讀山,後出家爲僧,又號八指頭陀。少年寒苦,後發憤成名,長於詩畫。王湘綺稱寄禪張先生,可能是筆誤。

⑪關於"詩似薛蟠體",白石在《自述》中云:"這句話真是説着我的毛病了,我作的詩,完全寫我心裏頭要説的話,没有在字面上修飾過……"胡適在《齊白石年譜》按云:"王闓運説白石的詩'似薛蟠體',這句話頗近於刻薄,但白石終身禮敬湘綺老人,到老不衰。白石雖然拜在湘綺門下,但他的性情與身世都使他學不會王湘綺那一套假古董,所以白石的詩與文都没有中他的毒。"

⑫見《齊白石作品集》第三集,人民美術出版社,一九六三年,北京。

⑬曾熙(一八六一——一九三九年,一作一八五九——一九二九年),字子緝,號農髯,湖南衡陽人,光緒二十九年(一九〇八年)進士。曾主講石鼓書院。一九一五年起在上海賣字。書法源出《瘞鶴銘》、《張黑女碑》,蒼勁遒逸,自開面目,與李瑞清并稱"曾、李"。

⑭轉引齊佛來《我的祖父白石老人》第二十五頁,西北大學出版社,一九八八年,西安。

⑮楊度(一八七五——一九三一年),字晳子,號虎公,湖南湘潭人,亦王湘綺弟子。曾留學日本。一九〇七年創《中國新報》月刊,主張君主立憲。一九一四年曾組織籌安會。一九二二年投向革命,執孫中山之命。一九二九年加入中國共産黨。有《楊度集》行世。

⑯見劉振濤、禹尚良、舒俊杰編《齊白石研究大全》第三七頁,湖南師範大學出版社,一九九四年,長沙。

⑰見張次溪《談齊白石"借山圖"》,原載《藝林叢録》第八編。

⑱趙之謙(一八二九——一八八四年),字益甫,號撝叔,别字悲庵、無悶等。浙江紹興人。咸豐己未舉人,官江西鄱陽、奉新知縣。能書善畫,尤工刻印,印師鄧石如而後上追秦漢,自成一家。

⑲蔡鍔(一八八二——一九一六年),湖南邵陽人,字松坡。一八九八年入長沙時務學堂,師從梁啓超、譚嗣同。後赴日學軍事。歸國後在廣西、江西、湖南等地訓練新軍。武昌起義後,任云南軍政府都督。一九一五年,在云南組討袁護國軍,任第一司令。一九一六年病逝於日本。

⑳黄興(一八七四——一九一六年),湖南長沙人。字廑午,號克强。一九〇二年留學日本。一九〇五年與孫中山在日本建立同盟會。爲推翻清政府組織地方軍隊起義。武昌起義後被推爲副元帥。一九一二年任南京政府陸軍參謀總長。一九一六年病逝上海。

㉑參見《寄園日記》,河北美術出版社,一九八五年,石家莊。

㉒胡廉石(一八七七——一九五〇年),名光,自號石門山人。乃胡沁園之堂侄。

㉓黎錦明(一九〇五—),黎松安之六子。曾寫過多篇小説、劇本。

㉔參見趙志超《黎松安傳》,載《湘潭縣文史》第四輯,一九八九年,湘潭。

㉕陳師曾(一八七六——一九二三年),名衡恪,字師曾,號朽道人。江西修水人。祖陳寶箴湖南巡撫;父陳三立進士出身,工詩文。師曾幼慧,及長赴日留學。歸國後從事教育。工篆刻,擅書法,精通繪畫。曾任北京美專教授。一九二三年病逝南京。著有《染倉室印存》、《槐堂詩鈔》等。

㉖易實甫(一八五八——一九二〇年),名順鼎,字實甫,號哭盦。湖南龍陽人。光緒舉人,能詩、詞和駢文。

㉗滄海先生即張次溪之父張篁溪。
㉘轉引自齊佛來《我的祖父白石老人》第四六頁，西北大學出版社，一九八八年，西安。
㉙轉引自《齊白石的藝術理論》，原載臺灣《藝術家》第十八卷第四期。
㉚同㉘，第五頁。
㉛關於與梅蘭芳的交往，詳見《白石老人自述》第七五—七六頁。
㉜曹錕（一八六二—一九三八年），天津人，字仲珊。一八九〇年畢業於北洋武備學堂。一九一六年任直隸督軍。一九一九年後爲直系軍閥首領。一九二三年賄買國會議員，當選爲大總統。一九二四年被囚，一九二六年獲釋，後居天津。
㉝轉引自胡適等編《齊白石年譜》第二九頁。
㉞參見齊佛來《我的祖父白石老人》第五〇頁。
㉟王森然（一八九五—一九八四年），河北定州人，教育家、史學家。
㊱詳見王森然《回憶齊白石》，刊《美術論集》第一集，人民美術出版社，一九八二年，北京。
㊲見陳封雄《一幅珍貴的肖像畫》，見《白石老人自述》附録，岳麓書社，一九八六年，長沙。
㊳汪慎生（一八九二—一九七二年），安徽歙縣人，花鳥畫家。
㊴羅聘（一七三三—一七九九年），字遁夫，號兩峰，自號花之寺僧。金農弟子，“揚州八怪”之一。
㊵詳見《白石老人自述》第九四—九五頁。
㊶賽金花（一八七二—一九三六年），原名傅彩云，江蘇鹽城人，名妓，後被洪鈞收爲偏房，并携其出使俄、奥、德、荷四國。洪鈞死，流落京津爲妓。一九〇〇年，八國聯軍入侵，曾勸德軍首領撤兵。晚年潦倒，病死於北京。
㊷參見盧光照《回憶齊白石》，《美術》一九八四年第三期。
㊸參見《齊白石手批師生印集》第五集第四册。
㊹參見九龍山人撰《齊白石超覽樓禊集圖記》，刊《藝林叢録》第二編。
㊺轉引自胡適等編《齊白石年譜》第三七—三八頁。
㊻詳見婁師白《齊白石繪畫藝術》第六頁。
㊼參見張次溪著《齊白石的一生》。
㊽見胡適等編《齊白石年譜》序一第一頁。
㊾張道藩（一八九七—一九六八年），貴州盤縣人。早年留學英、法，學美術，回國後入政界。歷任國民黨中央組織部秘書、副部長，宣傳部副部長，國民政府立法院院長等職。
㊿于右任（一八七九—一九六四年），陝西三原人，著名書法家。一九二八年起歷任國民黨中央常務委員、國民政府常務委員、監察院院長等職。與白石是舊相識，曾有“家慶國光”横幅送白石，白石亦有“關中于氏”印相贈。
51參見齊佛來《我的祖父白石老人》第八三—八四頁。
52見渺之著《白石老人逸話》附圖，香港上海書局，一九七三年，香港。
53參見齊良遲口述、盧節整理《父親齊白石和我的藝術生涯》。
54轉引文效、仁凱《齊白石簡要年譜》，刊《白石老人自述》。
55參見艾青《憶白石老人》，刊一九八四年一月二十七日《光明日報》。
56轉引自胡佩衡、胡橐著《齊白石畫法與欣賞》第九三頁，人民美術出版社，一九五七年，北京。
57黎朗《白石晚年部分事迹和過世後的遭遇》，刊臺灣《藝術家》一九八七年第九期。
58“幻住園”乃葉恭綽在舊有别墅翠薇山麓自置塋地。
59見張次溪《齊白石的一生》第二三三—二三四頁。
60同53第一〇九頁。
61同51第一一九頁。

齊白石年譜檢索表

括號内為自改年齡。
本表依據《齊白石研究大全》。

公元	年號	農曆	年齡
1863	清同治二年	癸亥	一歲
1864	清同治三年	甲子	二歲
1865	清同治四年	乙丑	三歲
1866	清同治五年	丙寅	四歲
1867	清同治六年	丁卯	五歲
1868	清同治七年	戊辰	六歲
1869	清同治八年	己巳	七歲
1870	清同治九年	庚午	八歲
1871	清同治十年	辛未	九歲
1872	清同治十一年	壬申	十歲
1873	清同治十二年	癸酉	十一歲
1874	清同治十三年	甲戌	十二歲
1875	清光緒元年	乙亥	十三歲
1876	清光緒二年	丙子	十四歲
1877	清光緒三年	丁丑	十五歲
1878	清光緒四年	戊寅	十六歲
1879	清光緒五年	己卯	十七歲
1880	清光緒六年	庚辰	十八歲
1881	清光緒七年	辛巳	十九歲
1882	清光緒八年	壬午	二十歲
1883	清光緒九年	癸未	二十一歲
1884	清光緒十年	甲申	二十二歲
1885	清光緒十一年	乙酉	二十三歲
1886	清光緒十二年	丙戌	二十四歲
1887	清光緒十三年	丁亥	二十五歲
1888	清光緒十四年	戊子	二十六歲
1889	清光緒十五年	己丑	二十七歲
1890	清光緒十六年	庚寅	二十八歲
1891	清光緒十七年	辛卯	二十九歲
1892	清光緒十八年	壬辰	三十歲
1893	清光緒十九年	癸巳	三十一歲
1894	清光緒二十年	甲午	三十二歲
1895	清光緒二十一年	乙未	三十三歲
1896	清光緒二十二年	丙申	三十四歲
1897	清光緒二十三年	丁酉	三十五歲
1898	清光緒二十四年	戊戌	三十六歲
1899	清光緒二十五年	己亥	三十七歲
1900	清光緒二十六年	庚子	三十八歲
1901	清光緒二十七年	辛丑	三十九歲
1902	清光緒二十八年	壬寅	四十歲
1903	清光緒二十九年	癸卯	四十一歲
1904	清光緒三十年	甲辰	四十二歲
1905	清光緒三十一年	乙巳	四十三歲
1906	清光緒三十二年	丙午	四十四歲
1907	清光緒三十三年	丁未	四十五歲
1908	清光緒三十四年	戊申	四十六歲
1909	清宣統元年	己酉	四十七歲
1910	清宣統二年	庚戌	四十八歲
1911	清宣統三年	辛亥	四十九歲
1912	民國元年	壬子	五十歲
1913	民國二年	癸丑	五十一歲
1914	民國三年	甲寅	五十二歲
1915	民國四年	乙卯	五十三歲
1916	民國五年	丙辰	五十四歲
1917	民國六年	丁巳	五十五歲
1918	民國七年	戊午	五十六歲
1919	民國八年	己未	五十七歲
1920	民國九年	庚申	五十八歲
1921	民國十年	辛酉	五十九歲
1922	民國十一年	壬戌	六十歲
1923	民國十二年	癸亥	六十一歲
1924	民國十三年	甲子	六十二歲
1925	民國十四年	乙丑	六十三歲
1926	民國十五年	丙寅	六十四歲
1927	民國十六年	丁卯	六十五歲
1928	民國十七年	戊辰	六十六歲
1929	民國十八年	己巳	六十七歲
1930	民國十九年	庚午	六十八歲
1931	民國二十年	辛未	六十九歲
1932	民國二十一年	壬申	七十歲
1933	民國二十二年	癸酉	七十一歲
1934	民國二十三年	甲戌	七十二歲
1935	民國二十四年	乙亥	七十三歲
1936	民國二十五年	丙子	七十四歲
1937	民國二十六年	丁丑	七十五歲(七十七)
1938	民國二十七年	戊寅	七十六歲(七十八)
1939	民國二十八年	己卯	七十七歲(七十九)
1940	民國二十九年	庚辰	七十八歲(八十)
1941	民國三十年	辛巳	七十九歲(八十一)
1942	民國三十一年	壬午	八十歲(八十二)
1943	民國三十二年	癸未	八十一歲(八十三)
1944	民國三十三年	甲申	八十二歲(八十四)
1945	民國三十四年	乙酉	八十三歲(八十五)
1946	民國三十五年	丙戌	八十四歲(八十六)
1947	民國三十六年	丁亥	八十五歲(八十七)
1948	民國三十七年	戊子	八十六歲(八十八)
1949		己丑	八十七歲(八十九)
1950		庚寅	八十八歲(九十)
1951		辛卯	八十九歲(九十一)
1952		壬辰	九十歲(九十二)
1953		癸巳	九十一歲(九十三)
1954		甲午	九十二歲(九十四)
1955		乙未	九十三歲(九十五)
1956		丙申	九十四歲(九十六)
1957		丁酉	九十五歲(九十七)